LA NOVELA DE MI VIDA

colección andanzas

Libros de Leonardo Padura
en Tusquets Editores

LEONARDO PADURA
LA NOVELA DE MI VIDA

TUSQUETS
EDITORES

1.ª edición: marzo 2002

Diseño de la colección: Guillemot-Navares
Reservados todos los derechos de esta edición para
Tusquets Editores, S.A. - Cesare Cantù, 8 - 08023 Barcelona
www.tusquets-editores.es
ISBN: 84-8310-199-8
Depósito legal: B. 9.053-2002
Fotocomposición: Foinsa - Passatge Gaiolà, 13-15 - 08013 Barcelona
Impreso sobre papel Offset-F Crudo de Papelera del Leizarán, S.A.
Liberdúplex, S.L. - Constitución, 19 - 08014 Barcelona
Impreso en España

Índice

A mi padre, maestro masón, grado 33,
y con él, a todos los masones cubanos.

A Lucía, por lo mismo de siempre.

AGRADECIMIENTOS

Aunque sustentada en hechos históricos verificables y apoyada incluso textualmente por cartas y documentos personales, la novela de la vida de Heredia, narrada en primera persona, debe asumirse como obra de ficción. La existencia real del poeta y de los personajes que lo rodearon –desde Domingo del Monte, Varela, Saco, Tanco, hasta el capitán general Tacón y el caudillo mexicano Santa Anna, o sus dos grandes amores, Lola Junco y Jacoba Yáñez– ha sido puesta en función de un discurso ficticio en el que las peripecias reales y las novelescas se entrecruzan libremente. Así, todo lo que Heredia narra ocurrió, debió o pudo ocurrir en la realidad, pero siempre está visto y reflejado desde una perspectiva novelesca y contemporánea.

En la faena de escribir un libro como éste el autor necesita apoyarse en los juicios, las búsquedas, lecturas, colaboraciones y confianzas de muchas personas, a lo largo del proceso de investigación, escritura y revisión de la obra. Por ello quiero expresar mi agradecimiento, en primer término, a mi amiga Marta Armenteros por su ayuda inapreciable en la localización de bibliografía e información, y a Ambrosio Fornet, por su esclarecedora y necesaria lectura de la primera versión de la novela. Asimismo quiero expresar mi gratitud a Raúl Ruiz y Urbano Martínez Carmenate, matanceros furibundos; a Belkis Hernández y Liliana Chirino, por su paseo por el palacio de Aldama; al profesor Eduardo Torres Cuevas, que me facilitó el manuscrito inédito de su historia de la masonería en Cuba; a José Luis Ferrer por sus esclarecedores análisis de la gestación de la cultura cubana en las décadas de 1820-1830; a Eliseo Alberto, por regalarme la historia de Eugenio Florit; a mis fieles lectores, Alex Fleites, Arturo Arango, Vivian Lechuga, José Antonio Michelena, Beatriz de Moura, Anne Marie Metèilié y Abilio Estévez, por el tiempo y dedicación que invirtieron en mejorar esta novela. Y, como siempre, debo agradecer particularmente su paciencia, consejos literarios y otras satisfacciones necesarias —indispensables— a mi esposa, Lucía López Coll.

Leonardo Padura
Mantilla, verano del 2001

Primera parte
El mar y los regresos

¿Por qué no acabo de despertar de mi sueño?
¡Oh!, ¿cuándo acabará la novela de mi vida
para que empiece su realidad?

J.M.H., 17 de junio de 1824

—Ponme un café doble, mi hermano.

Tantas veces su mente repitió aquella frase, durante dieciocho años, que las palabras habían gastado su valor de uso en la memoria y en el paladar, para sonar vacías, como una consigna dicha en un idioma incomprensible. Porque, a pesar del olvido que intentó imponerse como mejor alternativa, Fernando Terry sufrió demasiadas veces aquellas imprevisibles rebeliones de su conciencia y con una asiduidad ingobernable dedicó algún pensamiento a lo que hubiera querido sentir en el preciso instante en que, luego de beber un café doble frente al cabaret Las Vegas, encendería un cigarro para cruzar la calle Infanta y bajar por Veinticinco, dispuesto a reencontrarse con lo mejor y lo peor de su pasado. De la melancolía al odio, de la alegría a la indiferencia, del rencor al alivio, en sus viajes imaginarios Fernando había jugado con todas las cartas de la nostalgia, sin presentir que en la manga oscura, agazapada, podía quedársele aquella tristeza agresiva que se le había clavado en el alma, con una interrogación: ¿tenías que volver?

Al principio de su exilio, en los meses de incertidumbre vividos bajo una carpa asfixiante en los jardines del Orange Bowl de Miami, sin saber aún si obtendría la residencia norteamericana, Fernando había comenzado a pensar en un retorno breve pero necesario, que le ayudara a restañar las heridas todavía sangrantes provocadas por una traición demoledora y tal vez, incluso, a curar la vertiginosa sensación de hallarse descentrado, fuera del tiempo y en otro espacio. Después, con el paso de los años y la persistencia de la barrera de leyes y disposiciones que dificultaban cualquier regreso, había tratado de creer que el olvido era posible, que incluso podía resultar el mejor de los remedios, y poco a poco empezó a sentir su benéfico alivio, y la ansiedad por volver se fue diluyendo, hasta convertirse en una angustia adormecida, que arteramente subía a flote ciertas noches insobornables, cuando en la soledad de su ático madrileño su cerebro insistía en evocar algún instante de sus treinta años vividos en la isla.

Pero desde que le llegara la carta de Álvaro con la noticia más inquietante y que ya no esperaba recibir, la necesidad del regreso dejó de ser una pesadilla furtiva, y Fernando se sintió compulsado a abrir otra vez el baúl de los más peligrosos recuerdos. Entonces se dedicó a leer, por primera vez desde que saliera de Cuba, los viejos papeles de su malograda tesis doctoral sobre la poesía y la ética de José María Heredia, mientras su mente insistía en trazar cada uno de los pasos que lo conducirían hacia la casa de Álvaro, para enfrentar aquellas escaleras siempre oscuras y fatigosas, y caer de golpe en el vórtice mismo de su pasado. En sus recorridos imaginarios solía alterar el orden, el ritmo, la intención de sus acciones y pensamientos, pero el inicio inmutable debía ocurrir ante el mostrador de Las Vegas, donde codo a codo con borrachos, trabajadores de la emisora de radio cercana, algún guagüero apresurado y los vagabundos de rigor, bebería el café leve y dulzón que solían colar en la vieja cafetería que ahora, con ardor infinito, descubrió que ya sólo existía en su persistente memoria y en alguna literatura de la noche habanera: la cafetería de Las Vegas y su invencible mostrador de caoba pulida se habían esfumado, como tantas otras cosas de la vida.

Como si lo empujaran, Fernando huyó de aquel fracaso desconcertante y, al pie del desvencijado edificio donde vivía su amigo, entre latones de basura desbordados, paredes heridas por el salitre y perros tristes y sarnosos, comprendió que apenas había empezado la guerra entre su memoria y la realidad, y prefirió seguir hacia el Malecón antes de subir a la casa de Álvaro, donde podían esperarlo ausencias y tristezas aún más desgarradoras.

Casi con alegría comprobó que a esa hora de la tarde, con el sol del verano todavía en activo, el largo muro que separaba a los habaneros del mar permanecía desierto, aunque a lo lejos vio unos pescadores llenos de fe que lanzaban sus pitas al agua, mientras de la bahía salía al mar abierto un engalanado velero turístico.

Dieciocho años luchando contra los detalles de ese momento para terminar envuelto en aquella ingrata sensación de hallarse otra vez extraviado, le hicieron dudar si su regreso tenía algún sentido y por eso debió aferrarse a la carta de Álvaro y la noticia que, en mayúsculas, le había hecho afrontar el trance de vencer todas sus reticencias, y pedir un mes de permiso para regresar a Cuba. FERNANDO, FERNANDO, FERNANDO: AHORA SÍ HAY UNA BUENA PISTA. CREO QUE PODEMOS SABER DÓNDE ESTÁN LOS PAPELES PERDIDOS DE HEREDIA. Y su amigo le contaba cómo el doctor Mendoza, antiguo profesor de ambos, convertido tras su jubilación en bibliotecario de la Gran Logia, había rescatado varias cajas de documentos masónicos traspapelados en un sótano del Archivo Nacional y entre los papeles había hallado uno capaz de cortarle la respiración: se trataba del acta donde se registraba el homenaje que en 1921 le rindiera la logia matancera Hijos de Cuba a José de Jesús Heredia, el hijo menor y último albacea del poeta José María Heredia, y donde se aseguraba que el viejo masón había entregado al Venerable Maestro un sobre sellado que contenía un valioso documento escrito por su padre, el cual debía quedar, desde entonces y hasta 1939, bajo la custodia de aquel templo, heredero del que había iniciado al poeta independentista en 1822... ¿Qué documento valioso puede ser?, le preguntaba Álvaro, y Fernando concluyó que no podría ser otro que la presunta novela perdida de Heredia que por años —y sin el menor éxito— había tratado de localizar. Dos semanas después, negando sus anteriores decisiones, se presentó en el consulado cubano dispuesto a iniciar los trámites para obtener un visado que le permitiera el retorno temporal a su patria.

Perdido en sus elucubraciones, Fernando no advirtió la cercanía del velero turístico hasta que la brisa le trajo la música de tambores y maracas tocada a bordo. Cuando miró hacia la embarcación descubrió, acodado a la baranda, a un hombre al parecer ajeno al jolgorio de los demás turistas. De pronto, la mirada del viajero se levantó y quedó fija sobre Fernando, como si le resultara inadmisible la presencia de una persona, sentada en el muro, a merced de la soledad reverberante del mediodía habanero. Sosteniendo la mirada del hombre, Fernando siguió la navegación del velero hasta que la más modesta de las olas levantadas por su paso vino a morir en los arrecifes de la costa. Aquel desconocido, que lo observaba con tan escrutadora insistencia, alarmó a Fernando y le hizo sentir, como una rémora capaz de volar sobre el tiempo, el dolor que debió de embargar a José María Heredia aquella mañana, seguramente fría, del 16 de enero de 1837, cuando vio, desde el bergantín que lo devolvía al exilio luego de una lacerante visita a la isla, cómo las olas se alejaban en busca precisamente de aquellos arrecifes, el último recodo de una tierra cubana que el poeta ya nunca volvería a ver.

Y yo, ¿también tenía que regresar?, se preguntó de nuevo mientras cruzaba la avenida del Malecón, encendía un cigarro que le supo a hierba seca, desandaba la calle Veinticinco y la emprendía con los estrechos escalones que lo llevaban a la casa de Álvaro. Con más temor que delicadeza tocó la vieja puerta de madera, como si no deseara hacerlo, y su corazón se aceleró cuando escuchó los pasos y sintió que la puerta chirriaba.

—Por fin, mi hermano —dijo Álvaro y sin pensarlo un instante lo abrazó.

—Coño, Varo —y Fernando apretó contra sí el vaho a sudor, cigarro y alcohol que envolvían los huesos evidentes del hombre al que años atrás había considerado uno de sus mejores amigos.

—Qué bueno verte… Pero si estás entero, mira eso, casi te has vuelto blanco.

Álvaro sonrió con su propia ocurrencia y Fernando lo imitó, a pesar de estar viendo algo mucho peor de lo que había imaginado: los cincuenta años de Álvaro Almazán, mal dormidos y peor alimentados, habían sido macerados por alcoholes baratos y fulminantes que debían de haberle dado a su hígado el mismo aspecto de su rostro: una máscara violácea, cruzada de surcos perversos y venas nudosas a punto de reventar.

—Desde por la mañana te estaba esperando —comentó Álvaro y lo haló por un brazo—. Dale, entra.

Allí todo conservaba las costras invencibles del salitre y el aspecto de abandono que Fernando le había conocido hacía más de treinta años, cuando aún vivían los padres de Álvaro y ellos iniciaron su amistad. Tal vez por la sensación de libertad que podía provocar el desorden perpetuo que allí reinaba, el grupo de amigos aprendices de escritores empezó a reunirse en aquella azotea, en las que finalmente serían las famosas tertulias de los Socarrones.

—Sé de lo que te estás acordando —sonrió Álvaro y se dejó caer en uno de los sillones de hierro de la terraza.

Fernando asintió y ocupó otro sillón.

—Aquí nada cambia…

—Tengo ron.

—Aquí nada ni nadie cambia —precisó Fernando.

—Más de lo que tú te crees. Pero hay ciertas fidelidades.

Álvaro necesitó apenas un minuto para regresar con dos vasos cargados de hielo y una botella sin etiqueta, llena de un líquido turbio. Sirvió unas dosis excesivas y le entregó un vaso a Fernando.

—¿Por qué brindamos?

—Por los poetas muertos. Por todos los que estamos fenecidos —dijo Álvaro, empleando, como siempre le había gustado, el verbo fenecer. Sin chocar el vaso bebió el primer trago—. Mírame a mí… A Enrique ni lo mires: no es fácil meterse veinte años debajo de la tierra. Y el pobre Víctor debe de estar por el estilo… Y los demás, aunque anden caminando por ahí y hasta reciban homenajes, también fenecieron hace rato. Y tú mismo. A veces pensaba en ti como si estuvieras muerto.

18

—No jodas, Varo.

—Oye, oye —bebió un trago largo, apresurado—, que por ahí tengo tu carta. «Escríbeme nada más por tres motivos: que se esté muriendo mi madre, que te estés muriendo tú o que encuentres los papeles de Heredia»...

—Tú hacías trampas y me mandabas tus libros.

—Ni dedicatoria les puse, para hacerte caso...

—Hiciste bien en mandármelos —admitió y probó el ron, que le dejó un espíritu de queroseno en la boca—. Bueno, me dieron un mes de permiso, a lo mejor prorrogable... ¿Tú crees que alcance?

—No tengo ni la más puta idea... Pero, para empezar, lo mejor siempre es el principio, ¿no?... Mira, hoy los Socarrones van a estar todos juntos por primera vez en veinticinco años. Y ahí tengo dos velas: una para Enrique y la otra para Víctor, los ausentes justificados...

Fernando se puso de pie y caminó hasta el balcón. A pesar de que el mar estaba a menos de cien metros, únicamente desde aquel ángulo e inclinando el cuerpo por encima de la baranda, era posible ver un pedazo de su reflejo azul. En tiempos más poéticos aquella inconveniencia le daba deseos de derrumbar todos aquellos edificios feos y mal puestos.

—Te dije que no quería ver a nadie... A ti, al negro Miguel Ángel y a más nadie...

—No jodas, Fernando, ¿hasta cuándo vas a seguir con eso?

—No jodas tú, Varo —protestó y se volvió—. Alguien que me conocía muy bien tuvo que denunciarme. Y aunque yo decidí olvidarme de todo eso, prefiero no ver a nadie y dejar esa historia como está.

—Pues déjala como está, pero no renuncies a tu vida. Ya bastante te han jodido.

—Creo que demasiado... Échame más ron, anda.

Aunque muchos años tardé en descubrirlo, ahora estoy seguro de que la magia de La Habana brota de su olor. Quien conozca la ciudad debe admitir que posee una luz propia, densa y leve al mismo tiempo, y un colorido exultante, que la distinguen entre mil ciudades del mundo. Pero sólo su olor resulta capaz de otorgarle ese espíritu inconfundible que la hace permanecer viva en el recuerdo. Porque el olor de La Habana no es mejor ni peor, no es perfume ni es fetidez, y, sobre todo, no es puro: germina de la mezcla febril rezumada por una ciudad caótica y alucinante.

Aquel olor me atrapó desde la primera vez que, ya con facultad de conciencia, llegué a La Habana. Andaba yo al borde de mis catorce años, creyéndome adulto, y pude distinguir la singularidad de aquel olor, pues conocía las exhalaciones de medio mundo americano: desde el hedor pantanoso de Pensacola hasta el efluvio tortillero y a polvo seco de México, pasando por los recios aromas de las ciudades costeras y altas de Venezuela —tierras de emanaciones puras–, por el vaho caliente y dulzón de Santo Domingo o por la fragancia a marisco fresco de Veracruz. Pero La Habana me abrazó con una maravillosa amalgama en la que el olor incisivo de los chorizos gallegos compite con el del tasajo montevideano; el del cagajón de caballo con la brisa del mar; el del negro de nación y sus emanaciones ácidas, con el de las señoritas blancas (o que pasan por tal) perfumadas con dulces lavandas francesas; el de las aguas estancadas con el del aceite recio que se quema en las lámparas; el de las telas nuevas, caras y europeas, con el de los perros sarnosos, señores de la noche y los basurales; el del orín de las vacas lecheras, que trotan moviendo sus ubres hinchadas, con las emanaciones maravillosas de las casas de citas, donde flota un aliento de aguardiente y hierbabuena, ya mezclado con el que exhalan los cuerpos negros, mulatos, blancos, moros, amarillos de unas mujeres capaces de satisfacer todas las exigencias de la imaginación viril... Y, flotando en el cielo, los efluvios del jazmín y el del tabaco, el de la brea y el de los quesos, el del pescado fresco y el del vino derramado, que se amalgaman con el de todas las frutas que el prodigioso clima tropical convoca en los mercados habaneros, perfumados por las piñas, mangos, guayabas, papayas, guanábanas y esos plátanos deliciosos, de los más diversos tamaños y colores...

Ahora apenas respiro un aire vano, y mis pulmones gastados me devuelven, taimadamente, aquella sensación cálida y juvenil: y es que el olor perdido de La Habana me late en el pecho con la intensidad dolorosa de la novela que ha sido mi vida, donde todo concurrió en dosis exageradas: la poesía, la política, el amor, la traición, la tristeza, la ingratitud, el miedo, el dolor, que se han vertido a raudales, para conformar una existencia tormentosa que muy pronto se apagará. Entonces quedará sólo el olvido, y tal vez la poesía, libre ya de la intensidad de los días y los años, ajena incluso a ese minuto fulgurante en que se hizo carne y sangre de un hombre.

Si me permito el trance de evocar los aromas de La Habana es porque el principio feliz de esta historia debo ubicarlo en esa ciudad donde, apenas llegado, encontré aquel olor que me exaltaba y que, por alguna misteriosa razón, sentí que ya me pertenecía. Dicho está que cumplí los catorce años en llegando a la isla, proveniente de Venezuela, donde la familia había pasado los últimos cinco años en medio de las agitaciones separatistas y las más crueles matanzas a que se dieron uno y otro bando. La estancia habanera prometía ser breve, pues nuestro destino final era México, donde mi padre, eterno funcionario real, debía asumir el cargo de Alcalde del Crimen. Mi corta vida, hasta entonces, había sido un constante vagar, como si el sino de mi existencia fuera ése: no pertenecer a ningún sitio, no tener un lugar, ser siempre un hombre de paso hacia otro destino. Aunque había nacido en Cuba, allá en la cálida Santiago de cuyos olores nunca tuve memoria, apenas había estado tres años en la isla, todos en mi primera infancia, de modo que sólo en ese momento descubría yo el país donde, por nefasta o maravillosa circunstancia, habían recalado mis padres, luego de muchos naufragios, para que el 31 de diciembre de 1803, día de San Silvestre, abriera yo los ojos a la luz.

Además del olor, La Habana me sorprendió con el maravilloso descubrimiento de que allí se vivía con una lujuria y un desenfreno tal como si al día siguiente fuese a llegar un huracán. Y al menos a mi vida, en los pocos meses que entonces pasé en la ciudad, no uno, sino varios huracanes la sacudieron, para sacarla bruscamente de la inocente niñez y colocarla en el tortuoso sendero en cuyo final me encuentro.

Tal vez por un designio ya marcado en mi destino, ocurrió que una de las primeras visitas de cortesía que recibimos, apenas instalados, fue la de aquel señor Leonardo, nacido en La Española como mis padres, y antiguo compañero de mi progenitor en la Universidad de Santo Domingo. El señor Leonardo, alto y elegante, era por esos días uno de los más influyentes personajes habaneros, pues detentaba el cargo de asesor del Gobierno de La Habana, en reconocimiento a sus méritos políticos en Santo Domingo y Venezuela, donde, como nosotros, vivió varios años. Pero su carrera burocrática, obviamente, había sido mejor retribuida que la de mi pobre padre, hombre demasiado legal en un mundo donde todo se compraba y vendía bajo manga.

En aquella ocasión el señor Leonardo se presentó acompañado por su esposa y por uno de sus varios hijos, un mozalbete de mi misma edad, llamado Domingo, dueño de una voz de ángel y de unos ojos incisivos de demonio miope. Saboreadas las cremosas champolas de guanábana que tan bien se le daban a mi madre y bebido el café fuerte y amargo que, en virtud de su maestría, insistía en preparar mi padre, llegó el momento en que los mayores comenzaron a cruzar orgullos respecto a sus retoños y salió a flote la afición por la poesía que, curiosamente, ambos compartíamos. Y no miento si digo que Domingo y yo nos miramos con recelo antes que con simpatía, pues cada uno de nosotros se creía ya destinado a ser el más grande poeta de la Tierra.

Apenas oída la andanada de elogios paternales, invité a Domingo y nos fuimos a mi habitación, como dos gallos pueden entrar en la valla de lidia. Allí le solté una de mis poesías recientes, aquella inocente composición dedicada a la bella Julia que quedó en Caracas sin saber siquiera de mi existencia y mucho menos de mi desesperado amor. Domingo, ni corto ni perezoso, sacó varios papeles de un bolsillo y me embistió con un romance, bien rimado y gracioso, pero más cargado de artificio que de poesía.

Agrediéndonos a versos, nada hacía augurar que pudiera surgir entre ambos un atisbo de amistad. Como es sabido, resulta muy difícil que dos grandes poetas puedan ser buenos amigos... A menos que, con catorce años, se inicien en el sexo entre las piernas propicias de la misma prostituta.

El Negro fue el último en llegar y Fernando pensó que, en otros tiempos, seguramente habría sido el primero: porque siempre emulaba, vivía en competencia, buscaba casi desesperadamente la perfección, con una obsesión y una energía alentadas por una necesidad de afirmación empeñada en derrotar los históricos atavismos y prejuicios sufridos por los hombres de su color. Fernando nunca podría olvidar aquella tarde, a la salida de la escuela, en que debió liarse con él a las trompadas luego de haberlo vencido en el concurso de español para alumnos de sexto grado: el negro Miguel Ángel había asumido la derrota como una ofensa personal, y con lágrimas de impotencia en los ojos retó a Fernando, buscando quizás emparejar las acciones en su guerra sin cuartel por la supremacía... Pero ahora, al verlo entrar, Fernando descubrió en sus ojos una mirada de cimarrón acosado que jamás hubiera imaginado en el más intransigente y orgulloso de los Socarrones.

—Ábrele tú, guajiro. —Álvaro le había pedido a Conrado, tal vez con toda intención, al tiempo que él encendía dos velas rojas por Víctor y Enrique. Fernando había observado cómo Miguel Ángel y Conrado se daban la mano con la frialdad previsible: mientras uno era estigmatizado como desafecto político, el otro había ascendido por los caminos de la burocracia y la confiabilidad, hasta convertirse en director de una corporación mitad cubana, mitad española, encargada de exportar cacao e importar confituras.

—Si alguien se entera de que estoy aquí con el loco ése, más nunca en mi vida veo un caramelo ni en fotografía —había advertido Conrado cuando supo de la segura presencia del Negro, aunque aceptó quedarse a lo que Álvaro insistía en llamar «la penúltima cena de los Socarrones».

Sin hablar, Miguel Ángel se acercó a Fernando para estrecharlo en un abrazo.

—Qué bueno verte, compadre.

—¿Y tú cómo estás, Negro? —le preguntó Fernando, casi horrorizado de verse en aquel espejo: Miguel Ángel se estaba quedando calvo, parecía flaco pero a la vez tenía panza y sus dientes llevaban el color del café y el tabaco al que los dos eran tan adictos.

—Creo que bien —dijo al fin el otro, como si no fuera importante, y se acercó a Tomás y a Arcadio para darles la mano. Entonces sacó de la cintura una pistola imaginaria y le disparó a Álvaro, que le respondió de la misma forma. Luego los dos soplaron el cañón de sus pistolas y las guardaron en su lugar: así solían saludarse desde hacía treinta años.

Con angustia, Fernando paseó la vista por aquellos espectros de su pasado: Conrado, Arcadio, Tomás, Miguel Ángel, Álvaro... En aquella azotea ruinosa y con olor a mar, estaba reunida la parte más importante de su vida, lo que más quería y lo atormentaba de ella, pues sabía que uno de los presentes, o alguno de los dos ausentes justificados, como nombró Álvaro a los difuntos Enrique y Víctor, había sido quien lo acusara de saber que Enrique planeaba una salida clandestina del país.

Aquél había sido el primer paso hacia el exilio. Hasta entonces Fernando jamás había concebido la idea de vivir en otra parte, y aunque alguna vez, gracias a sus lecturas juveniles, soñó viajar y conocer los sitios emblemáticos de la poesía —el Nueva York de Whitman y Lorca; el París de los simbolistas y surrealistas; el Buenos Aires de Borges; la Andalucía de Alberti y la Castilla de Machado—, terminó por enamorarse de La Habana de Heredia y de Casal, de Eliseo Diego, Lezama y Carpentier, aquella ciudad plagada de metáforas y revelaciones insondables a la cual viajaba en sus más arduas lecturas, apropiándose golosamente de olores, luces, sueños y amores extraviados.

En aquellos días de fe poética, Fernando se consideraba un hombre feliz, y frente a él se abría un futuro apacible y ascendente. Dos años antes su tesis de grado sobre la invención lírica de los símbolos y representaciones de la cubanía en las obras de José María Heredia había revelado nuevas aristas en la noción de la patria en la imaginería del poeta, y el tribunal examinador, además de otorgarle la máxima calificación, había hecho otras propuestas excepcionales: el trabajo debía de publicarse y convertirse en texto de consulta para los estudiantes, y Fernando Terry se quedaría trabajando como profesor de la Escuela de Letras. Mientras, al cumplir los requisitos necesarios, se le iniciaría un expediente como candidato a doctor en Ciencias Filológicas para que preparara, como trabajo científico, una nueva edición crítica de las poesías de Heredia, comentadas y anotadas desde la novedosa perspectiva de su estudio de graduado.

Aquellos dos años como profesor fueron quizá los mejores de su vida. Además de impartir clases sobre literatura cubana y de contar con un tiempo para su investigación, disfrutó de las ventajas de su recién estrenado desahogo económico y de su posición en el terreno que más le gustaba y, según decía, en un sentido diacrónico y sincrónico, horizontal y vertical y a través de todo el espectro cromático: con la capacidad de un atleta le pasó la cuenta a toda dama comestible del claustro de profesoras y a los más exquisitos manjares del alumnado. Vivió como un príncipe, convencido de que su fulgurante estrella no se apagaría nunca y de que, llegado el momento en que su sensibilidad despertara, volvería a escribir poesía, como lo había hecho en sus días de estudiante.

Pero sin previo aviso Fernando Terry descubrió cómo hasta las mejores estrellas podían apagarse, e incluso desintegrarse en la inmensidad del espacio, cuando la secretaria de la escuela fue a buscarlo al aula, en medio de una clase, y le pidió que bajara con urgencia a la oficina del decanato. Intrigado, Fernando entró en el local desde donde era reclamado y se encontró, frente a frente, con un hombre que lo miró con violenta seriedad y le ordenó:

—Siéntese, tenemos que hablar.

Era un mulato fornido, varios años mayor que Fernando, y se presentó como el compañero Ramón, teniente de la Seguridad del Estado que atendía la Escuela de Letras de la Universidad de La Habana. Y le informó sin más preámbulos que en las investigaciones realizadas a raíz del intento de salida clandestina del país del ciudadano Enrique Arias Martínez, éste había confesado que entre las personas enteradas de su proyecto se encontraba Fernando Terry Álvarez.

—Como usted se imagina —continuó el policía—, se trata de una acusación de suma gravedad, teniendo en cuenta la responsabilidad laboral y moral de alguien que trabaja directamente en la formación de las nuevas generaciones en una facultad donde la ideología tiene un peso tan importante...

Cuando logró superar el asombro de aquel golpe bajo que le cortó el aliento, Fernando protestó, negó, dio puñetazos en la mesa y exigió un careo con Enrique. Pero el oficial le comunicó que de momento no era posible: es más, él le creía, afirmó, sonrió incluso, hasta le brindó un cigarro. Seguramente la acusación era falsa y pretendía perjudicar a un profesor como él, y le acercó la llama del fósforo. Fernando debía entender y, por supuesto, colaborar, para que todo quedara claro. Por ejemplo, se le acercó Ramón, ¿nunca le contó Enrique que le gustaría vivir en los Estados Unidos? ¿O nunca le habló de que estuviera descontento con la política del país? ¿Alguna vez le comentó si otros de sus amigos estaban de acuerdo con él? ¿No le parecía que Álvaro Almazán o Víctor Duarte también podían estar enterados de los planes de Enrique Arias? ¿Y los demás que se reunían en la casa de la calle Veinticinco? ¿El tal Conrado Peláez? ¿Y tampoco Tomás Hernández, ni Arcadio Ferret? No, Ramón no podía creer que siendo tan amigos ninguno de ellos supiera nada de las ideas políticas de Enrique Arias.

Fue entonces cuando Fernando, casi sin pensarlo, dio el paso en falso que lo lanzó al hoyo negro y sin fondo que le cambiaría la vida. Durante años se miraría en el espejo, tratando de encontrar en su propia cara la del Fernando Terry que, confundido, desempolvó en un rincón de su memoria la que quizá fuera la estúpida e insignificante causa de aquel malentendido.

–Bueno, no fue exactamente así... –dijo–. Una vez Enrique estaba molesto por algo que le había pasado, ni me acuerdo qué fue, y me dijo que cualquier día se montaba en una lancha y se iba... Era una de esas perretas que le dan a él, cuando se pone histérico..., porque, bueno, él es maricón. Por eso yo ni le hice caso.

La palabra maricón había llenado su boca, como un bocado propicio, y en ese instante se descubrió satisfecho de pronunciarla. Pero el policía Ramón movió la cabeza, negando algo recóndito.

–Así que le dijo que pensaba irse.

–No exactamente... sino que cualquier día...

–Fue una ingenuidad de su parte... Como ve, el ciudadano Enrique Arias estaba hablando en serio. Él sí quería irse del país. Y usted sabe que debió haberlo informado en las instancias correspondientes. Además, nosotros sabemos que usted y varios de sus amigos tienen opiniones respecto a algunas medidas que se han tomado en los últimos años y que no voy a enumerar ahora, pues usted conoce a qué me refiero.

—No, no lo sé —dijo Fernando y sintió que le temblaban las manos.

—Debería saberlo, porque nosotros sí nos enteramos de todo... Por si fuera poco, una lectura de sus poesías demuestra que usted no es precisamente un hombre politizado. Y sepa que ésa no es nuestra opinión: es la de la dirección de esta escuela y la de alguien del núcleo del Partido... Yo en sus poesías no veo nada malo. Casi diría que me gustan, pero voy a serle franco, usted se me parece mucho a Vallejo y prefiero los poemas de su amigo Álvaro Almazán. Es cuestión de gusto, como le dije. Pero, bien, si usted colabora con nosotros...

Fernando miró al policía que exponía sus acusaciones como si le doliera decirlas, que establecía con cautela estética sus preferencias poéticas y terminaba de formular la petición de enrolarlo como delator. Lentamente se puso de pie y por un instante pensó en las vías por las cuales el policía habría podido obtener sus poesías y las de Álvaro. ¿Por qué no las de Arcadio? ¿Y los cuentos del Negro? Sobre su desconcierto cayó entonces el alivio ingrávido de saberse inocente, y dejaron de importarle los antecedentes insólitos y los resultados previsibles de una farsa insostenible que sólo podía tener como propósito la petición final del policía. Sin mirar a Ramón fumó de su cigarro y comprobó que sus manos ya no temblaban.

—Usted tiene razón. Parece que soy un ingenuo político, como usted dice. Pero en lo otro se equivocó. Porque le debo más a Gelman que a Vallejo, y porque lo que no soy es un chivato. Discúlpeme ahora —y regresó al aula para continuar la que sería su última conferencia en la Escuela de Letras de la Universidad de La Habana.

Al día siguiente, cuando la decana lo llamó a su oficina y le informó de que quedaba temporalmente suspendido de su trabajo, Fernando recibió el primer latigazo del miedo. Algo turbio, todavía incompresible y sin duda desproporcionado, se estaba produciendo a su alrededor, pero su fe en la verdad y la certeza de saberse inocente lo mantuvieron en pie y, con toda la dignidad que consiguió reunir, le dijo a la decana que se iba hasta que se aclarara aquella situación.

Durante varias semanas Fernando esperó la llamada que recompondría su vida, mientras desesperaba por ver a Enrique y pedirle una explicación. Pero la llamada reparadora no se produjo y la conversación con Enrique debió esperar un año y medio, hasta que se cumpliera su condena por el delito de intento de salida ilegal del país.

Sobre todas las cosas del mundo, Domingo adoraba las carrozas y los libros. Y lo demostraría con creces cuando llegó a tener uno de los quitrines más lujosos de La Habana y la mejor biblioteca privada de la isla, poblada con las novedades impresas en Londres, Madrid, París, Boloña y Filadelfia. Pero aquella tarde de intenciones poco literarias, cuando apenas era un simple estudiante platónicamente enamorado de la poesía y con tantos deseos como yo de conocer los verdaderos secretos de la vida, decidió que, por estar en la temporada de lo que en otras latitudes se estima como invierno, y por tratarse de mi primer paseo a lo que él llamó la ciudad verdadera, debíamos prescindir de carruaje y hacer nuestro recorrido a pie.

—En verano, cuando llueve —me explicó—, es imposible andar por la ciudad: el lodo te llega a las rodillas y los mosquitos te pueden desangrar. Ahora, en seca, sales cubierto de polvo, cuando no atropellado por un carromato y con los zapatos embarrados de mierda de caballo, pero ésos son males menores comparados con el fango, ¿me entiendes?

El propósito de nuestro paseo era visitar el burdel de madame Anne-Marie, el más famoso de los muchos que ya funcionaban en la ciudad. Se contaba que su dueña, una francesa escapada de la rebelión de los negros de Saint Domingue, había conseguido, a fuerza de espíritu comercial y quizá con el favor de un oculto benefactor, llegar a la cumbre del negocio. Algunos amigos de Domingo le habían recomendado que lo visitara cuanto antes y, aun cuando debiera hacer fila, que esperara para invertir su dinero en una hora de placer con la más solicitada de las meretrices de madame Anne-Marie, una mulata brasileña conocida como Betinha, ya famosa en las tertulias masculinas de la ciudad por sus excepcionales dotes en la práctica de las más atrevidas y modernas estrategias del amor, conocidas como «el estilo francés».

Serían alrededor de las cuatro de la tarde cuando enrumbamos hacia la vieja plaza de Armas donde, como cada 6 de enero, día de Reyes, se producía uno de los espectáculos más característicos y, para mí, deprimentes de La Habana: el baile de los cabildos de negros ante el palacio de los Capitanes Generales de la isla. La tradición había establecido aquel acontecimiento anual, que permitía a los negros, libres y esclavos, criollos y de nación, sacar sus bailes a las calles por única vez en el año, y llevarlos, a paso de tambor, hasta la sede del gobierno colonial. Allí el capitán general recibía el saludo de los negros, mientras lanzaba hacia ellos unas simbólicas monedas como regalo de Reyes. Los negros, afiebrados por el toque rústico de los tambores, y seguramente anegados en aguardiente, bailaban como posesos, ante la mirada siempre nerviosa de las guarniciones destacadas para mantener el orden. Aquel baile, que ese mismo día y en pequeña escala se reproducía en cada pueblo de la isla, en cada ingenio azucarero y en cada cafetal, era como una advertencia de lo que no se podía permitir: porque la infamante trata de esclavos había convertido a los negros y mulatos en la mayoría de la población del país, y aquella danza de los tambores demostraba la fuerza pujante de unos hombres que, de hallar un líder, podrían revertir el destino de la isla, como unos años atrás había sucedido en la próspera Saint Domingue.

Aturdidos por la grita y el retumbar monótono de la percusión, tomamos la calle del Obispo, con sus comercios engalanados y repletos de gentes empecinadas en comprar todo lo comprable, y anduvimos en busca de las murallas, más allá de las cuales quedaba el nuevo paseo del Prado que, por ser día de fiesta, estaba abarrotado con lo más granado de la juventud habanera, en especial de los criollos, tan aficionados a pasar largas horas en la calle, siempre y cuando no hiciera algo de frío o demasiado calor, como ocurría en esa tarde reveladora en que tantas imágenes diversas pasarían por mis ojos y mi sensibilidad.

Desde su temprana juventud Domingo era uno de los mejores conversadores que he conocido, dotado con afilado poder de convencimiento, sobre todo si se trataba de justificar sus actitudes. Por aquella época tenía dos o tres obsesiones que muy pronto me contó: no quería ser pobre y estaba seguro de que moriría rico; quería ser poeta y publicaría libros; y sería famoso, a costa de lo que fuese. Yo, más corto de palabras y ambiciones, criado lejos de la mundana vida habanera, tenía un único norte en mi existencia, al cual había dedicado infinitas noches de desvelo: la poesía, por lo que guardaba ya numerosos versos, fábulas y traducciones que, sin vergüenza alguna, estaba dispuesto a mostrar al primer lector que me encontrara... Pero Domingo, como si no me oyera, acaparaba la conversación, con un torbellino de palabras.

—¿Ves, José María, ves lo que es este país? —y me miró con la vehemencia miope de sus ojos, mientras señalaba las brillantes volantas y carruajes que hacían el recorrido circular del paseo, y los jóvenes elegantes que una y otra vez caminaban de una punta a la otra de la alameda, vestidos con telas oscuras e inapropiadas, pero ajustadas a los mandatos de la moda europea—. Esto es una feria, un circo, una mentira de país. Se supone que esto es lo mejor de Cuba. Pero aquí sólo importa figurar y tener dinero, que te vean y hablen de ti, o de lo contrario no existes... Lo peor de todo es que aquí la gente no quiere ser lo que es.

Poco tiempo tardaría en apreciar la justeza de aquella reflexión amarga, que al oírla me pareció exagerada, deslumbrado como me hallaba ante tanta animación, y sobre todo porque en mi ánimo de aquel instante no estaba filosofar sobre los destinos de un país que yo apenas conocía. Pero Domingo ya tomaba la vida demasiado en serio para ser un joven de catorce años, mientras yo trataba de deglutir cuanto veía, de imaginar mi sitio en aquel caleidoscopio y, sobre todo, procuraba orientar el rumbo hacia lo que era mi gran objetivo de joven virgen que deseaba, cuanto antes, dejar de serlo.

Andando por el Prado, subimos hacia la zona de la iglesia del Ángel, ubicada sobre una pequeña elevación, para buscar la calle del Empedrado, la mejor pavimentada de la ciudad, y seguir hacia la llamada plaza Vieja, donde se efectuaba una de las habituales ferias que allí tienen lugar. Aunque siempre dedicada a un santo, lo menos importante de la celebración era qué patriarca la santificaba y por eso las fiestas solían extenderse por dieciocho días, apenas con una misa al principio y otra al final. El resto del tiempo las ferias sostenían su ambiente carnavalesco gracias a lo que ya figuraba como la mayor diversión de la ciudad: los juegos de azar. Mesas en las calles, en los portales, en el interior de las casas y los comercios daban espacio a los más disímiles juegos de cartas, dados, fichas, loterías, billar y cualquier forma de apuesta que la imaginación humana haya podido crear. Además, en los patios interiores se habían montado vallas de gallos donde los muchos fanáticos gritaban sus apuestas. Los personajes que por allí deambulaban, blancos, negros y mulatos, todos con caras de haber cometido ya mil delitos, provocaban espanto y advertían que pisábamos terreno peligroso. Por recomendación previa de Domingo yo había guardado entre el pantalón y el calcetín las monedas necesarias para pagar a la famosa Betinha, pero mi amigo había decidido probar suerte con el efectivo sobrante, convencido, según me dijo, de que conseguiría aumentar nuestro capital.

En un comercio que se anunciaba como farmacia, Domingo se arrimó a una mesa en la cual, para mi asombro, viraban cartas dos hombres vestidos de militares, un cura, varios negros de mal aspecto y una mujer blanca con la cara cruzada por el verdugón de una reciente cicatriz. Del techo pendían dos lámparas de aceite que apenas iluminaban el local, y alrededor de la mesa había jarras, garrafas de vino y aguardiente, tabacos encendidos y por encender, además de uno de esos perros sarnosos que pululan por toda la ciudad. Domingo me preguntó con la mirada si deseaba participar y con la mirada le respondí que no: el juego de azar nunca ha tenido que ver con mi carácter.

Pero Domingo era un apostador nato, como lo demostraría tantas veces a lo largo de su vida, y luego de los dos primeros pases, de los que salió ganador, se volteó a mirarme con rostro jubiloso. De inmediato comprendí cuán fuerte era su pasión por el juego: sus manos temblaban, su frente se perlaba de sudor a pesar de la brisa fresca llegada con la noche, y su boca tragaba saliva de pura excitación. Yo, más aburrido que entusiasmado, y adivinando el final de aquella mascarada, pensé en dar una vuelta por la plaza, pero, como ya había oscurecido, la prudencia me hizo reconsiderar la idea. En unos días había oído hablar de tantos asaltos, asesinatos y golpizas callejeras que preferí permanecer en el interior de la farmacia, beberme un pocillo de café y esperar el desenlace previsto: cuando perdiéramos todo lo que se suponía teníamos, dejaríamos de ser interesantes para los rufianes que merodeaban la plaza y podríamos salir a la calle con menos temor.

En efecto: quince minutos después ya el chavalillo afortunao, como lo había bautizado la mujer de la cicatriz, había perdido lo ganado en los primeros envites, más la onza y media que desde el principio destinó a su gran afición. Pero, aun derrotado, se le veía que era puro nervio, tensión a flor de piel.

—Vamos ya —dijo, alborozado y triste a la vez, y armados con dos farolillos que nos facilitó la andaluza de la cicatriz, enrumbamos por la calle del Teniente Rey, para salir de intramuros por la Puerta de Tierra, muy cerca del Campo de Marte, por donde se llegaba a la casa de madame Anne-Marie.

Todavía hoy soy capaz de sentir cómo temblaban mis piernas cuando traspusimos el portal, rodeado por una baranda de madera, y nos asomamos a la puerta de la casona para dar de narices con una sala profusamente decorada de plantas y perfumada por dos pebeteros de humeante incienso. Lámparas, velas y candiles creaban una iluminación casi festiva, capaz de beneficiar también el pasillo que se perdía hacia el fondo de la casa y el patio interior, poblado de árboles y flores. En un sillón de alto respaldo, arropada con una mantilla de seda, maquillada y peinada como para una fiesta, estaba aquella mujer que había imaginado gorda y grosera, y resultaba tener las facciones y los modales de una musa.

—Adelante, señores. Son bienvenidos —nos dijo con una voz gutural y en perfecto castellano: Anne-Marie era menuda, de pelo castaño y grandes ojos verdes, y todo advertía que en su no muy lejana juventud había sido de una alarmante belleza. Fácil era colegir, al verla y saber su oficio, que se trataba de una mujer en condiciones de tener a sus pies a dos, tres o más amantes entre lo más granado de la sociedad habanera, a la cual no pertenecíamos nosotros, y quizá por eso entró en materia sin demasiado protocolo–. Mi casa está a su disposición... siempre que tengan más de quince años...

–Ya cumplimos los dieciséis, madame, no se preocupe –mintió Domingo con facilidad.

–¿Y buscan algo en concreto los señores?

Domingo volvió a mirarme, y yo lo miré a él. Las piernas no dejaban de temblarme, pero siempre en momentos así ha habido un instante salvador en el cual logro saltar sobre mis temores.

–Queremos ver a Betinha –dije.

Anne-Marie sonrió y movió la cabeza.

–Me da gusto saber cómo crece la fama de esa muchacha...

–¿Cuál es el precio? –pregunté, pues temía que Domingo hubiera estado mal informado y nuestro capital no alcanzara.

–Media onza servicio completo, por una hora.

Al fin respiré aliviado, pues onza y media nos alcanzaría, incluso, para beber algunas copas de vino.

–Ahora mismo ella no está disponible, pero en media hora ya podrán contar con Betinha. ¿Desean beber algo mientras esperan?

–Dos copas de vino, tres, si usted nos hace el honor de acompañarnos, madame –y me sentí libre de todas las aprehensiones que me asediaron durante el día. En media hora conocería una de las verdades de la vida y tendría, como el poeta que deseaba ser, una experiencia vital que alguna vez convertiría en versos.

Anne-Marie resultó ser, además de bella, extrovertida, y cuando se enteró de que tenía en su casa a dos poetas, como nos encargamos de proclamar, nos invitó a la segunda copa y trabó con nosotros una animada conversación. Dos clientes menos exigentes llegaron y rápidamente fueron atendidos por un joven afeminado y pálido, al que la matrona llamaba Elizardito, quien, entre reverencias y miradas inquietas, los introdujo por el pasillo hacia el interior de la casa. Gracias a la locuacidad de la madame, que en su juventud, según contó, había representado mucho a Racine y algo de Molière en la entonces floreciente ciudad haitiana de El Cabo, esa noche aprendí cómo la industria de la prostitución prosperaba en la isla más que la fabricación de azúcar, y cómo el negocio era especialmente provechoso en la modalidad de las esclavas fleteras, a las cuales, por tarifas fijas, sus amos ponían a trabajar en una pequeña casa alquilada. La meretriz debía cubrir, con su trabajo, todos los gastos de su manutención y, al final de la semana, entregar a su amo la cuota establecida. El resto de la ganancia era suya y eso hacía que aquellas mujeres trabajasen con esmero y complacieran a una mayor variedad de clientes, lo cual las hacía más rentables que las prostitutas blancas para blancos, pues aquellas infelices tenían como norte comprar su libertad y, si era posible, montar alguno de los pequeños negocios que tenían las negras libres de La Habana.

Saboreábamos la segunda copa de vino cuando nuestra charla fue interrumpida por la salida de un hombre de unos cuarenta años y aspecto respetable, con el sombrero calado hasta las cejas. La matrona se disculpó y fue hasta él, le tomó del brazo y, hablando en voz baja, ambos salieron a la calle. Unos minutos después Anne-Marie regresó.

—Como ven, tengo clientes distinguidos...

—¿Y se puede saber quién es? —se atrevió Domingo.

Anne-Marie rió, con su risa lenta y gutural.

—Claro que sí: eso es buena propaganda para mi negocio. Es don Domingo Aldama, uno de los hombres más ricos de la isla...

—Así que el señor Aldama se va de putas —comentó mi amigo, que luego me contaría que aquel hombre, que tanto tendría que ver con su futuro, era uno de los más activos negreros del país.

—Él también tiene predilección por la Betinha. Vamos a ver, niños, ¿quién va primero? —preguntó entonces Anne-Marie y la respuesta de Domingo me produjo una viva sorpresa.

—Él —dijo y me señaló el pasillo con la mano abierta.

Con su imprevista decisión, aquel joven al que llegaría a querer como a un hermano, me reveló ese día, sin que aún yo pudiera entenderlo, otro de los rasgos de su carácter. Hoy sé que el hecho de que me enviara delante no fue cortesía ante el recién llegado: se trataba de una estrategia vital que consistía en lanzar a otros al frente mientras él permanecía en la penumbra de la retaguardia.

Tiró hacia la izquierda, luego apretó el nudo y ejecutó una leve rectificación a la derecha, para alcanzar la perfección con una última y casi imperceptible corrección hacia la izquierda: el reloj marcaba las seis en punto de la tarde cuando José de Jesús Heredia terminó de ajustarse la corbata. Siempre había sido un preciosista y, frente al espejo medio nublado de la pequeña habitación del hotel, comprobó también la limpieza de sus fosas nasales, sacudió las solapas del viejo saco de muselina maculadas con la nieve de la caspa invencible, y peinó con los dedos mojados en saliva el fino bigote ya totalmente encanecido, cada vez más ralo. Entonces se dispuso a esperar a Carlos Manuel Cernuda y a Cristóbal Aquino, los hermanos masones con quienes iría a comer al restaurante Neptuno antes de asistir a la sesión de esa noche de la logia matancera Hijos de Cuba. Habían quedado para las seis y media, en la entrada del hotelito donde lo habían alojado, y si algo molestaba a José de Jesús era que los demás debieran esperar por él.

Buscando el mejor modo de invertir los próximos treinta minutos, pensó en bajar al parque y observar el paso de la gente. En las tardes apacibles de la primavera solían caminar por allí las bellísimas mujeres que tanto abundaban en la ciudad, pero de inmediato decidió que no era buena idea: el espectáculo de la belleza femenina alarmaba sus sentimientos de frustración ante su ya olvidada capacidad sexual. Entonces se acercó a la cama donde reposaban, envueltos en un sobre de Manila, atados con un cordón malva, aquellos papeles escritos por su padre, más de ochenta años antes, y que habían ejercido una enfermiza atracción sobre José de Jesús desde que, diecisiete años atrás, los leyera por primera vez. Él sólo había sabido de la existencia del manuscrito cuando al fin lo recibió de manos de su hermana mayor, Loreto, la única de los hijos del poeta que podía recordar acciones y gestos del padre. Precisamente a las evocaciones de Loreto, más que a las historias que le narraba su abuela María de la Merced, debía José de Jesús la imagen de un Heredia enflaquecido y ojeroso, que lloraba abrazado a su esposa Jacoba, cuando regresó de su última estancia en Cuba, en aquel mes de febrero de 1837, muerto en vida, avergonzado y traicionado, tan vencido que en aquel instante ni siquiera se sentía decidido a perpetrar la única venganza a su alcance: abrir su memoria y proyectarla hacia una posteridad donde quizá pudiera hallar comprensión y justicia.

Definitivamente desechada la idea de bajar al parque, el anciano se sentó en la cama y desató el sobado cordón y extrajo los papeles para verlos quizá por última vez. Sólo la conciencia asumida de que su propia muerte era una amenaza cercana lo podía obligar a apartarse de aquellos folios de textura áspera, donde palpitaba la energía de un hombre singular y la resignación amorosa de una esposa, cuyas mejillas debieron de transitar de rubor en rubor mientras copiaba el descarnado relato dictado por el marido moribundo. Porque tanto como la historia devastadora que narraba el poeta a lo largo de los poco más de cien folios de aquel manuscrito, a José de Jesús le atraía el montaje de las caligrafías de su padre José María y de su madre Jacoba, mientras establecían un dramático contrapunto, como el de una sonata ejecutada a cuatro manos por dos pianistas que únicamente consiguen la perfección en el mutuo complemento sobre el ébano y el marfil del teclado.

Pasó las hojas y volvió a observar cómo las primeras páginas estaban escritas con la letra viril, alta, de trazos cerrados, muy tendida hacia la derecha, que era característica del poeta: de su propia mano Heredia había recogido la parte heroica y feliz de la historia, la de los años de juventud, lujuria, poesía y conspiración. Luego, con el inicio del destierro, la narración empezaba a dar más espacio a la caligrafía redonda y sutil de Jacoba, sobre todo en aquellos episodios que debían resultarle más dolorosos a su padre: y mientras Heredia describía de puño y letra la magnificencia de las cataratas del Niágara y su gran reencuentro con la poesía, la entusiasmada decisión de marchar a México, o la admiración que le provocó la belleza reposada de la hija del magistrado Isidro Yáñez, Jacoba grababa con su mano las primeras reflexiones sobre el engaño, la nostalgia, el frío y el descubrimiento de haber adquirido la incurable enfermedad que quince años después lo mataría... Precisamente había sido la agudización de su mal lo que obligó a Heredia a utilizar a su esposa como amanuense, involucrándola en la escritura de una evocación en la que desnudaba su cuerpo y su alma como pocos hombres se hubieran atrevido a hacerlo. El último tercio de la historia, en cambio, ya era terreno casi exclusivo de Jacoba, debido a la incapacidad física del protagonista de ocupar una silla y escribir por sí mismo la agonía de la decadencia final que lo llevaría hasta aquella casa oscura y fría de la antigua calle del Hospicio de San Nicolás, a la vera de la magnífica catedral de México, donde asistió por última vez a misa, en aquellos días de reconciliación con Dios. Pero, curiosamente, casi al final su padre volvía por sus fueros y, con una letra aún más inclinada, de trazos inseguros, intervenía por última vez de su propio puño para rememorar el episodio de su ansiado viaje a Cuba, cuando los pocos ideales y amigos que aún le quedaban se desplomaron y arrastraron consigo las últimas esperanzas de un hombre que a los veinte años había conocido la fama, la gloria, el amor, el aplauso, la amistad y, sobre todo, había dominado la poesía como jamás lo hiciera ninguno de los seres nacidos en aquella isla pródiga en riquezas materiales y en miserias humanas. De aquel episodio doloroso, a José de Jesús le gustaba leer una y otra vez la historia del momento en que, decepcionado de todo, su padre sentía cómo su vida recuperaba su verdadera dimensión cuando el actor Antonio Hermosilla, desafiando todos los riesgos políticos, recitaba en el escenario de un teatro habanero la famosa oda al «Niágara» y los asistentes, de pie, aplaudían al pobre y humillado poeta, reconociéndole, por última vez, su grandeza literaria, su capacidad para engendrar una belleza que ningún tirano podría opacar... A partir de ese momento la letra de Jacoba era la encargada de recoger los avatares finales de la triste aventura: fue ella quien plasmó sobre el papel la vehemencia del olvido, el dolor de una enfermedad que se agrava, la sensación del frío que se torna insoportable, la avalancha de una nostalgia que de obsesiva se convierte en malsana y también la decisión misma de la reparación histórica y literaria de su existencia que suponía aquel relato iniciado el día en que afrentó su más dramática soledad, cuando descubrió que no tenía un solo amigo al cual dirigirse y, sin embargo, comenzó a vaciar su memoria, dispuesto a contarle los avatares de la novela de su vida a un hijo que nunca lo conocería.

Mientras pasaba las hojas y acariciaba sus bordes heridos por la humedad y el tiempo, José de Jesús volvió a preguntarse si su decisión era la correcta. Quizás el impertinente bibliotecario Figarola, con un notario delante, hubiera aceptado la compra de los explosivos legajos y admitido la condición de mantenerlos cerrados y lacrados hasta el 7 de mayo de 1939. Los dineros de aquella venta en mucho le habrían ayudado a afrontar los años finales de su vida, ya ni ropa tenía para vestirse decentemente, y el espíritu de su padre, desde el cielo, de seguro se lo habría perdonado: Heredia sabía que el hombre podía soportarlo todo, o casi todo, menos el hambre y el desprecio.ᵥ Y su hijo menor, al que quizá nunca pudo sostener en brazos, vivía en la ruina y al borde del desprecio. Pero José de Jesús también conocía que el sabor amargo de la traición cometida no lo iba a dejar morir en paz: Figarola o cualquiera de los que hubieran deseado el mérito de exhibir aquellos papeles podían violar un pacto sellado en el seno de la familia Heredia y mostrar sin recato una historia capaz de cambiar para siempre la percepción que se tenía del poeta y de varios de los hombres que convivieron con él.

Entonces volvió a acecharlo la idea que más lo inquietaba desde que había entrado en contacto con aquellos papeles: ¿no sería mejor destruirlos y dejar en paz la historia, el alma de su padre, los secretos más terribles de su vida y hasta la imagen ya santificada de los hombres sobre quienes el poeta lanzaba su condena? No sería la primera vez que José de Jesús trataría de apuntalar la biografía de su padre. Ya lo había hecho, muchos años atrás, cuando destruyó el original de la terrible carta de 1823, en la cual Heredia juraba su inocencia ante el juez instructor de la causa de los conspiradores independentistas de los Rayos y Soles de Bolívar. También hizo desaparecer una misiva dirigida al padre Félix Varela, pero devuelta por el correo al no hallar a su destinatario, en la que le agradecía sus gestiones para publicar en Filadelfia su novela *Jicoténcal*, la cual debía aparecer sin nombre del autor, pues Heredia la consideraba literariamente fallida. Con la destrucción de aquella carta, José de Jesús había hecho desaparecer la única evidencia que conectaba a su padre con la autoría de una novela que, desde hacía cien años, intrigaba a los estudiosos, quienes habían llegado, incluso, a atribuirla al propio Varela.

A José de Jesús lo tranquilizaba el convencimiento de que la historia se escribía de ese modo: con omisiones, mentiras, evidencias armadas *a posteriori*, con protagonismos fabricados y manipulados, y no le producía ninguna turbación su empeño en corregir la historia de su propio padre: los dueños del poder lo hacían constantemente y la verdad histórica era la puta más complaciente y peor pagada de cuantas existieran... Pero aquellos papeles extendidos sobre la cama del hotel escondían la capacidad de poder cambiar la vida de muchas personas inocentes y además tenían sobre sí el peso de la decisión de su férrea abuela María de la Merced de mantenerse ocultos en el seno de la familia y únicamente ser difundidos cuando llegara el momento fijado, al cumplirse los cien años de la muerte del poeta.

Eran las seis y veintisiete, y el anciano se dio dos minutos para decretar la suerte final del manuscrito. A las seis y veintinueve debería bajar para encontrarse con sus hermanos masones Carlos Manuel Cernuda y Cristóbal Aquino, pero ciento veinte segundos podían bastar para decidir el destino del legado secreto de José María Heredia.

La miseria podía tener sus compensaciones. Álvaro le había dicho: con treinta dólares te limpias el pecho y, al calcular que se trataba de unas cinco mil pesetas, Fernando casi no lo pudo creer. Pero menos lo creyó cuando vio el resultado de la trasmigración de su dinero: una mesa presidida por una cazuela de un arroz moro brillante y desgranado, custodiada por una fuente abarrotada de masas de puerco fritas, una docena de tamales en hoja, una pirámide de plátanos maduros fritos, la florida ensalada de lechuga, tomates y pepinos, además de un flan de calabaza dormido en un piélago de caramelo de azúcar, todo preparado por una vecina de Álvaro que había encontrado una forma de vida en su maestría para la comida criolla, pues su salario de especialista A en Planificación apenas le alcanzaba para sobrevivir una semana. La bebida —dos cajas de cerveza, tres botellas de ron y dos de vino tinto– era el aporte del guajiro Conrado, que lépero como siempre, se negó a revelar el origen del botín.

Apenas sentados a la mesa, Arcadio había propuesto un poético brindis por Fernando, y todos chocaron sus vasos. Fue entonces cuando el negro Miguel Ángel se puso de pie y, con su vaso contra el pecho, improvisó (o quizá no) uno de sus discursos, a los que había sido tan aficionado en sus años de dirigente estudiantil:

–Yo quisiera brindar también por todos nosotros. Quisiera brindar por los años en que fuimos muy amigos. Por los buenos recuerdos que compartimos. Por todas las cuartillas que escribimos pensando en leerlas en esta terraza. Por la memoria de Enrique y de Víctor, que no están pero a la vez sí están aquí. Y quiero brindar por el milagro de que estemos hoy sentados alrededor de una mesa, después de más de veinte años, y también porque seamos capaces de aplazar los rencores y las diferencias, y hasta de olvidarlos, que es lo mejor que podemos hacer…

A medida que el brindis de Miguel Ángel se armaba, los otros fueron poniéndose de pie. Fernando sintió cómo la solemnidad crecía mientras las tensiones bajaban y observó la reacción de Conrado, Tomás y el bello Arcadio, temerosos quizá de oír algo inapropiado. Pero ellos también chocaron sus copas con el Negro y el resto de los Socarrones supervivientes.

Mientras comían y se contaban recuerdos amables, Fernando no pudo dejar de hacer el retrato de familia, exprimiendo su memoria en busca de una señal venida del pasado remoto y que le permitiera marcar a uno de aquellos hombres como el delator que le cambió la vida: frente a él, en la cabecera opuesta de la mesa, hablaba Álvaro, físicamente devastado por el alcohol pero con su eterno brillo de insolencia en la mirada. Cuando recibió y leyó los dos libros que su amigo había publicado, Fernando encontró en ellos una fuerza irreverente, entre demoníaca y escatológica, y supo que eran el testimonio doloroso y sincero de un hombre incapaz de suicidarse de un solo golpe, pero que sabía matarse lenta y aplicadamente, como si moldeara la ansiada llegada del fin. Salvo aquellos poemas y una empecinada fidelidad a sus costumbres y manías, poco más se mantenía a flote en el entorno de aquel viejo compañero en el cual Fernando, incluso en los días más negros, nunca había conseguido ver a alguien capaz de cometer una traición: Álvaro siempre le resultó demasiado auténtico como para tener los compartimentos secretos indispensables al traidor.

Sentado junto a Álvaro, pero como si perteneciera a otra especie humana y poética, estaba el bello Arcadio, inmune a la devastación del tiempo, siempre viviendo para la poesía, consagrado a ella con empeño de vestal y exhibiendo en su frente, como si hubiera nacido con ellos, los laureles cosechados gracias a su fanática dedicación. Fernando recordaba los días lejanos en que se conocieron, recién matriculados en la universidad, cuando Arcadio escribía versos que pretendían establecer una comunicación inteligente con la realidad del país o con la más visible de su propia cotidianidad, apacible y pautada. Pero pronto aquella dependencia comenzó a difuminarse, para que su poesía mirara hacia sí misma y se convirtiera en un eco visceral del tránsito humano por los impredecibles y a la vez reiterados caminos de la vida. Sus prosaicas metáforas juveniles se oscurecieron con los años, como su mirada sobre el destino y la soledad esencial del hombre, y Arcadio desgranó sus mejores poemas. Aquel esfuerzo poético había engendrado ya ocho volúmenes, ampliamente difundidos, premiados y comentados, y Arcadio Ferret era considerado por muchos una de las voces más notables de su generación, e incluso se hablaba de la influencia ejercida en los más jóvenes: sin vanidad pero con orgullo, Arcadio aceptaba elogios, viajes, medallas, autos asignados y hasta precoces homenajes, convencido de que los merecía. Pero aquellos triunfos mundanos andaban, sin embargo, por caminos paralelos a los de su creación, cada vez más autónoma y ensimismada, y por la cual profesaba el mismo respeto devoto de los tiempos de inocencia en que soñaba con ver impreso alguno de sus versos. Aquella actitud entre displicente y forzada, aunque asumida como algo natural, era lo que más molestaba a Álvaro, que se empeñaba en considerar a su antiguo condiscípulo como un hipócrita oportunista, engreído y sin valor para mirar de frente a la desgarrante cotidianidad de la vida, de la cual Álvaro extraía la materia de su agresiva poesía. Aquella enconada rivalidad humana y estética, bien lo sabía Fernando, había nacido hacía muchos años y era parte de la tradición poética de una isla en la que el éxito ajeno siempre despertaba sospechas y resquemores, no importa si gratuitos o fundados.

A la derecha de Fernando, bebiendo todo el ron que podía aceptar su estómago sin fondo, estaba Tomás, quizás el menos cambiado de todos ellos: cuando la tormenta desatada por Enrique barrió a Fernando de la Escuela de Letras, Tomás salió ileso y todavía conservaba su trabajo como profesor, sin que en esos veinte años su carrera mostrara nada de lo prometido: hacía demasiado tiempo se había replegado, abandonando las novelas que alguna vez pensó escribir y todavía anunciaba y hasta contaba, y tampoco publicó los ensayos que su inteligencia exigía. Su vida se había sumergido en la rutina de una lucha incesante por la tranquilidad y los pequeños privilegios, y Tomás, acorazado tras su pragmática filosofía callejera, capeó todos los temporales, se acomodó en su trabajo, heredó algunas de las camas abandonadas por Fernando, mientras seguía fiel a su costumbre de correr y hacer pesas: de todos ellos era quien mejor forma física exhibía, con su estómago plano, sus brazos nudosos y el pelo negro apenas marcado por algunas canas. Fernando recordó que desde siempre Tomás había sido el cínico del grupo, el camaleón perfecto, y entre todos era al que le otorgaba más opciones de haber sido su acusador, aun cuando no tenía una sola evidencia para fundamentar sus sospechas y éstas, muchas veces, se estrellaban contra la muralla del estricto sentido de la hombría que su antiguo amigo traía tatuado en la piel, como la primera de las enseñanzas adquiridas en el caliente barrio habanero donde había nacido.

El caso más interesante tal vez era el de Conrado, pues aunque seguía siendo el mismo Conrado, el eterno guajiro lépero, a la vez había dejado de ser Conrado: Fernando lo miraba y creía reconocerlo, pero de pronto la imagen del recuerdo se le extraviaba ante la evidencia de una realidad de casi doscientas libras, capaces de duplicar la eterna cara de ternero del guajiro. Poco quedaba ya del deslumbramiento victorioso del escuálido campesino de Placetas que cambió los olores de la tierra por los vahos del asfalto con el empeño de salir del fango y la miseria en que habían vivido sus abuelos canarios y sus padres cubanos, decidido desde siempre a convertirse en Alguien en la Vida, como solía decir. Sin duda Conrado había explotado al máximo su ambición y capacidad innata para mutar y, cazando y exprimiendo sus oportunidades, realizó sus sueños de ascenso y, luego de ser el primer universitario de su paupérrima familia, la emprendió con ahínco para superar todos los escalones del encumbramiento hasta llegar a ser un poco más que Alguien en la Vida, al menos en el más visible de los terrenos: casa en Miramar, auto japonés climatizado, reloj suizo de oro, mujer y dos amantes, ropa elegantemente informal y un envolvente aroma de colonias indelebles tachonaban la evidencia de sus triunfos. De todos sus antiguos compañeros, había sido el único al cual Fernando viera durante su largo exilio, apenas dos años antes, cuando, de paso por Madrid, el guajiro lo sorprendiera con una llamada telefónica. La borrachera había sido de las memorables y Conrado pareció feliz de recuperar al amigo, y sólo en las copas de la alta madrugada se le había escapado la información de que visitaba España por enésima vez. Fernando comprendió entonces que algo debía haber cambiado, en Conrado o en sus circunstancias, para que el guajiro calculador se atreviera a salir a la calle con un viejo colega exiliado al cual nunca había vuelto a llamar. Al final Fernando trató de olvidar el desliz y otras viejas cuentas, a cambio de las horas de conversación con las que Conrado lo puso al día de las peripecias vitales de los otros Socarrones y de haberle oído confesar que jamás había creído que pudiera ser escritor: el guajiro sabía que le faltaba alma, sinceridad y espíritu de riesgo, y sus poemas veinteañeros apenas habían sido una respuesta ingeniosa, definitivamente lépera, para mantener la pertenencia a aquel grupo de empecinados por cuenta propia que vivían convencidos de poder cambiar el destino literario del país.

Sin proponérselo, Fernando había dejado para el postre a Miguel Ángel, sentado a la derecha de Álvaro, porque era el personaje más inquietante: en el recuerdo, el Negro era una presencia dilatada y permanente que lo acompañaba desde los días rosados del cuarto grado, cuando su familia vino a dar al barrio de Fernando, donde ocupó la casa de los dueños de la ferretería La Moderna cuando éstos se marcharon al exilio. Aquel negrito fuerte, más alto que el resto de sus compañeros, se empeñó desde el principio en ser el jefe del destacamento pioneril y el alumno más destacado del grupo, y Fernando siempre lo vio como una especie de guardia rojo, armado de opiniones políticas irrebatibles, tan definitivas como el carné de la militancia que alcanzaría pocos años después. Pero aquel convencimiento político, heredado de unos padres comunistas y sindicalistas que sufrieron cárcel, persecución y hasta tortura en los años de la dictadura de Batista, era un componente de su vida cotidiana que, sin embargo —milagrosamente, según Arcadio—, nunca pasó hacia los textos que desde muy joven se impuso escribir. Tanto sus cándidos cuentos de sus días de estudiante como sus dos novelas publicadas, prescindían de intenciones políticas visibles y muchas veces rezumaban la magia de la gran literatura, aun cuando su alcance no fuera el que podía esperarse, tal vez por la falta de un oficio que solía llegar al cabo de muchas cuartillas machucadas: para Fernando las dos novelas del Negro eran escalones de un aprendizaje capaz de colocarlo al borde de lograr algo grande. Pero fue entonces cuando la monolítica muralla ideológica de Miguel Ángel, cimentada en el fervor estalinista de sus padres y en la dignidad combativa con que asumía el color de su piel, se partió en dos pedazos y toda su fe se disolvió en un galopante desencanto que, en un tipo como él, no podía dejar de ser militante. La expulsión de la revista donde trabajaba, luego de ser acusado de perestroiko y revisionista, fue el primer aldabonazo que recibió de sus antiguos camaradas, quienes lo consideraron desde ese instante un potencial enemigo, y lo enjuiciaron como tal, sobre todo cuando se supo que había publicado fuera de Cuba algunos artículos que cuestionaban su anterior postura de creyente convencido. Mientras se revolvía contra sí mismo, el renegado siguió escribiendo y, como antes, logró que sus convicciones políticas no pasaran al coto autónomo de la letra escrita. Unos meses antes, Fernando había recibido lo que el Negro consideraba el primer borrador de su tercera novela, y leyó en vilo una historia decimonónica, de gentes comunes, que se encuentran y se desencuentran movidos por los vientos de la historia, en una trama a través de la cual se podía hacer una lectura oblicua del presente cubano, al cual no había, en cambio, una sola referencia directa. Pero, sobre todo, Fernando encontró en aquel texto amargo y esperanzador, donde se revelaba el trauma histórico de una raza esclavizada y discriminada, el aliento de una obra contundente, con la gran virtud que siempre esperó de la literatura: la capacidad de conmover, con belleza y con pasión.

La posibilidad de revisar, de golpe, sumariamente, el cúmulo de fidelidades, traiciones, mutaciones y consecuencias que van armando las vidas de las personas, le provocó a Fernando una amarga desazón: montar el pasado sobre el presente resultaba un ejercicio casi taimado, capaz de poner en molesta evidencia castraciones y abandonos imposibles de imaginar cuando el presente era el futuro, mientras el pasado resultaba ser algo tan breve que se resumía en dos palabras, en alguna herencia ambiental o genética, y en unas pocas actitudes asumidas. ¿Por qué coño hago esto?, se preguntó, ¿por qué no soy capaz de disfrutar este encuentro, de reírme un poco y olvidarme de una vez de toda aquella mierda?, siguió preguntándose, mientras vertía en su vaso el resto de una botella de vino y miraba las dos velas encendidas en un rincón, en las que palpitaban las memorias detenidas de Víctor y Enrique, el héroe y el mártir, las patas que faltaban para armar aquella mesa al parecer irrecuperable, construida sobre la amistad y la inocente fe juvenil en la literatura y en la vida.

La noticia de que Víctor había muerto en Angola, víctima de una mina antitanque colocada en una de las carreteras del sur, había sido uno de los tragos más terribles que Fernando debió beber en la incertidumbre de su recién comenzado exilio. Para todos, Víctor era el mejor de los Socarrones: ninguno dudaba de la bondad esencial de aquel mulato alto y fornido, bello y saludable, que se alzó silenciosamente con el primer expediente del curso y con Delfina, la mujer a la que casi todos ellos habían aspirado y a la cual Fernando, luego de veinte años sin verla, quizá seguía amando... Fernando había comenzado su amistad con Víctor cuando compartieron aula y equipo de pelota en la secundaria básica, y con los años descubrió que muchas veces había envidiado a aquel amigo, pues mientras él se imponía metas, las ambiciones de Víctor eran sosegadas y simples: jugar a la pelota asumiéndola sólo como un juego, escribir si podía escribir, amar hasta el final a una misma mujer, leer los libros que le gustaba leer o beber sin ansiedad de la botella de ron que alguno de sus amigos descorchara frente a él. Jamás se supo que temiera, odiara o compitiera con nadie. Al terminar la carrera la suerte quiso que Víctor fuera a trabajar como asistente en el Instituto de Cine y, gracias a su esfuerzo, pronto se convirtió en director de cortometrajes. Cuando lo enviaron a Angola como corresponsal de guerra, Víctor escribía con Miguel Ángel el que esperaba fuera el guión de su primer largometraje, y partió hacia el frente de combate como habría ido al fin del mundo o a ver un juego de pelota al estadio de La Habana: tranquilo y sin miedo. Con treinta y dos años voló en pedazos y dejó en quienes lo amaban la sensación de una pérdida irrecuperable y una pregunta terrible: ¿adónde podría haber llegado aquel hombre que irradiaba ternura, sensibilidad y talento?

Fue entonces cuando la vela de Enrique comenzó a parpadear, empeñada en atraer la atención de Fernando y en obligarlo a preguntarse otra vez: ¿lo escogió la muerte o lo maté yo?... Enrique y su recuerdo lo herían como una obsesión, y Fernando debió admitir que muchos años después de muerto, Enrique todavía conservaba su predilección por ser centro, actor principal, figura siempre visible. Todo en su vida, con el colofón de su muerte anticipada, fue teatral. Fernando estaba convencido de que el punto más alto de su excentricidad lo alcanzó la noche en que, estando ya en las semanas finales del primer año de la carrera y después de las primeras tertulias en casa de Álvaro, Enrique pidió «un punto en el orden del día» y les dijo a sus amigos, para que todo estuviera claro, limpio y en orden, que si alguno de ellos sospechaba que él era maricón, pues había acertado: porque él sí era maricón, desde los doce años, cuando su profesor de Educación Física de octavo grado, un mulato juncal y bien despachado como típico mulato juncal, le cogió el culo en el gimnasio de la escuela, por supuesto, sin que mediara violencia o intimidación: a él le gustaba el mulato profesor y al profesor le encantaba templarse a Enrique. Y que si desde siempre ocultaba sus preferencias sexuales era única y exclusivamente porque en Cuba resultaba demasiado arduo vivir como maricón convicto y más aún como maricón confeso, y también para poder estudiar sin complicaciones en la universidad pues, como todos sabían, en la Escuela de Letras eran asoladoras y cíclicas las purgas de homosexuales. El asombro de sus amigos resultó digno de una antología de asombros: en Cuba nadie −o casi nadie− admitía su homosexualidad, y mucho menos de aquel modo tan directo y exento de traumas o de romanticismo. Fue tal la brutalidad de la confesión que todos siguieron aceptando a Enrique, tal vez de un modo más franco, sin la existencia ya de la duda sobre su filiación sexual, capaz de poner una gota de recelo en la amistad. Desde entonces él les contaba sus aventuras amorosas y los otros, entre morbosos y divertidos, disfrutaban oyendo las peripecias de sus ligues callejeros o recibiendo información sobre la mariconería oculta de personajes conocidos del mundo del arte, la política, la televisión, que en realidad eran lánguidas margaritas, como aquel mulato televisivo, bigotudo y engolado, o el aguerrido secretario de la Juventud Comunista de la Facultad, a quien desde entonces bautizaron como «el dulce pájaro de la Juventud». Como era de esperar, las preferencias literarias de Enrique se encaminaban hacia el teatro, y fue durante toda la carrera el autor de las piezas montadas por el grupo de la escuela, en el que además actuaba: porque tenía magia para el espectáculo, sentido del ritmo, facilidad para dramatizar la vida y fue el primero en ganar un premio importante, que incluía la edición del libro, lamentablemente el único que publicaría en su vida, pues luego de cumplir el año y medio de cárcel al que fue condenado por su intento de salida ilegal del país, su existencia pareció ser la de otra persona, definitivamente distinta de la que ellos habían conocido. Menos de un año después, mientras cruzaba la avenida del Malecón, Enrique moriría destrozado por un camión, sin que nunca se supiera si una maligna distracción o una meditada intención lo empujó aquella noche de 1979 contra la mole de acero del KP3 soviético. Una brisa imperceptible, de la que no tuvo noticias la vela de Víctor, se empecinó en apagar la de Enrique. Una silueta de humo se levantó desde el pabilo y bailó por unos segundos, antes de ser devorada por la noche.

Mientras repaso mi existencia, aquellos dos años que pasé en Cuba, pleno y despreocupado, febril y lujurioso, parecen vividos por una persona ajena, a la cual apenas reconozco. Tenía quince años y di placer a mi cuerpo y libertad a mi mente, nada me torturaba y creí ser el hombre más feliz de la tierra. Pero, como es sabido, un poeta nunca debe tener derecho al goce pleno de su fortuna, y luego de pensarlo un poco me pareció llegado el momento de crearme un sufrimiento, y ninguno podía resultar más apropiado que un amor imposible. Justo es reconocer, a fuer de honesto, que con su experiencia Betinha me ayudó a concebir aquella pena de amor fingida y que, tendido en su lecho caliente, las ideas fluyeron a mi mente con la misma facilidad con que el agua brota del manantial.

Betinha resultó ser, además de bella, increíblemente sabia en más de una faceta de la vida, aunque sus máximos atributos estaban en la habilidad de su cuerpo para satisfacer las demandas de otro cuerpo. Por eso, desde la primera noche de nuestra relación, cuando mi virginidad murió entre sus piernas, los deseos de volver a encontrarla se convirtieron en mi obsesión. Semana tras semana el estipendio que mi padre me entregaba para la compra de libros y los gastos propios de un estudiante, iba a parar a las arcas de madame Anne-Marie, quien, al ver mi fidelidad como cliente, mi temprana afición al vino y, sobre todo, al conocer algunos de mis poemas, me concedió privilegios salvadores como el de cobrarme tarifas preferenciales (con la anuencia de Betinha, que también se había aficionado a ejercer conmigo su esmerado magisterio) o de dejarme participar en el almuerzo de sus muchachas, donde yo recitaba versos propios y ajenos, para luego dormir la siesta junto a la cálida mulata brasileña y, al final de la tarde, salir a la calle con mis necesidades físicas bien satisfechas.

Una de aquellas tardes, luego de desfogar mi lujuria, noblemente le confesé a Betinha cuánto la amaba. Fiel al estilo francés que practicaba, aquella magnífica mujer no fue capaz de reírse de mí, como merecía la confesión, sino que trató de explicarme las razones de mi amor y procuró hacerme entender cuán imposible le parecía nuestra relación.

—Piénsalo así para que no sufras —me dijo con su extraño idioma, tan rebuscado como musical, mientras pegaba a mi muslo la selva húmeda y oscura de su sexo—: sencillamente no se hace posible. Tú y yo no podemos amarnos más que del modo en que ahora lo hacemos. Tú eres un niño y yo tengo treinta y dos años. Pronto te irás, y el futuro te ha de llevar por caminos que ni siquiera te imaginas. Lo nuestro es esto —apretó más su sexo a mi cuerpo y tomó con su mano mi miembro, otra vez enhiesto— y sólo esto. Yo soy una meretriz y soy negra, y tú eres blanco y además un poeta, qué digo, eres un grandísimo poeta. Tu amor imposible no puede estar en un burdel, sino en un palacio. Inventa ese amor si no lo sientes y cántale a él, y deja para mí tu pasión.

Con su boca maravillosa Betinha alivió entonces la turgencia sexual provocada por su mano inquieta, pues ya conocía cuánto me satisfacía la maravillosa audacia de su lengua tersa y persistente. Y decidí, en ese preciso momento de placer, convertirme en un poeta desdichado en amores. Sólo me faltaba encontrar el blanco de mi amor imposible.

Por aquella época, cuando no estaba en la casa de Anne-Marie o en la universidad, donde por decisión de mi padre me había matriculado el primer curso del bachillerato en Leyes, solía caminar por La Habana en busca de los secretos de la ciudad. En realidad, siempre que me era posible huía de mi casa, donde los asuntos familiares no andaban del todo bien, pues la tuberculosis de mi padre había comenzado a hacer estragos en aquel hombre antes robusto, ahora asediado por fiebres y toses desgarradoras. Mientras, seguía retardándose nuestro traslado a México, donde él soñaba con recuperarse en virtud del clima seco del altiplano. La casa parecía entonces una jaula, pues la enfermedad y la espera habían tornado iracundo a aquel hombre recto, magistrado en cada minuto de su vida, tan dado a exigir silencio, en especial desde que pasaba largas horas escribiendo algo titulado *Memorias sobre las revoluciones de Venezuela, sacadas de documentos inéditos que conserva en su poder José Francisco Heredia, oidor decano que fue de aquella Audiencia, quien las escribe para su uso y por si conviene en algún tiempo recordar a Su Majestad hechos tan singulares*, pues todavía confiaba en el retorno de los países de la Tierra Firme al dominio español. Por su lado, mi madre, la invencible María de la Merced, trataba de mantenerme bajo control, como hacía con mis hermanas y el pequeño Rafael, aunque le resultaba cada vez más difícil retenerme, pues con la habilidad que fui adquiriendo, aprendí a escabullirme por el menor resquicio, siempre armado con una mentira salvadora, de las muchas que por minuto era capaz de crear mi turbulento cerebro.

Para escribir poesías prefería sentarme en cualquiera de las plazas y paseos de la ciudad. La ebullición que se respiraba en la calle me servía de estímulo, y fue por esos días de exaltada juventud cuando también empecé a fraguar otra de mis decisiones trascendentales: si me era posible, escogería Cuba como mi patria poética, pues aquel país oprimido y corrupto, vital y generoso, tenía los encantos necesarios para que un poeta diera rienda suelta a su creatividad. Aquí la gente vivía a la espera de algo que nadie sabía lo que podía ser, pues había tantos partidarios como enemigos de la independencia, tantos que bailaban de júbilo con la apertura de los puertos al comercio como los que anunciaban la ruina económica que traería la medida, tantos los constitucionalistas como los monárquicos, tantos los que querían irse como los que deseaban quedarse... Pero, curiosamente, entre esos especímenes de todo lo imaginable no había un solo poeta que pudiera calificarse de tal: entonces, con la pasión poética que bullía en mí, no iba a ser difícil ascender al trono de un parnaso despoblado, que incluso yo podría decorar a mi antojo.

Largas horas hablé de estos asuntos con Domingo, menos aventajado que yo para el verso pero más hábil a la hora de fraguar quimeras. Debo reconocer que fue él quien me reveló cómo andaba de mal vestida la literatura cubana, y lo fácil que sería figurar en ella y fue también gracias a él como encontré a mi amor imposible. Salíamos de su casa aquella tarde calurosa del 16 de marzo de 1818, él con rumbo a una mesa de juego y yo con las ansias dirigidas hacia la cama de Betinha, cuando una lujosa volanta se detuvo en el zaguán de la morada y, tras un caballero y una dama sin duda de mucho rango, puso pie en tierra un ser maravilloso que semejaba una muñeca de porcelana. Domingo saludó a los recién llegados, viejos conocidos de sus padres, y me presentó como su amigo poeta, y fue en ese instante, al ver la halagadora sonrisa de la joven, cuando decidí convertirla en el objeto de mi amor. Tenía ella apenas doce años, pero como mi pasión iba a ser obviamente platónica, nadie podría acusarme de pervertido. Además, para su edad, aquella ninfa exhibía unas formas que en los climas templados muchas mujeres no alcanzan sino hasta los diecisiete o dieciocho años, y ya se advertía la hembra espléndida que muy pronto sería. Desde ese día Isabel Rueda y Ponce de León se convertiría en el amor imposible alojado en el corazón del desgraciado poeta, aunque ella misma tardaría mucho tiempo en saberlo.

Aquella tarde, utilizando como escritorio la espalda de la durmiente Betinha, redacté de un tirón un soneto perfectamente calculado, donde hervía de amor y celos, pues ya ponía en duda la constancia de mi amada Isabel:

> Mira, mi bien, cuán mustia y desecada
> Del sol al resplandor está la rosa
> Que en tu seno tan fresca y olorosa
> Pusiera ayer mi mano enamorada....

Si acaso media hora necesité para escribir los catorce versos, a pesar de las distracciones provocadas por el opulento panorama de las nalgas de Betinha. Apenas terminados se los leí, y sucedió algo que jamás imaginé pudiera ocurrir: de los ojos de aquella mujer curtida por la vida cayeron dos lágrimas que trató de ocultar acercando su rostro al mío, para besarme con una ternura inesperada.

—Aunque fuera de mentiras, cualquier cosa hubiera dado por que alguien me hubiera escrito algo tan bello. Sería muy tonta, o peor, tendría que estar seca la mujer que no se enamorara de ti después de recibir un poema así...

Y la vi alzarse de la cama, en su espléndida desnudez de cobre bruñido, y encaminarse al velador que ocupaba una de las paredes de la habitación. Sin mirarme, la mujer susurró algunas palabras en una lengua para mí desconocida, y luego de pasar varias veces sus manos por su cara y su cuello, abrió una de las gavetas. Entonces sacó un pequeño cofre y, utilizando las dos manos, como si cargara una criatura, extrajo con toda delicadeza un atado de tela donde predominaban el azul oscuro y el rosado. Siempre sin mirarme se acercó otra vez a la cama.

—Quiero enseñarte algo que no ha visto ninguno de los hombres que ha entrado en esta cámara.

Y depositó sobre el lecho el pequeño bulto y dejó al descubierto la extraña figura de una mujer pez, una especie de sirena de grandes senos, tallada en madera negra sobre la que habían incrustado diminutas conchas de mar.

—Es mi madre, Yemanjá —me advirtió, al notar mi asombro. Varias veces, desde mi llegada a Cuba, había oído yo hablar de aquellos santos que los negros habían traído desde sus remotas tierras, imágenes de sus creencias paganas, y a los cuales solían ofrecer toques de tambores y sacrificios de animales. Pero siempre me sentí tan distante de aquel mundo que apenas me había preocupado por su existencia y nada por conocerlo.

—Yo la recibí en Bahía, a los doce años, y siempre me acompaña. Ella es la reina de los mares azules y ondulantes y también de las aguas muertas. Es la madre de todo... En mi país se dice que vive en la laguna de Abaeté, allá por Itapoan. Pero los negros viejos aseguran que vive en el fondo del mar. De Yemanjá se cuentan muchas historias, y todas son alegres, porque ella es la alegría, aunque puede ser vengativa con los que no cumplen sus mandatos... Ella me ayuda a vivir, y me da fuerzas para resistir.

Y entonces besó a su diosa madre, con una devoción y ternura casi infantil, que me conmovieron...

Si recuerdo que todo esto ocurrió el 16 de marzo de 1818 no fue por el encuentro con Isabel, ni por haber escrito aquel soneto que ha servido para demostrar la agonía de mi relación amorosa y mi cualidad de poeta romántico. No. Fue por el modo en que Betinha y yo hicimos el amor, quizá bajo el influjo mágico de aquella Madre

Universal, diosa negra de la fecundidad y el amor. Sin desenfreno, sin excesos, con delicadeza y entrega total, nuestros cuerpos y mentes expresaron sus voluntades como si lo estuviéramos haciendo por última vez. Y ella me ofreció la rosa oscura de su ano; yo, como una fuente inagotable, eyaculé tres veces; ella me bañó con su lengua, cual toalla perfumada y cálida; yo bebí hasta el fin los jugos de su pozo insondable; ella me auguró la inmortalidad de la fama; y yo le prometí un poema de amor...

Como aquellos versos que esa tarde dediqué a Isabel, muchos otros concebí en esos días, y hoy recuerdo con angustia cómo nada era más fácil que escribir poesía: porque pensaba yo en verso, mis ideas tomaban forma de soneto, la rima se me daba en la simple conversación y podía improvisar infinidad de endecasílabos con mi mente pródiga. Pero, mientras Betinha y todos los amigos me aplaudían, en Domingo empezó a gestarse una turbulenta rivalidad juvenil, sin duda la semilla que envenenó después su corazón de apostador. Porque, sin confesarlo jamás, él había jugado sobre una carta el mayor deseo de su vida: el de ser el gran poeta de la isla.

Por aquella época solíamos dedicar largas horas, junto a otros colegas también aprendices de bardos, a hablar con entusiasmo de literatura. El sitio de tertulia preferido era la vieja plaza de Armas, menos concurrida que la alameda de Paula y más céntrica que el nuevo paseo del Prado, pues se hallaba justo a medio camino entre la universidad y el efervescente seminario y colegio de San Carlos, donde Domingo y mis nuevos amigos Sanfeliú, Silvestre y Cintra recibían los primeros cursos de jurisprudencia civil.

Uno de nuestros sueños recurrentes era fundar una revista, en la cual daríamos a la luz poemas y escritos que cambiaran la faz a las letras de la isla. Domingo empezaba a perfilar su certeza de que éramos unos iluminados, llegados a la vida con la misión de poner en el mapa de la cultura aquella colonia tan hostil a la alta creación, casi sin tradición literaria y sin ningún escritor célebre. Pero bien sabíamos que no sería fácil el intento de dignificar la poesía en un país tan dado a los vicios y donde lo que más importaba era cómo fluía el dinero, la cantidad de negros que desembarcaban al año, las cajas de azúcar producidas y vendidas, la calidad del tabaco y el precio de la tierra: por eso, mientras toda América se revolvía contra el imperio español, en la isla apenas se advertían atisbos de sedición. El río revuelto de una metrópoli, asediada por invasiones, días de constitucionalismo y años de absolutismo, y el de las tierras vecinas, enfrascadas en una guerra sin retorno, había traído una excelente fortuna a los pescadores criollos y peninsulares, y nadie quería modificar tal estado de cosas..., ni siquiera yo, que me consideraba, como me había inculcado mi padre, un español de ultramar, hijo de una patria común que nos había dado la gloria de una religión, un idioma y una larga historia.

Fue en medio de aquella fiebre poética cuando, para demostrar mi carácter de adelantado, decidí reunir todo lo escrito en Venezuela y en los meses vividos en Cuba y preparé una *Colección de composiciones de José María Heredia*, a la cual identifiqué como «Cuaderno segundo», pues había conformado, con toda intención, un «Cuaderno primero», donde incluía mis versiones y traducciones de grandes poetas del pasado. Tal como esperaba, no fue poco el asombro de mis amigos al ver aquellas carpetas de versos y traducciones, y del asombro surgió el entusiasmo, sobre todo el de Silvestre Alfonso, el más puro, el más rico, pero el menos poeta de los miembros del clan, y suya fue la idea de mostrar mis escritos a un hombre con fama de sabio y aura de santo, que por entonces era profesor de filosofía en el seminario y una especie de oráculo al que acudían todos para saber la verdad. Así, una tarde de noviembre, entramos como en procesión en una pequeña estancia del seminario, donde ya nos esperaba aquel clérigo predestinado a la santidad, todavía joven pero con cara de viejo, enjuto hasta lo extremo, dueño de una mirada penetrante y una voz suave y autoritaria, que respondía al nombre de Félix Varela.

El único desconocido para el padre Varela era yo. Por eso Domingo, adelantándose al resto de los amigos, me presentó y le recordó al profesor cuál era el motivo de la visita. El cura, quien demostraría con los años ser más sabio y vidente de lo que todos imaginaban, me miró directo a los ojos y yo le sostuve la mirada, sin ninguno de esos temblores que me persiguieron en todos los momentos difíciles de la vida: porque, si buscaba en mí a un poeta, no había duda de que lo encontraría. Al fin Varela sonrió y comenzamos la charla, mientras iba leyendo, a saltos, algunas de mis composiciones, sin emitir un solo juicio. Cuando pasó a las traducciones, le pareció notable mi conocimiento del latín y del francés como para haberme atrevido con Horacio y con Florián, y, aun sin emitir juicios, apartó los cuadernos y desvió la conversación hacia asuntos —para mí— menos trascendentes. Media hora después Varela se disculpó, pues tenía una cita en el obispado, y me pidió que volviera en una semana, para tener tiempo de leer mis versos.

Alarmado por la ausencia de veredicto inmediato, a la semana siguiente, ahora sí con el habitual temblor de piernas, me presenté en la celda del seminario donde encontré al cura interpretando un lánguido vals con su violín. Los días que mediaron entre nuestros encuentros los había aprovechado para informarme sobre él y me tranquilizó saber que, tras su fama de sincero y descarnado, había un hombre bondadoso, poseedor de una cultura enciclopédica y atrevidas concepciones filosóficas, que alguna vez soñó con ser un gran concertista. Pero, sobre todo, corría la fama de ser un decidido defensor de la juventud y de lo nuevo, a la vez que amante del orden, como lo había demostrado en un reciente elogio a Fernando VII, donde alababa la política real hacia la fiel isla de Cuba.

La displicencia con que Varela me recibió aquella tarde no hizo más que infundirme nuevos temores. Sin dejar de tocar el violín, me brindó asiento con la mirada y no volvió a reparar en mí hasta que hubo terminado la dulce melodía. Por fin sonrió, acomodó el violín en su estuche y buscó mis cuadernos.

—He leído con cuidado sus poesías, joven amigo, y debo confesar algo que supe desde que leí el primero de sus poemas y que por supuesto le va a agradar: es usted un poeta. Debe aprender mucho, debe encontrar un estilo, rehuir de la rima fácil... Pero nadie puede dudar de que ya es usted un poeta, y nadie puede predecir adónde llegará, aunque sé que va a llegar muy lejos. Me ha sorprendido tanto leer estos versos de un niño de apenas quince años que no sé si vale la pena darle algún consejo, pero me atreveré con uno: nunca permita que su poesía se prostituya. Prostitúyase usted mismo si tiene que hacerlo para vivir, porque la vida es un don que Dios nos da y debemos conservarla al precio que sea. Pero la poesía es un milagro, y usted ha sido elegido por la Providencia para crear belleza... Usted va a sufrir la envidia de los hombres, va a oír juicios devastadores, va a sentir desprecio y rencor, y seguramente va a ser traicionado muchas veces, aunque también escuchará elogios y será querido y laureado: trate de hacer oídos sordos a esos cantos de sirenas y a los aullidos de los lobos. Quizás ahora mismo no entienda lo que le estoy diciendo, ni por qué. Pero llegará un día en que lo querrán utilizar, querrán comprar sus versos y su inteligencia, porque los déspotas, que siempre desprecian la poesía, saben que vale más un poeta servil que un poeta muerto, y los versos pueden dar lustre a las aristas terribles de las tiranías. Recuerde eso. Lo demás usted lo va a aprender solo, porque le sobra talento y deseos de ser poeta...

Mis temblores, postergados mientras oía a Varela, reaparecieron cuando tendí mi mano para tomar los folios, que me parecieron pesados y toscos, como si estuvieran cargados de lodo. El chiste, que tanto había hecho reír a Betinha, de repetir versos e ideas en los poemas dedicados a la venezolana Julia y a la etérea Isabel, o el dolor fingido de las elegías escritas al salir de Caracas, cuando en realidad me alegraba de escapar de aquel infierno, me parecieron una infamia imperdonable, y sentí deseos de que me tragara la tierra, allí mismo, delante del hombre que en cinco minutos predijo todo lo que me ocurriría en esta triste novela que ha sido mi vida.

—Sí, suena a milagro. —El doctor Mendoza golpeó con sus nudillos el papel de un amarillo desvaído, plagado de dobleces—. Nadie sabe cómo esos dichosos cajones llegaron al Archivo Nacional.

—¿Entonces ya usted cree en los milagros, maestro? —le preguntó Álvaro mientras encendía un cigarro.

El doctor Mendoza sonrió.

—Claro, todavía me acuerdo... Te dije que únicamente si ocurría un milagro ibas a aprobar el semestre y al final sacaste cinco puntos.

—Nunca en mi puñetera vida estudié tanto. ¿Quiere que le recite *La guerra de las Galias?*... «*Gallia est omnis divisa in partes tres, quarum unam incolunt Belgae, aliam Aquitani, tertiam qui ipsorum lingua Celtae, nostra Galli apellantur...*»

Fernando sintió cómo subía la marea de la nostalgia, aun cuando reconoció que el doctor Mendoza no figuraba precisamente entre los mejores recuerdos de los años de la universidad. El anciano ahora delgado y de apariencia endeble, con la piel desgajada en mil dobleces, era entonces un hombre corpulento, de la edad que él mismo tenía ahora, y andaba empeñado en enseñarles un idioma para ellos absurdo, al precio que fuera necesario. Sin embargo, la erosión de los años y la certeza adquirida con el tiempo de cuánta razón había tenido Mendoza, le hacía sentir una cálida simpatía por el viejo maestro de latín, convertido en bibliotecario de la Gran Logia.

Mendoza los había esperado en el vestíbulo del edificio al cual Fernando entraba por primera vez en su vida. En miles de ocasiones, en ómnibus o a pie, había pasado frente a aquella mole de hormigón, coronada con una bola del mundo sobre la que se posaban un compás y una escuadra enmarcando una brillante letra G, que invocaba al Dios genérico y creador de los masones, y Fernando siempre sintió una curiosidad mística por lo que podía significar aquella suerte de comandancia nacional del misterio masónico. Pero, al ser estigmatizada como una institución retrógrada y burguesa, llegó a considerar a la masonería como una tribu prehistórica y en vías de segura extinción. Tal vez por eso la asociaba con un gueto oscuro donde se refugiaban unos pocos viejos —siempre los imaginaba vestidos de traje y corbata—, empecinados en conservar un ideal y unos ritos que, como la religión, terminarían barridos por los vendavales de los nuevos tiempos. Al final, los masones, como los religiosos, habían logrado el éxito de la supervivencia, al precio de admitir infinidad de transfiguraciones y ocultamientos sociales, y luego de demostrar una fe insólita en su fraternidad y una terca capacidad de resistencia.

—Maestro, déjeme hacerle una pregunta... ¿Usted ya era masón cuando nos daba clases?

Mendoza miró los ojos de Fernando y luego bajó la vista hacia las hojas que podían conducir hasta la novela perdida de Heredia.

—Durante veinte años dejé de ir a la logia. Estuve dormido, como decimos nosotros... En esa época no había alternativas, tenía que escoger entre la logia y la universidad.

—Ya entiendo... ¿Y por qué es tan milagrosa la aparición de esos cajones con documentos?

—Porque los papeles de las logias se guardan en las logias o, cuando hay alguna razón especial, vienen para acá, donde está el registro central. En algún momento entre 1932 y 1933 alguien debió de meter estos papeles en el Archivo Nacional y luego se olvidó de ellos o no pudo sacarlos quién sabe por qué. Lo curioso es que no tienen registro de entrada y son legajos y actas aisladas, como si hubieran sido escogidos al azar... Pero a mí me da la impresión de que la persona que preparó ese cajón quería que este papel, precisamente éste, no se perdiera. Porque en los otros no hay nada importante, pura rutina masónica. —Mendoza levantó el folio mecanografiado y lo observó, como si lo viera por primera vez—. Lo más raro es que esté mecanografiado en una hoja suelta.

—¿Por qué?

—Porque las actas están en los libros de actas, que, como se imaginarán, se escriben a mano. Para complicar más la historia, comprobé que esta acta, o sea, el original del que ésta es una copia, sigue en el libro correspondiente... pero no son iguales. Ésta tiene detalles que le faltan a aquélla.

—No entiendo nada —confesó Álvaro.

—Es como si alguien estuviera empeñado en que se supiera lo que pasó esa noche —dijo Fernando.

—Exacto. Ya les mandé hacer una fotocopia, pero hay dos o tres cosas que quiero decirles. Lo primero es que manejen esta historia con cuidado. Detrás de todo esto hay algo demasiado serio...

—Otra vez no entiendo, maestro —admitió Álvaro—. ¿Cuidado de qué?

—Vamos a ver. Ya consulté con la logia Hijos de Cuba, de Matanzas, y allí nadie sabe nada de esos documentos. Si los masones alguna vez los tuvieron porque el hijo de Heredia se los dio, ¿cómo es que no están en la logia, por qué nadie volvió a hablar de ellos, por qué siguen perdidos o escondidos? Algo muy especial debe de haber en esos papeles. Por eso creo que no es una novela...

—A lo mejor no es una novela —admitió Fernando—. Que yo sepa, nadie sabe lo que está escrito en esos papeles, si es que son lo que yo creo. Lo que se conoce es una nota de la mujer de Heredia donde habla de un manuscrito que no debía publicarse. La historia de que Heredia estaba escribiendo una novela sobre su vida la sacó un periodista mexicano después de su muerte.

—Una novela que ese periodista nunca vio. Ahora acuérdense de otras cosas —y empezó a enumerar con los dedos—: primero, Heredia era poeta, no novelista; segundo, era un poco mitómano, como buen poeta; y para rematar, no hay ninguna afirmación suya, textual y comprobable, donde se refiera a algo que se supone escribió poco antes de morir... Y si era una simple novela, ¿por qué tanto misterio?, ¿por qué la escondieron tantos años?

Fernando Terry inició un paseo nervioso. Las evidencias manejadas por Mendoza le eran de sobra conocidas, pero los años de estudio de la vida de Heredia, su discutida pero posible autoría de la novela *Jicoténcal*, sus iluminadores y anticipados comentarios sobre la novela histórica, siempre habían apoyado sus sospechas. Varios años había empeñado en la búsqueda de alguna pista que pudiera orientarlo hacia aquellos documentos, de los que apenas existían unas pocas noticias oblicuas que sólo habían conducido a nuevas especulaciones cada vez menos fiables. Pero ahora, con la evidencia del acta masónica, por primera vez podía asegurarse la existencia real de un documento que nadie parecía haber leído y que, presumiblemente, podía ser la comentada novela escrita por Heredia entre 1837 y 1839, poco antes de su muerte. Sólo de pensar en la posibilidad de realizar el hallazgo, Fernando temblaba: aquellos papeles podían convertirse en el texto más revelador de la literatura cubana, y por eso insistió en apuntalar sus esperanzas.

—Si esa acta dice que José de Jesús le dejó a la logia unos papeles de su padre que no podían publicarse, tiene que ser algo muy serio, como usted mismo dice, para que no haya vendido esos documentos, porque el hombre vendía hasta a su madre si encontraba un comprador...

—Por eso mismo esto sigue sonándome raro —insistió el bibliotecario.

—Porque es raro, profe —intervino Álvaro, después de encender otro cigarro—. Y eso es lo bueno que tiene... Dígame otra cosa, ¿quién más sabe lo que dice esa acta?

—Le di una copia a la universidad y otra a un investigador del Archivo Histórico de Matanzas. Y también a la logia, claro. Porque esto no es un asunto privado. Pero tengo más confianza en ustedes. ¿Saben una cosa? A pesar de lo socarrones que ustedes podían ser, nunca volví a tener un grupo de estudiantes como aquél. Desde que empecé a darles clases, yo sabía que no eran gente común. ¿Qué es de la vida de Delfina?... Lástima que Víctor y Enrique hayan muerto tan jóvenes y que a ti te hicieran lo que te hicieron —afirmó, mirando a Fernando.

—Ya ni yo me acuerdo de eso, maestro —mintió Fernando, descaradamente—. Al fin y al cabo, yo no servía para profesor.

—¿Y de qué estás viviendo en Madrid?

Fernando movió la cabeza, mientras sonreía. No era fácil atreverse con el doctor Mendoza.

—De profesor.

—Yo lamenté mucho que te sacaran de la escuela... Aquello me pareció un disparate y se lo dije a la decana, aunque no me atreví a hacer nada. ¿Qué cosa podía hacer? Pero siento que tenía que haber hecho algo. Total, ahora igual soy un viejo de mierda, con un retiro que no me alcanza ni para empezar a vivir, y si tomo leche y como carne es porque mi hijo más chiquito, el que no estudió, tiene una tarima en un mercado campesino y gana como quinientos pesos al día vendiendo carne de puerco y robándole a todo dios. Gana en un día casi tres veces mi retiro de un mes...

—Yo le agradezco que se haya acordado de nosotros cuando encontró ese papel. —Fernando volvió a sentarse—. Usted sabe lo que significa para mí toda esta historia.

—Ojalá encuentren algo —dijo y por fin miró otra vez a los ojos de Fernando.

—¿Qué piensa usted que debemos hacer?

Mendoza volvió a mirar el legajo.

—Si viniste a buscar esos papeles, pues empieza a buscarlos. El hijo de Carlos Manuel Cernuda fue muchas veces Venerable Maestro de Hijos de Cuba. Ahí tengo su dirección. Ése puede ser el principio, digo yo, ¿no?

Carlos Manuel Cernuda dejó caer sobre la tabla el peso sólido de la maza, y el sonido, convertido en mandato, recorrió el templo, desde el Oriente hasta las Vigilancias colocadas a Occidente y al Mediodía, y los ochenta y seis hombres se pusieron de pie. El Ojo de la Providencia, sobre el trono del Muy Venerable Maestro, parecía observar desde su triángulo con siete luces la alegórica decoración del taller, resumen del universo: el techo de bóveda celeste, los cuatro puntos cardinales y aquellas estatuas blanquísimas de Minerva, Hércules y Venus bañadas por la luz de las altas columnas salomónicas de la Fortaleza y la Estabilidad, iluminadas en su cumbre de mármol con las bolas de cristal decoradas con la esfera terrestre y la esfera sideral. Tres cirios beneficiaban el Altar de los Juramentos donde descansaban los más altos emblemas de la Fraternidad: el código masónico sobre el compás y la escuadra de los viejos artífices de cúpulas y ojivas. Junto a ellos, una Biblia, que es la Ley del Gran Arquitecto del Universo, abierta en el salmo 133, para que cada Maestro, Compañero y Aprendiz recordara por siempre aquella «Canción de las Subidas», recitada por David en los días de los orígenes.

¡Mirad cuán bueno y cuán apacible es que habiten
los hermanos juntos en armonía!
Es como la unción olorosa sobre la cabeza, que descendió
sobre la barba, la barba de Aarón; que descendió hasta
las faldas de sus vestiduras. Como el rocío del Hermón
es la influencia que desciende sobre las montañas de
Sión; porque allí Jehová ha mandado la bendición,
a saber, la vida para siempre jamás.

Desde su trono en el Oriente, al cual se ascendía por los siete escalones de la sabiduría –Gramática, Retórica, Lógica, Aritmética, Geometría, Música y Astronomía–, Carlos Manuel Cernuda saludó con la cabeza a José de Jesús Heredia, sentado a su derecha, como si le solicitara la venia para iniciar el rito. El anciano hizo un breve gesto de aprobación y el Venerable Maestro acomodó con cuidado la maza de los talladores de piedras. Su voz, de una gravedad casi cavernosa, recorrió el templo con la autoridad de su jerarquía.

–Hermano Primer Vigilante, ¿sois masón?

–Mis hermanos me reconocen por tal, Venerable Maestro –respondió desde el Occidente Ramiro Junco, el primer atalaya del templo, un hombre enjuto, al cual el traje parecía quedarle grande y el mandil de maestro a punto de rodarle caderas abajo.

—Hermano Segundo Vigilante, ¿qué edad tenéis? —inquirió ahora el Venerable, mirando hacia el pequeño promontorio del Mediodía, desde donde le respondió, con su voz de negro verdulero, el Segundo Vigilante.

—Quince años, Venerable Maestro —dijo Cándido Alfonso, refiriéndose a su edad masónica.

—¿Cuál es vuestro primer deber en la logia, hermano Segundo Vigilante?

—Proteger el templo de la indiscreción de extraños.

—Servíos cumplirlo —ordenó Cernuda y de inmediato bebió un sorbo del agua con sales biliares que tenía a su lado para aliviar los efectos de uno de sus excesos favoritos: había comido en el restaurante Neptuno su condimentado bacalao a la vizcaína, aun cuando conocía de antemano la respuesta vengativa de su vesícula.

Mientras, el Segundo Vigilante daba órdenes a sus súbditos.

—Hermano Segundo Diácono, ved si estamos protegidos.

Ricardo Junco, situado junto a la entrada del taller, golpeó por tres veces la puerta con el pomo de su brillante espada, para recibir, desde el otro lado, similar respuesta: tres golpes secos en la madera.

—Hermano Segundo Vigilante, el templo se halla debidamente protegido —anunció Ricardo Junco, y el Segundo Vigilante, vuelto otra vez el rostro hacia el Oriente, informó del resultado de la encuesta.

—Venerable Maestro, con cariño y amor fraternal, un hermano, espada en mano, guarda el interior de la puerta y otro cuida el exterior de la misma forma, para que nadie se acerque y oiga...

Los ochenta y seis hombres, de pie, ataviados con las joyas y los mandiles de sus respectivas dignidades, habían seguido el riguroso rito de apertura de la sesión de la logia masónica Hijos de Cuba, correspondiente al 11 de abril de 1921. El celo infinito de los masones procuraba mantener, dentro de aquellas paredes, los secretos de una hermandad cuyos orígenes ellos remitían a los días de la construcción del templo de Salomón, el más sabio de los reyes judíos y el primer jerarca que temió el poder paralelo de aquella cofradía de hombres libres, juramentados para obedecer los designios de su maestro constructor.

—Sentaos, hermanos —dijo al fin el Venerable Maestro, que se volvió hacia José de Jesús, como brindándole asiento con especial deferencia. El rumor de los cuerpos y las sillas se impuso por un instante entre las paredes del local y sólo el Maestro de Ceremonias, en el promontorio del Oriente, permaneció de pie, aguardando el regreso del silencio. Serafín del Monte era un hombre rubicundo, con facciones de campesino, pero ataviado con un traje cortado a la medida, por cuyas mangas asomaban el reloj, la manilla y los yugos de oro.

—Muy Venerable Maestro, respetables hermanos —dijo y disfrutó de una dramática pausa—. Ha deseado el Gran Arquitecto del Universo que esta noche nuestra logia se reúna con un motivo muy especial. Aquí, sobre el Oriente, está uno de los hermanos que más prestigio ha dado a nuestra institución a lo largo de sus sesenta años de vida masónica. Por eso, la madre logia Hijos de Cuba, que lo vio iniciarse allá por el lejano año de 1861, tiene hoy el privilegio de conceder el grado de Venerable Maestro *ad vitam* al muy respetable hermano José de Jesús Heredia y Yáñez.

Los ochenta y seis hombres volvieron a ponerse de pie para lanzar una ovación. Carlos Manuel Cernuda descendió entonces desde la altura máxima del templo, se acercó al homenajeado y, con gentileza, le tendió una mano. José de Jesús, apoyado en el brazo del Venerable y sosteniendo contra el pecho un sobre amarillo atado con una cuerda malva, tomó impulso para conseguir levantarse y recibir el abrazo de Cernuda quien, en un gesto de inusual deferencia, se despojó de la joya de la veneratura y la colgó del cuello del anciano: la escuadra de plata, pendiente de una cinta de seda azul celeste, adornada con siete estrellas también de plata, brilló sobre el pecho del último sobreviviente de la prole de José María Heredia.

—Respetable hermano Heredia —le dijo Carlos Manuel—. Le pido que en su condición de Venerable Maestro *ad vitam* nos conceda el honor de presidir la sesión de esta noche.

José de Jesús, que había sido Venerable Maestro por última vez en 1906, aceptó el cortés ofrecimiento y, cuidando de que no le fallaran las piernas, subió al punto más alto del Oriente masónico. Carlos Manuel Cernuda advirtió en ese instante que el traje del viejo tenía los fondillos gastados, de seguro que por un dilatado uso. Una vez acomodado en el trono, José de Jesús acarició la maza que hacía años no tocaba y golpeó por tres veces para dar continuación a los trabajos.

Fue entonces cuando el hermano Orador, un hombre alto y recio, de aspecto afable, ocupó el centro de la plaza del Oriente y dirigió su mirada al ara, con su Biblia, su compás y su escuadra. Cristóbal Aquino, elegido otra vez para aquel cargo, demostraría aquella noche hasta qué punto dominaba el arte de la retórica masónica.

—Venerables hermanos: hace cien años, en el rústico edificio que se levantaba en los terrenos que hoy ocupa nuestra respetable y querida logia Hijos de Cuba, sesionó el primer templo masónico de la ciudad de Matanzas, fundado por los llamados Caballeros Racionales. En aquellos tiempos la masonería moderna vivía su niñez en Cuba y el despótico poder colonial la consideraba un potencial enemigo en virtud de las ideas democráticas y libertarias que siempre han inspirado a nuestra hermandad. Por eso, en aquellos tiempos, una iniciación masónica era algo sumamente secreto, pues allí se podían escuchar terribles juramentos de fidelidad y discreción, pues el solo hecho de ser masón entrañaba infinitos riesgos... Entre aquellas vetustas paredes del templo original del cual somos legatarios, una noche histórica varios hombres valientes se tomaron de las manos, sosteniendo una afilada espada, en señal de indestructible hermandad incluso en las peores circunstancias. Y uno por uno fueron repitiendo el juramento al que los convocaban los tiempos: «¿Juráis por esta espada defender y morir por la independencia?», y los recién iniciados dijeron «Juro», a lo que se les respondía: «Si así lo hiciereis, la América os lo premiará». Quiso la fortuna, para gloria de nuestra institución, que entre aquellos iniciados estuviera José María Heredia y Heredia, entonces un niño de apenas diecisiete años, que ya empezaba a ser famoso por sus encendidos versos de amor y patriotismo, y desde entonces poseído por uno de sus grandes afanes: la libertad de Cuba. Aquel juramento, pronunciado la noche del 21 de septiembre de 1822, cambiaría para siempre la vida dichosa y despreocupada de nuestro joven poeta para ponerlo en el camino del más cruel de los destinos, el tortuoso sendero que lo llevaría a sufrir destierro, tiranías, enfermedad, desprecio y traiciones incalificables, pero que lo convertiría, gracias a su firme carácter, en el gran defensor de las democracias, en el hombre justo que en sus días mexicanos defendió con pasión el valor de una constitución y, gracias a su divina sensibilidad, en el padre de la poesía cubana, en el alma dulce de la patria y, por tanto, en el Poeta Nacional de Cuba, el hombre que, al decir magnífico de nuestro hermano José Martí y Pérez, fue el primer poeta de América, volcánico como sus entrañas, sereno como sus alturas...

Poco a poco Fernando empezó a reconocer las trampas de la memoria, a tratar de convivir con ellas, pero jamás llegó a curarse de sus alevosas embestidas. Al principio fueron intensas, casi diarias, especialmente dolorosas. Durante aquellos meses que vivió como un paria, encerrado en los jardines del Orange Bowl de Miami, sufriendo un calor capaz de matar, con sus oídos todavía lacerados por los insultos que debía escuchar todo el que pretendiera salir de Cuba, Fernando había sentido sus primeras asechanzas cada vez que, entre los rostros de los miles de refugiados salidos de la isla desde el puerto del Mariel, creía ver el de alguno de sus amigos, embarcado como él hacia un exilio sin retorno. Luego, cuando su vida respiró con cierta normalidad y trabajó todas las horas que le fue posible trabajar, las trampas de la memoria se tornaron esporádicas y veloces, solían esfumarse con la misma rapidez con que aparecían, quizás atenuadas por el cansancio y el apremio que le impulsaba a ubicarse en un mundo nuevo. Pero en los últimos años, cuando creía estar en proceso de definitiva curación, aquellos flechazos del recuerdo volvieron a acecharlo, con una insistencia desgarrante.

La última agresión de su memoria la había sufrido apenas unos días antes de su regreso a Cuba. Aunque era una visión recurrente, esta vez lo sorprendió con una fuerza que ya pensaba vencida: estaba en la caja de Pryca, dispuesto a pagar la batería de cocina que había decidido llevarle a su madre, cuando vio cómo Delfina salía de una cafetería y se acercaba a él. El vuelco en el corazón le cortó el aliento y hasta alzó el brazo para llamar la atención de aquella muchacha de unos treinta años, pelo negro, ojos grandes y piernas largas, que siguió su camino con un paso entre firme y elegante, dejándolo ensartado en las púas emponzoñadas de la realidad.

Enrique y su madre siempre habían sido los espectros que más lo visitaban. Se le aparecían en restaurantes, vagones del metro, parques, cines, librerías, pero también podían salirle al paso sus otros amigos Socarrones, incluido el difunto Víctor. Hasta el policía Ramón era capaz de brotar de la bruma, para dejarle la boca seca y amarga. De todas las mujeres que amó en Cuba, sin embargo, sólo Delfina, la única a la que había deseado siempre en secreto, a la que jamás había acariciado, a la que se había impuesto enterrar antes de que el olvido se convirtiera en una cuestión de vida o muerte, era la que insistía en volver para alborotarle los recuerdos y advertirle de la imposibilidad de ciertas renuncias.

Ahora, frente a aquella mujer, vital y hermosa a sus cuarenta y siete años, Fernando observó cómo el fantasma joven, capaz de asediarlo en el recuerdo, penetraba en el cuerpo real y se fundía con él, logrando una inquietante armonía: porque Delfina seguía llevando el pelo largo, suave en su caída hasta los hombros, conservaba la oscuridad impoluta de sus grandes ojos, y los años parecían haber fracasado en el intento de vencer la piel de sus brazos largos y morenos de siempre. No era la muchacha de veinte años que conoció y evocó tantas veces en aquellos desvaríos que ponían a flote toda la envidia que sentía por el triunfo amoroso de Víctor, no era la de treinta que vio por última vez antes de salir de Cuba, ya casada con su amigo, pero tampoco era otra, más vieja y gastada, como supuso sería después de tanto tiempo. Y se lo agradeció profundamente.

—¿Pero cómo es que tú no cambias? Es que estás igualita...

Dijo, y de inmediato comprendió su falta de tino: ¿tenía que encontrarla vieja y agrietada como a Álvaro, fundido por los años y la vida? ¿O medio calva y barrigona, con ojeras permanentes, como se veía a sí mismo en el espejo malvado que siempre se prometía sacar de la puerta de su cuarto?

Después de ver a su madre, Fernando había sentido la necesidad de comenzar la restauración de su pasado con una visita a Delfina. Incluso había pensado que debía ir a verla antes de intentar tomarse un café doble en Las Vegas y de encontrarse con algunos de sus viejos amigos. Pero un temor frío a enfrentarse con una imagen devastadora lo ayudó a contener la ansiedad y posponer la visita. Dos motivos demasiado contundentes lo atraían hacia aquel encuentro muchas veces planeado desde que había decidido realizar el breve regreso. El primero —al menos de eso trataba de convencerse a sí mismo— era la ya lejana muerte de Víctor, en 1981, pues él no había estado presente para ofrecer el extraño consuelo que llevaron los otros a aquel velorio de un cadáver ausente, que sólo ocho años después regresaría a su tierra, convertido en un montón de huesos anónimos, tapiados en una caja metálica, como el de los otros cubanos muertos en las estepas y selvas angoleñas. La segunda razón era más espuria y a la vez elevada, más absurda y a la vez terriblemente real: Fernando creía que seguía enamorado de Delfina, como lo había estado desde que la conoció, al iniciarse el curso universitario de 1969, y como lo seguiría estando después, a pesar de haberse convertido en la mujer de Víctor.

Todavía se preguntaba por qué se había apartado de aquella historia, hasta perder toda posibilidad de protagonizarla. Desde que apareciera en sus vidas, Delfina fue como un imán capaz de alarmar los instintos masculinos de los Socarrones: aun cuando no era ni la más hermosa, ni la más elegante, ni la más culta de las treinta y seis muchachas que iniciaron el curso, era la más atractiva de todas por el desenfado y la sobriedad con que asumía la vida y su feminidad, y por la sensación de realidad que la envolvía, como un halo magnético. En las conversaciones extraliterarias que solían tener en la azotea de Álvaro, cada uno de ellos fue confesando la atracción que ejercía Delfina. El bello Arcadio lo dijo como si no le importara demasiado, pues la vida lo había acostumbrado a tener la posibilidad de escoger, aunque en verdad le hubiera gustado hacerle un tiempo, dijo una noche. El guajiro Conrado lamentó haberse empatado con María Victoria, pues la amistad surgida entre ella y Delfina le cerraba los caminos hacia la Meca, pero admitió que antes le había hecho un par de disparos infructuosos, pues cariñosamente Delfina lo había tirado a la mierda. Fernando reconoció que le gustaba, pero no iba a lanzarse hasta estar seguro: fallar en aquella caza de altura podía ser fatal para el destino de la persecución. Tomás, mientras tanto, pensaba que Delfina debía tener algún bacán escondido y por eso no le daba bola a nadie. El negro Miguel Ángel, convencido al principio de que no era para tanto, contó una noche que había soñado con ella y, con su habitual honestidad, terminó por decir que a lo mejor estaba enamorado de ella, aunque también le parecía que a Delfina no le gustaban los colores serios. Álvaro, sin embargo, quizás escondía algún resentimiento inconfeso y aseguraba que la muchacha debía de ser tortillera y otros desperdicios peores: ninguna jeva podía andar comiendo tanta mierda, y menos ahora, el mundo se podía acabar en cualquier momento y la orden era gozar la papeleta, pues ya se había demostrado que la templadera engordaba y que órgano que no se usa, se atrofia... Sólo Víctor se abstuvo de hacer comentarios y tampoco los hizo después de aquella noche de septiembre, apenas iniciado el segundo año de la carrera, cuando llegó a la casa de Álvaro con Delfina tomada de su brazo: el asombro aturdió a los Socarrones al ver a la muchacha en sus predios, pero la sorpresa se multiplicó cuando vieron cómo Víctor la sentaba a su lado y le tomaba la mano, mientras ella colocaba una de las suyas sobre un muslo del afortunado.

Los Socarrones, puestos por una vez de acuerdo, fueron crueles y vengativos. Encabezados por el propio Fernando, que taimadamente minó el terreno sin dar nunca la cara, buscaron la manera de que Víctor no apareciera más en las tertulias con su novia, aunque poco a poco terminaron por hacerse a la idea de que Delfina no iba a ser la mujer de los mosqueteros —Tomás dixit—: una para todos. Y al final la admitieron, como si fuera posible aceptar lo inaceptable, al menos para Fernando, quien, a pesar de su fidelidad a Víctor y de todos sus triunfos en amores, siempre sintió un escozor al pensar en ella, hasta admitir que estaba jodida y definitivamente enamorado de aquella mujer... ¿Seguía enamorado?, se preguntó, después de darle un beso en cada mejilla, a la usanza española. Entonces la tomó por los brazos y dio un paso atrás, para contemplarla a una distancia más propicia.

—¿Pero cómo es que tú no cambias? Es que estás igualita...

Delfina sonrió ante la peligrosa lisonja del recién llegado.

—Ay, Fernando, tú sigues siendo el tipo más mentiroso que he conocido en mi vida.

Tres horas duró la conversación. Sentados en el balcón del apartamento, con la calle Diecisiete a sus pies, bebieron café dos veces y Fernando se fumó diez cigarrillos. A Víctor apenas le dedicaron unos minutos y él pensó que Delfina prefería eludir el tema. Al tránsito de Fernando por las etapas de su largo exilio miamense-neoyorquino-madrileño, casi una hora. A la vida de Delfina en todos esos años, el resto del tiempo: Fernando supo que seguía trabajando como especialista en artes plásticas, que había escrito un libro sobre los pintores cubanos de los años ochenta, que su madre había muerto pero su padre seguía vivo y dispuesto a cumplir mil años, que nunca le escribió porque Fernando había exigido que nadie le escribiera, que el color de su pelo era resultado de un tinte pues estaba llena de canas, que después de la muerte de Víctor no se había vuelto a casar, y no por falta de pretendientes, y que hacía como tres meses le había ocurrido algo increíble: estaba en la caja del mercadito del Focsa, dispuesta a pagar dos paquetes de espaguetis, y de pronto vio a Fernando entrar en la tienda. Fue una sensación tan nítida que levantó la mano, para que él la viera...

En ese instante Fernando Terry sintió la explosión y vio cómo el mundo se deshacía. Ninguna información podía ser más catastrófica y cruel que aquélla, ni siquiera la noticia de que la perseguida novela de Heredia fuera un sueño inalcanzable. La certeza de que en lugar de replegarse él debió haber luchado, lo enfrentaba a una posibilidad lamentable: porque ahora sentía que aquella mujer pudo haber sido la suya; aquel balcón, el de su casa; el paisaje urbano que ahora veía, el que debió haber visto cada despertar. Y la evidencia de que el amor se le había escurrido entre los dedos lo hizo sentir la magnitud de una equivocación capaz de vaciar al universo de todo su sentido.

Una de las fiestas que me reservaría la vida, como evidencia de la existencia de Dios y su capacidad única para crear belleza, la tuve aquel invierno de 1819, cuando viajé por primera vez a la ciudad de Matanzas. Cierto es que he tenido el privilegio de disfrutar algunas de las más abrumadoras maravillas de la naturaleza, como la desembocadura inabarcable y terrosa del Orinoco, cuyas aguas rojas abren en dos mitades el azul del mar y lo penetran por largas millas, como un puñal ya manchado de sangre; o esas cataratas del Niágara, espectáculo de fuerza inigualable que me provocaría la más alta inspiración; o el panorama singular del Nevado de Toluca, con siglos de historia a sus pies, y al cual ascendería sólo para descubrir cómo se había secado en mí la fuente de la poesía. Pero el prodigio a exacta escala humana, dibujado con una paleta más cálida y colorida, que ofrece al viajero el valle del Yumurí, poblado de majestuosas palmas reales, ríos apacibles y dulces campos de caña, y la vista prodigiosa que se disfruta entonces de la ciudad de Matanzas, premiada por la ventura geográfica de su envolvente bahía, fue un regalo y a la vez una maldición, pues desde ese primer instante caí enamorado a los pies de aquel paisaje que ese mismo día decreté mío, y cuya persistente evocación tanto me dolería en los años de mi exilio, entre el frío y la nostalgia.

Mi tío Ignacio, a quien debía la invitación a pasar unas semanas en Matanzas, reía, asombrado de mi visible asombro. Él sabía que el viaje por tierra, recorriendo el Camino Real, nos llevaría hasta aquella maravillosa altura del fertilísimo valle, donde el río San Juan se despeña hacia el mar y la ciudad se muestra a los pies del desprevenido visitante. Entonces, para que mi admiración se saciara, Ignacio me propuso hacer un alto en el gigantesco ingenio Los Molinos, propiedad de sus amigos los marqueses de Prado Ameno, quienes lamentablemente no se hallaban en su al parecer paradisíaca propiedad. No obstante, en el portalón de aquella fastuosa casa donde yo iría a refugiarme en días más difíciles, bebimos unos licuados de mamey, observando el prodigioso panorama, mientras mi tío me comentaba que la ciudad, más limpia y sosegada que La Habana, comedidamente provinciana y menos contaminada con los vicios de la época (sabía bien a lo que se refería, pues ya desde entonces Ignacio era mi confidente), me iba a satisfacer tanto que ya andaba convencido de que siempre me acordaría de ella. Y tuvo razón mi tío, como solía suceder.

Ignacio era el menor de los hermanos de mi madre y parecía signado como un triunfador en la vida. Dueño de un bufete de abogados en Matanzas y del cafetal Jesús María, muy cerca del partido municipal de Colón, Ignacio trabajaba para las más ricas familias de la región y gustaba de la buena mesa, los mejores vinos y las ropas caras, tanto como de los buenos libros, de los cuales me regalaría algunas joyas durante aquellas vacaciones y en muchas otras oportunidades por el resto de mi vida. Sólo me resultaba extraño el hecho de que siendo joven y apuesto, parecían serle indiferentes las mujeres, de las que a veces hablaba, refiriéndose a su belleza o elegancia, pero sin mostrar el interés febril que en mí provocaba cuanta muchacha hermosa pasara por mi lado. Incapaz fui de imaginar entonces el drama terrible que por siempre viviría aquel hombre bueno, al que tanto le debo en la vida, obligado a esconder por siempre sus invertidas preferencias en materia de amor y sexo.

Fácil me fue, con las relaciones de Ignacio, entrar en el mundillo literario matancero. Los pocos poemas ya publicados en las revistas habaneras habían sido leídos por los colegas de la ciudad, quienes de inmediato me acogieron con entusiasmo, sin el recelo habitual entre los escritores de las grandes urbes. Para ellos yo era una especie de bicho raro, pues les resultaba demasiado joven para andar cultivando fama de poeta. Los matanceros, orgullosamente provincianos, como decía Ignacio, tenían una hermosa fe en la poesía y en el arte, y aseguraban que aquella ciudad abocada al mar y surcada por dos ríos mansos, cual una Venecia tropical, estaba destinada a convertirse en un paraíso de las bellas artes.

Dos sucesos trascendentales para mi vida me depararía aquella breve estancia matancera: en la tranquilidad de las mañanas escribí, casi de un tirón, mi primera obra de teatro, a la que titulé *Eduardo IV o el usurpador clemente*, gracias a la cual me haría prematura y definitivamente famoso en la ciudad, pues, junto a otros aficionados al drama, la llevamos a las tablas y, en un atrevimiento juvenil que jamás repetiría, tuve la osadía de subir a la escena bajo la piel de mi personaje Guillermo. Y hasta creo que no lo hice mal.

El segundo suceso, no menos importante, ocurriría durante una de esas jornadas leves de asueto, tertulias, paseos y copas. Fue junto a la desembocadura del Yumurí, una tarde cálida de enero, cuando vi descender de un bote de recreo a aquella joven que llegaría a ser no sólo mi musa más recurrida, sino también la herida sangrante que llevaría en un costado por el resto de la vida.

Mi amor confeso de entonces era la etérea Isabel, a la cual, como buen poeta, rebauticé como Lesbia o Belisa. Ambos nombres, fácil es advertirlo, eran juegos de letras en apariencia inocentes para esconder el apelativo de la joven. Mi amor verdadero, sin embargo, era Betinha, la mujer que devoró mi virginidad y encauzó mis ardores de hombre recién inaugurado. Y creía yo que con tales empeños mi capacidad de amar estaba satisfecha, pero al ver a aquella damita ataviada con un vaporoso vestido de hilo blanco, que hacía resaltar el color levemente aceitunado de su piel, sentí un escozor en el corazón. Venía ella tocada con un sombrero de encaje bajo el que asomaban en cascadas los rizos de su pelo negro, mientras el escote de su vestido revelaba la protuberancia de dos senos erguidos y la parte posterior de su falda se alzaba con la promesa de una grupa capaz de competir con la de Betinha. Pero fue al verla sonreír, con una facilidad que derrochaba vida y unos labios salpicados de brillantes gotitas de sudor, cuando comprendí que el corazón de un hombre, y más el de un poeta, es como un campo fértil donde pueden convivir la guayaba y el mango, el anón y la papaya, el clavel y la rosa... Y en el instante en que ella se disponía a bajar del bote, con una de esas decisiones inesperadas, me acerqué y le tendí mi mano para ayudarla a poner pie en el muelle. Aquel gesto galante, que puso en evidencia la escasa cortesía de los jóvenes que la acompañaban, me sirvió para arrancar otra sonrisa de su rostro y ver a un palmo de mí las perlas magníficas escondidas en el estuche de sus labios rojos. Yo también le sonreí y, cumplida mi misión, empecé la retirada, cuando escuché su voz.

—Muchas gracias, señor —susurró.

—Ha sido un placer, señorita...

—Dolores Junco, para servirle.

—José María Heredia, a sus pies.

—¿El poeta?

—Siempre a sus órdenes.

Desde esa tarde venturosa la voz y la sonrisa de Lola Junco quedaron prendidas en mi mente, como premonición de un futuro que nos llevaría más allá de todos los límites. Nadie podría haber pensado entonces qué momentos de gozo viviríamos y cuánto se ensañaría la adversidad con nosotros, al punto de convertirnos en esclavos de la desdicha.

Lógico fue que haya sentido una gran pena al alejarme de Matanzas, apenas unas semanas después de mi llegada. Quizá toda mi vida hubiera sido otra, menos rutilante tal vez, pero sin duda menos desgraciada también, si mi deseo de permanecer en aquella apacible y próspera villa se hubiera realizado en aquel instante. Pero debía yo rendir los exámenes de mi segundo curso de Leyes en la universidad y no había más remedio que volver.

Afortunadamente, en compañía de mi tío había repasado algunas lecciones y pasé sin contratiempos los insípidos exámenes, tras los cuales fue fijado al fin el momento ingrato de nuestra partida hacia México: a últimos de marzo abordaríamos el bergantín *Argos* con proa a Veracruz y con destino a una forma de vida que sabía muy diferente de la hallada en Cuba. Pero la salud de mi padre iba de mal en peor, y algo similar ocurría con el fuerte carácter de mi madre, empeñada en tenerme cerca, sobre todo después de la prematura muerte de mi joven hermano Rafael, acaecida unos meses antes. Aquélla, la primera de las muchas muertes de seres queridos que afrontaría a lo largo de mi vida, me arrojó contra la evidencia de la fragilidad de la existencia humana:

aquel niño, al cual vi reír y crecer, de pronto enfermó de unas fiebres terribles y dos días después era un despojo humano, metido en un ataúd blanco. La debilidad de la línea de la vida me pareció tan dramática y real como irreales las vanidades y pretensiones materiales de los hombres.

Para mi suerte, Domingo siempre fue un excelente alcahuete, y ni siquiera en sus días de peor humor mis padres se atrevían a negarme el permiso de salir con él, de tal modo que lo utilicé con frecuencia para huir del ambiente enfermizo de mi casa. Cierto es que algunas veces —todas cuantas podía, para ser sincero— el destino de mis escapadas era el burdel de madame Anne-Marie, pero muchas otras fue la propia casa de Domingo, o los bancos de la plaza de Armas y la alameda de Paula, donde acariciábamos nuestros proyectos literarios.

Ahora comprendo que en aquellas interminables pláticas estábamos forjando algo tan maravilloso como el nacimiento de un país, sin que comprendiéramos el alcance de tal empeño, más entusiastas e irresponsables que reflexivos y videntes, a nuestros dieciséis años. Ya desde entonces una de las ideas obsesivas de Domingo, que luego se tornaría una especie de dogma, era convertir los asuntos típicamente cubanos en materia literaria. Como su amor por los carruajes y los libros o su deseo de ser un gran poeta, Domingo también tenía muy clara en su mente aquella idea, y por eso en nuestras tertulias él siempre hablaba de que la literatura de la isla debía hacer resaltar la naturaleza y los tipos humanos del país para distinguirla de la que nos llegaba de Madrid, cansada y exenta de emoción. Verdad es que los poetas que nos antecedieron habían cantado las bondades de la naturaleza cubana, pero nos resultaban prosaicos y enumerativos, huérfanos de emoción, y pensábamos que sólo imponiendo una visión íntima de la vida del país se podría llegar a crear una literatura verdaderamente nueva... Años tardaría yo en descubrir el manantial original del cual habían brotado aquellas ideas, de las cuales Domingo era sólo un eco, cuando en Filadelfia, durante el invierno más terrible de mi vida, escuché al padre Varela repetir, frase por frase, los discursos aprendidos y usurpados por el gran Domingo.

Por aquellos días, para desafiar los retos de mis contertulios y demostrar de cuánto era yo capaz, me encerré varias mañanas en mi casa y, con la facilidad con que se me daba la rima, escribí un sainete sobre una estampa del campo cubano —que apenas había visto en mis paseos por los alrededores de Matanzas— y lo titulé *El campesino espantado*. Pero, antes de leerles la pieza a mis amigos, tuve la insolencia de llevársela al padre Varela, al que casi obligué a dejar de tocar su violín,

aunque lo vi reír divertido por algunos de mis versos. Su juicio, benévolo, tuvo como siempre la coletilla de la advertencia.

—Esto me parece muy bien. Aunque debes tener cuidado con dos
cosas. Una no la puedes evitar, y es tu juventud. Otra debes aprenderla
desde ahora: la literatura no es una competencia.

Si no olvidé jamás estas palabras del buen cura, tampoco he podido borrar de mi mente la cara de Domingo mientras leía mi sainete:
de alguna manera, en la repartición de bienes que él había hecho, estaba decidido que los temas del campo y los guajiros eran su coto particular, y oírme leer algo que superaba todas sus posibilidades, escrito
a vuela pluma, pero capaz de provocar el júbilo del resto de los amigos, le resultó una imperdonable intromisión... Muy lejos andaba yo
de imaginar que aquel día estaba convirtiendo en mi enemigo a un
hombre al que tanto amé, y más distante aún de sospechar que la felicidad es un equilibrio precario dispuesto a quebrarse con la misma
insolencia que el cristal mejor tallado.

¿Me pasa lo mismo que te pasaba a ti o es que me empeño en que
me pase lo mismo que a ti?, se preguntó cuando el auto enfiló por la
prolongada pendiente y se dispuso a gozar de uno de los espectáculos
que más había amado en su vida. En un mundo lleno de paisajes
extraordinarios, quizás otra persona no le encontraría nada especial,
pero a él siempre lo conmovía hasta la última fibra aquella vista abrup-
ta y privilegiada de la ciudad de Matanzas, revelada de pronto tras una
curva de la carretera. Era tal la persistencia de sus emociones que,
durante los veinte años que había estado sin hacer el trayecto, cientos
de veces lo reprodujo en su mente y en muchas ocasiones hizo viajar
a su lado al joven Heredia, para disfrutar del espectáculo que a su vez
disfrutaba el poeta al entrar por primera vez en la ciudad donde sería
más feliz y más desdichado. Aunque Fernando sabía que en aquellos
tiempos el viaje desde La Habana se hacía por otros caminos y la villa
de 1818 era apenas un caserío todavía pobre y apacible, la belleza de
aquel último tramo de la Vía Blanca, con la bahía al fondo, y la ciudad abrazada por sus dos ríos, mansa y como dormida a los pies del
recién llegado, siempre le hacía desear que Heredia hubiera tenido la
misma experiencia visual que él sentía tan intensa e inolvidable.

—¿Ya se te pasó? —le preguntó Arcadio desde el timón del auto.

—Éste no tiene cura, míralo cómo está —aseguró Álvaro desde el
asiento trasero—. Ni que fueran las pirámides de Egipto.

—O las cataratas del Niágara —admitió Fernando sin quitar la vista del paisaje.

Sentir sobre la suya la mirada romántica de Heredia, poniendo lastre a sus emociones y dolores a su ausencia, le provocó a Fernando la sensación, extrañamente inadvertida hasta ese preciso momento, de que su vida se había torcido para siempre justamente aquella madrugada demasiado remota en que despertó bañado en sudor, con el pene erecto y la incisiva determinación de que necesitaba escribir un poema de amor. Fernando tenía catorce años y por primera vez desde que descubrió el placer del sexo manual sintió cómo su desvelo no lo conducía hacia el baño donde se ocultaba para practicar sus frecuentes masturbaciones. Una necesidad más fuerte, capaz de doblegar hasta sus erecciones, le puso un lápiz en la mano, sin que él tuviera la menor conciencia de lo que aquel acto le provocaría: porque si no hubiera escrito aquel poema del cual ahora no podía recordar ni un ripio de verso, y se hubiera ido al baño a complacer la llamada selvática de los instintos, quizá su vida se habría desenvuelto lejos del torbellino que ahora le hacía recibir en carne propia, como una réplica inmerecida, las emociones que debió de vivir el verdadero poeta.

—¿Y ahora por dónde cogemos? —quiso saber Arcadio cuando el auto penetró en el laberinto de la ciudad—. Por más que venga aquí, siempre me pierdo.

—¿Cuál es la dirección de Cernuda? —le preguntó Fernando a Álvaro.

—Contreras 96.

—Yo sé llegar —afirmó Fernando—. Sigue hasta la otra esquina y dobla a la derecha. Es después de la biblioteca.

Mientras observaba con angustia la deteriorada imagen física del lugar, Fernando se sorprendió por la manera tan nítida en que había conservado en la mente el plano de la ciudad. Muchas veces, en sus años de estudiante e investigador, había pateado las calles de Matanzas en busca de huellas de Heredia, de Domingo del Monte, de Plácido y de los otros poetas que darían origen al eslogan de que la ciudad —llena de escritores, pintores y músicos, aunque también de esclavos y esclavistas, como las polis griegas— era «la Atenas de Cuba». Y ahora afloraba desde una gaveta recóndita de su conciencia el íntimo conocimiento que llegó a tener de las calles y rincones de la zona, y fue conduciendo a Arcadio hasta una vieja mansión de altos ventanales enrejados y una enorme puerta doble de madera oscura.

Los tres amigos abandonaron el auto y Álvaro tocó a la puerta.

Fernando sentía la excitación del momento y Arcadio miraba la casa con una obstinada atención, como si ésta pudiera hablarle.

Un hombre de unos cuarenta años les abrió y cruzó saludos con ellos. Álvaro, que seguía al frente, inició la conversación.

—Estamos buscando al señor Leandro Cernuda..., venimos de parte del doctor Mendoza, de la Gran Logia.

—Yo soy su hijo, pero... el viejo murió hace dos años.

—¿Y cómo Mendoza...? —Álvaro comenzó una protesta, pues le parecía inconcebible que el profesor no tuviera aquel dato. Pero de pronto comprendió lo absurdo de la situación y miró a sus amigos. Fernando estaba lívido y Arcadio todavía contemplaba la casa, como si la estudiara.

—Si puedo servirles en algo... —dijo el hombre, quizá movido por la curiosidad que le provocaban aquellos personajes que andaban buscando a un muerto. Entonces Fernando se adelantó.

—Quizá sí pueda ayudarnos. ¿Podemos pasar?

La sala, sombría y fresca, exhibía un muestrario de viejos y hermosos muebles de madera. Se acomodaron en los cuatro sillones y Fernando le explicó su interés: venían buscando a Leandro, el hijo de Carlos Manuel Cernuda, pues era posible que él supiera algo sobre el paradero de unos documentos recibidos por la logia Hijos de Cuba casi ochenta años atrás.

—Creo que no puedo ayudarlos —respondió el hombre—. Yo ni siquiera soy masón.

—¿Y no habrá alguien...? —atacó Álvaro—. Porque la logia todavía existe, ¿verdad?

—Sí, claro. Pero, miren, si hay alguien que puede saber sobre eso es el viejo Aquino. Tiene como ochenta años y creo que es masón desde que nació. Aunque hay un problema...

—¿Qué problema? —Álvaro parecía a punto de saltar sobre el hombre.

—Es que ahora vive en Colón. Su hijo se lo llevó para allá.

—Podemos ir a Colón —intervino Arcadio, sin abandonar el registro visual de la casa—. ¿Sabe la dirección?

—La vieja debe saberla. Un momentico. —El hombre se levantó y caminó hacia el interior de la casa, mientras Fernando, Álvaro y Arcadio se miraban.

—Yo pago la gasolina —dijo Fernando, y Arcadio levantó la mano, restándole importancia al asunto.

—Me encanta esta casa... Tiene poesía, ¿verdad?

—Mira que hay que oír cosas. —Álvaro estaba molesto y golpeó con la mano el brazo del sillón–. Poesía es que nos demoramos dos años...

Los otros dos tuvieron que reír y Fernando sintió en ese instante la fragilidad de una pista que creyeron tan segura. Para empezar, ninguno de los testigos presenciales de aquel acto de 1921 debía de estar vivo, a menos que tuviera cien años; para seguir, aun si encontraban a alguien capaz de aportarles noticias fiables, no había mayores razones para que les revelara a ellos un secreto encomendado al mutismo esencial de los masones; y, para terminar, estaba el escollo que desde el principio le había parecido más terrible: si todavía existían los papeles, ¿por qué sus depositarios los mantenían ocultos? Aquellas dudas, unidas a la noticia de la muerte de Leandro Cernuda, levantaban una valla que comenzaba a parecerle infranqueable entre el deseo y su materialización, cuando del interior de la casa salió una mujer. Debía de tener setenta años, pero lucía fuerte y activa, como lo indicaba el delantal que llevaba al cuello.

–Buenos días. Yo soy Alma, la viuda de Leandro. A ver, ¿cómo es esa historia?

Mientras Álvaro avanzaba en el relato, Fernando creyó descubrir un brillo de interés en la mirada de aquella mujer que en muchos sentidos le recordaba a su propia madre.

–Me encantan esas historias de masones –admitió Alma cuando Álvaro hubo terminado–. Mi marido fue masón desde los diecisiete años hasta que murió, con setenta y seis. Y yo misma fui Acacia..., es decir, soy, aunque hace siglos que no voy a la logia. La casa, los nietos.

Arcadio se acomodó en el borde de su sillón y la miró.

–Alma, ¿su marido nunca le habló de esos documentos?

–No, estoy segura. Estuvimos casados más de cincuenta años y jamás me habló de nada de lo que ocurría dentro de la logia... Ustedes saben cómo son los masones para sus cosas. Pero ése no es el problema. Lo complicado es que su padre, Carlos Manuel, tampoco pudo hablarle de eso. Fíjense, lo que ustedes me cuentan ocurrió en 1921, ¿no? Pues Leandro nació en el 22... y su padre murió en el 29. Así que al menos por él no debió saberlo.

Fernando sintió de golpe la caída del telón. Lo invadió un cansancio profundo y unos deseos infinitos de salir de la casa, de la ciudad, de no parar hasta su ático madrileño para olvidar aquella pesquisa absurda que lo había hecho renunciar a su decisión de vivir en el olvido y no regresar a la isla.

–Tienen que ver al viejo Aquino. Él fue el orador y el secretario de la logia desde hace mil años —siguió Alma—. Yo no sé la dirección de su hijo, pero sé que su nieto es el director del museo de Colón. No tienen pérdida. Y ojalá encuentren esos papeles, porque esa historia me encanta... Es que ustedes no deben saber que yo soy tataranieta de Pepilla Arango. ¿Ustedes saben que en la casa vieja de mi familia, que estaba en este mismo terreno, fue donde se escondió Heredia antes de irse de Cuba?

—¿Dice que estaba aquí mismo? —preguntó Arcadio, sorprendido por la revelación y, mientras la anciana asentía, lanzó al rostro de Álvaro su satisfacción—. Yo lo sabía, esta casa tiene poesía.

Otra vez el mar. Todo volvía a comenzar. México en el presente, Cuba, Venezuela, Pensacola, Santo Domingo en el pasado, y frente a mí, nuevamente el mar, siempre camino a otra tierra. ¿Qué me deparararía el futuro? Tal pregunta me hacía, con el rumor del mar aún en los oídos, mientras el carruaje nos conducía a la calle de la Monterilla, número 9, donde estaría nuestra morada. Con una habilidad admirable el conductor sorteaba furnias y vendedores callejeros, al tiempo que nos iba hablando de la tremenda violencia que en los últimos años se había destapado en la ciudad de México. Pero yo apenas lo oía, porque una nube de incertidumbres cargaba de pesares la mente del joven de dieciséis años que abandonaba amores, amigos, mentores, proyectos y lugares queridos para entrar en un mundo diferente que sólo de verlo me pareció hosco y cerrado, en inevitable comparación con la extrovertida ciudad de La Habana. Porque aquellos dos años vividos en Cuba habían marcado profundamente mi corazón, con aprendizajes tan definitivos como el de la amistad, el del amor, el de la fraternidad poética y hasta el de la muerte de un ser querido, y había creado lazos cuya fortaleza aún no podía vislumbrar, pero que ya sospechaba indestructibles. Por primera vez había sentido la posibilidad de pertenecer a un sitio, de tener tierra y casa propias, y aquella isla desgraciada, donde sólo por casualidad había nacido y a la cual, por avatares imprevisibles, regresé para dar el salto tremendo de la niñez a la adultez, se me estaba convirtiendo en una necesidad y, luego lo sabría, en una maldición de la cual nunca habría de librarme. ¿Por qué no pude yo ser dominicano, venezolano o mexicano, si en cualquiera de esas tierras viví tantos o más años que en Cuba? ¿Sería acaso el primero en sufrir la amarga experiencia de sentir que aquella tierra venal era insustituible en el corazón? ¿No hubiera sido mejor para mi fortuna, mi salud, hasta para mi poesía elegir otra patria que no fuera aquella isla en cuyo seno conviven, en su grado más alto y profundo, las bellezas del mundo físico y los horrores del mundo moral?

Respuestas era lo que más necesitaba por aquellos días, y México, sin revelarme su alma como lo hizo Cuba, operaría el milagro de llenarme de convicciones, y en los dos años vividos en la tierra sagrada del Anáhuac terminé de convertirme en el hombre que he sido hasta hoy, cuando apenas me quedan, luego de tanto andar por el mundo, una pertenencia, una certeza y una esperanza: la posesión de mi memoria, la idea de que sólo en democracia y bajo un Estado de leyes el hombre puede alcanzar su dimensión más plena y la remota ilusión de que el juicio del Señor sea benévolo con mis muchos pecados.

El país al cual llegamos en aquel año de 1819 era, como la América toda, un hervidero político donde las facciones se debatían entre la pertenencia a España o la ruptura del viejo cordón umbilical. Yo, hijo de un probo funcionario del gobierno metropolitano, pensaba todavía que la vieja Iberia podía ser la patria común de todos los españoles de uno y otro lado del mar, pero sólo si la política colonial cambiaba y el sistema monárquico adoptaba definitivamente una forma constitucional, con las leyes y preceptos necesarios para evitar los desmanes tiránicos y personalistas. Y así lo expresé, en versos exaltados, cuando Fernando VII, felón y calculador, se vio obligado, por la bancarrota del país y por los valerosos soldados de Riego, a restablecer la Constitución de 1812, para beneficio de la metrópoli y de los territorios de ultramar. Tal era mi ingenuidad como para pensar que un tirano es capaz de hacer cambios que socaven su poder y aflojen las ataduras con las cuales mantiene amordazados a los pueblos… Porque el rey español, como lo hicieron todos los déspotas de la historia, y como estoy seguro lo harán los sátrapas por venir, apenas realizó oportunistas cambios políticos para ganar tiempo y reparar los barrotes de su Estado opresivo y volver a segar los leves espacios de libertad concedidos.

Visto a la distancia, lo más curioso que me ocurrió entonces fue que desde mi llegada asumí aquella estancia mexicana como una interrupción pasajera de mi ya decidida permanencia cubana. Con absoluta armonía me sentía yo comunicado con el espíritu cubano, más abierto y pragmático, que con el arduo carácter mexicano, que me resultó demasiado ensimismado y meditativo, al punto que su influjo llegó a marcar ciertos cambios en mi comportamiento, que en pocos meses tornóse más reposado y reflexivo.

Dos buenos amigos adquirí, a poco de mi llegada, capaces de mitigar en algo el vacío dejado por los viejos camaradas: el noble Anastasio Zerecero y el siempre fiel Blas de Osés. Ambos, como yo, cursaban Leyes en la Universidad de México, pero fue otra vez la poesía la encargada de tender el puente hacia el afecto. Gracias a ellos fui conociendo las aspiraciones de los jóvenes intelectuales mexicanos, casi todos favorables a la independencia, pues consideraban que ya nada podía aportar el viejo sistema imperial a unos países jóvenes, necesitados de emprender su propio camino. Difícil me resultaba, en aquellos diálogos sostenidos en cantinas y parques de la ciudad, o en los bancos de la universidad, ofrecer una respuesta coherente cuando me preguntaban sobre las perspectivas separatistas de Cuba: porque nada en la isla, hasta donde yo había conocido, parecía encaminarse hacia la independencia, y cuando se mencionaba tal posibilidad, siempre emergía un fantasma capaz de hacer dudar al más osado: ¿y si los negros se sublevan, como en Haití? Por eso, ni entre mis jóvenes amigos ni entre sus padres ricos, y ni siquiera entre los más conocidos liberales cubanos, como el padre Varela, se mencionaba la alternativa de una guerra independentista, y más bien se confiaba en la posibilidad de arreglar las cosas en familia, sin que la sangre llegara a un río que sólo Dios sabía dónde desembocaría.

Debo a la gula de Anastasio —su único pecado reconocible— la profunda simpatía que me despertó la variada cocina mexicana y la afición que desde entonces le profeso al aguacate, a pesar de ser yo un defensor apasionado de la comida cubana, en especial de la malanga hervida y aliñada con ajo y zumo de naranjas agrias, el quimbombó, mejorado con carne de cerdo y plátanos maduros, y el ajiaco, donde concurren todas las viandas y carnes posibles para que de su cálida convivencia brote el gusto superior de la esencia misma de cada una. Poseyendo una solvencia económica que en mucho superaba a la mía, la gratitud de Anastasio por oírme recitar un poema se revertía en invitaciones a comer y beber pulque en los más diversos sitios de la ciudad, de los más caros y refinados a los más populares de ciertas colonias de la periferia, donde los hombres comían con sus revólveres sobre la mesa y eran capaces de usarlos, como cierta vez ocurrió, por la simple cuestión del grado de picor del chile pedido al mesero.

Mientras, gracias a Blas de Osés tuve una singular experiencia que enrumbaría para siempre el destino de mi vida y de mi poesía. Recién había yo recibido el más duro de los golpes que hasta entonces sufriera en mi corta existencia: mi buen padre, el justo magistrado, el fiel súbdito de la corona española, el ejemplar progenitor, había muerto el

31 de octubre, y como resultado de tanta ejemplaridad, justeza y fidelidad, nos había dejado a mi madre, a mis hermanas y a mí en la más absoluta miseria. Triste fue el suceso de su muerte, aunque ya esperado, pero desolador resultó presenciar cómo sólo gracias a una colecta entre compañeros y amigos se le pudo dar digna y cristiana sepultura a un hombre tan íntegro, que había trabajado durante cuarenta años al servicio del imperio. Nuestra situación familiar, ya difícil, se tornó desesperada, pues la pensión de novecientos pesos que nos asignaron apenas alcanzaba para no morir de hambre. Adolorido, escribí un poema «A mi padre, en sus días», y de inmediato, enfurecido, redacté una biografía del funcionario Francisco de Heredia, quien vivió en la virtud y murió en la inopia y el olvido, como único premio a sus desvelos y sacrificios de toda la vida al servicio de un rey cada vez más lejano. Ahora, ante nosotros se había abierto una terrible disyuntiva, y la primera acción de mi madre, al asumir las riendas de la familia, fue escribirle al tío Ignacio, preguntándole si su bondad alcanzaba a dar refugio a una viuda con tres hijas jóvenes y un adolescente en mitad de sus estudios universitarios.

Y fue mientras esperábamos la respuesta de Ignacio —yo rezaba, cada noche, para que pudiéramos volver a Cuba—, cuando Osés tuvo la idea de procurarme alguna distracción y una mañana de domingo, en el amable invierno mexicano de 1820, realizamos una excursión a las ruinas del altar de sacrificios de los aztecas conocido como El Teocalli de Cholula, cerca de la ciudad de Puebla de los Ángeles.

Si al salir yo de Cuba era apenas un aprendiz de versificador, capaz de escribir diez poemas de amor por día o de describir en versos acontecimientos y situaciones cotidianas, pienso que las alturas geográficas, históricas y humanas que conocí en México estaban operando un cambio notable en mi vida y en mi poesía... Fue sobre todo uno de los primeros poemas redactados, casi a nuestra llegada, el que me dio la medida de mis verdaderas posibilidades: lo titulé «Al Popocatépetl», y contenía ya una dosis de reflexión, de identificación con la naturaleza, el tiempo y la historia, que explotarían, como aquel mismo volcán, cuando, sentado en la tierra, al atardecer de aquel mes de diciembre, muerto mi padre, en ruina la familia y pendientes todos de un favor, comprendí la verdadera lección que nos dejaba la tétrica pirámide de los sacrificios de Cholula.

He referido ya la atracción que sobre mí han ejercido los paisajes. Pero pocos pueden compararse con el que ese día enmarcaron mis ojos, a punto de derramar lágrimas de emoción: el prado fértil, con las espigas de las mieses apenas movidas por la brisa de la tarde; la muda pirámide, con sus entrañas endurecidas por la sangre de inocentes inmolados por la superstición, la tiranía y la demencia humana; y al fondo, como otras pirámides eternas, los tres grandes volcanes mexicanos, el Iztaccihuatl, el Orizaba y el veleidoso Popocatépetl, dormidos, mas no muertos, con sus cimas cubiertas de nieves desafiantes, jamás holladas por el hombre. La vida, la muerte, lo eterno en tres planos sucesivos, alarmantes, reveladores: del fulgor de la pirámide y sus reyes constructores sólo quedaba ahora la memoria en piedra de su crueldad sin límites, vertida en sacrificios de inocentes a los cuales, con cuchillos de pedernal, se les extraía el corazón aún palpitante para propiciar la voluntad de los dioses y ver cumplidos los deseos de los gobernantes. Pero ellos también perecieron, ellos, que «llamaban / Eternas sus ciudades, y creían / Fatigar a la tierra con su gloria. / Fueron: de ellos no resta ni memoria», mientras la vida seguía su curso al plano de la tierra y lo eterno vigilaba desde sus alturas impolutas.

En aquel instante luminoso, mientras el poema se armaba en mi mente alterada, comprendí la sinrazón de las pretensiones humanas de trascendencia, orgullo, autoridad, y juré, ante la luna recién nacida y en descargo de las almas en pena de los hombres sacrificados por el furor humano, que si la vida me lo permitía, dedicaría todas mis fuerzas físicas y mentales a luchar contra lo peor que el hombre había creado para satisfacer su más despreciable voluntad de poder: la esclavitud y la tiranía.

—¿No hay nada? —había preguntado, en honor a la rutina, pero cuando escuchó la respuesta de su madre sintió un vahído y deseó, desde el último pliegue de su conciencia, que la contestación hubiera sido la de siempre.

«No, mijo», debió de haberle dicho Carmela, como respuesta ya habitual a la pregunta que cada tarde le hacía Fernando al volver a la casa. Y ella se habría secado las manos en el delantal, antes de comprobar si la cafetera había comenzado a colar.

«Ya está colando», habría dicho, después, si a la interrogación retórica de Fernando no hubiera respondido con lo que él menos esperaba escuchar.

—Allá atrás está Enrique. Llegó hace como dos horas...

Si a la misma pregunta hubiese seguido la misma respuesta de todas las tardes, Fernando habría recibido la taza de café y, disfrutando de su olor, hubiera caminado hacia la terraza, donde solía beberlo sorbo a sorbo al tiempo que se quitaba las botas y las medias, con un cigarro entre los labios y la mirada perdida en los árboles del patio: aquella secuencia se había convertido en una práctica que rara vez tenía alguna variación, y si la tenía, casi nunca se debía a la respuesta a la misma pregunta: la carta, el memorándum, la comunicación, el acta salvadora que esperaba seguía sin llegar. Durante toda la jornada de trabajo, mientras conducía el montacargas desde las naves de almacenaje hacia las rotativas, trasladando las bobinas de papel que devoraba el periódico, Fernando sentía la ansiedad por volver a su casa y comprobar si alguna de sus reclamaciones y súplicas había tenido contestación y Alguien le daba la noticia de que su situación se había aclarado o, cuando menos, le especificaba su castigo y el plazo de condena que debía cumplir.

En el año y medio que llevaba fuera de la universidad, Fernando no había perdido la confianza en que alguien estudiara su caso y comprendiera que había sido acusado, juzgado y condenado por un delito inexistente. Sin embargo, para hacer más visible su seguridad en aquella necesaria rectificación y en su voluntad de superar sus posibles debilidades ideológicas, decidió que cada día haría dos horas adicionales de trabajo voluntario, además de participar, como el primero, en cuanta actividad política, social, sindical se realizara en la imprenta, y de encargarse de la actualización del mural del sindicato y de la redacción de los discursos del secretario del Partido, el de la Juventud y los del administrador.

En realidad, durante los meses que siguieron a su expulsión de la universidad, le llegaron varias respuestas a sus misivas: una del rector, donde le explicaba que su caso estaba en manos del ministro; dos de la oficina del ministro, en las cuales le comunicaban, primero, que su caso sería estudiado y, luego, que todo había pasado a manos de una Comisión Ministerial, la cual lo citaría oportunamente; una de la Delegación del Ministerio del Interior donde le recordaban que su sanción era administrativa y escapaba a su competencia; y otras dos, como acuse de recibo, de la Oficina del Consejo de Estado, en las cuales le ratificaban que su preocupación había sido tramitada por los canales correspondientes... La última de esas notificaciones había llegado hacía ocho meses y el silencio de las personas que tenían en sus manos las riendas de su destino comenzaba a desesperarlo, aunque Fernando conservaba su fe en una reparadora rectificación que sólo llegó mes y medio después de haberse iniciado su exilio.

Todo habría resultado previsible y desalentador si su madre le hubiera dado aquella respuesta ya esperada, pero la noticia de que Enrique estaba en su casa resultó peor que el limbo donde parecían haberlo lanzado, quizá para el resto de su vida.

—Pero ese maricón... —empezó a decir cuando un gesto severo de su madre le reclamó silencio.

Desde el principio Fernando había culpado a Enrique de todas sus desgracias. Pero la conversación que se avecinaba le llegaba con año y medio de retraso, un año y medio sórdido y enervante, durante el cual recurrió a diversas estrategias para aliviar su creciente ansiedad y engañar la sensación de que el tiempo pasaba insolente y vacío, hacia un pozo sin fondo. A pesar del cansancio físico, Fernando había tratado de mantener su disciplina de estudio y cada noche dedicaba algún tiempo a sus lecturas sobre el siglo XIX cubano. Mientras cercaba sospechas que se convertían en evidencias, llenaba lagunas y descubría verdades perdidas, se escapaba de su realidad y disfrutaba concibiendo un satisfactorio regreso a la universidad, pues estaría más preparado, sería más culto y capaz, dominaría su terreno como si hubiera sido un contemporáneo de Heredia, Varela, Saco, Del Monte, Plácido, Manzano, Suárez y Romero, Echevarría, Tanco y el joven Villaverde: cada historia oculta, cada motivación, cada intención expresa o presentida de aquellos empecinados inventores de la cubanía literaria, llegaron a ser parte de su vida, de sus nociones de la isla y de la imagen espiritual y poética que ellos habían convertido en imagen de un país no escrito hasta entonces, y al cual dieron rostro y palabra, símbolos y mitología propios.

Lo que se negaba a fluir en aquellas noches de estudio era la poesía. Cierto es que en los años anteriores, mientras redactaba su tesis y se iniciaba como profesor, apenas escribió algún que otro poema. Las urgencias de su trabajo ocupaban demasiado tiempo y rara vez dedicó unas horas a sus versos, aunque una segura conciencia de que la poesía no se había esfumado, sólo latía dormida en su mente, dispuesta a brotar en cuanto él decidiera echar a andar los motores insondables de la creación, le daba una cómoda confianza en sus posibilidades. Sin embargo, desde su expulsión de la universidad algún mecanismo parecía haberse atrofiado: por más que se empeñara, se impusiera metas, se obligara a escribir, su mente fue incapaz de generar un solo verso y las ideas se le esfumaban antes de tomar cuerpo en la letra escrita. Pero lo más alarmante resultó la sensación de odio y el deseo de venganza que empezó a embargarlo cada vez con más frecuencia. Aunque la imagen dominante era la de un Enrique tembloroso, que lo acusaba de complicidades y de la escritura de una poesía de dudosa filiación política, tal y como el policía Ramón le había restregado en la cara, también lo aguijoneaba la nítida envidia que le provocaba el ascenso al parecer indetenible de Arcadio, que comenzaba a recibir premios, a viajar a congresos y ferias; la constancia de Miguel Ángel, empeñado en su primera novela; la suerte de Víctor, ascendido de asistente a director de cortometrajes, mientras él debía gastar sus días como chofer de montacargas y en imaginar los colores de un futuro reparador que se negaba a llegar. Día a día Fernando sentía cómo se iba convirtiendo en otra persona, distinta de sí mismo, con aquel rencor amargo en la mirada, la decepción como sentimiento abrumador y la tristeza como estado de ánimo casi permanente. ¿Si llegaba la carta redentora todavía sería capaz de recuperar la risa, la poesía, la levedad con que había disfrutado del amor?

Aquella tarde Fernando rompió todas las etapas de su rutina y bebió el café en la cocina para encender el cigarro antes de seguir los pasos de su madre que, con otra taza en las manos, había salido hacia la terraza donde se encontraba Enrique.

La visión del traidor removió sus resentimientos: en el sillón encontró a un hombre enflaquecido, con la cabeza casi rapada y la cara marcada de puntos rojos. Con una mano delatora de sus temblores, Enrique trataba de alzar la taza de café hasta los labios. Los dieciocho meses que llevaba sin verlo le parecieron a Fernando dieciocho años devastadores para su antiguo amigo, al punto de pensar que en otro sitio y circunstancia quizá no hubiera relacionado al excéntrico Enrique con aquella figura gastada que al fin le hablaba:

—¿Cómo estás, Fernando? —sin atreverse a ponerse de pie ni a terminar de beber su café.

—Ahora mismo no sé —confesó Fernando y miró a su madre.

—¿Ya terminaste, hijo? —Carmela se preocupó por el café de Enrique, y él dio el último sorbo antes de devolverle la taza.

—Gracias, Carmela..., estaba muy rico.

—Bueno, voy a la bodega —informó la mujer, y dirigió a su hijo una mirada que le exigía paciencia.

Por unos instantes Fernando se negó a mirar a Enrique: esperaba a que el otro comenzara la explicación, pero le sorprendió que en lugar del odio y el deseo de venganza, lo embargara una inesperada sensación de lástima. Enrique, con la mirada clavada en el suelo, tampoco se atrevía a mirarlo: necesitaba un gesto de aliento capaz de romper la tensión. Al final Enrique cedió.

—Nos engañaron a los dos —dijo, y Fernando descubrió que su voz recuperaba la vitalidad de siempre, como si Enrique volviera a ser Enrique y sus palabras dijeran una simple verdad.

Fernando Terry hubiera preferido escuchar cualquier insulto, ser agredido incluso, antes que escuchar aquello. La ira volvió a dominarlo, de un modo brutal, y provocó la explosión del rencor, la desesperación y los deseos de venganza empozados durante un año y medio. El cigarro que estaba en sus manos voló por el aire, y las venas del cuello se le llenaron de sangre enferma.

—Pero serás maricón. ¿Qué cojones nos engañaron ni nos engañaron? ¡Tú me denunciaste! Tú les dijiste que yo sabía que tú querías irte de Cuba y hablaste mil mierdas de mí... Por tu culpa me descojonaron la vida. ¿Quién coño nos engañó? ¡Tú fuiste el que me engañó! Yo creí que tú eras mi amigo, pero eres demasiado maricón para ser amigo de nadie, de nadie.

En su sillón, con la mirada perdida entre sus propias piernas, sin hacer el menor intento de levantar sus defensas, Enrique dejó que las acusaciones cayeran sobre él, como una lluvia ardiente.

Mientras encendía otro cigarro, Fernando observó el triste espectáculo. Haber vomitado su rabia sobre el principal culpable de sus desgracias le hacía sentirse levemente redimido. Porque en aquel instante de catarsis no imaginó siquiera el modo en que sus insultos, la imagen de un Enrique aplastado, la satisfacción de sentirse descargado de odio, y las tres sílabas rotundas de la palabra *ma-ri-cón* iban a perseguirlo como uno de los actos más bochornosos que cometiera en su vida. ¿Fui yo quien lo empujó debajo del camión?, se preguntaría después, una y otra vez, a lo largo de los años.

—Nos engañaron a los dos —repitió el otro, y por fin lo miró de frente: en sus ojos había una humedad alarmante y un reto sostenido.

Fernando creyó que podía agredirlo. La insistencia de Enrique en aquella idea del engaño le generaba una exasperación homicida, pero la estampa casi desvalida de su antiguo compañero lo contuvo.

—¿Qué ganaba yo con decir una mentira? Dime, ¿qué ganaba si de todas maneras me iban a meter preso?... Yo no te acusé de nada. Pero ellos sí me dijeron que tú les habías dicho que yo escribía cosas que no eran revolucionarias y que...

—¿De qué tú estás hablando? —Fernando saltó cuando sintió la puñalada en un costado.

—Tú lo sabes bien: tú fuiste el único que leyó una parte de la «Tragicomedia cubana». Y según ellos, tú les dijiste que eso era una obra de un resentido político...

—¿De dónde tú sacas toda esa mierda? —Lentamente Fernando se puso de pie.

—De lo que me dijeron ellos, coño —gritó, y también abandonó su sillón. De pronto, la cautela y la vergüenza de Enrique parecieron esfumarse—. ¿Pero es que no entiendes? Nos engañaron, nos jodieron a los dos. Óyeme bien, Fernando: o nos pusieron una trampa o me acusó alguno que sabía lo que yo estaba escribiendo, y ese mismo te acusó a ti de...

—Déjate de historias, Enrique, no me vas a convencer...

—Te voy a convencer —insistió, como si convencer a Fernando fuera su única misión en la vida—. Porque yo seré maricón, pero cuando hace falta puedo ser más hombre que tú, y tú sabes lo que significa para mí la amistad. Yo jamás te hubiera acusado, y estoy seguro de que tú jamás me habrías acusado a mí, ¿verdad?

Fernando sintió cómo su estómago daba un salto mortal hacia una cavidad remota de su cuerpo. Algo en lo que decía Enrique lo ponía a dudar de la certeza sostenida durante año y medio, porque era el presunto delator quien le revelaba ahora su propia debilidad: ¿Enrique sabía que él sí lo había acusado delante del policía Ramón? Pero dijo:

—Claro que no...

—Mira, Fernando, algún día te contaré lo que pasé mientras estuve preso... Tú ni te lo imaginas. Pero me sobró tiempo para pensar, y ahora sé que nos engañaron porque alguien nos delató. Y ese alguien tiene nombre.

—¿Qué estás diciendo ahora, Enrique?

—¿Pero cómo coño no entiendes?: entre el Negro, Conrado, el Varo, Arcadio, Víctor y Tomás está el que te acusó de saber que yo me iba.

—¿Entonces tengo que dudar de ellos y creerte a ti?

Enrique lo miró con una firmeza que parecía salir de sus entrañas. En aquella cara quemada por el sol, prematuramente agrietada, los ojos eran dos llamas oscuras, en las cuales Fernando Terry comenzó a ver la evidencia de una lacerante verdad.

—Haz como quieras, Fernando. No me creas a mí, confía en ellos. Pero algún día vas a saber la verdad. Es una lástima...

Dijo, ya en voz muy baja, y entró en la casa, buscando la salida. Fernando miró el sillón donde había estado Enrique. Me cago en su madre, pensó, cuando sintió cómo empezaba a resquebrajarse la cómoda certeza de que Enrique lo había traicionado.

Con ansiedad creciente escuchó el panegírico de Cristóbal Aquino, dedicado al poeta patriota de sufrido y tempestuoso paso por la vida. Tantas veces había oído exaltar aquella figura sin mácula, que su mente llegó a construir un retrato pétreo de un hombre del cual no alcanzó a tener memoria viva, pues su padre había muerto al día siguiente de él haber cumplido los tres años de edad.

Durante mucho tiempo la falta de recuerdos propios se había poblado de elogios y discursos como aquellos que adornaron las descripciones oídas a su abuela y a su hermana Loreto, y a las historias leídas a lo largo de los años. Hasta que, de pronto, todo cobró su verdadero sentido, y en aquel instante preciso José de Jesús Heredia era, entre todos los hombres del mundo, el único que conocía la verdadera humanidad del hombre que había sido su padre, tan diferente de aquella estatua inmaculada, hecha de palabras, evocaciones y versos repetidos de memoria.

Desde entonces, cuando hablaba de su padre, José de Jesús era capaz de asombrar a quienes lo escuchaban mientras describía, con preciosismo en los detalles, episodios puntuales de la vida del poeta, la mayoría muy anteriores a su propio nacimiento. Sin embargo, entre todos los acontecimientos posibles sentía una vengativa predilección por narrar cómo habían sido sus últimos días de paria condenado al olvido, sin dinero, sin gloria, sin amigos, allá en la casa de la antigua calle del Hospicio de San Nicolás, en la ciudad de México: el dolor de Heredia podía ser tan vívido en aquel relato que varias veces sus oyentes llegaron a pensar que más parecía una experiencia personal de su hijo que la suma de historias oídas desde su niñez.

Con más razón que nunca José de Jesús se preparaba para relatar esa noche la triste historia de cómo, desde su cama de tuberculoso, quemado por la fiebre, el poeta le dictaba a su esposa Jacoba sus recuerdos de hombre atrapado por los vientos de su tiempo. El anciano se proponía acudir a todos los detalles capaces de dar brillo, verosimilitud y humanidad a su evocación: el color desvaído del pelo de su madre, suelto en la intimidad de la casa; el efluvio amargo de los remedios que bebía su padre y de los emplastos oscuros que le colocaban en el pecho ardiente; la luz de las lámparas de aceite prendidas toda la noche; el frío hiriente de aquel último invierno mexicano de Heredia, que reavivó como nunca su eterna nostalgia del calor de Cuba; y la revelación dramática del momento en que el poeta, ya moribundo, lo había llamado, Bichí, le dijo como siempre solía nombrarlo, y le colocó en el cuello aquel pequeño caracol pendiente de una cinta, del cual, como le había pedido su padre, nunca se había separado José de Jesús. ¿Mostraría incluso el pálido caracol robado al mar más de un siglo atrás?... El anciano sabía que necesitaba hacer su mejor discurso para que los detalles de aquel episodio y la importancia de su secreto quedaran grabados de modo indeleble en la memoria de aquellos hombres, los únicos en el mundo que habían demostrado inquebrantable fidelidad a su juramento de ser discretos por los siglos de los siglos y a los que, por tal virtud, había escogido como los guardianes del documento más cáustico y revelador de los que había dejado inéditos José María Heredia, unos viejos papeles que, bien lo sabía su hijo, podían alcanzar un precio salvador en el mercado de los husmeadores del pasado.

Ni siquiera en los momentos de más terrible miseria, José de Jesús se había atrevido a poner en otras manos aquel documento. Difícil le resultó vencer los asedios y las ofertas del impertinente Figarola, mientras insistía en que la Biblioteca Nacional sólo le compraría la serie de manuscritos de Heredia propuestos por José de Jesús si incluía en el lote la carta de 1823 en la que el poeta se retractaba de su participación en la conspiración independentista de los Soles y Rayos de Bolívar y también unos papeles donde estaba recogida una especie de memoria o quizás una novela, nunca vista por nadie conocido, y de cuya existencia Figarola no dudaba desde que él mismo había hallado una nota manuscrita de Jacoba Yáñez, oculta entre las hojas de uno de los pocos libros que se habían recuperado de la dispersa biblioteca personal del poeta. En aquel papelillo Jacoba advertía que «la novela de su vida» debía permanecer inédita, según el expreso deseo de su esposo. Además —insistía e insistía Figarola—, José de Jesús debía saber que la existencia de aquellos extraños papeles había sido corroborada por el cronista mexicano Gerardo Arreola, uno de los pocos amigos que visitó al poeta moribundo, cuando el periodista, en una evocación escrita poco después de la muerte de Heredia, habló de un largo texto, tal vez una novela, escrita por el cubano en los meses finales de su vida... ¿Qué otra cosa podía ser aquel texto si no «la novela de su vida» que mencionaba Jacoba?, le preguntó, o más bien se preguntó el incisivo Figarola. Pero José de Jesús negó tener noticias de la existencia de esos documentos, y puso sobre el buró del enterado bibliotecario dos explosivas cartas personales de Heredia, escritas en el destierro norteamericano y dirigidas a Domingo del Monte, en las que prácticamente lo acusaba de haber delatado la conspiración independentista de 1823. Además, le ofreció una ejecutoria de su antepasado el marqués de Mieses redactada por su padre y otros documentos diversos que arrojaban más luz sobre la vida mexicana del poeta.

Aquellas dos cartas enviadas a Del Monte, mencionadas por varios estudiosos pero desconocidas hasta entonces, parecieron calmar la gula del bibliotecario, que las acarició con la yema de los dedos, como si estuvieran grabadas sobre la piel de una mujer. Se sabía que Heredia le había escrito varias misivas a Del Monte, pero el destinatario sólo había conservado unas pocas y, por cierto, ninguna de las que el poeta le enviara entre 1821 y 1823, excluidas todas del exhaustivo *Centón epistolario* que organizara el propio Del Monte con las muchas cartas a él remitidas durante más de veinte años... Pero vamos a ver —era insistente Figarola—: digamos que esos papeles no existen, pero la carta de disculpa de 1823 se conoció, se difundió en parte, y alguien debe tener ese original...

Aunque no era la primera vez que José de Jesús vendía papeles de su padre, pocas veces se sintió tan miserable como aquella mañana del 6 de agosto de 1917 frente a un hombre que empleaba sobre él su pobre poder de bibliotecario en busca de gloria en un país donde a nadie le importaban las bibliotecas, ni los papeles viejos, ni los poetas, ni el perdón de Dios. Pero necesitaba dinero, como lo necesitó su padre en los peores días del destierro mexicano, cuando por tratar de ser digno perdió los favores del poder y hasta dejó de recibir los escuálidos salarios del Gobierno: entonces, para mantener a su familia bajo un techo, debió recurrir a cualquier clase de trabajo, a préstamos familiares, al empeño de sus pocas y entrañables joyas y hasta a la venta de su biblioteca.

José de Jesús le contó entonces cuál había sido el destino del original de aquella carta que su padre había escrito a Francisco Hernández Morejón, juez de instrucción de la causa de los conspiradores en Matanzas, con la intención visible de justificar su huida de Cuba y protestar ante la acusación de que había participado en planes independentistas. Un amigo, cuya identidad jamás revelaría, le había entregado a José de Jesús el original, luego de sustraerlo del expediente del proceso. Y el anciano, avergonzado, susurró que había quemado la carta para tratar de borrar de la memoria de los hombres la espantosa debilidad mostrada por su padre en aquel dramático momento de su vida. Lo que no le contó a Figarola fue que, de haber sabido lo que ahora sabía, jamás habría destruido una misiva en la cual el poeta se jugó a conciencia el juicio de la posteridad por el desesperado intento de mantener viva la esperanza de un gran amor y la posibilidad de cargar en sus brazos a un hijo al que nunca conocería...

Finalmente José de Jesús aceptó la miseria que le pagaba Figarola por el lote de documentos, y mantuvo a salvo aquella «novela de su vida» que, guardada en un sobre de Manila atado con un cordón de color malva, había viajado con él desde La Habana con el objeto de darla en custodia a la logia Hijos de Cuba. El último de los hijos de José María Heredia sintió cómo su pecho se apretaba al recordar que no recibiría un centavo por aquellos papeles que muchas noches pudieron salvarlo del trance terrible de acostarse con hambre.

–¿Qué...? ¿Te emociona como Matanzas?

Álvaro bebió un trago de ron de su petaca, encendió un cigarro y se recostó en el asiento trasero. El auto avanzaba fatigosamente, sorteando baches, perros, personas despreocupadas o tal vez suicidas que caminaban por la calle, y un mar de bicicletas y carromatos tirados por caballos y bueyes que transitaban anárquicamente por la avenida central del pueblo.

–Esto parece una película del Oeste –rió Arcadio y torció a la derecha, para detener el auto en una calle lateral.

–Pero del lejano, lejanísimo Oeste... –musitó Álvaro, con los ojos cerrados–. Qué pueblo más feo, coño...

Si La Habana le había resultado ajena, y Matanzas todavía bella en su decadencia, la entrada en Colón le produjo a Fernando la sensación de haber caído en un lugar extraviado en el tiempo. Los años de crisis habían borrado los dudosos encantos que alguna vez pudo tener aquel pueblo de la opulenta llanura matancera, y la fealdad entronizada que sus ojos veían le creaba un estado de ánimo cercano a la depresión. Por eso, mientras Arcadio indagaba por la dirección del museo, se preguntó si habría valido la pena llegar hasta allí.

–Dime la verdad, Varo, ¿tú crees que esos papales pueden aparecer?

Álvaro levantó la mirada como si saliera de un letargo.

–¿Por qué me preguntas eso? Yo creo lo mismo que tú: que ahora hay una pista que antes no había. De ahí a que todavía existan hay un tramo, y otro más para que aparezcan... Pero ¿qué te pasa? ¿Ya te arrepentiste de haber venido?

–La verdad es que no sé...

–Ves, ése siempre ha sido tu problema: nunca has sabido nada. Mira, fíjate en Arcadio, ése lo tiene todo claro: lo suyo es ser poeta y lo demás a la mierda; Conrado es capaz de quemar media isla para llegar a donde quiere; a Tomás todo le importa un carajo y lo sabe, lo asume y lo goza... Pero tú nunca supiste si querías ser poeta, si querías ser maestro, si ibas a escribir un libro sobre Heredia, si te gustaba Delfina, si te querías ir, si querías volver...

–¿Y esa descarga a esta hora, compadre? ¿A qué viene eso?

—Es que te veo venir, Fernando, te veo venir, y te conozco. Fíjate si no sabes nada que ya ni siquiera tienes cojones para perdonar. Prefieres olvidar que perdonar, ¿verdad?

—Sí, pero eso no tiene que ver con los cojones...

—Bueno —dijo Álvaro, como si se hubiera cansado—, consuélate pensando eso, pero tú sabes que es mentira: porque nunca te vas a olvidar, por lo menos mientras te las des de mártir y sigas pensando que uno de nosotros fue el que te clavó en la cruz... ¿Por qué no te decides y metes las manos en la mierda, eh? —y encendió un cigarro, ya sin mirar a Fernando, cuando advirtió la cercanía de Arcadio.

—Tengo buena puntería. El museo está en la otra esquina —informó Arcadio desde la ventanilla y señaló hacia el final de la calle.

El museo tenía un aspecto amable. Lo habían ubicado en una vieja casona de madera, con techo alto de tejas francesas, ventanales blancos y paredes pintadas de verde brillante. La vigilante de la primera sala les confirmó que el director estaba en su oficina y les preguntó qué deseaban. El bello Arcadio, convencido de ser bien conocido en los medios culturales y femeninos de la isla, trató de allanar el camino y dio su nombre y la referencia de los Cernuda.

Mientras la mujer iba hacia el fondo de la casa, Fernando, Álvaro y Arcadio se dedicaron a observar las reproducciones de obras famosas colgadas en las paredes del local. Eran copias de calidad que convertían el museo en una especie de resumen apretado de lo mejor del Louvre, el Prado, Orsay, el MOMA y el Ermitage. Frente a unas *Meninas* minimizadas, Fernando recordó la emoción avasalladora que lo asaltó en su primera visita al Prado, cuando se colocó frente a la obra maestra de Velázquez. Después, durante varios domingos, aprovechó la entrada gratuita al palacio madrileño para contemplar a sus anchas aquel lienzo majestuoso que le entregaba poco a poco sus secretos. En cada visita dedicó varios minutos a observar el rostro que Velázquez había pintado de sí mismo, buscando en la mirada autorretratada la pupila privilegiada de un genio que contemplaba el mundo desde su tiempo y su altura. Y ahora, a tantos kilómetros de distancia del original y muchos años después de su última visita al Prado, el encuentro con aquella copia le fue trasmitiendo una sensación de paz tan compacta que conseguía imponerse al malestar provocado por las palabras de Álvaro. Entonces Fernando creyó descubrir, en los ojos del pintor, un brillo irónico y temible que le hablaba de la fugacidad del tiempo y de todas las vanidades.

La vigilante les informó que el director los esperaba y les indicó la ruta hacia al patio interior de la casa, sembrado de naranjos, higueras y guayabos, entre los que crecían la albahaca, el jazmín y el galán de noche. Roberto Aquino los recibió en la puerta de su oficina y saludó a Álvaro con especial deferencia: conocía su poesía y le parecía de lo mejor que se escribía en el país, dijo, mientras Fernando se dedicaba a observar la reacción de Arcadio, que paseaba la vista por la habitación como si no oyera nada o como si también allí buscara poesía, hasta que Aquino le dedicó un elogio.

—Y su último libro me encantó —dijo y recibió las gracias y la condescendiente sonrisa del poeta.

Roberto Aquino era unos años más joven que sus visitantes y se mostró afable, además de parecer increíblemente enterado de lo que ocurría en el mundo de la cultura, no sólo en Cuba, sino en medio mundo. Sobre el buró tenía abierta la voluminosa biografía de Camus de Olivier Todd y toda su oficina estaba tapizada de libros, del suelo hasta alturas inalcanzables, pero les confió que allí apenas tenía los volúmenes con menos peligro de ser robados: las joyas de su biblioteca estaban en su casa y sólo se las prestaba a amigos muy escogidos.

—Y es lo peor que uno puede hacer... Los amigos son los que no devuelven los libros, porque a los enemigos uno no se los presta.

Cuando Fernando le contó el motivo de su viaje, Roberto Aquino lo escuchó en un silencio expectante pero despojado de asombros.

—Yo conocí bastante a Leandro Cernuda. Era muy amigo de mi abuelo y de mi padre, que también es masón.

—¿Y sería posible hablar con su abuelo? —Fernando hizo al fin la pregunta más importante y aguardó nervioso la respuesta.

—Por supuesto. Ya abuelo tiene noventa y dos años, y está más claro de mente que todos nosotros... Pero déjenme preguntarles algo que me parece importante: ¿ustedes sabían que en el año 32 la logia Hijos de Cuba fue cerrada por el gobierno de Machado? Acusaron a varios masones de estar conspirando y la logia estuvo clausurada hasta que tumbaron a Machado en el 33... Según mi abuelo, la policía hizo un registro y se llevó muchos papeles que nunca volvieron a aparecer.

El estupor, la decepción, la palidez visible en los rostros de sus visitantes hizo que Roberto Aquino detuviera su relato. Obviamente el profesor Mendoza tampoco debía de tener noticias de aquel incidente.

—Lo mejor es que hablen con mi abuelo, porque la historia es más complicada —propuso y cerró la biografía de Camus.

El viejo Aquino, como cada tarde, miraba transcurrir la vida desde el portal de su casa, apoltronado en su sillón de caoba, con un abanico de cartón en la mano derecha, un enorme tabaco en la izquierda y un maltrecho sombrero de pajilla en la cabeza. Era un hombre sólido a pesar de sus años, con unas manos grandes y nudosas, y una voluminosa cabeza de toro, encerrada entre unas orejas abocinadas de las que brotaban unos pelos gruesos. Aunque no hacía calor, insistía en refrescarse el rostro al mismo ritmo que sus piernas imprimían a los balances de su asiento. Su nieto se acercó y, luego de besarlo en la mejilla, le explicó en voz alta quiénes eran sus visitantes. El viejo detuvo el sillón y el abanico, y miró lenta y profundamente a los recién llegados, mientras chupaba varias veces de su gigantesca breva.

—¿Y vienen desde La Habana? —gritó el anciano, quizás aquejado de cierta sordera.

—Sí, salimos por la mañana y pasamos por Matanzas —informó Arcadio, en el mismo tono de voz.

—¿Y vuelven hoy a La Habana? —gritó otra vez el viejo.

—Sí, claro —siguió Arcadio.

—Robertico —se volvió Aquino hacia su nieto—, saca sillones para estos muchachos.

—Yo te ayudo —propuso Álvaro y fue tras Roberto.

—¿Y dónde van a comer esta noche? —continuó Aquino su interrogatorio, luego de lanzar un escupitajo oscuro hacia un rincón del portal.

—No importa, Aquino, por ahí...

Roberto sacaba un sillón cuando su abuelo se volvió para mirarlo.

—Robertico..., dile a tu madre que mate un par de pollonas para invitar a estos muchachos.

Arcadio y Fernando iniciaron una disculpa, pero el anciano no parecía escucharlos.

—Tienen cara de que les gusta el arroz con pollo, igual que a mí. Si a mí me dejaran, todos los días comía arroz con pollo —comentó, extraviado en sus gustos alimentarios, mientras le hacía un gesto a su nieto para que trasmitiera su orden.

Turbado, Fernando fue a intentar una nueva excusa.

—Pero mire, Aquino, es que nosotros...

—Oiga, joven, no se apure tanto, hay más tiempo que vida. Y le voy a decir dos cosas: si visita mi casa, tiene que aceptar mi invitación a comer, porque si no, me disgusto mucho… Espérese, espérese, no he terminado. Porque la segunda cosa que quiero decirles es que yo me inicié como masón en el 24, con dieciocho años, y empecé como secretario de la logia en el año 30. Hace un montón de tiempo, ¿verdad? Y vi con estos ojos cómo los esbirros de Machado registraban la logia en el 32, y se llevaban todo lo que encontraban.

–¿Y qué pasó con esos documentos?

–Ni sé, pero no importa, porque nada más se llevaron cuatro boberías.

Fernando recibió la ironía palpable en la voz del anciano y sintió cómo una esperanza se encendía en algún rincón de aquella historia.

–¿No se llevaron todo lo que había en la logia?

–Ya le dije que eran boberías. Papeles viejos, recibos de la luz y el agua, unos cuantos libros, diplomas...

–¿Y los demás papeles de la logia?

–Ya no estaban allí, porque sabíamos que la policía iba a venir... A ver si nos entendemos –el anciano volvió a abanicarse–: ¿ustedes sabían que Machado era masón y fue expulsado de la masonería? ¿No? No me asombra... Lo que pasó es que los masones le pidieron a Machado que renunciara a la presidencia, porque se había convertido en un dictador y nadie en Cuba lo quería. Entre nosotros hubo discusiones por esa carta, porque el muy hijo de puta había llenado las logias de espías, y se supone que la masonería no debe intervenir en la política, pero también se supone que la masonería debe luchar contra la tiranía. Y así se lo dijimos a Machado en la carta que le mandamos. Pero él no iba a renunciar, y por considerarlo traidor a los principios de la fraternidad, decidimos expulsarlo.

–¿Y los papeles de la logia? –intervino Álvaro, mientras encendía un cigarro con la colilla del que acababa de fumar.

–Los que ustedes buscan no estaban en la logia. Ni en la secretaría ni en la Cámara Secreta de los maestros, que era donde único podían estar guardados. ¿Y saben por qué lo sé? Porque entre mi padre y yo sacamos los archivos de la logia. Fueron diez cajas.

Arcadio y Fernando se miraron, mientras Álvaro se ponía de pie. La pregunta estaba en el ambiente, y Álvaro se adelantó a sus amigos.

–¿Y para dónde los llevaron?

–Para la biblioteca de Matanzas. Los escondimos en un sótano, entre otros papeles viejos. El director de la biblioteca era masón y los tuvo allí hasta que pasó la tormenta.

–¿Y usted sabe si entre esos papeles iban unos documentos que José de Jesús Heredia le entregó a la logia?

–Yo nunca vi esos documentos, aunque sí oí hablar de ellos. José de Jesús los entregó con mucho secreto...

Fernando hizo un gesto a Álvaro para poder intervenir y se acomodó en el borde del sillón, lo más próximo posible al anciano.

–¿Qué cosa eran esos documentos?

–No sé. Algo sobre la vida de Heredia, creo...

—Pero si usted era el secretario y esos papeles de Heredia estaban en la logia, usted debía saberlo, ¿verdad?

—Claro que debía saberlo —dijo Aquino con autoridad—, y por lo mismo le digo que en las cajas que sacamos en el 32 no estaban esos papeles ni tampoco entre los que dejamos en la logia para que se los llevaran los policías. De eso estoy tan seguro como de que me llamo Afortunado Salvador Aquino Romagosa.

Fernando sintió que el corazón le quería estallar en el pecho.

—¿Y no tiene idea de dónde podían estar esos papeles, o si alguien ya los había sacado de la logia?

El viejo sonrió y apretó el ritmo de su balanceo.

—De que esos papeles existieron, no tengo dudas. Mi padre, Cristóbal Aquino, era el orador de la logia y fue el que hizo el elogio de Heredia y de José de Jesús en el 21... Por cierto, valdría la pena saber de dónde Mendoza sacó la copia de esa acta, porque me estoy imaginando que fue la que dejamos en los archivos por si venía la policía, porque esos papeles más nunca aparecieron... Pero bueno, el caso es que en la logia todo el mundo sabía que el manuscrito de Heredia nadie podía leerlo, ni siquiera hablar de él hasta el año 39, porque José de Jesús pidió que además de guardar los papeles, le guardaran también el secreto de que existían. Algo importante debían de decir esos documentos, ¿no les parece?... De lo que estoy seguro es de que en el 30, cuando yo terminé en la universidad y empecé como secretario, ya aquellos papeles no estaban en la logia. Ahora, quién los sacó de allí, por qué los sacó y dónde los metió, eso sí que no lo sé.

—¿Y nunca sospechó de nadie? —soltó Arcadio la pregunta, con un grito que debió de oírse en dos cuadras a la redonda.

El anciano fue a chupar de su tabaco y comprobó que se había apagado. Por un largo minuto observó el habano, como si aquella traición no fuera posible, y con decisión lo lanzó hacia la calle.

—Ahora tengo hambre. Después hablamos. Porque es mejor con la barriga llena, ¿no es verdad?... ¡Lucrecia...!

Mil veces me he preguntado qué habría sido de mi vida si aquella carta nunca hubiera llegado con la feliz respuesta que nos trajo. «Queridísima hermana María: Mi casa siempre será la tuya y la de mis amadas sobrinas, y desde hoy es mi empeño que José María, a quien quiero como a un hijo, llegue a ser el abogado que soñó el bueno de su difunto padre, que en gloria esté». ¿Eterno pasante de una notaría, cualquiera de las muchas que hay en México? ¿Soldado, en el bando realista, como hubiera deseado mi padre, o en el de los independentistas, como ya me reclamaba mi corazón? ¿Periodista quizá, de los que escriben panfletos todos los días y sueñan con un poco de tiempo, que nunca llega, para hacer la obra propia, que nunca se hace? Pero, sobre todo: ¿habría sido yo más o menos feliz? ¿Hubiera conocido, en los grados extremos que me ha tocado, la satisfacción de sentirme útil y famoso, y el martirio de saberme despreciado y olvidado?

Ninguna de aquellas cuestiones podían pasar por mi mente cuando, como regalo por mis diecisiete años, el tío Ignacio nos abrió las puertas de la esperanza y comenzamos a preparar el regreso a la isla. La idea de cruzar otra vez el mar me llenó en esta ocasión de alborozo, y sólo la circunstancia de dejar atrás a los amigos mexicanos ponía una gota de pesar en el río caudaloso de la satisfacción por volver a Cuba.

Partimos en los días finales del frío mes de enero de 1821, y llegamos a La Habana en un cálido febrero, cuando la luz del benigno invierno cubano da una extraña profundidad a las cosas, que luego se aplanan en los largos meses de calor con que la madre naturaleza premió a la isla. En el puerto nos esperaba el olor inconfundible de la ciudad y también el tío Ignacio, quien, luego de dejarme instalado en una pensión de la calle de los Mercaderes, de inmediato partió con el resto de la familia hacia Matanzas, donde lo esperaba un intenso trabajo.

Nada más doblar la esquina el carruaje y hacer a mis hermanas el último gesto de adiós, salí corriendo hacia el seminario de San Carlos, donde estarían por terminar las clases. Una alegría a duras penas contenida fluía por mis venas, pues la sensación de libertad que disfrutaba por primera vez en mi vida me hacía sentirme eufórico.

El encuentro con Domingo, Silvestre, Cintra, Sanfeliú y el resto de la tropa fue emotivo y bullicioso. Por una breve cuña en la prensa habían sabido ellos de la muerte de mi padre, y en una carta escrita por Silvestre y firmada por varios amigos, me llegó a México el pésame del grupo y la noticia de que también don Leonardo, el padre de Domingo, había fallecido apenas dos meses antes que mi progenitor, como signo de una trágica voluntad divina, empeñada en poner en paralelo su vida y la mía, hasta que llegara el punto de la amarga divergencia.

Pero ninguno de ellos esperaba, ni por un instante, que una buena tarde me les apareciera yo, sin previo aviso, todavía vestido con un grueso traje de paño inglés, y con la noticia que les solté de inmediato: volvía dispuesto a quedarme para siempre.

Celebramos el encuentro en uno de los muchos comercios que en mi ausencia se habían abierto en la zona cercana al paseo del Prado. Éste se llamaba La Piña de Plata y estaba de moda entre los jóvenes, pues era el único que poseía sorbeteras y vendía helados de frutas y batidos con hielo, que mucho atraían a las beldades de La Habana. El lugar, además, era animado por un trío de guitarras, pulsadas por dos negros y un mulato esbelto que cantaba con voz de terciopelo bellísimas canciones de amor. Hecho el honor a la crema helada de mamey, pasamos a mayores y, anclados en la taberna más cercana, pedimos vino. Varias jarras de un fogoso tinto portugués murieron en nuestra mesa, a la que se unió en algún momento un joven colombiano, flaco, vivaz, aspirante a poeta y siempre cargado de chistes, llamado Félix Tanco, radicado desde hacía unos años en Matanzas. Mientras bebíamos, ellos me fueron rellenando lagunas sobre el ambiente habanero, que mucho había cambiado en aquellos dos últimos años. Y aunque había un par de preguntas que me ardían en la boca, preferí posponerlas, pues Domingo, adivinando mis intenciones, ya había decidido que esa noche yo comería con él en casa de su hermano, donde ahora vivía.

En medio de tantas novedades logré saber que el mayor motivo de alegría para mis amigos eran los aires de libertad que se respiraban en la isla desde la institución del sistema constitucional. Una verdadera efervescencia política se había adueñado de la vida habanera y hasta sangrientos altercados se venían dando entre constitucionalistas y absolutistas. Algo incomprensible para mí era que los criollos ricos todavía abogaran por el régimen absolutista de siempre, pero la razón de aquel empeño político era, según Silvestre, que esos ricos cubanos obtenían del rey cuanto deseaban, y las nuevas leyes podían poner en peligro sus muchos privilegios.

—¿Y ustedes qué son, absolutistas o constitucionalistas? —me atreví a preguntar, temiendo hacer el papel de tonto, pues detrás de varios de mis amigos y de los amigos de mis amigos estaban algunas de las más grandes fortunas de la isla. Pero la experiencia me hacía pensar que sus inclinaciones andaban más cerca de la democracia constitucional con la que yo simpatizaba.

Afortunadamente resultaron ser constitucionalistas y liberales, y lo eran más desde que, unas semanas antes, se habían matriculado en masa en la abarrotada cátedra de Derecho Constitucional que, por decisión del mismísimo obispo de La Habana, se había creado en el seminario, y cuyo profesor era nada más y nada menos que el padre Varela.

Anochecía cuando tomamos nuestros respectivos caminos. Domingo, que ahora vivía en la calle San Ignacio, me agarró del brazo y, en lugar de llevarme a su casa, me condujo hacia el paseo del Prado, donde encontramos un banco desocupado. Allí me contó cuánto había cambiado su vida desde la inesperada muerte de su progenitor. Su madre, doña Rosa, había rematado las propiedades de don Leonardo e invertido dinero en la creación de un modesto ingenio en unas tierras compradas cerca de Matanzas. Ahora el propósito de mi amigo, obligado a llevar una vida austera, era terminar cuanto antes sus estudios y empezar a ganar algún dinero.

—Lo más terrible ha sido aprender a ser pobre. ¿Me entiendes? No te lo imaginas, José María —me dijo, pero se equivocaba: no sólo lo imaginaba, sino que lo sabía. Domingo, colocado en el centro del mundo, apenas pensaba en sí mismo, pues sentía que su posición en el grupo de amigos ya no tenía la preeminencia que antes le reportaba su desahogo monetario, que lo hacía el primero en invitar y en derrochar.

—Una vez te lo dije, y ahora te lo repito: voy a ser rico, cueste lo que cueste, y pésele a quien le pese. La miseria y yo no nos llevamos bien.

—¿Y la poesía?

—Bien, bien, pero no tanto como la tuya. Me pareció fabuloso ese poema «Al Popocatépetl».

—¿Sigues jugando?

—A veces…, menos que antes.

—¿Y ya no vas a la casa de madame Anne-Marie?

—Sólo cuando alguien me invita, figúrate.

—Vamos esta noche.

—¿De dónde vas a sacar el dinero?…

—Tengo, para comprar libros. Pero si tú me prestas los tuyos…

Eran cerca de las nueve cuando, con los indispensables faroles a cuestas, llegamos al portal de la casa más amable de la ciudad. En el camino, entre risas, hablamos del poco caso que me hiciera la joven Isabel, a la cual, a través de su propia hermana, Domingo había hecho llegar algunos de mis poemas de amor. Según mi amigo, Isabel ya era la mujer bella que tres años atrás prometía y, desde hacía unos meses, había formalizado su compromiso con un comerciante malagueño que le doblaba la edad, pero también la fortuna, lo cual ya era mucho decir tratándose de una Rueda y Ponce de León. El agraciado era un tal Pedro Blanco Fernández de Trava, uno de los más feroces artífices de la trata negrera, un negocio que se había vuelto especialmente lucrativo desde que se inició la cuenta regresiva hacia su prohibición oficial, pactada por España e Inglaterra en 1817.

Al saber de mi presencia en el burdel, mis amigas meretrices se llenaron de alborozo y varias de ellas salieron de los cuartos, dejando a medias su trabajo para congratularme y besarme: según ellas yo había crecido, estaba más fuerte, más buen mozo, y expresaron una alegría sincera por mi regreso. Mi amada Betinha, que discreta y sonriente cedió espacio para que sus compañeras me agasajaran, al fin aprovechó una pausa para pedirme la esperara, pues terminaba en veinte minutos.

Jugando su papel de dura matrona, Anne-Marie dio dos palmadas y envió a todo el mundo a seguir con su trabajo. Con otras dos palmadas convocó a Elizardito, el mulato que la ayudaba, y le pidió una botella del mejor tinto de Burdeos que hubiera en la bodega.

—Es un placer tenerte por acá, querido —me dijo Anne-Marie con su voz gutural y bella de siempre—. No exagero si te digo que te hemos extrañado, aunque tu amigo Domingo se mantuvo fiel y activo... Él fue el consuelo de Betinha en tu ausencia.

Vívidamente percibí la sorna que la matrona ponía en su comentario. Con extraña fortaleza yo había asumido que mi relación con Betinha estaba por encima de su oficio y que nada de lo que ella hiciera en su trabajo podía afectarme, pero la información de que Domingo la frecuentaba me dejó un mal sabor en la boca, afortunadamente arrastrado por el excelente vino al cual nos invitó la generosa madame.

Toda la pasión que en dos años apenas había desfogado con mis alivios solitarios, brotó aquella noche de mi regreso a La Habana. Elizardito vino a buscarme cuando ya Betinha me esperaba, recién bañada y perfumada, tendida desnuda sobre la cama. Dos velas gruesas y aromáticas daban un tinte magenta a su cuerpo dorado, en cuyo centro brillaba la selva negra de su feminidad, levemente abierta hacia mí, como una herida prodigiosa.

Excitado y seguro avancé hacia la cama junto a la cual estaba, arropada en su manto azul y rosado, la efigie marina de Yemanjá, en cuyo pequeño rostro creí ver un signo de satisfacción. Cuando me iba a tender en el lecho, Betinha me detuvo. Su mano se posó en mi pecho, con la firmeza propia de quien gobierna. Entonces avanzó por la cama hasta acomodarse en el borde, con las piernas abiertas rodeando las mías, y acarició con sus manos mis tetillas, mientras posaba sus labios sobre mi vientre, para hacerme percibir un calor telúrico, que fue creciendo a medida que su lengua descendía, acariciaba, huía, resbalaba, hasta que su boca se tornó cueva propicia que devoró mi virilidad... Y ahora creo que si no morí esa noche, ahíto de goce, fue sólo porque el destino ya se disponía a hacerme pagar con infinitos pesares la osadía de sentir que me había convertido en el ser más dichoso en la faz de la tierra.

En unos pocos días aprendería yo a vivir en la nueva libertad que se disfrutaba en Cuba y en la agradable independencia con que decidía mis actos personales. Aquél era un estado desconocido para mí, y nunca, como en ese instante, sentí las ventajas del soberano albedrío. Sin embargo, pronto aprendería también que la libertad suele traer como compañera la anarquía, y mucho de ella había ahora en la isla. En los incontables periódicos surgidos al calor de la libertad de imprenta, prácticamente todo resultaba publicable, pero lo más común era la agresión desembozada de lo que se considerara contrario a los intereses del grupo que financiaba el libelo. Los insultos más impresionantes se ponían ahora en blanco y negro, en una guerra sin cuartel entre las decenas de bandos existentes.

Pero con la libertad, también llegó a mi vida la política, que suele ser el cáncer de la poesía: y entró en mi existencia de un modo tan armónico como para hacerme sospechar que mi sangre hubiera estado dispuesta, desde siempre, a aceptarla como uno de sus componentes vitales. Como pluma al viento, fui arrastrado hacia la política, y gustoso me dejé llevar, sin imaginar que había dado el primer paso hacia un destino que me superaría, cubriéndome de pesares y derrotas.

Mientras preparaba la tesis para obtener el título de bachiller en Leyes en la todavía escolástica universidad habanera, el resto de mis preocupaciones se dividían en compartir las tardes con mis amigos, a quienes en ocasiones acompañaba al seminario a escuchar las ardientes lecciones del padre Varela, y en gastar las noches, casi siempre, en la cocina de la casa de madame Anne-Marie, donde por orden de mi amiga francesa me facilitaban comida, vino y velas, para que me dedicara yo a escribir mis poesías, en espera de la partida del último cliente, que me dejaba abierto, ¡por Dios!, el camino hacia el cuarto de Betinha.

El tema de conversación más recurrido en nuestro grupo eran las cercanas elecciones a diputados para las Cortes, pues los criollos tenían puestas sus esperanzas en el triunfo de su tríada de candidatos, encabezada por el padre Varela, cuya decisión había sido impulsada por su mentor, el obispo de La Habana. Los otros dos aspirantes eran el rico habanero Leonardo Santos Suárez y el comerciante catalán Tomás Gener, asentado en Matanzas desde hacía muchos años, hombre de amplios vínculos mercantiles que incluían, según las malas lenguas, los necesarios para importar esclavos...

Las grandes esperanzas depositadas en aquel suceso revelarían muy pronto nuestra ingenuidad política. Se esperaba que las voces cubanas en las Cortes garantizaran la promulgación de leyes adecuadas y que la dependencia política de la isla no fuera más un lastre para su desarrollo y para la vida misma de los nacidos en el país. Por eso, como muchos criollos, celebramos jubilosos el triunfo de Varela, Santos Suárez y Gener, ante la mirada ceñuda de las autoridades coloniales, que observaban con suspicacia el nacimiento de un fermento nacionalista de impredecibles consecuencias futuras.

Especialmente belicoso se había tornado el buen cura Varela, que se había revelado como un constitucionalista y un liberal contumaz. Desde su cátedra ahora solía lanzar ataques cada vez más directos al Gobierno monárquico, al Estado centralizado y a las diversas formas de tiranía, mientras explicaba y parafraseaba la Constitución española, cargando sus comentarios con el atractivo sabor de palabras tan poco habituales en Cuba como independencia, democracia y soberanía.

Con el pretexto de darle a leer mis nuevos poemas, varias veces le robé algo de su tiempo y él me recibió gustoso en su celda del seminario. En algunas ocasiones me acompañaron Domingo y Silvestre, y las charlas poéticas siempre derivaron hacia la actualidad política. En espera de la inminente partida del padre hacia Madrid, tuvimos un último encuentro con él, al cual también asistieron Cintra, Sanfeliú, Tanco y un joven bayamés de quien mucho había oído hablar pero que sólo entonces conocí personalmente: aquel hombre, el más inteligente que jamás haya tratado, se llamaba José Antonio Saco, los amigos le decían Saquete, y, a pesar de su juventud, pronto sería el sustituto de Varela en la cátedra de Filosofía.

Recuerdo que ese día no se habló de poesía: fuimos directos al grano, y más que al grano, a la semilla misma, pues cuando Domingo le preguntó al padre Varela qué esperaba obtener para Cuba de las Cortes españolas, escuchamos una respuesta alarmante.

—Nada —dijo y desmontó las gafas que ahora usaba y acentuaban su expresión de joven envejecido—. Este país no puede esperar nada de las Cortes ni del Gobierno de España, más que continuar sojuzgado y dirigido por leyes absurdas.

—¿Y por qué aceptó ser diputado? —le pregunté, pues algo no funcionaba entre su respuesta y su decisión.

—Porque demostrar que las Cortes no harán nada por Cuba es lo mejor que se puede hacer hoy día. Cuando se vive en opresión es muy importante saber lo que es posible hacer y decir en cada momento, y también lo que no es posible ni hacer ni decir. No obtener nada del Gobierno es saludable para ver si los cubanos logran entender que el único camino posible es el de la independencia, como está ocurriendo en toda América.

Aquellas reflexiones, dichas sin el menor recato, nos obligaron a mirarnos. Aunque el tema de la emancipación a veces surgía en nuestras pláticas, la palabra independencia siempre se decía en voz baja, y escucharla sin tapujos, en boca de alguien como Varela, la cargaba de un valor que se multiplicó cuando el cura, otra vez con las gafas en su nariz, nos miró a cada uno y lanzó su pregunta.

—¿No es eso lo que creen ustedes?

Y fue el bueno de Silvestre, a veces tan simple e ingenuo, quien nos colocó de frente a nuestra realidad, con una pregunta casi susurrada, hecha como si estuviera de rodillas frente a la ventanilla de un confesionario.

—Padre, ¿y es posible la independencia de Cuba?

—Sí, pero no ahora mismo... La virtud y la tragedia de este país es que está en el centro del mundo y lo estará por mucho tiempo: hoy son España, Inglaterra y México los que quisieran gobernar a Cuba. Mañana será Francia, o los Estados Unidos, u otro cualquiera. Y luego están los pretextos: hoy es Haití el ejemplo de lo que podría ocurrir si se produce una guerra por la independencia, después será otro el desastre que dé pretextos para no cambiar las cosas, y entre las amenazas y los pretextos siempre van a hacer que parezca preferible dejarlo todo como está. No importa que haya miles de hombres esclavizados, que otros se estén muriendo de hambre, que las mujeres se prostituyan: todo vale si se quiere conservar el poder, y cuando pase la moda del constitucionalismo —dijo y recordé haber oído la frase en otros labios— verán si tengo o no razón.

—¿Y qué se puede hacer? —pregunté, convencido de que no encontraría en el mundo mejor oráculo del futuro de Cuba.

—Nada. O mucho, si uno tiene el valor suficiente para quemar la propia vida en la hoguera de la patria, sin esperar premio alguno y mucho menos la victoria.

—Está hoy usted pesimista, padre —comentó Saco, que había seguido la charla en silencio, actitud que luego descubriría no era nada usual en él, afilado polemista.

—Mejor digamos realista, Saquete.

Como en procesión fuimos todos al puerto de La Habana, aquella mañana histórica del 28 de abril de 1821, a despedir al cura y sus compañeros diputados a las Cortes. La juventud habanera se aglutinó en los alrededores de la alameda de Paula para verlos subir al barco que los llevaría a la Península con la misión de representar los intereses cubanos. En medio del gentío mis ojos seguían los pasos del escuálido sacerdote que tanto me había hecho pensar en las últimas semanas. Ya en la borda, Varela se volvió y, con su mano izquierda sobre el corazón, hizo con la derecha la señal de la cruz y nos bendijo: y de pronto sentí la certeza de estar asistiendo a un acto final. Todavía no sé por qué, mas algo me decía, con una vehemencia dañina, que aquel hombre bueno, tan amante de su tierra, se despedía de nosotros para cumplir la despiadada condena de jamás volver al lugar donde nació.

Los ojos de Fernando Terry, Álvaro Almazán y Arcadio Ferret brillaban de incredulidad ante el espectáculo de Salvador Aquino deglutiendo el tercer plato hondo de un chorreante arroz con pollo engalanado con pimientos rojos. En el primero había recibido una pechuga, en el segundo, un muslo con su contramuslo, y a la altura del tercero se concentró en las cuatro alas de las dos gallinas sacrificadas para satisfacer la gula del anciano, que comía con una cuchara enorme y oscura, como de bronce, y acompañaba el plato principal con una ensalada de aguacates y varias jarras de una limonada muy cargada de azúcar. Su nieto y los tres visitantes se limitaron a un plato, servido hasta los bordes, capaz de acallar todas las exigencias gástricas de un ser común.

—Lástima que no haya natilla —comentó, mientras se limpiaba las manos en un paño, luego de chupar la cuarta ala de pollo y lanzarle los huesos al perro *Sultán*, tan depredador como el viejo—. La leche se ha puesto difícil...

Mientras bebían el café, servido por Lucrecia en las tazas de porcelana china reservadas a las visitas, Fernando comprobó que eran casi las nueve y les esperaba aún el viaje de regreso a La Habana. Había visto bostezar a Arcadio un par de veces y trató de orientar la conversación por un rumbo definitivo.

—Bueno, Aquino, ¿y por fin quién pudo sacar esos papeles de la logia?

El anciano demoró la respuesta mientras le daba fuego al sexto y último tabaco del día. Contemplando el pie ardiente del habano parecía perdido en sus cavilaciones.

—Yo llevo setenta años pensando en esto, y en setenta años sobra tiempo para pensar una cosa, ¿verdad que sí? La primera posibilidad es que el hijo de Heredia no haya entregado nunca esos papeles y por eso no aparecieron en la logia...

—Pero si él fue a entregarlos... —terció Álvaro, cada vez más desesperado con los vericuetos de aquella historia.

—Él fue a entregarlos, pero por lo que yo sé nadie comprobó si de verdad los había entregado. Y quién quita que haya querido que todo el mundo pensara que los papeles estaban en la logia cuando de verdad estaban en otra parte...

Arcadio miró a Álvaro y a Fernando.

—No tiene mucha lógica pero puede ser, ¿no?

—Claro que sí —insistió el anciano—. Y la otra posibilidad es que los papeles estuvieran en la logia y alguien los haya sacado antes de los líos con el Gobierno. Ese alguien tenía que ser Venerable o Primer Vigilante, porque esos papeles estaban en el nicho de la Cámara de los Maestros, y de ese lugar nada más que ellos tenían la llave.

—Entonces fue Cernuda —concluyó Fernando, ansioso de hallar la pista perdida.

—Pudo ser —Aquino chupó dos veces de su tabaco—, pero hubo otros Venerables en esos años. En esa época se estilaba mucho reelegir a los Venerables, no es como ahora, que todo el mundo tiene una picazón y a los dos años de estar en la masonería ya quiere estar sentado allá arriba dando mazazos... A ver: Cernuda fue Venerable en el 21. En el 22 y en el 23 fue Ramiro Junco, el que había sido Primer Vigilante de Cernuda. Luego, del 24 al 26, volvió a salir Cernuda y en el 27, en el 28 y en el 29 fue mi padre. Si de algo estoy seguro es de que él no cogió nunca esos papeles y ni siquiera los leyó, aunque sí me habló de que en el nicho del cuarto de los maestros estuvo mucho tiempo el sobre amarillo, amarrado con un cordón morado.

El anciano enfatizó con la cabeza, mientras tiraba golosamente de su tabaco.

—Hay algo que no entiendo —intervino Arcadio, nuevamente interesado y moviendo las manos como si necesitara hacerse un espacio físico en el diálogo—. Yo no sé a dónde va a parar todo esto. Pero lo que me gustaría saber es por qué usted nos está contando algo que pasó en la logia y que se supone es un secreto, y tampoco entiendo por qué no se lo contó antes a nadie...

—Todo depende del punto de vista desde el que se miren las cosas —filosofó el anciano—. Primero, porque no es ningún secreto masónico lo que estoy contando, es más, si me torturan no me sacan una palabra sobre un secreto masónico, ¿está claro? Yo estoy hablando de cosas que sucedieron en la logia, como pudieron haber ocurrido en una iglesia sin que por eso el cura revele el secreto de la confesión. Pero acuérdese de que esos papeles debieron de haber sido publicados hace sesenta años, y ya todo el mundo los hubiera leído... Y no es verdad que no se lo haya contado antes a nadie —y comenzó a enumerar con sus dedos, gruesos como ramas viejas de un árbol—. A ver, yo hablé con el historiador de Matanzas, porque también está buscando esos papeles; lo hablé con otro muchacho que siempre anda averiguando sobre la vida de Domingo del Monte; y también lo hablé con mi nieto Roberto, y hasta tenemos una teoría —el anciano se volvió hacia su nieto—. A ver, Robertico, ¿cuál de los dos pudo ser? ¿Junco o Cernuda?

El joven sonrió, evidentemente ruborizado. Al parecer, no le gustaba el compromiso en que lo ponía su abuelo.

—Deja eso, abuelo. Tú sabes que yo no lo sé.

—Vamos, Robertico...

—Está bien, abuelo —aceptó y se volvió hacia los visitantes, con visible incomodidad—. Es que hablando de esto con él, yo le he dicho que cualquiera de los dos pudo coger los papeles, si es que eran lo que yo pienso.

—A ver, a ver, que me perdí otra vez —admitió Álvaro—. Y eso que hoy casi no me he metido ni un trago.

—Acuérdense de que todo esto es una suposición...

De pronto Fernando sintió una corriente que le recorría el cuerpo. No, se dijo: no podía ser posible lo que se le había ocurrido, pero en aquella historia los absurdos cada vez se metían más en la realidad, y por eso preguntó:

—Ramiro Junco... ¿es de los Junco de Matanzas? ¿No será familia de Lola Junco, la muchacha de la que se enamoró Heredia?

Roberto miró hacia el viejo Aquino, que había comenzado a balancear el sillón, con la mirada como perdida en el tiempo.

—Es lo que pienso yo.

—¿Entonces sí era de la familia? —La urgencia quemaba a Fernando.

—Sí, y ahí está el problema —admitió Roberto—. La lógica que yo le veo a la historia es que si Heredia escribió algo antes de morir y pidió que no se publicara hasta cien años después de su muerte, fue porque tenía que ver con gentes que estaban vivas, y no quería perjudicar a algunos de ellos. Eso también me hace suponer que atacaba a otras gentes. ¿Me siguen? —y se volvió hacia Álvaro, que asintió en silencio—. Heredia tenía pasión por la historia, y en su poesía la memoria, la trascendencia entran una y otra vez...

—«En el teocalli de Cholula», la oda al «Niágara», «A la gran pirámide de Egipto» —Fernando tomó al vuelo ejemplos que fluían a su mente y citó–: «Todo perece / Por la ley universal. Aun este mundo / Tan bello y tan brillante que habitamos, / Es el cadáver pálido y deforme / De otro mundo que fue...». Yo creo que hasta le importaba demasiado...

–Por eso pienso que ese manuscrito no era una novela como se comentó alguna vez, sino más bien unas memorias o algo por el estilo. Pero lo importante ahora es que por más que la familia Junco trató de ocultar las cosas, en Matanzas se comentó que Lola había tenido un hijo antes de casarse con Felipe Gómez...

–De Heredia se decían muchas cosas –protestó Álvaro–. También que se acostaba con la mulata Luisa Montes, y que cuando el marido se enteró la mató a puñaladas...

–Yo conozco esa leyenda, aunque esto es distinto, sobre todo porque casi no se habló del asunto... Pero el niño que se supone podía ser hijo de Lola nació en enero de 1824, tres meses después de que Heredia se fue de Cuba. Entonces debió de haber sido concebido en abril del 23...

–¿En abril? –preguntó Fernando, pero en realidad hablaba consigo mismo–. En esa época él estaba en Matanzas...

–En junio la familia sacó a Lola de la ciudad y la trajeron a vivir al ingenio Miraflores, que estaba por aquí, muy cerca de Colón, y Heredia nunca la volvió a ver. El acta de bautismo dice que el niño era hijo de Rubén, el hermano mayor de Lola, y le pusieron Esteban Junco. Y Esteban era el padre de Ramiro. Si el comentario es cierto, entonces Esteban era hijo de Lola Junco, y Ramiro era su nieto...

–Y tú piensas que Ramiro también era nieto de Heredia –remató Fernando la idea, cuando sintió que el cigarro, olvidado entre sus dedos, empezaba a quemarle la piel.

–Si el manuscrito son unas memorias –siguió Roberto– y Ramiro las leyó, lo más posible es que haya encontrado esta historia, si ocurrió como estamos suponiendo. Entonces, todo lo que la familia había tratado de esconder durante un siglo, se iba a saber cuando los papeles salieran a la luz.

–Tiene que ser, tiene que ser –se empeñó Arcadio.

–No jodas, Arcadio, eso parece una telenovela mexicana –comentó Álvaro.

Roberto Aquino, como si no los oyera, siguió montado en sus disquisiciones.

–Lo más interesante de todo es que Ramiro Junco, ya viejo y enfermo, se haya empeñado en ser Venerable de la logia. Para mí eso tiene una sola respuesta: quería tener esos papeles.

Fernando Terry escuchó la afirmación con la vista fija en los ojos azules de Roberto Aquino y vio un brillo esquivo en el fondo de aquella mirada.

—Discúlpame, Roberto, ahora el que no entiende algo soy yo... Con toda esa información que tú tienes, ¿nunca te interesó buscar los papeles de Heredia?

Roberto Aquino sonrió. Demoró la respuesta, como si fuera difícil dar con las palabras precisas.

—Me pasé varios años en eso, sobre todo cuando trabajaba como profesor en Matanzas. Pero lo dejé cuando me convencí de que esas memorias de Heredia, si alguna vez existieron, nunca habían estado en la logia. José de Jesús, que se estaba muriendo de hambre, de pronto empezó a manejar algún dinero poco antes de morirse. Y su único capital eran los manuscritos de su padre que iba vendiendo por todas partes. ¿No es verdad, abuelo?

Todos dirigieron la mirada hacia el viejo, del que se habían olvidado mientras escuchaban la inquietante disquisición que trastocaba todas las lógicas seguidas hasta ese momento. Pero del sillón del anciano apenas les llegó la respiración apacible de un hombre que, con un habano a medio fumar entre los dedos, duerme el sueño tranquilo de los que están en paz con la verdad y con la vida.

Increíble me parece que en medio de las agitaciones políticas y los desafueros sexuales en que vivía desde mi regreso a La Habana, haya tenido tiempo y lucidez para redactar mi tesis universitaria, que titulé *Servis heredis legari, non potet*, y en cuya discusión Domingo me sirvió de padrino. Casi sobra mencionar la cara de pocos amigos con que me recibieron mis escolásticos profesores dominicos: aquel viejo tema de la jurisprudencia romana sonaba altamente subversivo en un país donde la servidumbre, en la dolorosa forma de la esclavitud humana, sobrevivía como una rémora de tiempos precristianos. Mi intención, más romántica que pragmática, era mostrar los rostros más infames de la esclavitud desde la óptica de la ausencia de derechos en que vivían unos seres a quienes se les alejaba violentamente de su patria y de su familia, se les golpeaba y animalizaba, y se les despojaba de todos los privilegios civiles y humanos sobre los que se fundaba la democracia moderna.

Pero en verdad mi proyecto más querido en aquellos momentos, al que más horas dedicaba, era el de publicar una revista para comenzar desde sus páginas la renovación de la literatura de la isla, tan distante de lo que un ambiente político y económico tan activo hubiera hecho esperar. Desde el principio Domingo y Sanfeliú fueron los más entusiastas soportes de la idea, pero lo difícil era llegar a un acuerdo común en cuanto al tipo de publicación con que soñábamos. Domingo, empeñado en que la prensa debía ser un azote social, la quería incendiaria, tanto en los temas literarios como en los políticos, a los cuales deseaba darle un gran espacio. Sanfeliú, por su lado, la veía más reflexiva, casi filosófica, como era su propia personalidad. Entre esos extremos mi mejor aliado vino a ser Silvestre, a quien logré sumar a mi propósito de mezclar reflexión con ligereza, polémica con sutileza, pero sin ceder un ápice en cuanto a la calidad de los textos poéticos. De esa manera, pensaba, podíamos llegar a un público más diverso, que con su interés en asuntos menos trascendentales se hiciera habitual de la revista y la sostuviera con su favor económico.

Quiso la suerte que en el mes de abril llegara a La Habana mi amigo Blas de Osés, enviado fuera de México por su padre, quien temía por la vida del joven, abierto simpatizante de los independentistas mexicanos. Debo admitir que la fortuna y la bondad de Osés eran inversamente proporcionales a su capacidad poética, lo cual quiere decir que era inmensamente rico y uno de los hombres más generosos que he conocido. Devoto de todos mis proyectos, fácil me fue convencerlo de que pusiese la plata necesaria y lo enrolé como coeditor de mi revista: bastaron para obtener el sí dos noches bien disfrutadas en la casa de madame Anne-Marie —mi cómplice secreta en la celada, que puso a mi disposición vino y mujeres— y por eso, en honor a ella y a las amables muchachas, Osés, Silvestre y yo decidimos llamar a la ya inminente revista *Biblioteca de Damas*.

Febril fue la labor emprendida para sacar el primer número. Mi inexperiencia me hizo ser excesivamente ambicioso, pero la colaboración desinteresada de los paisanos me alivió de muchas tareas y me dediqué con mayor énfasis a la traducción de autores extranjeros cuya poesía podía servir de faro al gusto de los cubanos, bastante desinformados de lo que se escribía en el mundo. Además, de modo paralelo a la revista, no podía dejar de realizar algunas horas diarias de trabajo notarial, necesarias para cumplir los dos años de pasantía requeridos y ser habilitado para ejercer como abogado. Y, por si fuera poco, cual medusa tropical, multiplicaba yo mis cabezas y seguía mis visitas habituales a Betinha, mientras reiniciaba mis amoríos poéticos, bastante disminuidos por cierto, con mi musa Isabel, cuyo compromiso matrimonial se había roto por una cuestión de desacuerdos económicos. Fuego, más que sangre, era lo que debía de correrme por las venas...

Exactamente el 21 de mayo de aquel año magnífico de 1821 salió a la luz de la imprenta habanera de los Díaz de Castro el número primero de *Biblioteca de Damas*. Juro que no se debe a mi habitual vanidad en asuntos literarios la seguridad de que nuestra revista provocó una explosión de claridad en medio del oscuro panorama de entonces. De boca en boca se comentó su existencia y los interesados en la literatura acudieron a los puntos de venta, en especial la céntrica farmacia del padre de Sanfeliú, para adquirirla y congratularnos. Mientras, en Matanzas, eran Tanco y mi tío Ignacio quienes se encargaban de su difusión, y me alegró saber que varios clientes de la casa de madame Anne-Marie, impulsados por ella, fueron en busca del tabloide, aunque dudo de la finalidad que le dieron... Mi único error de cálculo fue creer que más allá del círculo de los iniciados y los obligados, había en Cuba lectores para una revista empeñada en dar espacio a poetas exquisitos pero desconocidos. Y como los activos del buen Osés no eran infinitos, a los cinco números debimos cantar el réquiem por nuestra *Biblioteca de Damas*.

Doloroso me resultó asimilar aquel fracaso: predestinado como me creía a triunfar en todo, me sentí asqueado de una sociedad donde no se le daba espacio a la poesía, y decidí olvidarme de aquellos devaneos y dedicar más tiempo a mi relegada obra, que era en definitiva mi principal interés en la vida. Para lograrlo decidí poner tierra de por medio, y luego de despedirme de amigos y amantes reales y ficticias, con mi sudado traje de paño y mi baúl de libros tomé la diligencia que me llevó a Matanzas, donde iba a subir, definitivamente, sobre la cuerda floja de mi destino.

Si cambiada me encontré a La Habana en apenas dos años de ausencia, Matanzas me deslumbró con su exultante progreso. Mansiones fastuosas, plazas concurridas, mercados repletos de todos los bienes soñados por la imaginación más audaz deslumbraban ahora al recién llegado, mientras en la bahía se disputaban espacio barcos de cien banderas, cargados de cajas de azúcar, sacos de café y lotes de maderas preciosas. Sin duda la prosperidad había tocado con su vara mágica a la Venecia de Cuba, aunque para nadie era un secreto que el verdadero origen de aquella riqueza se debía al tráfico y al trabajo de los «sacos de carbón».

Gracias a la generosidad del tío Ignacio y a lo mucho que en una ciudad como Matanzas podían rendir los novecientos pesos que aún recibía mi madre, la familia se había instalado en una casa amplia y ventilada de la calle O'Reilly, acera derecha, casi a la vera del río San Juan. Al fondo de la casa, con puerta y ventanas al patio central, me habían destinado una habitación que me pareció un palacio al compararla con el cuarto de pensión donde había vivido en La Habana. Allí tendría además privacidad para escribir, alejado del piano que en la sala tocaba por largas horas mi querida hermana Ignacia.

Aunque mi madre trató, como siempre, de imponerme horarios y disciplinas cuasi marciales, pronto comprendió que había perdido la batalla. Entre las horas que debía pasar en el bufete de Ignacio para continuar mi entrenamiento y las muchas actividades sociales en que me vi envuelto desde mi llegada, apenas paraba en la casa y, si lo hacía, era a puertas cerradas, otra vez empeñado en escribir poesía.

Debo confesar que recién llegado sufrí la decepción de saber que la bella Lola Junco estaba siendo cortejada, al parecer con éxito, por un tal Felipillo Gómez, hijo de un riquísimo dueño de ingenios. Sin mayores razones yo había puesto algunas ilusiones en un posible encuentro con aquella ninfa y ahora me sentía herido en mi orgullo varonil y sobre todo ante la evidencia de que apenas era un huérfano pobrete, sin posibilidades de aspirar a ser admitido en el clan opulento de la familia Junco.

Pero algo que me hostigaba con mayor ahínco y exigía mi reflexión era la cada vez más insistente idea de que el destino de Cuba debía ser el mismo de toda América: la independencia de España. La noticia de que en Madrid se había impugnado la elección de los diputados cubanos a las Cortes, que ahora debían aguardar un año para entrar en funciones, me hacía pensar en cuánta razón llevaba el padre Varela al no esperar nada de aquella instancia política. Los augurios eran tenebrosos, pues se sabía que el taimado Fernando VII había aceptado a regañadientes la Constitución, pero en cualquier momento daría el zarpazo y volvería el antiguo régimen. ¿Y qué se podía esperar para el futuro? ¿Sería en verdad preferible el yugo español al riesgo de lanzarlo todo por la borda con una sublevación de esclavos? ¿Sería cierto lo que se comentaba de una expedición enviada por Bolívar para independizarnos y sumarnos a la Gran Colombia?

Fue Silvestre Alfonso, en una de las frecuentes cartas que entonces cruzaba con los amigos dejados en La Habana, quien me trajo la mala nueva. Abarcador como yo quería ser y creyendo que había perdido toda posibilidad con Lola, le había preguntado si sabía algo de mi musa Isabel, y la respuesta que tuve fue contundente: «José María», me escribió, «olvídate ya de la dama que ahora sí pasó tu cuarto de hora. ¿Sabes quién la corteja y con muy buenas perspectivas? Pues nuestro común Lunes…». ¿Fue dolor lo que sentí? ¿Fue rabia? ¿O fue simplemente decepción? Celos no, por supuesto, pues no amaba ni nunca amé verdaderamente a la Belisa a la que tantos poemas dediqué. Pero me preguntaba, ¿por qué entre tantas mujeres Domingo venía a acercarse precisamente a ella? Algo malsano debía de existir en aquella trama, y la carta que Domingo me remitió apenas me dio un poco de sosiego. En ella me explicaba cómo el padre de Isabel, viejo amigo de su propio padre, había sido el inductor de una relación que él no había imaginado, pero que ante mi creciente desinterés por Isabel y conociendo mis verdaderos sentimientos, él había terminado aceptando… Pero dejaba de decirme, por supuesto, que en realidad el padre de Isabel siempre había estado ajeno a sus pretensiones, como me comentó Silvestre, y que el matrimonio con una Rueda y Ponce de León, como yo bien sabía, bastaba para sacar de la pobreza no a uno, sino a todos los Domingos y Lunes del año y hasta del siglo. Mi respuesta, ingenua y adolorida, fue un largo poema al que titulé «A D. Domingo, desde el campo» y en el cual, además de reprocharle la traición, le otorgaba el perdón que es privilegio de las almas elevadas, como suponía yo debía de ser la mía. Sería ésa la primera vez que perdonaría a Domingo.

Además del inquieto Tanco, otros tres nuevos camaradas había encontrado en Matanzas, y trataba con ellos de suplir en algo la ausencia de los imprescindibles y la aflicción que me produjera el veleidoso Domingo. Eran los tres mayores que yo, en especial Antonio Betancourt, el cuñado de los hermanos Pablo y Juan Aranguren, todos amantes de la poesía, miembros de viejas familias de comerciantes matanceros, y, como casi todos nosotros, ya mordidos por la serpiente de la política. Fueron ellos quienes me reubicaron en la sociedad de Matanzas, pues por aquella época el tío Ignacio andaba desbordado de trabajo y al parecer enredado en una de sus misteriosas historias de amor. Con estos nuevos amigos asistí a fiestas, tertulias y paseos, y gracias a ellos conocí al doctor Juan José Hernández, considerado un hombre radical y políticamente peligroso, al cual temían por igual las autoridades españolas y los ricos cubanos, al punto de llegar a confabularse entre sí para cerrarle el camino hacia un seguro escaño como diputado a las Cortes, en la elección en que favorecieron a Gener. Era el doctor, tal como yo lo conocí, un loco apasionado capaz de admirar y compartir la prédica de los filósofos franceses de la revolución, y de dedicar varias horas del día a curar a los pobres, a repartir medicinas en los barrios, a cuidar perros callejeros y a gritar improperios contra la trata y la esclavitud. Estirpe de mártir cristiano había en la personalidad de aquel apasionado, por el cual de inmediato empecé a sentir una magnética admiración, pues algo me decía que era capaz de practicar lo que decía. Por eso pienso que si me faltaban dos pasos para convertirme en un independentista convencido, fue él quien me levantó la pierna y la hizo avanzar para que diera el primero. El segundo, de un modo irresponsable, lo daría yo mismo.

Intensas horas dediqué con el doctor Hernández, Tanco y los demás amigos a platicar sobre la situación de Cuba. Antonio Betancourt parecía convencido de la necesidad de buscar vías para alcanzar la independencia, pues afirmaba que una vez abolida la esclavitud, los negros no tendrían razones para sublevarse, algo de lo que los Aranguren no estaban nada seguros —como el resto de los cubanos ricos, entre cuyos planes nunca entraba el de renunciar a la fortuna invertida en sus dotaciones de esclavos. El doctor, por su parte, miraba más hacia el futuro: si ahora en Cuba había tantos blancos como negros, en los próximos años serían muchos más los negros, pues la trata ilegal y el azúcar eran los dos grandes negocios del momento. Además, creía que el auge del liberalismo, sumado al debilitamiento militar de España, desgastada en las guerras sudamericanas, hacían que el instante fuera especialmente propicio. Y, para convencernos, al fin nos habló de ciertas conexiones con el mismísimo Bolívar, quien había enviado agentes secretos a la isla para asegurar a los cubanos todo su apoyo si decidíamos lanzarnos a la guerra: él garantizaba tropas y armas para derrotar a los españoles y para pacificar el país, si fuera necesario.

Una calurosa noche de agosto, el doctor nos invitó a comer en su casa y nos sorprendió con un maravilloso ajiaco. A la hora del café nos dijo que, por considerarnos ya seguros partidarios de la emancipación, quería confiarnos que se estaba esperando la llegada de un enviado especial de Bolívar, el cual traía la misión de iniciar un movimiento independentista, y mencionó entonces, en voz muy baja, un nombre para mí desconocido hasta ese instante, pero que tantas veces iba a recordar a lo largo de mi vida: José Francisco Lemus.

En La Habana era común considerar que cualquier hombre recién llegado de Suramérica escondía un agente independentista, pero al decir del doctor Hernández, Lemus no era un simple agitador, pues ostentaba el grado de coronel de los ejércitos de Bolívar y recibía sus órdenes directamente del gran general. A su paso por Cuba, el año anterior, había dejado fundada una logia secreta, que había llamado Los Soles de Bolívar, de la que pronto se fundarían filiales por toda la isla. La conspiración estaba en marcha y su misterioso aliento entusiasmó mi espíritu, entonces tan dado a capillas de iniciados y conjuras. Por eso, cuando el doctor nos preguntó si estábamos dispuestos a ingresar en la logia que debía fundarse en Matanzas, fui el primero en aceptar, mientras los Aranguren y Betancourt dudaron, y Tanco dijo que nada de aquello le parecía con posibilidades de éxito...

Con el deseo de tener una conversación con Domingo, luego de la noticia de su inesperada pasión amorosa, me dispuse a dar un salto a La Habana. Mi pobre economía, que me permitía vivir con cierto desahogo en Matanzas, apenas me alcanzaría ahora para sostenerme por una breve temporada en una ciudad donde los precios del alojamiento, la comida y las volantas subían por semana. Y recuerdo que tres días antes de la fecha fijada para el viaje, Pablo y Juan Aranguren me invitaron a la fiesta que por el cumpleaños de una prima lejana se celebraría en el mejor salón de bailes de la ciudad. Gracias a Pablo, de mi misma estatura y grosor, pude vestir adecuadamente para asistir a la velada, que sería animada ni más ni menos que por la famosa orquesta del maestro Ulpiano, especialmente traída desde la capital para la ocasión. Y dos cosas en extremo significativas para mí ocurrieron esa noche de música y jolgorio. La primera fue que, al entrar yo al salón donde estaba la crema y nata de la sociedad matancera, vi cómo muchas cabezas se volvían y escuché cómo decían, en voz baja, «Ahí está Heredia, el poeta», y la admiración brillaba en muchos ojos. Mi vanidad, siempre grande, se agigantó ese día, y una sensación de que era capaz de tocar el cielo con sólo levantar la mano inundó mi ego y me animó a realizar la que con el tiempo sería una de las acciones más importantes de mi vida: avanzar hacia el grupo de jóvenes entre las cuales había descubierto a Lola Junco, detenerme a prudencial distancia y, sin decir una sola palabra, clavar mis ojos en los de la joven, por un tiempo que rozaba la insolencia, hasta que ella, vencida, bajó la vista, al tiempo que en sus labios aparecía una sonrisa.

Una de las grandes limitaciones de mi vida me impidió dar un paso más en el acercamiento iniciado con tan insolente vehemencia: y es que nunca he sabido bailar. Mejor dicho, nunca he sabido bailar bien, y quien sufre esa desgracia debe abstenerse de bailar en un país donde bailar mal y atreverse a hacerlo en público es el peor de los dislates. Pero yo tenía un arma especialmente poderosa, de la cual hice uso al día siguiente: me senté, pluma en mano, y escribí un desesperado poema de amor. Lo titulé, como si yo fuera discreto, «A ..., en el baile» y acumulé símiles, metáforas y adjetivos a los cuales —bien lo decía Betinha— difícilmente pueden permanecer cerrados los oídos de una mujer: palma gallardísima y erguida, ángel celestial, más bella que la blanca luna, le decía, y alababa sus ojos divinos, sus labios de rosa, su mirar sereno y su risa cantarina.

Ya en la diligencia que me llevaría a La Habana, pedí al conductor detenernos ante la casa de Donato Junco, el padre de Lola. En un sobre perfumado iba mi poema, y con la irreverencia de mis diecisiete años y la vanidad exaltada por mi fama creciente, toqué la puerta de la casa. Cuando la esclava abrió, le entregué el sobre, pidiéndole lo pusiera en manos de la señorita Dolores.

No bien llegué a La Habana, dejé mis pertenencias en la habitación que amablemente me brindaran en la fastuosa morada de Silvestre Alfonso y, apenas sin despedirme, corrí como un desesperado hacia el burdel de madame Anne-Marie, urgido de desfogar las ansias acumuladas. Pero cuál no sería mi sorpresa al encontrarme cerrada la casa más alegre de la ciudad. Abatido, irritado incluso, me acerqué para leer el cartel que, colgado de la baranda del portal, anunciaba la venta del inmueble a beneficio de la municipalidad de La Habana. En las paredes, antes de un blanco impoluto, ahora se veían manchas amarillas, rojas, negras, huellas indudables de proyectiles diversos lanzados contra la mansión, y toscos carteles, escritos con pintura o con carbón en los que se leían los más terribles insultos.

Un incontenible temblor invadió mis piernas, impidiéndome todo movimiento por unos minutos. Algo terrible había ocurrido en aquel lugar para que hubiera sufrido tal escarnio. Como una sombra de mí mismo, desanduve el camino. Comenzaba a oscurecer cuando llegué a la Alameda, seguro de encontrar allí a mis amigos y una respuesta a lo ocurrido en la casa de madame Anne-Marie. Domingo, Silvestre y Sanfeliú me recibieron con abrazos. El de Domingo, especialmente efusivo, me hizo recordar su reciente deslealtad, pero mi preocupación de ese instante era mucho mayor.

—¿Qué ha pasado, por Dios?

—La acusaron de espía —me dijo Domingo—. De espía francesa, ¿me entiendes? —y sentí retumbar sus palabras en mis oídos, mientras me contaba que la policía especial del capitán general había descubierto que madame Anne-Marie enviaba información secreta al rey francés, empeñado en restablecer el absolutismo en España y Cuba. Sin meditar en el absurdo de la acusación, me preocupé por el destino de aquellas mujeres, entre quienes debía estar Betinha.

—Fue un teatro lo que hicieron, José María —afirmó Sanfeliú, cáustico como siempre—. Les dijeron que recogieran y se fueran. Ni causa legal les siguieron.

—¿Pero dónde están?

—Embarcaron para Nueva Orleáns...

—¿Y Betinha, se fue...?

—Armaron un piquete para que las insultaran, les tiraran huevos, tomates podridos. Les pagaban tres reales a los que gritaban. Se cebaron con Elizardito, le dieron golpes, lo escupieron... —dijo Silvestre y me miró a los ojos—. Yo ayudé a Betinha con sus cosas y ella me dio esta carta para ti.

Más que tomar, le arrebaté la pequeña hoja, donde con letra insegura e incorrecciones ortográficas Betinha me decía: «Querido José María: Espero, en el futuro, leer muchos versos tuyos. Nunca olvidaré que un día fui la musa del más grande poeta que ha dado esta isla, que dejo con tanto dolor. Pero sé que nos volveremos a ver: mi madre Yemanjá dice que ni siquiera el mar es infinito y que el señor del cielo suele ser generoso, incluso con los poetas y las meretrices. Te quiere y te besa, Betinha».

Con aquel papel doblado contra mi pecho, es fácil colegir que, al sentarnos en una taberna, mi mano se levantara demasiadas veces reclamando al mozo, y terminara yo con una espantosa borrachera.

—Ayer acabaste —me dijo Domingo, no bien abrí los ojos a la mañana siguiente. Yo sentía en la cabeza una bruma pesada, y luego de asearme y beber el café que amablemente me trajo Silvestre, pude al fin indagar lo sucedido, y me enteré de que, entre otros muchos disparates, había hecho el viaje de la taberna a la casa gritando improperios contra el capitán general.

—Te pusiste como loco, José María —remató Domingo.

—Te sentó mal el vino —me justificó Silvestre—. Es que no comes nada desde ayer. Vamos, para que desayunes.

Cuando entramos en el comedor supe que eran las once de la mañana y había dormido unas diez horas de un tirón. Mi estómago estragado recibió gustoso los jugos y frutas que devoré. Con una segunda taza de café en la mano, salí con Domingo al patio interior de la casa y bajo un naranjo agrio cargado de frutas nos sentamos a esperar el regreso de Silvestre, que había ido hasta las oficinas de su padre a tratar de sacarle alguna plata.

—¿Y bien, Domingo, cómo te va con Isabel?

Aquel día, por primera vez, lo vi perder su flema de jugador: pero teníamos entonces dieciocho años y nos faltaba recorrer el tramo más difícil de nuestras existencias. Por eso, con la vista fija en el suelo, me dijo:

—Perdóname. Sé que me porté mal.

—Me mentiste dos veces —lo agredí, quizá sin derecho a hundir más la pica en tierra húmeda.

—¿Quieres oír la verdad?

—Siempre la he preferido. Mi verdad respecto a Isabel tú la sabes. La tuya sólo la puedo imaginar.

—No seas cruel, José María —me dijo y sentí que en realidad eran desproporcionados mis reproches y, a la vez, que algo dentro de mí se derrumbaba. Los restos de resentimiento, avivados tal vez por lo ocurrido con Betinha y sus amigas, fueron cayendo a medida que lo oía hablar—. Tú no amas a Isabel y nunca la vas a amar, pero yo sí. ¿Y sabes por qué? Porque con ella puedo lograr lo que quiero. Y el amor es más complicado que lo que dicen los poetas. El amor es una necesidad, en todos los sentidos. ¿Me entiendes?

—La verdad es que no muy bien —dije esta vez a su retórica pregunta de siempre, que en ocasiones llegaba a exasperarme.

—Pues óyeme bien: yo necesito amar a una mujer bella, pero también necesito que esa mujer me ayude a salir de mi pobreza, porque no resisto vivir así. Cada día tengo menos dinero y lo que pagan en los bufetes es una miseria. Los abogados nos explotan, tú lo sabes. Pero aun cuando podamos ejercer, nadie garantiza que ganaremos buen dinero. Y si amo a una mujer que lo tiene..., ¿no es todo más fácil? Mira, yo sé que ella me ama: lo sé desde hace mucho tiempo. Y también sé que su padre era amigo del mío porque le convenía. Mi padre le facilitó negocios con el gobierno, lo ayudó a tener vía libre en la aduana, le consiguió licitaciones con el ejército, y por eso el señor Rueda era su amigo. Pero muerto el señor Leonardo... ¿a quién le interesa el pobre leguleyo de su hijo? Ya sabes que trataron de casar a Isabel con un negrero asqueroso... Pero el negocio se frustró y esta vez no voy a dejar que Isabel se me escape. ¿Me entiendes?

Como mi capacidad de perdonar a Domingo podía ser infinita, a la noche del día siguiente nos reunimos, todos amigos otra vez, a fraguar un nuevo proyecto de revista. Y fue esa noche cuando Cayetano Sanfeliú me puso en el camino de una peligrosa mentira sin regreso.

Sanfeliú pensaba que sacar una nueva revista sólo por el hecho de tener un espacio no resolvería los problemas a los que nos enfrentábamos. Para él, seguidor de Varela, lo adecuado sería una publicación que, ni en el extremo incendiario y americanista de *Argos*, ni en el poético de mi *Biblioteca de Damas*, fuera capaz de pasar con soltura de los temas políticos a los literarios, sin olvidar los asuntos filosóficos, y que, sobre todo, tratara de crear un espíritu cubano.

Larga fue, como era usual, la discusión de esa noche. Domingo,

Silvestre, Sanfeliú y yo teníamos opiniones políticas similares pero distintas, en clara señal de que, definitivamente, ya éramos cubanos: porque nada en el mundo lograría ponernos de acuerdo, salvo que uno de nosotros se erigiera en dictador, como Domingo se encargaría de demostrar. Por eso, cansado de la discusión, y convencido de que apretando más las clavijas me llevaría el gato al agua, me lancé por un camino al que mi vanidad y amor propio le cerraban toda alternativa de regreso.

—Yo creo que el problema de Cuba ya no se resuelve con revistas ni con poemas, ni con ruegos en las Cortes...

—¿Y qué es lo que vas a hacer? —preguntó Sanfeliú, con su habitual seriedad.

—Voy a hacerme francmasón. En una logia de conspiradores por la libertad de Cuba.

—¿Cómo puedes estar tan seguro, Fernando?

—¿Quién dijo que estoy seguro de nada, Delfina?

—¿No es mejor que te olvides de todo eso?

—Eso fue lo que traté de hacer... Pero ya sé que no puedo. Sobre todo cuando pienso que lo de Enrique no fue un accidente.

—¿Qué historia es ésa, por Dios?

—A lo mejor fui yo el que lo empujó debajo del camión.

—Te vas a volver loco, eso no tiene sentido. Claro que fue un accidente. Tienes que sacarte eso de la cabeza. Debe de ser terrible, ¿no? Más de veinte años pensando en lo mismo.

—Ése ha sido el peor castigo.

La caída de la tarde solía ser un alivio. A Fernando le gustaba aquel momento impreciso, a medio camino de todo, como su propia vida. El calor intenso dejó una brecha y hasta la vieja alameda de Paula llegó una brisa pegajosa, cargada con los efluvios oleaginosos de la bahía.

Sin pensarlo dos veces había aceptado la invitación de Delfina y a las cinco, rociado con su mejor perfume, llegó a recogerla. La extraña situación de tocar a la puerta, besarla en la mejilla, sentarse en la sala y esperar a que ella terminara de arreglarse, verla salir del cuarto, también perfumada, haciendo sonar sus pulseras, y oírle preguntar, como si otras veces lo hubiera preguntado, si él había visto dónde ella puso la dichosa llave, siempre se le estaba perdiendo, y ayudarla a buscar la dichosa llave para descubrir que la había dejado en la cerradura, y sonreír los dos, como si todo fuera simpático, le provocó la inquietante y extraviada sensación de hallarse al inicio de algo, aunque bien sabía que no estaba en condiciones de comenzar nada: aquel salto mortal podía generar altas dosis de sufrimiento.

Mientras bajaba con Delfina por la calle Obispo hacia el corazón antiguo de la ciudad, Fernando había descubierto un rostro inesperado de la vida habanera. La vieja vía comercial, decadente y bullanguera en su memoria, siempre había ejercido el hechizo de conectarlo con una etérea atmósfera de poesía, que sentía agazapada en el aire, inmune al avance de las ruinas físicas que remitían los ojos. Entonces Fernando solía pensar que la falta de belleza de aquel callejón estrecho había sido compensada por un tráfico de espíritus tutelares de los cuales brotaba su verdadero sentido. Más de una vez, por aquella calle, deambularon Heredia, Del Monte, Saco y Varela, que incluso vivió allí. A la vera de aquel pasaje de apariencia vulgar, Julián del Casal había concebido su mundo oriental, perfumado y tenue. Martí la había recorrido una y otra vez en sus años de poeta joven y ya afiebrado por su obsesión mayor, la independencia de Cuba. Lezama y Gastón Baquero la habían caminado más por empeños sexuales que por razones poéticas, al igual que Lorca, que en uno de sus bares enloqueció de amor ante la presencia insoportable de un mulato estibador de los muelles que exhibía sin recato sus brazos musculosos y el borbotón de pelos negros, encrespados como el mar, que desde el pecho le subían hacia el cuello.

A Fernando lo conmovía sentir cómo los dueños de la poesía habían marcado con sus huellas y afanes un lugar de aspecto tan plebeyo, sucio y derruido en sus recuerdos, y por eso lo había asombrado constatar cómo la calle Obispo enmendaba sus achaques y cobraba nueva vida para un baile que se ejecutaba al son metálico y nada lírico del dólar: las viejas tiendas, bares, cafeterías, librerías habían vuelto a abrir sus puertas oxidadas y clausuradas por años para mostrar una sorprendente abundancia de opciones, sin racionamiento alguno, que tranquilamente se ofrecían en esquivos dólares. Delfina le explicó que durante muchos años las tiendas que por una u otra vía vendían sus productos en la moneda maldita, cuya simple posesión por un ciudadano cubano había sido un delito punible incluso con la cárcel, enmascararon su abundancia tras gruesas cortinas que ni siquiera permitían la ilusión de ver lo inalcanzable. Pero un buen día las cortinas cayeron, sin alharaca, y las tiendas en dólares se multiplicaron por toda la isla, vendiendo libre y fácilmente lo que sólo había estado en los sueños imposibles de los cubanos: televisores japoneses, ropas de marca, perfumes de calidad, sofisticados equipos de música e incluso comida: carne de res, chorizos españoles, pastas italianas, caramelos, bombones y hasta los chicles que por años se identificaron con la vacuidad y prepotencia norteamericana. El panorama cubano se había poblado, con pasmosa naturalidad, de aquel mundo que tenía ya como única barrera la posesión o no de los esquivos billetes verdes. Y ahora hasta era posible comprar joyas, flores exóticas, árboles de navidad con guirnaldas incluidas, muebles y libros en dólares, aunque a Fernando le había resultado especialmente dolorosa la peluquería para perros, con ofertas de corte, peinado y lavado, también en dólares, y en medio de una ciudad atestada de perros callejeros, enfermos de sarna y desprecio.

Como efecto de aquel dramático subterfugio económico, la belleza oculta de la ciudad antigua, tapiada por el abandono y la mugre secular, había comenzado a aflorar en rincones inesperados. Fernando pudo observar, al borde de la perplejidad, cómo su propia ciudad le parecía ser otra aunque la misma, decrépita y renacida, mientras iba constatando que donde apenas recordaba una mancha oscura se erguía ahora un palacete de principios del XIX; donde se habían arracimado unas columnas sucias, brotaba un antiguo comercio habanero, poblado de azulejos portugueses y mármoles italianos salvados por obra casi divina; donde se fueron acumulando toneladas de churre histórico había reaparecido un edificio con escudo de armas, gárgolas, maderas preciosas talladas a filo de gubias decimonónicas y rejas forjadas por insuperables artífices del metal.

Aquella mezcla de contrastes, que todavía trataba de asimilar, le había impedido valorar sin prejuicios la muestra de varios artistas jóvenes, preparada por Delfina, y que se exhibía en uno de los palacios habaneros rescatados de una muerte segura. Demasiado esnobismo, proporciones excesivas de posmodernidad forzada, necesidad evidente de estar más a la vanguardia que los centros generadores de vanguardia, nublaban la vista de unos pintores más parisinos, o neoyorquinos, o milaneses que cubanos, y con los cuales no había logrado establecer comunicación ni empatía.

Con el pretexto de fumar había salido a la calle, mientras Delfina terminaba de oficiar el rito de la inauguración. Casi le dolía ver a la mujer, tantas veces soñada y tan real, ataviada con aquella bata blanca de hilo hindú, su piel más morena, su pelo más negro, dueña de un espacio y un mundo propios que había forjado con los años y del que Fernando se sabía terriblemente distante. No había sido fácil para ella superar la muerte de Víctor, pero su empecinado apego a la vida le había permitido mirar al futuro más que al pasado, y Delfina parecía haber rearmado su existencia de un modo que la complacía, o al menos que no la atormentaba. Por eso, ya sentados en la vieja alameda de Paula, mientras la tarde invadía la ciudad, Delfina se negaba a admitir la obsesiva historia de una traición y una muerte que habían perseguido a Fernando durante más de veinte años, a través de los caminos de una vida que el hombre consideraba cada vez más ajena y equivocada.

—Yo no hubiera podido vivir así —dijo ella, con la vista fija en el mar.

—Yo no escogí vivir así. Y entiéndeme, no tengo rencor, ni deseos de venganza. Creo que ni siquiera puedo sentir odio. Pero cuando me acuerdo de todo lo que pasó, pienso que debo reclamar el derecho de saber. El derecho de condenar a un culpable y, sobre todo, de absolver a unos inocentes, porque entre Álvaro, Tomás, Arcadio, Conrado, Miguel Ángel y Víctor uno solo es el traidor...

—¿Y Enrique? ¿Lo perdonas porque está muerto?

—No, lo perdono porque él fue el que más perdió en esta historia y, aunque me costó trabajo, me convencí de que a él también lo habían traicionado... Enrique tenía miedo, pero no el mismo miedo que los demás. Él sabía que acusarme a mí no iba a salvarlo. Pero se sentía culpable de lo que me había pasado.

—¿Y por eso se mató? Ay, Fernando, ¿no estás exagerando?

—La última vez que hablé con él... —comenzó, pero comprendió que aquella historia todavía lo desbordaba.

—Ahora dime una cosa, y sé sincero conmigo. En todos estos años, ¿cuál tú crees que haya sido?

—Todos —dijo—. Por momentos he pensado que fue Álvaro, por momentos que Arcadio, y así de cada uno...

—Yo no creo que Víctor fuera capaz de algo así.

—Yo tampoco. Como tampoco creo que Álvaro, o Arcadio o los demás puedan haber sido, y por eso traté de enterrar esa historia. Pero no puedo dejar de pensar que fue uno de ellos. Y lo que dijo de mí y de Enrique, mira lo que nos ha costado.

—Te tengo lástima, ¿sabes?

—Yo también me tengo lástima, pero la lástima no resuelve nada... Acuérdate de que el que nos traicionó, si no fue Víctor, sigue vivo, aunque Álvaro diga que todos estamos muertos. Yo comí hace unos días con cinco hombres, todavía de carne y hueso, que me hablaron, me abrazaron, me preguntaron por mi vida... ¿Cómo habrá podido vivir todos estos años el que nos traicionó, sabiendo que mató a Enrique y de muchas maneras me mató a mí y a la amistad que había entre todos los demás? Ése acabó con lo que todos juntos soñamos que queríamos ser. Pero él también ha tenido su castigo, peor que el mío... Porque él ha tenido que seguir viviendo con asco hacia sí mismo.

—¿Y tú dices que no tienes rencor ni deseos de venganza? Todo eso me parece medio paranoico... ¿Nunca te ríes, te emborrachas, mandas todo a la mierda y disfrutas de las cuatro cosas buenas de tu vida?

Fernando sonrió y asintió: ¿aún había cosas buenas?

—Voy a contarte algo... Todos nosotros hicimos lo posible para que Víctor no te llevara más a las tertulias de los Socarrones. Y no fue por machismo, sino por algo menos absurdo y mucho más terrible, que quizá Víctor no te haya contado...

—¿Por qué fue entonces?

—Porque todos, unos más y otros menos, estábamos enamorados de ti.

—No pensé que fueran tan radicales ni la cosa fuera en serio...

—Ahora me alegro de que fuéramos tan radicales. Eso te salva de que también haya sospechado que tú podías haber sido la que nos traicionó. Hubiera sido horrible tener una musa colectiva y además traidora.

—¿Entonces tengo que estarles agradecida por haberme sacado del grupo?

—No es agradecida..., es, no sé, limpia... Es del carajo, Delfina, la verdad es que soy patético. Aunque déjame decirte que a veces me emborracho y hasta me río...

Fue ella la que sonrió y tomó la cajetilla de cigarros que reposaba sobre el viejo banco de piedra.

—No me acuerdo de que fumaras.

—Casi nunca fumo. Pero es que oírte me ha puesto triste. Estás demasiado obsesionado con todo eso, con haberte ido, y no puedes ver nada más que esa oscuridad. Y no es justo ni es bueno... ¿Podemos cambiar de tema? No sé, dime qué ha pasado con la dichosa novela de Heredia...

Él miró hacia el mar, convertido ya en un manto negro.

—Sí, la dichosa novela que no aparece... Pero antes voy a decirte algo, porque no quiero vivir los próximos treinta años con eso dentro: mira, Delfina, aunque suene ridículo y triste, la verdad es que yo todavía sigo enamorado de ti. Es del carajo decir a los cuarenta y nueve lo que uno debió haber dicho a los diecinueve, pero es mucho más jodido morirse a los setenta y nueve sin haberlo dicho nunca.

Apenas terminada aquella confesión que lo había sorprendido,

Fernando descubrió que se sentía liberado de un fardo húmedo, muy pesado, y que él mismo no esperaba tal desahogo de su subconsciente.

—Yo creí que eso ya no se usaba —dijo ella, después de un largo silencio. A pesar de la oscuridad que los había sorprendido y de la ansiedad que lo embargaba, Fernando logró ver una brillante humedad en los ojos de la mujer y percibió un remoto cansancio en su voz—. Ahora la gente enamora con las manos. Te invitan a comer, al cine, a tomar algo, y de pronto tienes una mano en la espalda o en un muslo, si es de los respetuosos, o te agarran una nalga si es de los impulsados.

—Me imagino que en estos años se te han acercado mil tipos.

—Novecientos noventa y nueve —dijo ella con una sonrisa triste y ordenó, más que propuso—: Vamos caminando, anda, tengo ganas de caminar un poco... Fíjate, creo que la mayoría de mis pretendientes estaban más enamorados de mi apartamento que de mí. Tú sabes que aquí la gente adora las casas y los carros. Son más difíciles de conseguir que una mujer o un marido.

—En tu caso no estoy tan seguro. Siempre has tenido imán para los hombres.

Ella sonrió y ahora lo hizo limpiamente.

—Un imán muy jodido... ¿Quieres que yo te confiese una cosa? —y no aguardó por la confirmación—. Hace como tres años que no me acuesto con nadie. Después que se murió Víctor estuve mucho tiempo sin tener relaciones, y fue cuando más hombres se me acercaron. Es una reacción medio necrofílica de ustedes los hombres: si uno se muere, hay plaza para otro que esté vivo.

—Míralo de otra manera —propuso él, mientras entraban la zona donde alguna vez estuvieron los más renombrados bares del puerto, casi todos desaparecidos, como la vieja cafetería de Las Vegas—. Tenías treinta años y estabas en tu mejor momento. En esa época yo estaba requetejodido y cuando te veía con Víctor la envidia me mataba...

—Han pasado demasiadas cosas, Fernando.

—Y van a pasar más, Delfina. No sé si peores, pero van a pasar más, y todavía tú eres una mujer que le gusta a cualquier hombre.

—Menos mal que todavía... Ven, te invito a un helado.

La cafetería vendía sus productos en dólares, pero Delfina insistió en pagar. Fernando se preguntó de dónde sacaría ella dinero para inversiones tan prescindibles. Con sus copas de helado en las manos, buscaron la mesa más cercana al mar.

—Estaba pensando en lo que me dijiste —comenzó ella, luego de probar el helado—, porque a veces tengo la sensación de que ya soy una vieja. ¿Te das cuenta de que la vida se nos está yendo, Fernando, de que ya estamos en la bajada? A ver, ¿te acuerdas de Míriam, la guajira tetona que vino de la Universidad de Oriente? Se murió de cáncer hace como un año... ¿Y de Sindo, el supermilitante? Pues le dio una trombosis y se ha quedado hecho un guiñapo: anda con un bastón, arrastrando un pie. ¿Y de mi amiga María Victoria, la que fue novia de Conrado? A ella le extirparon el útero y el marido la dejó por otra... Y además de Víctor y Enrique, también están muertos Oscarito y Mirta Cabañas... Cuando saco esa cuenta, y no te creas que la saco todos los días, por Dios, me da pánico, pero sobre todo me da fuerzas. Porque lo único que me queda claro es que hay que vivir, y ni el odio, ni el resentimiento ni la frustración ayudan. A mí me costó trabajo, pero decidí que tenía que seguir viviendo —se interrumpió ella, mientras se llevaba la cucharilla a la boca y deshacía el helado con los labios y la lengua, disfrutando su sabor, como si fuera una de las cosas buenas de la vida.

—Para ti ha sido más duro.

—Traté de enterrar a Víctor y tuve varias relaciones, dos bastante largas. Pero por más que quise ya nunca fue igual. Algo me decía que podía durar toda la vida con esos hombres, pero siempre iba a sentir que no era lo que yo buscaba.

—Yo me he pasado la vida en eso... —admitió él—. Aquí y allá. En Madrid he tenido varias novias pero siempre faltaba algo.

—Lo único que a veces lamento es no haber tenido un hijo —murmuró Delfina, con la vista fija en el helado—. Pensé tenerlo por mi cuenta, pero me pareció egoísta con el niño... o la niña. Creo que todo el mundo debe vivir con su padre y con su madre. Quizá porque yo tuve mucha suerte con los míos.

—Parece que todo nos salió mal, ¿no?

—Eso es lo que no acabas de entender, Fernando: a todos nos pasan cosas, buenas y malas, a veces son más las malas que las buenas, es verdad, pero uno no puede estar quejándose todo el día, como tú —remató ella—. ¿Quién tiene la culpa de que Álvaro sea un alcohólico y no escriba? ¿Quién de que Arcadio sí escriba y publique sus libros? ¿Y de que Tomás sea un cínico y Miguel Ángel un crédulo? Si al menos Dios existiera...

—¿Y no existe? —Fernando preguntó en voz baja.

—¿Qué hora es?... Tengo que darle la comida a mi padre. Vamos —volvió a ordenar y salieron a la calle.

—Cuando te veo, siento algo muy raro —dijo él mientras encendía un cigarro—. De todas las personas que conozco aquí, nada más que tú y mi madre me parecen ser las mismas de siempre. A los otros casi no los conozco.

—No te creas. Yo también he cambiado. El mundo ha cambiado. Mira a tu amigo Conrado... ¿Alguien te había dicho que se hizo santo?

—No fastidies, Delfina...

—No se lo dijo a nadie, pero yo conozco a su padrino, porque el hijo es pintor. Se hizo Ochún y todos los años arma un tremendo fiestón en la casa de su padrino... Allá tiene guardada su cazuela de santo.

—El guajiro lépero —y tuvo que sonreír—. ¿Y el cambiazo de Miguel Ángel? Casi no me lo puedo creer.

—Pues créetelo, porque él se lo cree... ¿Y lo tuyo conmigo, Fernando, no será un capricho? ¿No será para no quedarte toda la vida con la duda? —preguntó ella, sin mirarlo, cuando vio aproximarse la guagua.

—Nadie puede gustarle a otro tantos años y al final ser un capricho. Mi vida se hizo una mierda, Delfina, tuve que irme de aquí sin querer irme, todo lo que quería ser se hizo humo, y tú eres lo único que puede salvarme de ese pasado... Ve a ver a tu padre. Pero piensa que a lo mejor vale la pena intentarlo —le dijo y la besó en la mejilla, casi en el instante en que Delfina abordaba la guagua.

En la acera, mientras observaba el ómnibus que se alejaba, Fernando Terry tuvo la convicción de que no se había equivocado: si aquel viaje no le servía para encontrar la verdad sobre la vida de Heredia, quizá le fuera útil para encontrar algunas verdades de la suya.

Debió de haber sido su abuela María de la Merced quien enfrentara aquel trance definitivo. Aquella mujer, a la que conoció ya anciana, era la mejor imagen que jamás había tenido de la decisión. Tal vez por eso siempre la recordaba con el nudoso bastón en la mano, vestida con una bata negra cerrada hasta el cuello, incluso en verano, como inmune al calor, sentada en el patio oloroso a higos, jazmín y azahares de la casa matancera de Ignacio Heredia donde ella recibió cobijo y a la cual también había venido a recalar José de Jesús con sus hermanas Loreto y Julia, y la moribunda Jacoba, pocos años después de la muerte de su padre. A la abuela nunca debieron de temblarle las piernas, como tantas veces le ocurrió a Heredia, o a él mismo, que casi no pudo sostenerse en pie en el momento de levantarse con el sobre amarillo en las manos, para perder su exclusiva propiedad. Ella, siempre armada con respuestas para todo, capaz de resistir cada uno de los golpes de la vida, seguramente no hubiera sufrido las dudas de su nieto y habría sabido, en el instante irreversible, cuál era la mejor opción, como lo supo desde el día en que Jacoba llegó a Cuba y puso en sus manos aquellos documentos para que los hiciera llegar a sus destinatarios.

Apenas tres días después la buena de Jacoba Yáñez, envejecida y mustia, se despedía del mundo, marcada tal vez por la misma fatalidad del que había sido su único hombre en la vida. Entonces todo resultó más sencillo para María de la Merced Heredia y Campuzano: luego de leer el cáustico y desgarrado testimonio de su hijo, que con toda seguridad le reveló secretos y sufrimientos ni siquiera imaginados, decidió sumariamente que aquellos papeles tenían que salir a la luz en algún momento y optó por conservarlos consigo a pesar del deseo expreso del poeta de que fueran entregados al hijo que nunca conoció. La abuela María de la Merced, que se preciaba de conocer a los hombres, estimó que si aquellos documentos llegaban a sus verdaderos destinatarios, éstos los harían desaparecer, como habían esfumado otras evidencias y hasta identidades: y ella pensaba que la memoria de su hijo merecía otra suerte, aun cuando ello implicara violar la última voluntad del difunto.

Poniendo a prueba su valor, la anciana se las arregló para invitar a Lola Junco a que le hiciera una visita y, luego de entregarle la última carta de Heredia, dirigida a ella, le advirtió de su determinación de hacer públicas unas memorias del poeta en las que su hijo también evocaba los avatares de su vida amorosa. Por su hermana Loreto, única testigo de la conversación, José de Jesús se enteraría muchos años después de que la expresa y primera destinataria de aquellos papeles pidió leer el documento, pero su abuela no se lo permitió, aunque a la vez le hizo una firme promesa: ni ella ni su hijo debían preocuparse por el contenido del manuscrito, pues en ese mismo instante María de la Merced había determinado que no se publicarían hasta cumplidos cien años de la muerte de Heredia. Desde ese día María de la Merced guardó aquellos papeles en su armario personal, acompañados por una carta en la que establecía los pormenores de su destino.

Si con el tiempo la abuela hubiera cambiado de idea, incluso podría haber destruido tranquilamente los papeles, pues luego de la muerte de Lola Junco, durante varios años sólo ella supo de su existencia. Mas, inamovible en sus decisiones, los conservó consigo hasta que, sintiéndose morir, se los confió a su nieta Loreto con el juramento de que los protegería de lecturas indeseables y de que, llegado el momento, debía pasarlos a manos seguras hasta que se cumpliera el plazo para su difusión, por ella fijado y prometido a Lola Junco.

Sin embargo, José de Jesús, después de tantas batallas por reparar la biografía de su padre, intentando incluso borrar sus momentos de debilidad y duda, había llegado a pensar que el silencio podía ser preferible a la revelación de una devastadora confesión que apenas serviría para alterar un pasado cuyo rostro era cada vez más amable, a mover lo establecido por los años, derribar pedestales y dejar al desnudo la parte más triste de la humanidad de un poeta al cual, trabajosamente, al fin la historia había colocado en un pequeño altar que sin su figura habría quedado vacío por siempre jamás.

Largos años había dedicado José de Jesús a ocultar máculas y pulir las mejores aristas de la biografía de su padre, mientras vivía ajeno a la peligrosa existencia de aquellas memorias. La lucha contra el olvido oficial, motivado por la fe independentista que profesara el poeta en un país que seguiría siendo colonia durante tantos años más, se había sumado a la desidia iniciada, mezquinamente, por los primeros que utilizaron la poesía de Heredia como himno y bandera para intereses diversos y que, pasado el momento de utilidad inmediata del hombre y sus versos, decidieron relegarlo, matarlo de olvido, para que la evidencia de su grandeza no hiciera visible la presencia de tanta mediocridad poética. El triunfo personal que Heredia había obtenido fuera de las estrechas fronteras de la isla se había convertido en estigma, y torrentes de envidia y frustración trataron de tapiar una obra que debió de haber sido orgullo y triunfo de todos. La indigente soledad en medio de la cual terminaría la vida del gran romántico, el funeral de pobre que tendría y la tumba de miserable donde fue enterrado el hombre que tocó la gloria con sus manos, nada tenían que ver con el mundo de salones profusamente iluminados y decorados, servicios de té de porcelana china, cenas multitudinarias con exquisiteces diversas, bibliotecas con cuadernos forrados en piel, y la preeminencia social de la que, a través del cálculo y las fortunas engendradas por el negocio negrero, llegaron a disfrutar algunos de sus amigos cubanos. Tal vez por eso ninguno de aquellos viejos camaradas de sueños poéticos respondió a los llamados de María de la Merced cuando andaba empeñada en recaudar los dineros necesarios para comprar un nuevo sepulcro en México y evitar el traslado de los huesos del poeta a la fosa común del cementerio de Tepellac donde finalmente fueron arrojados, como los de cualquier pobre de la tierra, que ni lápida sobre una tumba podía exhibir. Terrible resultó aquel acto final y ahora nadie sabía dónde habían ido a parar los restos mortales de un hombre condenado a vagar en vida y obligado a errar por sepulcros anónimos después de muerto.

Sólo cuando algunos de los hombres que vivieron y convivieron con Heredia dejaron de actuar con su influencia, su voz y hasta su dinero en el empeño de esconder los ecos de su grandeza, pudo José de Jesús conseguir pequeñas reparaciones y satisfacciones. Quizá la mayor de todas había venido, de manera inesperada pero lógica, del hombre que desde su iluminada altura supo reconocer la estatura gemela de Heredia. José de Jesús siempre lamentaría no haber escuchado de viva voz aquel canto profético entonado por José Martí, otro cubano empecinado, también condenado a destierro, cuando lanzó el desafío de afirmar que había sido Heredia el primer poeta de América, el bosque hirsuto e indomable de la poesía cubana, y lo ubicó en el sitial merecido, en la cumbre magnífica que le correspondía como insuperable progenitor de la cubanía poética. Luego vino la trabajosa recuperación de la casa santiaguera donde había nacido su padre y el bautismo de la calle con su nombre. Más tarde llegó la aceptación de que se trataba de la primera voz poética de la patria, cuando el escudo de la nueva nación soñada por él grabó entre sus símbolos la palma y la estrella de Cuba a las cuales había cantado, con su premonición de fundador.

Y ahora todo lo conseguido, luchando contra la desmemoria en un país donde los verdaderos poetas morían de hambre, olvido o balazos en el pecho, podría resentirse con las revelaciones descarnadas de una persona que dijo adiós al mundo dispuesta a cercenar sus propios pedestales por hacer válido su apego a algo que nadie quería saber: la verdad... Un terrible error de cálculo, no previsto por Heredia ni por María de la Merced, se le hacía evidente, tantos años después, al hombre que sin pedirlo ni esperarlo debía decidir el destino último del poeta. Porque ninguno de sus calumniadores y censores, ninguno de los que lo utilizaron o denigraron su nombre, era ya parte decisiva de la memoria de la gente y ninguno merecía el sacrificio al cual se exponía la imagen de su padre. José de Jesús sabía que el miedo, la decepción, la duda, las mezquindades y la desesperación de Heredia pesarían más que la gloria poética, más que todos sus versos, y entonces se impondría el escarnio, antes que la comprensión.

Por eso insistió, una y otra vez, a lo largo del vehemente discurso dirigido a sus hermanos masones, en recabar su discreción: nadie debía comentar, fuera de las paredes sordas y sagradas de aquel templo, el carácter de aquella sesión; nadie, hasta 1939, debía leer aquellos papeles que confiaba a su madre logia; y, para asombro de los presentes, concluyó sus peticiones exigiendo que el sobre, tal y como lo había entregado, fuera guardado en la bóveda de la Cámara Secreta de los Maestros y que, llegado el momento de cumplir la voluntad del poeta –dijo, mientras señalaba hacia la primera vigilancia–, debía preguntársele al hermano Ramiro Junco cuál debía ser el destino final de unos documentos de los cuales José de Jesús sólo se desprendía ante la certeza de que su muerte era un desenlace cercano.

–En ustedes, mis hermanos, pongo toda mi confianza, como en su día la puso mi padre. A ustedes doy en segura custodia estos viejos papeles en los cuales, aquellos que tengan el privilegio de leerlos, encontrarán algunas de las virtudes sobre las cuales se asienta nuestra institución: fe en la verdad, amor a la justicia, defensa de la democracia. En las manos y en la discreción de ustedes pongo el espíritu de mi padre y mi propio corazón.

Un aire de solemnidad y conspiración, tan gustado por los masones, quedó flotando tras las últimas palabras. Imponiéndose al temblor de sus piernas, el anciano se puso de pie y, sin volver a mirar hacia Ramiro Junco, abrazó el sobre amarillo contra su pecho y descendió los siete escalones de la Sabiduría para colocarse en el plano del Oriente donde lo esperaba Carlos Manuel Cernuda. Los ochenta y seis masones convocados a la sesión observaron en silencio cómo José de Jesús ponía en manos del Venerable Maestro el enigmático envoltorio y, de inmediato, le devolvía las insignias plateadas de la veneratura. Cernuda miró entonces a los ojos del anciano y supo que estaba a punto de llorar. Para no ver aquel doloroso espectáculo, se volvió, con el sobre en las manos, y descendió del Oriente hacia el ara de los juramentos. Allí, sobre la Biblia, el *Código masónico* y el compás y la escuadra de los primitivos constructores de catedrales, depositó el sobre y, sin levantar la vista, habló:

–Yo, Carlos Manuel Cernuda, Venerable Maestro de la muy respetable logia Hijos de Cuba, juro guardar con celo, como un secreto masónico, la noticia de la existencia de estos documentos que reposan sobre los símbolos más sagrados de nuestra fraternidad. Desde esta noche, y por voluntad del querido hermano José de Jesús Heredia y Yáñez, nuestra madre Logia es centinela de la memoria del muy ilustre hermano José María Heredia y Heredia, iniciado en los secretos de la masonería hace cien años, bajo la promesa de luchar hasta la muerte por la independencia de América. Cada hermano aquí presente jurará solemnemente la conservación de este secreto, como en su día juró libremente la conservación de los secretos de nuestra fraternidad.

Los hombres iniciaron el desfile ante el ara y pronunciaron en voz baja el voto exigido por su Venerable Maestro. Desde el promontorio del Oriente, donde había quedado solo, José de Jesús los vio pasar frente al espíritu vivo de su padre y respiró aliviado cuando le tocó su turno a Ramiro Junco, quien lo miró un instante, antes de decir: «Juro». Y al fin se sintió libre de una carga que lo excedía, y respiró, orgulloso de sí mismo, porque había vencido sus propias miserias y el llamado implacable de las tentaciones.

Transcurriría todo un año, largo y desesperadamente apacible, entre mi decisión de hacerme francmasón y el día en que, con los ojos vendados y el pecho descubierto, entré en el recinto donde, con una espada en la mano, haría mi juramento de fidelidad a la antigua cofradía de los iniciados en los secretos de las proporciones y el equilibrio.

El torbellino de mi vida parecía haberse calmado durante esos meses en los cuales conocí una rutina que me provocaba la ardiente sensación de anhelar que todo cambiara y, al mismo tiempo, que todo permaneciera en aquella paz posible. Pero, como me lo demostraría el futuro, era yo un hijo de la Historia y, aunque me hubiera escondido, ella habría venido a tocarme la puerta. Sólo que fui yo, pulsando con el destino, quien abrió y traspuso el umbral a partir del cual no existía posibilidad de retorno.

Unos días antes del fin del año 1821, recibí la sorpresiva visita de Domingo, llegado a Matanzas para celebrar juntos mi decimoctavo cumpleaños. Grande fue mi alegría al verlo y no menor fue la de recibir de sus manos un hermoso ejemplar del *Emilio* de Rousseau, junto con varios consejos —no podía evitarlo— sobre el carácter de la poesía y la intención del drama. Fueron aquellas unas navidades alegres y despreocupadas, durante las cuales nuestra amistad llegó a su punto más alto. De sus amoríos frustrados pero latentes con Isabel me habló él cada noche. Del cortejo que le hacía a Lola, obteniendo cada vez más sonrisas de la muchacha, le hablé yo todos los días.

A instancias suyas pasamos la Nochevieja en el ingenio Ceres, comprado por su familia con los dineros dejados por su difunto padre, y allí disfrutamos del incomparable paisaje de la llanura matancera, en compañía de su madre y sus hermanas y hermanos. En realidad acepté ir a aquel sitio remoto porque Lola había hecho un viaje similar a uno de los ingenios de su familia, y la ciudad, sin ella, parecía perder todos sus encantos. De alguna manera, lo que empezó siendo un juego galante había adquirido profundidad en mi alma, y al pasar unos meses yo me sentía absoluta e inevitablemente enamorado de aquella hermosa mujer.

Amaneciendo el día 2 de enero volamos como flechas hacia Matanzas para aprovechar junto a los otros amigos los días de fiesta que se extendían hasta la celebración de Reyes. Pocas veces, como en esas jornadas, sentí yo el calor de la amistad y el valor de las complicidades. Olvidados por un momento de discusiones políticas, dedicamos más tiempo a nuestros comunes intereses literarios y complementarias aficiones: la de Domingo por el juego —gastó casi todo lo que tenía en dos sesiones de peleas de gallos en las vallas de Pueblo Nuevo—, la de Tanco por el vino —podía beber cualquier cantidad— y la mía por el sexo —gracias a la fogosa y desgraciada Luisa Montes, una hermosa mulata que vivía en la Loma de Jesús María y que, con mil engaños a su marido, siempre se las arreglaba para disponer de tiempo y lugar para nuestros lances amorosos.

Al volver Domingo a La Habana sentí la crudeza de un vacío. Cierto era que tenía buenos amigos en Matanzas, mas ninguno como él había calado en mi corazón. Dedicado en las mañanas al aburrido trabajo del bufete y algunas tardes a desfogar mis ardores con Luisa Montes, empleaba las noches en escribir y lo hice con la pasión y facilidad que no tenía desde mis días febriles de la adolescencia. En pocas semanas tuve lista mi versión de la tragedia *Atreo*, sobre el original de Crébillon, que estrenamos en un galpón convertido en teatro el 16 de febrero, con el entonces muy joven pero ya muy capaz Antonio Hermosilla encabezando el elenco. Aunque la escribí con agua de rosas, aquella tragedia, enfocada en los peligros de la tiranía, resultó demasiado atrevida para la sociedad matancera y fue una ola que movió opiniones y, a pesar del escaso éxito de taquilla, mucho se comentó mi trabajo y me acercó aún más a la cúspide de mi celebridad literaria.

Al mismo tiempo escribí varios poemas de amor, de los más encendidos que haya concebido, todos dedicados a la Ninfa del Yumurí, quien puntualmente los recibió. Especial empeño puse en la escritura del que titulé «A Lola, en sus días», mi regalo por su decimoséptimo cumpleaños y el heraldo que rompió al fin la barrera de las sonrisas: la llama de mis esperanzas se convirtió en hoguera cuando Antonio Betancourt me entregó, dos días después, la graciosa esquela en forma de triángulo firmada por L: «Gracias, señor mío. No esperaba tan bello regalo de cumpleaños. Disculpo, por tal, su osadía, y considéreme desde hoy su amiga». Y en una línea suelta, agregaba la mejor noticia: «Espero verlo a mi regreso de La Habana».

De más está decir cuán interminables y terribles fueron las semanas transcurridas hasta su retorno. Casi cada día escribí cartas a Silvestre y a Domingo, en las cuales les pedía noticias de Lola, aunque escondía mi interés desbordado tras comentarios sobre nuestros proyectos literarios. Domingo, muy entusiasmado con su próximo debut periodístico, me comentó que andaba ya, en compañía de Cintra y con el apoyo de Saco y Sanfeliú, en el empeño de sacar a la luz una revista que de inicio se presentaría como más literaria que política, pero como lo exigía su nombre —El Americano Libre— tomaría partido por aquellos asuntos de mayor hondura de los que tantas veces habíamos hablado: se imponía, según mis amigos, comenzar a tensar la cuerda para ver hasta dónde daba su resistencia.

La carta más dolorosa y sorprendente que por esos días recibí me la remitió desde México Blas de Osés, y me ponía al día sobre el triste giro de los acontecimientos en su patria. Osés me contaba los pormenores de la traición de Agustín Iturbide, viejo oficial realista, convertido en general independentista, que alevoso y oportunista, como buen renegado, había logrado hacerse con el poder del nuevo país para implantar una inesperada tiranía y proclamarse nada menos que emperador. Tan macabra era la situación de México, luego de doce años de guerra, que casi movía a risa. Pero de ese episodio manaba una exasperante advertencia: la fiebre del poder, las ansias de gloria, el deseo de trascendencia podían engendrar la traición de los ideales y las causas más justas, y la autoproclamación imperial de Iturbide apenas sería la primera de las muchas tiranías que deberíamos sufrir los nuevos pueblos hispanoamericanos, y siempre en nombre del vilipendiado bien común y del mejor destino de la patria.

Mi respuesta a lo sucedido en México fue rotunda y más que explícita de la fe que entonces tenía yo en la poesía, pues, ¡iluso de mí!, la creía capaz de cambiar las cosas. En ese estado de exaltación escribí la «Oda a los habitantes de Anáhuac», un nuevo grito contra el despotismo y a favor de la democracia y la libertad, y de inmediato la envié a Osés para que tratara de publicarla en México, y a Domingo, para que la colocara en alguna revista de La Habana. Muy pronto tuve una alarmada respuesta de Domingo, donde me preguntaba si yo había enloquecido o si tenía intenciones de ir preso o de ser desterrado, pues la salida de aquel poema me convertiría en abierto partidario de la independencia. Y le respondí que lo había escrito con el corazón, más que con el cerebro, y asumía todos los riesgos, y le reiteraba mi deseo de que pusiera el poema en manos capaces de difundirlo.

Con el verano, llegó Lola y mi vida tuvo otra vez por centro las expectativas del amor. Varias tardes, en compañía de Silvestre, que por una temporada vino a Matanzas, fui hasta el apacible embarcadero del Yumurí, con la esperanza de encontrarla en aquel sitio cargado de un encanto mágico. Y tanta fue mi insistencia que una tarde de domingo, al fin, se produjo el encuentro y cuando me acerqué a ella y besé su mano, supe por el fuego de su piel que una pasión gemela embargaba a la muchacha y sentí en ese instante cómo mi vida adquiría al fin todo su sentido.

Entre aquel púdico roce en su mano y el primer beso que nos dimos en los labios, Lola y yo dejamos pasar por nuestro lado, tontamente, días, semanas y meses que debimos de haber dedicado al amor. Comedido, yo no me atreví a forzar el ritmo casto y exasperante que, según las normas de la decencia, se suponía debía tener nuestra relación, y acepté el reto de la espera, mientras seguía calmando mis ansias en el lecho adúltero de la complaciente Luisa Montes. Sin embargo, pasear con Lola por el río, acompañarla a bailes donde hablábamos todo lo que las normas nos permitían, caminar por las plazas y parques de la ciudad y hasta asistir juntos al teatro o a algunas reuniones literarias que siempre querían tenerme como invitado, me inundaban de felicidad por la simple cercanía de aquella mujer, la primera a la cual deseaba con mi cuerpo y con mi alma.

Pero ni siquiera el amor, que devoraba muchas de mis fuerzas y mis horas, logró apartarme de reuniones y pláticas políticas, y no dejé de encontrarme con mis amigos partidarios de la independencia, sobre todo con el doctor Hernández. El grupo de los que nos reuníamos a conversar y discutir de todos estos temas empezó a darse cita en la casa de don José Teurbe y Tolón, y además de mis amigos Aranguren y Betancourt, solían asistir diversos personajes, entre ellos un párroco parlanchín y alocado, dominicano igual que mis padres, llamado Federico Ginebra, que hablaba de bajar a Cristo de su cruz y pasearlo por los barracones de esclavos de los ingenios matanceros. Aquellas conversaciones, donde se discutía de cuanto se nos ocurriera, funcionaban como una especie de tertulia, muchas veces matizadas por la diversidad de criterios, al punto de que, de manera espontánea, terminamos llamando a nuestros cónclaves, precisamente, La Tertulia.

En otras conversaciones más privadas que las de La Tertulia, pues en ésta sabíamos de la segura presencia de agentes del gobierno, el doctor Hernández me anunciaba un pronto giro en los acontecimientos. Y me confió, poco después, que el coronel José Francisco Lemus, recién regresado al país, había reanimado en La Habana la logia de Los Soles de Bolívar, pues traía ya las instrucciones para dar el impulso definitivo a la sedición, y la fragua de la conspiración serían las logias masónicas que ya se extendían por casi toda la isla, agrupadas en dos cofradías paralelas: la de La Cadena y la de Los Soles.

—¿Y tú, José María, estás dispuesto a ingresar?

Recuerdo que el doctor Hernández tenía una voz suave que, por cierto ensalmo, lograba el milagro de la autoridad.

—Usted sabe que sí, doctor.

—¿Sabes a lo que te expones, hijo mío?

—Creo que sí...

—Tanto si triunfamos como si somos derrotados, no esperes a cambio otra cosa que la ingratitud de los hombres. Pero antes podemos morir, sufrir cárcel, destierro... ¿Aun así insistes? —preguntó y al ver que asentía, me tomó de los brazos—. Pues prepárate, que cualquier noche de éstas te vengo a buscar. Tus versos pueden ser tan valiosos como tus brazos para la independencia de Cuba.

Con el orgullo en ebullición esperé ansioso la llamada del doctor Hernández, mientras continuaba mis paseos con Lola, mis luchas con legajos y litigantes, y la escritura de mis versos, hasta que en septiembre de aquel año de 1822 pasó un huracán por Matanzas y también por mi vida.

Desde el mediodía el cielo se había oscurecido, y un viento cálido y grueso comenzó a soplar en rachas intermitentes, hasta que, al anochecer, la lluvia se sumó al concierto, cayendo como torrentes que barrían las calles. Justo con las primeras aguas llegó a mi casa el doctor Hernández, y mi madre lo hizo pasar a mi habitación luego de ofrecerle una toalla. El hombre venía con las ropas anegadas pero con fuego en la mirada y, apenas cruzados los saludos, me espetó el motivo de su intempestuosa visita: la noche del 21, si algo quedaba en pie en la ciudad, se produciría la iniciación de los conspiradores en la logia de Los Caballeros Racionales. La cita era a las diez, en el almacén de víveres de don Manuel Ríos, y mi discreción, como la de todos los convocados, era más importante que mi asistencia.

Cuando se hubo ido el doctor, sentí en mi pecho el peso de una responsabilidad que me desbordaba y también unos latigazos de miedo. El tiempo de las palabras y la poesía se agotaba y comenzaba el de la acción y las armas. La inminencia de aquel salto sin retorno, que hasta ese día vi lejano y hasta improbable, me provocó una profunda inquietud que se tornó sentimiento de encierro entre las cuatro paredes de mi habitación. Entonces, como poseído, salí de la casa, sin oír los regaños de mi madre ni las súplicas de mis hermanas.

Las calles eran ya azotadas por el viento, ahora enfurecido, que hacía volar tejas y maderas. Pero un calor, como salido del corazón de la tierra, se respiraba en la atmósfera enardecida, mientras el cielo, atravesado por nubes desgajadas, brillaba con una enfermiza claridad. Caminaba yo entregando al viento mi propia energía liberada, y mis pasos me llevaron ante la casa de mi amada Lola, cerrada a cal y canto como era de esperar, para dirigirme después hacia el embarcadero del Yumurí donde había nacido y crecido mi amor. Allí, atado a un horcón, encontré un gigantesco toro que bramaba su temor. Sin pensarlo, solté la amarra que aprisionaba al animal y, para no ser arrastrado por una nueva racha de viento, debí aferrarme al horcón. El animal, libre al fin, trató de cruzar el río crecido pero regresó y, muy cerca de mí, comenzó a escarbar la tierra con sus fuertes patas, como si quisiera cavar su propia tumba. Con el toro aterrorizado como única compañía, sentí la llegada del fin del mundo: la pálida luz que hasta un minuto antes brotó del cielo desapareció, y un manto impenetrable se extendió sobre nosotros, al tiempo que el aire rugía como azuzado por legiones de demonios, la lluvia reventaba la superficie de la tierra, el apacible Yumurí escapaba de sus márgenes y las olas del mar cercano se lanzaban al asalto, dispuestas a barrer con lo humano y lo divino. La experiencia de ver ante mis ojos la fuerza desatada de la madre de las tormentas me hizo comprender, una vez más, la pequeñez insondable del hombre ante las potencias del cielo y de la naturaleza, y lo absurdo de todas las vanidades, las pretensiones de trascendencia y los miedos terrenales entre los cuales gastamos nuestros días los humanos. Pero, como si no fuera suficiente aquella terrible confirmación, de pronto se produjo el verdadero milagro: de improviso se hizo la calma por un tiempo ajeno al devenir mensurable de los relojes, y un rayo de luz impoluto se abrió paso desde el cielo y cayó a mis pies. El toro, como advertido por alguna voz interior, dejó de cavar, y levantó sus ojos al luminoso firmamento hacia el cual también yo había llevado la mirada. Mis brazos, extenuados y vencidos, soltaron el horcón y caí de rodillas ante la luz, mientras sentía unas lágrimas cálidas rodar sobre mi cara, empapada por la lluvia. ¿Fue ensoñación de poeta o pesadilla de un hombre físicamente agotado? ¿Fue la convicción de que en breve mi vida iba a cambiar de modo radical o una alucinación engendrada por el temor? ¿O fue realmente el rostro del Señor lo que vi palpitar frente a mí por la fracción de un instante, con aquel brillo sideral, justo antes de que, con una explosión devastadora, regresaran la lluvia, el viento, las nubes deshechas y viera volar, ante mis ojos, al gigantesco toro, levantado cual pluma ingrávida, lanzada hacia la infinitud de los océanos? ¿Por qué al pesado e inocente animal y no a mí?... Todavía hoy, mientras reviso los días de mi vida, no sé si aquella noche terrible sufrí una alucinación o si fui elegido para asistir a uno de los prodigios insondables de Nuestro Señor.

Aunque la vida de Fernando Terry se había torcido por senderos escabrosos desde la mañana en que el policía Ramón lo llamó a la oficina de la facultad, en el instante en que escuchó al administrador de la revista *TabaCuba*, que hablaba sin sacarse el tabaco de la boca, había cometido el error de creer que estaba sufriendo la mayor de las humillaciones, pero se la tragó sin respirar, desechando todas las respuestas que se le ocurrían, firmemente decidido a demostrar que él no era el hombre que proclamaba su expediente.

Fernando había llegado a la revista desbordado de ilusiones en su rehabilitación posible. Todo un mes había estado fuera de la imprenta, a causa de un desgarramiento dorsal que sufrió al intentar detener una bobina de papel que se había caído al montarla en la rotativa. Cuando se venció el plazo dado por el médico, que había aprovechado leyendo a su gusto y hasta escribiendo media docena de poemas, se había presentado otra vez en la imprenta, pero el regente de turno lo llamó con la intención de darle una buena noticia: al parecer estaba cambiando su suerte pues lo mandaban a trabajar a una revista, y lo abrazó, mientras le decía que había sido bueno conocer a un hombre como él. Ya en la oficina del jefe de personal, Fernando había recibido jubiloso la carta donde se oficializaba su traslado a la revista *TabaCuba*, a la cual debía incorporarse de inmediato.

Al recibirlo, el mulato administrador de la publicación, antiguo administrador de una granja tabacalera que alguna vez llegó a ser Vanguardia Nacional en la Emulación Socialista, había sido contundente y preciso: la única plaza existente era la de corrector, y si lo admitían allí era porque alguien lo mandaba, pero al menor resbalón lo soplaban como bola por tronera: bastantes problemas tenían para además estar recibiendo a gentes con una tonelada de mierda en el expediente. Así que a la primera, ya sabía por dónde salir y él, Teodoro Zaldívar, hasta le regalaba el medio para la guagua...

Aunque desde el principio había acudido a una especie de resignación cristiana, incongruente con su ateísmo visceral, y había tratado incluso de encontrarle el lado amable a su nuevo destino, el lado amable se le escondió y al final nunca apareció, para que todo terminara de un modo vergonzoso y devastador. Bien se lo había advertido el administrador: sólo debía revisar las galeras, sin más prerrogativas que las de corregir erratas, empastelamientos y errores ortográficos, por lo que debía tragarse cuatro y cinco veces todos aquellos artículos y entrevistas, pésimamente escritos, sobre la producción y el cultivo del tabaco, más poblados de deseos que de realidades... Pero el más refinado de los castigos a que había sido sometido era la obligación de permanecer ocho horas en la oficina de la redacción, aun cuando hubiera terminado su trabajo mil horas antes.

Los primeros meses de su nueva labor los vivió en absoluta tensión, en guerra permanente contra erratas y errores ortográficos. Al mismo tiempo, para demostrar su interés laboral, comenzó a aprovechar sus muchas horas libres preparando un minucioso informe al director, con la intención de proponerle la creación de unas normas de redacción, diseño y tipografía más modernas y adecuadas.

Cuando regresaba a su casa, Fernando solía estar más agotado que en los tiempos de la imprenta, donde dedicaba diez horas a manejar el montacargas y a realizar cualquier trabajo que fuera necesario, con la mente fija en los bonos sindicales de Mejor Trabajador del mes, del trimestre, del semestre, del año y hasta en el Diploma de Honor al destacado del siglo, si alguna vez decidían otorgar aquel brillante certificado. Ahora el agotamiento era mental, pero le provocaba un invasivo malestar en todo el cuerpo que lo obligaba a permanecer en la casa, sentado en la terraza o viendo algún programa en la televisión, hasta que lo vencía el cansancio. Entonces llegaba el peor momento del día: el sueño se esfumaba al caer en la cama y para lograr dormir debió acudir primero a cocimientos de tila preparados por Carmela, a ejercicios de relajación, y luego a pastillas que le proporcionaban un sueño intranquilo, en muchas ocasiones poblado de galeras, erratas y tabacos danzantes.

Al séptimo mes de trabajar en la revista, Fernando había terminado un análisis minucioso, que destellaba objetividad, y por medio de la jefa de despacho, le pidió al fin una entrevista al director. A máquina, en original y dos copias perfectas, había preparado aquel informe donde, en lugar de críticas hacía sugerencias, en el que evaluaba y proponía cautelosamente, y con el cual, pensaba, podría mejorar el diseño y la redacción de la publicación, y demostrar el interés puesto en su trabajo. Desconfiado, prefirió no comentarles su informe al redactor y al diseñador de la revista, y sólo conocía de sus esfuerzos la empleada de limpieza, una mujer gorda y fronteriza apodada Chochín, dotada por la vida para hacer un excelente café, y por quien estuvo a punto de irse a las manos con el diseñador, una tarde en que trataba de poner a la infeliz mujer a mamarle el rabo en el cuarto de los útiles de limpieza. Desde ese día Chochín era su aliada y Fernando tenía el privilegio de tomar el primer café de sus coladas.

El director, que dos o tres veces a la semana pasaba fugazmente por la redacción, fijó la cita para tres días después, un viernes a las seis de la tarde. Con los nervios a flor de piel, Fernando esperó el encuentro. Aunque su horario de trabajo se cumplía a las cinco, disciplinadamente aguardó hasta las seis y media. Al verlo llegar, lento y sonriente, y oírle decir «Coño, cuadro, se me había olvidado que me estaba esperando mi corrector estrella», comprendió de inmediato que el hombre había estado bebiendo. Hasta ese día, fuera de las orientaciones de trabajo, apenas lo había escuchado darle los buenos días en las contadas ocasiones en que lo hizo.

—Vamos, cuadro, cuela para acá —le había dicho al entrar en su oficina, donde el aire acondicionado, permanentemente encendido, le provocó un temblor—. Mira eso la hora que es y todavía trabajando...

El hombre buscó el mejor ejemplar en un cofre de maderas preciosas, dotado de un regulador de humedad y tachonado con esquineros de plata. Al fin encontró el habano que le pareció apropiado, un gran corona de un marrón prometedor, brilloso, sin venas, y se lo colocó en la boca mientras se servía una taza de café del termo dispuesto en una mesita auxiliar. En vano Fernando esperó a que lo invitara. El director, concentrado en lo suyo, cortó la boquilla del habano con una guillotina y examinó críticamente el resultado de la mutilación. Devolvió el tabaco a su boca y lo encendió con una larga cerilla de cedro. Cuando iba a sentarse, algo lo detuvo.

—Pérate un momento, cuadro, voy al baño...

El director salió de la oficina y Fernando se acercó al cofre de los tabacos y levantó la tapa. En la cara anterior, grabado sobre la madera, encontró el nombre del dueño original de aquella joya de la carpintería y no le extrañó recordar que, en otros tiempos, aquel nombre ahora perdido de la memoria del país equivalía a varios millones de pesos, invertidos en centrales azucareras y vegas de tabaco. Entonces miró las tres carpetas que guardaban su informe y sintió unos enormes deseos de llorar.

A los diez minutos regresó el director, pero lo hizo acompañado por el administrador, quien observó a Fernando como se mira a un ornitorrinco y se sentó, sin decir palabra, con su eterno y maloliente tabaco en la boca.

—A ver, cuadro, ¿cuál es el planteamiento?

Fernando estuvo a punto de aducir cualquier excusa como motivo de la reunión: que necesitaba vacaciones, que se iba a operar del corazón, que se estaba muriendo de sueño, pero optó por dar el paso.

—Es que quería entregarle esto... Un informe...

—¿Un informe? —se asombró el administrador.

—Un informe de redacción —siguió Fernando—. Hago un análisis de la revista y le propongo, para que usted lo valore, la posibilidad de hacer algunos cambios de diseño, de estilo, en la tipografía, cositas así, para mejorar la revista.

El director miró al administrador, mientras chupaba de su tabaco. El mulato miró a su vez a Fernando y le preguntó:

—Porque a ti te parece que la revista está mal, ¿no?

—No, no es eso, pero es que si...

—Deja ahí el informe, cuadro —lo cortó el director y se reclinó más en su butaca giratoria—. Está bien eso de que te preocupes por la calidad de la revista. Es más, me gusta —y miró al administrador—. Así debe ser la gente, Zaldívar, preocupado por su trabajo. Lo que pasa, cuadro —y miró ahora a Fernando—, es que ése no es tu trabajo: lo tuyo son las galeras y las erratas, y creo que el compañero Zaldívar te lo explicó bien, ¿no?

—Yo sí se lo dije —protestó Zaldívar y mordió con fuerza su tabaco.

—¿Me puedo retirar? —musitó Fernando, preguntándose a sí mismo si sería capaz de ponerse de pie. Más que temblarle, sus piernas habían dejado de existir, y pensó que salir reptando de aquella oficina no era un modo especialmente degradante para un tipo como él, convertido en un despreciable reptil de barriga húmeda al cual se le ocurrían ideas tan brillantes como la de hacer informes.

—Sí, cuadro, *vete embora* —dijo el director con la fórmula que solía utilizar para recordar a todos que había peleado en la guerra de Angola, donde aprendió a decir *ficar sozinho, ir embora* y *você está maluco*, a la vez que había tirado más tiros y tumbado más negros *unitas* que nadie en la compañía del capitán Macho Cojones.

Fernando colocó las carpetas en el buró y, auxiliándose de los brazos de la butaca, logró ponerse de pie. Dio un paso hacia la puerta, cuando volvió a oír la voz del director.

—¿Tú sabes, cuadro, a quién le encanta esta revista? Al compañero ministro. ¿No te parece un poco loco decirle que se la vamos a cambiar porque un inteligente que trabaja aquí dice que es una mierda? Mira, cuadro, yo te veo muy, pero que muy jodío.

—¿Puedo irme? —volvió a preguntar, con la vista en el suelo.

—Ya te dije que sí, *ve embora, ve embora...*

Apenas faltó que chasqueara la lengua para ser botado de allí como un perro. Cuando abandonó la oficina, el golpe del calor y la vergüenza le produjeron náuseas. Al fin salió a la calle, donde había empezado a oscurecer. Recostado a la pared donde brillaba la placa que anunciaba REVISTA TABACUBA miró hacia ambos lados de la vieja avenida como si necesitara ubicarse. Mientras el cuerpo se le anegaba en sudor, las náuseas fueron cediendo, sus piernas recuperaron su capacidad de andar y recordó que estaba en la vieja calzada de la Reina, la misma que, para su gloria de tirano, había ampliado y modernizado, siglo y medio antes, el sátrapa Miguel Tacón con quien José María Heredia había sostenido una entrevista quizá tan degradante como la que él acababa de tener con el director. Sólo que Heredia era un gran poeta y Tacón un genio de la tiranía.

Sin saber adónde iba bajó por Reina hacia el parque de la Fraternidad. En el camino encontró una cafetería donde pidió un café doble y compró una cajetilla de cigarros. Su mente era un bullicio de ideas, pero algo comenzaba a hacerse evidente: no podía volver a mirar la cara del director. Quizá resistiría vivir arrastrando la humillación sufrida, tal vez sería capaz de aliviarse con la idea de que él mismo era el principal culpable de todos aquellos absurdos, incluso era posible que consiguiera dormir alguna otra vez sin acudir a somníferos, pero lo que no podía ocurrir era que volviese a mirar aquella cara y oírle decir: «Cuadro». No, nunca más. El precio de su decisión podía ser alto. No podía quedarse sin trabajar, pues aun cuando su madre lo mantuviera, se exponía a riesgos mayores, a viejas leyes contra la vagancia y a nuevas contra la peligrosidad, y si abandonaba el camino que Alguien había trazado para su regeneración, quizá jamás recibiría la carta, la notificación, la sentencia explícita que todavía esperaba, y perdería la oportunidad de volver a la universidad. Pero, pensaba, si la vía de su salvación pasaba por aquella revista, pues era preferible, como nuevo indio Hatuey, morir en la hoguera y quedarse en el infierno.

Sin sentido del rumbo que imponía a sus pasos, atravesó el jardín del Capitolio, cruzó el Prado, caminó por el parque Central y, cuando penetró en los portales siempre infectados de orines del antiguo Centro Asturiano de La Habana, lo vio, recostado a una columna, conversando con un jovencito con uniforme de becado. Más de un año llevaba sin verlo, y Fernando nunca imaginó que esa noche lo estaba viendo por última vez, para después empezar a preguntarse: ¿Lo maté yo? ¿Lo empujé debajo del camión?

Enrique parecía aún más delgado que cuando salió de la granja, casi no tenía pelo y los puntos rojos de la cara se habían convertido en manchas oscuras, enquistadas. A sus treinta años se veía gastado, sin brillo, apenas un eco lejano del joven que sudaba excentricidad y energía positiva. Sin pensar lo que hacía, Fernando se detuvo a contemplarlo, satisfecho quizá de verlo más derrotado de lo que él mismo estaba, hasta que Enrique volteó la cabeza cuando se sintió observado. El becado, nervioso por la presencia del extraño, aprovechó el descuido para alejarse, temiendo quizá que Fernando fuera un amante celoso.

—¿Te jodí el ligue? —le preguntó mientras se acercaba.

—Parece que sí —admitió el otro y encendió un cigarro.

—¿Cómo estás?

—¿No me ves? ¿Y tú?

Fernando estuvo a punto de decir que estaba bien. Si le hubiera dicho esa mentira, ¿todo habría sido distinto? Quizá.

—Me acaba de pasar lo más terrible de mi vida...

—¿Más que...? ¿Quieres hablar un rato? Vamos a ver si encontramos ron.

El bar en donde atracaron estaba repleto, era de los perreros, y lo habían bautizado con más rencor que imaginación: El Platanal. Ni hielo ni refresco, ron al pelo y en vasos de aluminio. Por fortuna, el cantinero dejaba a los parroquianos salir a la calle con su vaso en la mano. Con un trago doble cada uno, se acomodaron en el quicio de una bodega clausurada desde cuyo interior las ratas asomaban la cabeza para observar el tránsito callejero.

Tres dobles después Fernando le había contado a Enrique sus avatares de los últimos años y lo había cubierto con su desesperación, su vergüenza y con la decisión de no volver a aquel trabajo pasara lo que pasara. Enrique lo dejó descargar sus fardos, y le prometió que algún día le contaría su propia historia.

—Tú todavía puedes esperar algo, Fernando, pero a mí lo que me queda es esto —y señaló hacia las calles sucias y despintadas, especialmente sórdidas en aquel rincón de la ciudad—. Si me agarran tratando de montarme otra vez en una lancha, me pueden meter preso no sé cuántos años. Si presento un libro a una editorial, no me lo publican cuando sepan quién soy. No me van a dar trabajo en nada que tenga que ver con lo que estudiamos. Yo sí no tengo base para donde virarme y ni siquiera tengo alma de mártir. Además, como soy maricón y ya no me escondo para serlo... Estoy preso en las cuatro paredes de esta isla. Y creo que después de todo me lo merezco: mi «tragicomedia» tiene que ver con una isla perdida de la que nadie puede salir. ¿Es casi simpático, no? Tanto joder con la literatura, y la literatura termina vengándose de uno. Y de contra todavía tú piensas que soy el culpable de todo lo que te ha pasado, ¿verdad?

—Eso ya no importa..., total —dijo Fernando: en la fosa donde había caído no valía la pena tratar de mantenerse a flote aferrándose a culpas ajenas, razones salvadoras, disculpas reparadoras.

—Sí importa, Fernando, porque se te ha jodido la vida. Mira, yo no sé qué puedo hacer para convencerte de que no te acusé de nada. Ese policía que nos interrogó lo sabe bien. Yo nada más puedo darte mi palabra, aunque sé que no confías en la palabra de un maricón.

—Esto no tiene que ver con...

—Sí tiene que ver, porque me lo gritaste aquel día en tu casa y... porque oí la grabación que te hizo el policía Ramón, y le dijiste que yo era un maricón, que eran mariconerías mías...

—¿Ese hijoeputa...?

—Ése es su trabajo y lo hizo bien. Te sacó de paso y tú mismo dijiste lo que ellos querían oírte decir. Pero fíjate una cosa, él no te puso ninguna grabación mía.

Fernando sintió cómo una vergüenza corrosiva le impedía mirar a Enrique: no era ya la ignominia de la vejación, sino la de haber sido indigno y la de haber culpado a un presunto inocente. Y comprendió que no valían las disculpas, mientras armaba en su mente un rompecabezas en el cual, efectivamente, la pieza de Enrique empezaba a sobrar.

—¿Pero quién cojones fue entonces?

Enrique sonrió por primera vez. Puso en el suelo mugriento su vaso metálico y abrió las manos, como un juego de barajas.

—Tienes donde escoger. Conrado, Álvaro, Víctor, Miguel Ángel, Tomás, Arcadio... ¿Pero sabes qué es lo peor?

—¿Hay algo peor?

—Sí, por lo menos para mí. Tú llevas tres años pensando que yo te jodí. Y mientras no sepas la verdad, siempre vas a tener la duda. Siempre vas a pensar en mí. Y es muy jodido vivir así, con una culpa que no es mía pero que en el fondo sí lo es, porque si yo no me hubiera montado en esa lancha, no hubiera pasado lo otro, ¿no es verdad? Lo he pensado mil veces, pero te juro por mi madre que no creí que con eso yo fuera a joder a nadie, y menos a ti.

—No saques esa cuenta, no tiene sentido.

—Sí la saco, porque lo que te han hecho hoy es peor que todo lo que yo pasé en la granja, y no te imaginas lo que fue eso... Pero a ti hoy te violaron y vas a tener esa mierda dentro por el resto de tu vida.

Y aunque yo no te acusé de nada, la culpa de todo la sigo teniendo yo, ¿verdad?...

Cuatro meses después, cuando recibió la noticia de que un camión KP3 había destrozado a Enrique en plena avenida del Malecón, Fernando tendría sus propias razones para empezar a preguntarse: ¿precisamente él tenía que morirse?, ¿lo maté yo?, ¿lo empujé debajo de ese camión?

En el instante en que nos vendaron los ojos, el temblor de mis piernas desapareció y, conducido del brazo, avancé descalzo y tranquilo hacia el interior del local, sabiendo que en ese instante estaba dando los pasos más definitivos de mi vida. Pero caminé sin miedo y casi jubiloso. Junto a mí, cegados como yo, había unos veinte hombres de diversas edades, algunos de los cuales me eran conocidos por su participación en La Tertulia y otros por ser vecinos de la ciudad. ¿Cuántos de ellos sentirían la calma jubilosa que en ese momento experimentaba yo? ¿Cuántos, miedos, dudas, deseos quizá de estar lejos de allí? ¿Cuál sería el futuro traidor en un país donde cada acto secreto engendra una delación?

En la puerta nos habían recibido el doctor Hernández y, para mi sorpresa, el presbítero Federico Ginebra, a quien suponía capaz de muchas cosas, aunque no lo imaginé mezclado en las peripecias de aquella aventura tan ajena a púlpitos y oraciones. A cada uno, según llegábamos, el doctor nos repitió la misma pregunta: y todos respondimos que deseábamos seguir adelante. Luego, en una pequeña dependencia del almacén, donde debíamos despojarnos de nuestras vestimentas, con excepción de la camisa y el pantalón, el doctor y el cura habían esperado la llegada de algunos retrasados, hasta que finalmente fuimos vendados y conducidos para iniciar la ceremonia.

Unos pasos, fuertes, que sonaban a cuero basto, recorrieron el caluroso local, como reconociendo el sitio. Escuchamos después el entrechocar de metales, y luego el vacío de un exasperante silencio, al fin quebrado por una orden.

—¡Quitadles las camisas!

Pasos, provenientes de diversos ángulos, se acercaron a nosotros y, al menos a mí, unas manos férreas me desgarraron la botonadura de mi mejor camisa, dejándola caída sobre las caderas. Cumplida la orden, los pasos volvieron a alejarse.

—Señores —tronó la voz que antes había escuchado—, ésta es una ceremonia secreta y nada de lo que se diga o vea aquí puede ser divulgado. Una infidencia le costaría la vida a muchas personas. Por última vez pregunto: ¿alguno de ustedes quiere retirarse? De ser así, levante la mano izquierda.

Volvió el silencio y, poco después, unos pasos: se acercaban, se detenían poco antes de llegar a mí y desandaban el camino.

—¿Alguno más? —preguntó la voz y regresó un incisivo silencio, hasta que se escuchó una nueva orden—: Los hermanos, detrás de los neófitos.

Sentí los pasos de varios hombres, y la sensación de una presencia a mis espaldas, que se haría más nítida al sentir en la nuca el vaho de una respiración. El sudor comenzó a mojarme la venda.

—Esta noche, queridos hermanos, iniciamos en esta logia que hemos bautizado con el nombre de Los Caballeros Racionales a veintiún nuevos miembros, que desde hoy ostentarán el grado primero de Rayos, y que por sus convicciones y libre albedrío se suman desde este momento a la lucha por la independencia de la isla, una contienda que no terminará hasta la constitución de la república libre y democrática de Cubanacán —y la voz hizo una pausa—. Ellos jurarán fidelidad a nuestra causa y la preservación de nuestros secretos. Jurarán su disposición a luchar por la independencia de Cuba y de la América toda. Serán parte de los Rayos y Soles de Bolívar. ¡Descubridlos!

Dos manos tomaron la venda y tiraron de ella para que mis ojos, de momento deslumbrados, vieran al fin el solemne espectáculo: decenas de velas, dispuestas en el piso, daban una iluminación peculiar al amplio salón de techo altísimo, cerrado a cal y canto. En el centro, frente a nosotros, un abanico de espadas brillantes apuntaban hacia nuestros pechos. Detrás de las espadas, entre cinco cirios dispuestos en forma de estrella, se advertía un grueso volumen que desde el inicio supuse sería una Biblia, flanqueada por un compás, una plomada, una escuadra y un cráneo humano. Y más allá del libro, de pie, estaba un hombre cetrino y delgado, de mirada inquisitiva, vestido con un uniforme cargado de entorchados, medallas, correas y un ancho cinturón de cuero del cual pendía un sable de pomo dorado y vaina fileteada en oro. A sus espaldas, colgada de la pared del fondo, flotaba una enorme bandera azul, con un naciente sol rojo del cual brotaban dieciséis rayos amarillos extendidos hacia el borde superior de la tela.

—Mi nombre es José Francisco Lemus —dijo el hombre cetrino, dueño de la voz hasta ahora escuchada—. Soy coronel de los ejércitos del Libertador Simón Bolívar y, por orden suya, generalísimo del ejército de la República de Cubanacán. Para ustedes seré, además, el Sol

Máximo de nuestro movimiento. Y, en calidad de tal, he designado como Soles Primeros de esta cofradía de Los Caballeros Racionales a los hermanos don Manuel Madruga, a don José Teurbe y Tolón y al doctor Juan José Hernández.

De nuestras espaldas salieron los mencionados, envueltos en uniformes similares al de Lemus, pero menos engalanados. Seguí con la vista su marcha, pues mientras me resultó esperada la categoría conferida al doctor Hernández y a Teurbe Tolón, sorpresiva me pareció la de don Manuel Madruga, capitán de las Milicias Nacionales y tenido por mí como persona fiel al régimen. Los tres hombres, puestos en fila con el generalísimo, se descubrieron y, a un tiempo, los cuatro desenvainaron sus armas y apuntaron con ellas hacia la Biblia. Luego, se tomaron de las manos, y Lemus advirtió:

—Un eslabón solo puede ser fuerte, pero no llega a ningún sitio. Para tender la línea que necesitamos, únicamente es eficaz la cadena, pero aquella cadena que haya mostrado la fortaleza de cada uno de sus eslabones. Nosotros seremos esa cadena, y trabajaremos por llegar a nuestro fin. Hoy, nuestra labor primera es extender una cadena por toda la isla, para mañana iniciar la batalla definitiva. Cada uno de ustedes, aceptado como Rayo, alcanzará el grado superior de Soles cuando haya dado muestras de amor y fidelidad a la hermandad, y haya atraído al seno de ella a siete nuevos Rayos.

Y, a coro, los cuatro Soles Primeros gritaron:

—¡Unión! ¡Firmeza! ¡Valor!

Hoy, casi veinte años después de haber participado en aquella ceremonia vibrante, en que veintiún hombres juramos con una espada en la mano defender y hasta morir por la independencia de América, todavía siento en mi pecho los ecos de la emoción que me embargó. Orgulloso, respiré, pues al fin había atravesado yo la frontera ardiente de lo que es posible hacer de que nos hablara el padre Varela, y había pasado a un mundo de riesgos donde, de todos mis amigos escritores, yo era el único en haber penetrado. Y no me avergüenza reconocer que me sentí superior.

Una de las primeras decisiones tomadas aquella noche fue que todos los nuevos Rayos, y los que pronto se sumarían a la cadena fraternal, ingresáramos sin dilación en el Cuerpo de Milicias Nacionales de la ciudad para aprovechar el entrenamiento militar que de balde nos daría la propia corona española contra la que habríamos de luchar. Así, con trajes nuevos y brillantes, y bajo el pretexto de prepararnos para defender la Constitución, asistimos cada semana a un improvisado Campo de Marte en el barrio nuevo de Versalles, donde conocimos los secretos de las armas de fuego y nos habituamos al peso afilado de las espadas de combate. Antes de que terminara el año, en mi escuadra de entrenamiento estaban los siete hombres que en mi labor proselitista llevé al seno de la conspiración, gracias a los cuales pude ascender al grado superior de Sol. Entre mis pupilos estaban los viejos conocidos Juan y Pablo Aranguren y su cuñado Antonio Betancourt, quien en los entrenamientos pronto demostró ser el más hábil de nosotros en el manejo de los instrumentos militares.

Difícil, y más que difícil, imposible, me fue conservar el secreto de mi nueva y peligrosa militancia. El orgullo de saberme enrolado en la primera gran aventura libertaria de la isla, con la que simpatizaba como poeta y en la cual pronto participaría como soldado, me impedía mantener en silencio aquella pertenencia capaz de impulsarme al olimpo de los poetas guerreros, en cuya existencia entonces creía yo. Mi primera y lógica confidente fue mi amada Lola, aquella inolvidable tarde de domingo en que, a bordo de un pequeño bote, remontamos el apacible río Yumurí hasta alturas nunca antes exploradas en nuestros paseos.

Recuerdo —¡cómo olvidarlo!— que ya transcurría el mes de diciembre, pero la temperatura era levemente cálida, y el sol refulgía en la corriente. Pocos días antes había viajado yo a La Habana en compañía de Tanco para asistir a la fundación de *El Americano Libre*, la nueva revista que editaban Domingo y Cintra, y también para recoger algunos ejemplares del explosivo libro *Bosquejo ligerísimo de la revolución de México desde el grito de Iguala hasta la proclamación imperial de Iturbide*, cuyo autor era «Un verdadero americano» y en cuyas páginas finales aparecía, también sin firmar, mi «Oda a los habitantes de Anáhuac», que afortunadamente Domingo había hecho llegar a manos de Vicente Rocafuerte, uno de los editores del libro.

Por alguna extraña razón todos los que me conocían en la capital sabían que era yo el autor de aquellos versos patrióticos que impulsaban a los mexicanos a derribar la dictadura imperial. Mi cegadora vanidad me hizo creer que se trataba de uno de los precios posibles de la fama, pues estimé que ya se me distinguía por una forma peculiar de escribir, e incluso por un pensamiento político proclive a la opción independentista. Sin embargo, en ese momento no me atreví a confiarle a los amigos, ni siquiera a Domingo y a Silvestre, mi pertenencia a la logia de Los Caballeros Racionales, aunque hablé con ellos de la casi segura existencia de una conspiración en marcha y, como era de esperar en mi función de Sol del movimiento, les pregunté si eventualmente alguno de ellos estaría dispuesto a participar en la sedición.

Para darles confianza les dije que algunas personas bien informadas me comentaron del interés de Bolívar por la independencia de Cuba y de la cada vez más endeble situación militar de España. Incluso, les aseguré nuevamente, yo mismo estaba dispuesto a lanzarme a esa gesta necesaria. Y todos, incluido Tanco —que se decía tan amante de la justicia y enemigo de la esclavitud—, de una forma u otra declinaron participar en la sedición, y en sus justificaciones advertí una peligrosa confluencia: ¿y los negros no se sublevarían? Sólo Domingo, en un aparte hecho a la salida de un garito donde había jugado a los dados, retomó el tema y me pidió le mantuviera al tanto de la gestación de cualquier sedición, pues estaba empezando a creer que únicamente por esa vía sería posible cambiar el destino del país.

Al día siguiente de mi regreso a Matanzas, con la puntualidad a que nos obliga el amor, corrí a encontrarme con Lola en nuestro embarcadero. Más divina que otras veces me pareció aquella tarde la figura de mi amada, cuando acompañada por Teté, aquella esclava hermosa y discreta que la servía desde que ambas eran niñas, aceptó subir al bote en el cual daríamos nuestro primer paseo al paraíso.

Por varios minutos remé, río arriba, en busca del hermoso paisaje del abra del Yumurí, donde la montaña partida en dos deja su espacio al cauce del río. Remaba y hablaba de asuntos muy generales: mi viaje a La Habana, los saludos que le enviaban mis amigos, en especial Silvestre, con quien Lola tenía una vieja amistad, y la nueva moda de llevar faldas abotonadas al frente, confeccionadas con una delicada tela inglesa recién llegada a la isla. Sólo cuando remontamos el abra y navegábamos por territorio prohibido para las buenas costumbres, le propuse atracar en un remanso para conversar en privado algo de suma importancia.

—¿De tanta que no lo puede oír Teté? Recuerda cuántas cartas tuyas me llevó…

—Es demasiado importante, Lola —le repetí, mirándole a los ojos, y al fin aceptó.

Dejamos a la discreta Teté bajo un frondoso mango, cubierto ya con las primeras flores de la nueva temporada, y Lola y yo nos adentramos en el valle. El temblor eterno de mis piernas se hizo presente no por la confesión que llevaba en mente, sino porque había calculado que con ella quizá podría derribar una muralla y superar el exasperante estadio de besos en las manos y roces en los brazos. Sentados bajo un júcaro majestuoso, seguramente centenario, le hablé al fin de mi participación en la conspiración, el porqué de mi ingreso en las milicias, y hasta le relaté, con lujo de detalles, la ceremonia de iniciación donde había participado y le mostré la pequeña cicatriz grabada a la altura del hombro derecho, fruto de un corte que me hicieran en el instante del juramento. Mientras hablaba, la preocupación se fue reflejando en el rostro de la muchacha y, al observar el brillo demasiado húmedo de sus ojos, lancé mis tropas de asalto: le conté de un próximo alzamiento, a partir del cual yo me sumaría a la revolución y estaría quizá mucho tiempo sin verla.

—Y hasta es posible que nunca nos volvamos a ver... La muerte es una de las barajas con la que se juega en la guerra.

—No lo quiera Dios —susurró ella y me miró a los ojos—. Me matas de dolor, José María.

—Y tú a mí de amor.

El pesar sincero de aquella joven, embellecida por el rubor que en sus mejillas pintaba el sol, y la preocupación provocada por las peligrosas decisiones que yo había tomado, fueron como un nuevo huracán, que me lanzó sin más preámbulos sobre sus carnosos labios. ¿Existe mayor privilegio que sentir la torpeza de la iniciación en la respuesta a un beso de amor? ¿Algo es capaz de superar en la escala de los hombres el hecho de saber que es nuestra mano la primera que, aceptada por amor, acaricia el rostro tibio y sedoso de una joven? ¿Puede imaginarse mejor regalo que sentir la explosión de un corazón, junto a nuestro pecho, dinamitado por la fuerza de una pasión al fin desatada? Gozaba yo de esas sensaciones irrepetibles a la vez que me preguntaba si había entrado en aquel universo de peligro y muerte sólo para impresionar a aquella mujer que me enloquecía y con la cual deseaba llegar hasta más allá de todos los límites... Empleando el arte aprendido con mi buena Betinha, y recientemente practicado en la cama de Luisa Montes, fui tanteando con mis labios los de Lola, venciendo rechazos iniciales, púdicos temores, y encauzando después sus inexpertos impulsos, cuando un calor interior pareció sofocarla. Preparé cuidadosamente el terreno para pasar a afanes mayores, y envié delante mi lengua, que penetró en el cofre maravilloso de su boca para acariciar la suya, despertarla e incorporarla a un juego de amor que fue liberando tensiones, aflojando manos que casi no detenían, aplastando prejuicios, desvistiendo cuerpos para, en un atrevido ascenso, llegar a besar unos senos blancos y tibios, coronados por una flor roja de pétalo inflamado, acariciar un vello lacio y oscuro del que brotaba un perfume dulce y ácido como la vida y, ya con un ardor irrefrenable, romper el candado divino de Lola Junco, donde penetré como un desproporcionado clavo de acero empeñado en quebrar un pañuelo de seda...

Algo desconocido, para alguien que se ufanaba de experto amador, sucedió en ese segundo: pues supe, con toda claridad, que sólo en ese instante había descubierto lo que es el amor en su grado más sublime y satisfactorio... Pronto aprendería, gracias a aquella misma mujer y a los sentimientos que me provocaría, lo que es saber que uno puede morir de amor, y ser incapaz, incluso, de expresarlo en un poema.

Sobre una nube de amor y de poesía entré en mis diecinueve años y pasé del feliz 1822 al terrible 1823, siempre sintiéndome el rey del mundo y el más afortunado de los hombres sobre la faz de la tierra, porque de verdad lo fui: aquél fue apenas el primero aunque más memorable de los muchos encuentros amatorios que tuvimos Lola Junco y yo en los meses siguientes.

Mientras, como poeta, por esa misma época alcanzaría tal vez el punto más alto de mi fama en Cuba, cuando Domingo publicó en la revista donde ahora colaboraba un explosivo y falso anuncio de la próxima edición de mis poesías. Fue a principios de marzo, fracasado también *El Americano Libre*, cuando Domingo empezó a escribir en *El Revisor Político y Literario*, una revista cuyo nombre proclamaba su programa, y lo sostenía gracias a firmas como las de Sanfeliú, José Antonio Saco, Anacleto Bermúdez, Cintra y el propio Domingo. Pero un poco antes su nombre había empezado a escucharse en los círculos literarios y sociales cuando suscitó comentarios airados con un pequeño artículo sobre el ambiente juvenil en la alameda de Paula. Quiso la casualidad que el texto viera la luz mientras él estaba de visita en Matanzas, por lo cual, apenas lo hube leído, conversé con él sobre las intenciones que lo habían movido a escribir aquella gacetilla donde lanzaba anatemas sobre ciertas costumbres de los jóvenes que, a su juicio, eran contrarias a la moral y la decencia. Allí, desplegando por primera vez públicamente su vocación de oráculo y moralista, atacaba a los muchachos que copiaban modas extranjeras y, sobre todo, a los que, decía él, incurrían en vicios y placeres mezquinos.

—Estás hablando de ti y de mí, ¿no, Domingo? —le pregunté, más desconcertado que molesto, cuando nos encontramos.

—Estoy entrando en el ambiente, José María —me dijo, creo que con sinceridad—. Cada cual lo hace como puede: tú provocas admiración con tus poesías y escandalizas con tus obras de teatro. Yo lo voy a hacer con el periodismo, que es adonde puedo llegar. Olvídate de lo que digo: lo importante es poner a sonar las campanas para que se fijen en uno... Y no seas tan vanidoso: ni tú eres el único que se va de putas ni yo el único que se juega hasta los zapatos. ¿Me entiendes?

—Te voy entendiendo —le dije, y al calor peligroso del vino, se me ocurrió comentarle que me sentía ya en condiciones de reunir mis versos y publicar un volumen de ellos. Entonces le confesé que la razón de aquel deseo era que mi vida podía cambiar en cualquier momento… Tres copas después le conté mis aventuras como conspirador. Con asombro palpable, comenzó a hacerme mil preguntas, que contesté puntual y sinceramente. Al final, luego de mucho conversar y beber, lo escuché decir algo que tomé como desatino de borracho:

—¿Sabes algo, José María? Tú vas a ser mi perdición. Tú haces todo lo que yo quisiera hacer y eres todo lo que yo quisiera ser. Escribes las poesías que yo quisiera escribir, amas a las mujeres que yo quisiera amar, y crees en las cosas en que yo quisiera creer. A veces desearía odiarte por todo eso, pero no puedo: te amo demasiado…

Y realizó, de improviso, un acto que, con sobrada razón, me puso a temblar el cuerpo todo: se inclinó hacia mí, me sostuvo por las solapas, y sin que yo pudiera evitarlo me depositó un beso en los labios.

Achaqué al vino aquella explosión que llevó a Domingo a desvestir sus intimidades ante mis asombrados ojos y le prohibí que siguiera bebiendo. Creo que nunca antes ni después mis piernas temblaron tanto como esa noche, ya fría, de aquel mes de enero.

Dos meses después, disfrutando yo de mi irrefrenable amor por Lola, olvidado de mi ansiedad por la tardanza del levantamiento separatista y enfrascado en la ardua escritura de una tragedia centrada en el héroe mexicano Xicoténcatl, recibí la noticia de que Domingo había entregado a *El Revisor* un cáustico anuncio sobre la próxima aparición de un volumen de mis versos. En el texto, publicado sin firma, además de valorarme como el primer poeta de la isla que había hecho resonar «la lira cubana con acentos delicados y nobles», cometió el despropósito de enfrentarme a los demás poetas en ejercicio, descalificándolos y disminuyéndolos, como si el verdadero fin del aviso fuera el ataque a otros y no el saludo de mi eventual volumen de poemas. La reacción, previsible, no se hizo esperar, y los versificadores más conocidos se lanzaron al ataque, preguntándose qué méritos y laureles garantizaban mi primacía. El escándalo, de pronto, me convirtió en una celebridad, defendido por unos, vilipendiado por otros, pero también sirvió para que «El autor del anuncio», como firmó Domingo su contrarréplica a los ataques de los ofendidos, se convirtiera en una voz autorizada y hasta considerada valiente en el mundillo literario de la isla. Amarrada a la mía, Domingo había iniciado el camino hacia su propia celebridad, hacia su prestigio como profeta y hacia la más esplendorosa riqueza material… No sería hasta muchos años después, mientras cruzaba otra vez el mar, alejándome ya para siempre de Cuba, cuando pude separar la escoria del metal de ley y entender la dimensión verdadera que escondía aquel acto juvenil, para mí entonces incomprensible, pero digno del genio sombrío de Maquiavelo.

¿Cuánto habría cambiado, en cien años, aquel río modesto y apacible? Seguramente ahora sus aguas serían más turbias, como se va enturbiando todo, pero su fisonomía esencial apenas debía de haberse transformado: cien años es tan poco para la existencia de un río y, en cambio, es demasiado para la vida de un hombre. De lo que vio su padre, en aquel viejo embarcadero del Yumurí, lo permanente eran el río y el mar cercano, al cual iba a morir. El abandono y la miseria, sin embargo, se habían adueñado de las obras humanas que engalanaron el lugar colorido y feliz frecuentado por el poeta enamorado, y del embarcadero sólo sobrevivían ahora las tablas podridas del muelle y los horcones sobre los que se asentó la glorieta donde los jóvenes matanceros se refugiaban del sol, mientras esperaban el bote que los pasearía río arriba, con la aparente inocencia de aquellos tiempos. Tampoco quedaba ninguno de los protagonistas de unos días luminosos y turbulentos: en realidad, casi no quedaba ni la memoria. La confluencia de lo eterno, obra del Gran Arquitecto del Universo, y lo perecedero, nacido de la mano del hombre, le revelaron a José de Jesús Heredia la vanidad absurda de sus propias intenciones: ¿en realidad le importaría a alguien cuánto y a quién amó un poeta triste y olvidado? ¿Cuánto y a quién odió un hombre frágil y desgraciado que erró al calcular su capacidad para resistir el dolor y sus fuerzas para encarar las adversidades?

Todo sería más fácil si tuviera una simple respuesta, en lugar de tan molestas preguntas, pensó. Y pensó que precisamente en busca de una respuesta, y de la liberación que le brindaría, había llegado esa mañana hasta aquel ruinoso embarcadero al cual ya se acercaba el oráculo convocado, impidiéndole la fuga o el silencio. En verdad, se dijo, su padre no tenía ningún derecho a llevarlo hasta aquella situación imprevisible: justamente alguien como Heredia, que había huido tantas veces en su vida.

José de Jesús lo vio acercarse, y tal como hacía desde que conoció su origen, buscó en el hombre alguna evidencia física capaz de corroborarle las afirmaciones de su padre. Porque si Esteban Junco era hijo de José María Heredia y Lola Junco, como lo aseguraba el poeta, Ramiro era su nieto y, a la vez, sobrino del propio José de Jesús. Pero

Ramiro Junco era, sobre todo, el único y verdadero dueño de aquellas memorias, destinadas por Heredia para que fueran leídas por un hijo al cual nunca había conocido. Por eso, de la conversación que tendría con el hombre que lo saludaba, estrechándole la mano con la contraseña de la fraternidad, iba a depender el destino último de los papeles que la noche anterior había entregado a la custodia de la logia Hijos de Cuba.

Ramiro era unos veinte años menor que José de Jesús, aunque casi parecían tener la misma edad. La intensidad con que se había dedicado al trabajo fue dejando profundas huellas físicas en él, pues se había empeñado, como si en ello le fuera el honor, en reparar la fortuna familiar arrasada por la devastación de la última guerra y los fraudes financieros que se sucedieron durante la ocupación norteamericana. Al sentarse junto a José de Jesús, lanzó un suspiro de alivio y esperó unos instantes hasta que sus huesos y músculos lograran un acomodo posible.

—¿Qué historia es ésa de los manuscritos de tu padre? ¿Por qué me tienen que preguntar a mí? —inquirió Ramiro y le dio fuego a uno de sus largos cigarrillos.

José de Jesús pensó que lo mejor era olvidarse de sucesos colaterales y entrar directamente al asunto. Miró al río, los restos del embarcadero, los pilares de la glorieta donde había tenido su inicio aquel desafortunado romance y dijo:

—Los papeles de mi padre son una historia de su vida, o como él le decía, la novela de su vida, pero esa novela tiene mucho que ver contigo y quería que lo supieras...

Y comenzó a darle detalles del contenido de los papeles.

—Según mi padre, Esteban Junco no era hijo de don Rubén, como siempre se dijo, sino de Lola Junco... Ella tuvo al hijo antes de casarse con Felipe Gómez y tú sabes lo que eso podía significar aquí en Matanzas. La verdad es que Esteban, tu padre, era hijo de Heredia y de Lola —y tomó aire para terminar—. Entonces Lola Junco es tu abuela... y tú eres Ramiro Heredia.

José de Jesús sintió en ese instante una vergüenza infinita por un acto ajeno, del cual no era ni podía haber sido culpable. De un solo golpe estaba descentrando la vida de una persona, demoliendo los cimientos de una existencia lógica y asumida para lanzarla al vacío de la incertidumbre. Y volvió a preguntarse si había hecho lo mejor. A su lado tenía ahora un hombre pálido, desconcertado, por cuya mente debían de correr imágenes de los sesenta años vividos en una vida que era y no era la suya, de un largo pasado que le pertenecía pero a la vez había sido fabricado sobre una gigantesca mentira capaz de invalidarlo. Ramiro Junco, Ramiro Heredia: debía de ser difícil, al final de la vida, descubrir que uno no es quien siempre ha creído, sino otro...

—Tú me conoces hace mucho tiempo y sabes cómo vivo: esos papeles valen dinero, y aunque mi padre dice cosas que no lo favorecen, también es por ti que no los he vendido. Y porque la verdad es que esos papeles son tuyos. Él escribió esa memorias para que Lola se las entregara a su hijo Esteban. Mi madre las trajo desde México para dárselas, pero cuando mi madre murió, mi abuela se negó a entregárselas a nadie. Dijo que si los Junco recibían esos papeles, nadie sabría nunca la verdadera vida de Heredia... Yo llevo años pensando en todo esto, y creo que tú debes saberlo. Ahora tú decides qué hacemos con esos papeles: tú puedes sacarlos de la logia y hacer con ellos lo que quieras, porque te digo, eran para tu padre, y son tuyos. El único favor que te quiero pedir es que, si vas a conservarlos, no los publiques hasta 1939, que fue la condición que puso mi abuela...

Ramiro Junco miraba el río, tan apacible que parecía detenido, como si el agua no fluyera por su lecho. Así debía de estar su vida: indecisa entre el rumbo conocido que conducía al mar, o el absurdo que de pronto se le presentaba y le exigía desandar el cauce y subir hasta el manantial donde estaba el origen de todo.

—Cuando esos papeles se publiquen voy a estar muerto —dijo al fin, siempre sin mirar a José de Jesús—. ¿Cuántos años faltan? ¿Casi veinte? No, no llego hasta allá. Así que la vergüenza no va a alcanzarme, si es que debiera avergonzarme de algo. Quizá mis hijos, mis nietos, la memoria de mi abuelo Rubén y de la tía Lola... No sé.

—Me imagino cómo te sientes. Yo mismo no vi esos papeles hasta hace diez años. Toda la vida tuve una imagen de mi padre que me ayudó a crear la que tenía de mí mismo. Cuando leí esos papeles, entendí que no había sido el personaje que ahora estudian en la escuela. Fue un pobre tipo metido en asuntos que lo desbordaban y al que le pasó casi todo lo bueno y lo malo de la vida, aunque lo malo fue más persistente.

—¿Estás justificando algo o me estás consolando?

—Te estoy diciendo lo que yo sentí, Ramiro.

—Nadie puede saber lo que yo siento. Ni tú ni nadie —afirmó y se puso de pie, con un vigor extraño—. En Matanzas siempre se habló de Lola y de Heredia. Ahí están los poemas de tu padre... Pero yo soy Ramiro Junco, y eso ya no lo puede cambiar ningún papel. La verdad de Heredia es su verdad y la mía es la mía. Yo no quiero leer nada de eso. No quiero ni ver esos papeles. Haz lo que tú creas, lo que tu conciencia te dicte, lo que te parezca más justo, pero no cuentes conmigo: yo no voy a mezclarme en esta historia, ni le voy a callar la boca a Heredia. No tengo derecho a arreglarle la vida a nadie, ni a mi padre, ni a nadie, porque ya la mía no tiene arreglo posible. Disculpa, pero no puedo darte las gracias por haberme contado todo eso...

Con su paso lento Ramiro Junco inició el regreso hacia la ciudad. Quizá parecía más encorvado, pero José de Jesús lo atribuyó a su imaginación. Cuando el hombre se perdió de vista, volvió a concentrarse en el río y pensó que, cuando él muriera, y muriera Ramiro, el río seguiría allí, y estaría allí por muchos siglos más si así lo decidía El Gran Arquitecto del Universo, que no sólo hacía la montañas y los ríos, sino que también podía destruirlos. Qué no sería capaz de hacer, entonces, con algo tan ínfimo como el destino de un hombre.

Aquellos nombres tenían un sabor a pasado consistente y prometedor: Anselmo de la Caridad Junco y Ponce de León, hijo de Ramiro y Alfonsina, nacido en Matanzas en 1894, muerto en La Habana en 1982, aún aparecía como propietario de la casa ubicada en la calle D, número 120, El Vedado. Allí residían sus hijas y legítimas herederas, Hortensia Agraciada y Carmen Alodia Junco y Vélez de la Riva, además de una extensa parentela que los contactos burocráticos de Conrado no se tomaron el trabajo de especificar.

Lejos del caserón antiguo que esperaban, Fernando y Álvaro descubrieron una moderna edificación de dos plantas, con muchas ventanas de cristales brillantes e invictos. Al parecer a la casa se le había adicionado recientemente un muro con rejas y, ya sin duda alguna en cuanto a su corta edad, un cartel que anunciaba: «Palmar de Junco. Paladar Horario: 12p.m. a 2a.m.».

—La vieja burguesía cubana vuelve por sus fueros —dijo Álvaro y oprimió el timbre colocado en la reja.

—Aquí sí hubo plata —comentó Fernando, mientras trataba de vislumbrar por los barrotes la casa habanera de Anselmo Junco.

—Buenas tardes. ¿Van a comer? —los sorprendió la joven de unos veinte años, rubia y sonriente, cuando les abrió la puerta.

—No, no precisamente..., queremos ver a Hortensia o a Carmen Alodia.

—Pasen... —dijo ella, con la cara nublada por una preocupación—. ¿Ustedes son inspectores?

Fernando y Álvaro se miraron.

—Dígale que somos periodistas. Estamos buscando datos sobre la familia Junco de Matanzas —improvisó Álvaro.

—Ah... Espérenme aquí —y la muchacha los dejó al pie de una breve escalera de pasos de mármol que moría en un descanso con dos puertas. Entre la reja y la escalera, y por todo el costado izquierdo de la edificación, se extendía un tupido jardín con un sendero de lozas hexagonales que serpenteaba hacia una pérgola bajo la cual varias personas comían en falsas mesas coloniales de hierro labrado, cubiertas con manteles marrones. Una pieza para piano de Ernesto Lecuona, al volumen exigido por el buen gusto, les llegó desde la zona del restaurante, cuando la joven abrió una de las puertas del descanso.

—Vengan —dijo—, abuela Carmencita los va a atender.

Apenas traspusieron el umbral del amplio recibidor, beneficiado con la claridad de muchas ventanas, cayeron en el vórtice de lo que después Álvaro llamaría «el último reducto de la fenecida oligarquía cubana». Fernando observó asombrado y pensó que la decoración del lugar tenía méritos como para figurar en un catálogo de instalaciones surrealistas: sobre un viejo piano de cola se disputaban el espacio un horno microondas al cual le faltaba la puerta, un jarrón de porcelana china, la antena de bigotes del televisor, una montaña de revistas y el timón de un automóvil, mientras dos cajas llenas de tomates ocupaban la banqueta del concertista.

Sentados en un sofá en el cual debieron arrinconar algo parecido a una bata de casa y lo que sin dudas era una jaba con dos coles dentro, Fernando y Álvaro vieron partir a la muchacha y se dedicaron, casi con entusiasmo intelectual, a continuar el inventario de aquella feria de objetos insólitos reunidos por la desidia. Todo era posible en la sala de las Junco, y además del piano, posiblemente valioso, les resultaron llamativos dos arrinconados bustos de mármol de unos personajes que, gracias a las enseñanzas del doctor Mendoza, lograron identificar como César y Cicerón. También entre lo salvable había dos altos butacones, de madera y cuero, con pálidas incrustaciones de nácar, de indudable factura decimonónica. En una pared, sin firma conocida, colgaba el retrato al óleo de unos jóvenes, dos mujeres y dos hombres, bellos y frescos, vestidos de blanco y sentados en un jardín con una pérgola al fondo.

—Parece el jardín de allá afuera, ¿no? —comentó Fernando.

—Es —dijo una voz, y ambos se volvieron para observar a la mujer, de algo más de sesenta años, definitivamente parecida a una de las damas del cuadro—. Mucho gusto, soy Carmencita Junco.

Álvaro y Fernando se presentaron y volvieron al sofá.

—Ese cuadro tiene como cincuenta años. Lo pintaron en el 37, cuando yo tenía veintiséis años. Ésa, la de la derecha, soy yo.

Fernando miró otra vez la pintura y pensó que algo andaba mal. Si las cifras de la mujer eran ciertas, sus cuentas le decían que Carmen Junco andaría más cerca de los ochenta años que de los sesenta y tantos que aparentaba tener.

—Los hombres son mis hermanos Cuco y Pepito. Cuco murió hace cuatro años y Pepito vive en Miami desde 1960. La otra joven es Hortensita, mi hermana.

—¿Pero esta casa no es del 37?

—No, Cuco la construyó en el 56, pero conservamos la pérgola del jardín que ya existía, y mire para lo que ha servido después de tantos años. En la época de papá allí hacíamos las fiestas de la casa, y menos Batista, que era un negro asesino, perdón por lo de negro, que era un asesino, allí comieron todos los personajes importantes de este país entre el año 34, cuando compramos la casa vieja, y el 59... Grau, Prío, Eddy Chivás, Jorge Mañach, Tony Guiteras... También cuando vinieron a Cuba Gabriela Mistral, Josephine Baker y Pedro Infante. Caruso no, él comió en la casa de Matanzas, igual que Sarah Bernhardt y Paderewski, porque todavía vivíamos allá.

Mientras Carmen Junco evocaba los antiguos esplendores socioculturales de la familia, Fernando tuvo la premonición de que al fin estaba en el camino capaz de conducirlo a una respuesta segura. Si el manuscrito de Heredia contaba la presunta historia de amor entre Lola Junco y el poeta, Ramiro Junco debía de ser, entre las personas vivas en los años veinte y con acceso a los documentos, el más interesado en evitar su divulgación.

—¿Y por qué se mudaron para La Habana, si la familia era de las más antiguas de Matanzas?

Carmencita sonrió, delicada y elegantemente.

—Por el dinero, por qué otra cosa podía ser. Cuando murió mi abuelo Ramiro, mi padre, que se llamaba Anselmo, que en gloria esté, y su hermano Ricardito tuvieron problemas por la herencia. Tío Ricardito era lo que vulgarmente se dice un tiburón. Por eso en pleno machadato llegó a ser gobernador de la provincia de Matanzas y mientras le duró el negocio multiplicó por diez su fortuna. Esa Carretera Central le dejó ni se sabe cuánto dinero. Hasta que mi padre se cansó de tener problemas con su hermano y, para poner distancia, le compró esta casa a unos primos Ponce de León y nos mudamos en el 34.

–Pero la familia de su tío Ricardo ya no vive en Matanzas, ¿verdad? –preguntó Álvaro, temeroso de haber emprendido el camino equivocado.

–No, de los viejos Junco de mi familia quedan en Matanzas algunos primos lejanos. La familia de tío Ricardito se fue para Miami en el 59. No pudieron sacarlo todo, pero se llevaron bastante, no crea. Y allá viven como reyes, y mírenos a nosotros, luchando con un paladar. Suerte que mi hermano Pepito de vez en cuando nos manda algún dinerito, pero lo hace a regañadientes, porque dice que nosotras somos comunistas. Para él todo el que se quedó en Cuba es comunista y no nos perdona que hayamos vendido los cuadros valiosos que había en la casa... Pero no era eso lo que ustedes querían saber, ¿o sí?

Fernando y Álvaro sonrieron, tímidamente, cuando del interior de la mansión vieron salir a una negra vieja, quizá de la misma edad que Carmen Junco, armada con una bandeja y tres tazas de café.

–Gracias, Pepa –dijo la dueña de la casa a la recién llegada y luego a los visitantes–. Supongo que toman café...

Álvaro aceptó su taza y luego la negra vieja se acercó a Fernando y por último a Carmen.

–Si algo no se ha perdido en esta casa, que parece un manicomio, es la costumbre de brindar café a las visitas. Aunque haya que sacarlo de abajo de la tierra...

–Está muy sabroso –lo elogió Fernando.

–Es café Pilón, de Miami. Allá se toma el mejor café cubano.

–¿Le molesta si fumamos? –preguntó Álvaro.

–No, por supuesto que no. Mi padre siempre fue un gran fumador, y yo a veces fumo. Gracias, Pepa –dijo Carmen mientras devolvía las tazas a la negra, que regresó al interior de la casa.

–En realidad, doña Carmen...

–Carmencita...

–Doña Carmencita...

–Sin el doña...

Fernando rió, más abiertamente, y se acomodó mejor en el sofá.

–Carmencita... Le decía que nos interesa la familia Junco de manera colateral. Lo que estamos buscando quizá tiene que ver con ustedes, porque su abuelo Ramiro pudo tener alguna relación...

–¿Abuelito Ramiro?...

Fernando contó sus pesquisas tras los papeles perdidos de Heredia hasta llegar al viejo Aquino y, aunque prefirió obviar la comentada relación entre Lola y Heredia, insistió en la mención de Ramiro Junco como uno de los pocos hombres con acceso a los documentos del poeta. Mientras avanzaba en la historia, el rostro de la mujer fue revelando interés. Sus ojos, del mismo negro profundo que los versos de Heredia habían celebrado en la mirada de Lola Junco, brillaban inquietos, y Fernando descubrió que en esos ojos estaba el secreto de su aparente juventud.

—¿Qué cosa eran esos papeles? Digo, si ustedes lo saben...

—Creemos que son unas memorias de Heredia, o una especie de novela —dijo Fernando—. No estamos seguros, porque nadie parece haberlos leído...

Carmen Junco respiró profundo y miró hacia el piano que quizás, en plena gloria matancera del clan, hasta sintió la caricia de los dedos de Ignacio Paderewski.

—Hay algo que ustedes saben y que por cortesía no han dicho, y yo supongo es la razón por la que piensan que abuelito Ramiro pudo coger esos papeles, ¿verdad?

—Bueno, sí. —Fernando miró hacia Álvaro, y se lanzó en la única dirección posible—. Usted debe de saber lo que se comentó hace mucho tiempo de Heredia y Lola Junco...

—Que Esteban Junco no era hijo de Rubén, sino de la tía Lola y de Heredia.

—Eso nos dijeron... Pero no sabemos qué se decía en la familia.

—¿En la familia? De eso no se hablaba, pero si se oía algún rumor, pues claro que se negaba, imagínese usted, una Junco con un hijo fuera del matrimonio... Pero en el fondo yo creo que no les molestaba demasiado el chisme, porque ser hijo de Heredia no es cualquier cosa. Malo que hubiera sido de un mulato músico, pero del poeta Heredia... Lo bueno que tiene la vida son esas venganzas: ahora nadie quiere ser un poeta muerto de hambre y todo el mundo quisiera tener un hijo mulato y músico, que viaje al extranjero, tenga un carro nuevo y gane dólares.

—Eso es verdad —confirmó Álvaro y encendió otro cigarro.

—Por eso la gente le tiene tanta envidia a mi nieta Maricela, la rubiecita que los recibió. El marido es músico. Mi hermano Pepito dice que ésa es la mayor vergüenza de la familia, pero él nunca ha entendido nada de la vida.

—Eso pasa... —comentó Fernando, que procuraba no desesperarse—. ¿Entonces, de esos papeles...?

—A ver, a ver. Por lo que me dicen, ustedes suponen que mi abuelo pudo esconder las memorias de Heredia para que no se supiera hasta dónde había llegado su relación con Lola, y porque se podía descubrir que de verdad él era nieto de Heredia.

—Es una posibilidad...

—No, por lo que sé de mi abuelo, no lo creo. Si a alguien no le importaba lo que la gente podía pensar, ése era él. Fíjense, cuando la guerra de Independencia del 95 mi familia se quedó casi sin un centavo. Entre lo que mi bisabuelo Esteban le dio a los mambises, lo que los españoles nos confiscaron y lo que se quemó y se perdió durante la guerra, casi nos quedamos en la ruina. Después, lo poco que teníamos se esfumó con unos bonos falsos que metieron en Cuba los americanos. Y fue el abuelito Ramiro el que remendó un poco la fortuna de la familia, trabajando como un animal. Cuando yo nací, ya los Junco tenían de nuevo algún dinero, pero no como antes, cuando la época de Lola. Mi padre empezó entonces a levantar su capital porque era el mejor abogado de Matanzas, aunque gastaba lo que tenía y lo que no tenía en fiestas, y por eso pasaban por la casa todos los personajes que venían a Cuba y los que vivían aquí. ¿Les menté a Caruso? Sí, pero no a Nat King Cole ni a Anna Pavlova... Por su lado el tío Ricardito hizo mucha plata cuando Machado, pero metido en la política más que trabajando o haciendo negocios. Por eso no creo que Ramiro Junco haya tenido miedo a que saliera a flote una verdad como ésa, porque entre los viejos Junco y él hubo por medio una guerra, una fortuna que ya no existía y casi cien años.

—Pero en aquella época... —empezó Fernando.

—El dinero lo borraba todo, como en cualquier época, y la familia ya tenía dinero otra vez.

Álvaro, nervioso, aplastó la colilla del cigarro en un cenicero de vidrio azul.

—Es cristal veneciano —dijo Carmencita—. El cenicero... Compré cinco en Venecia cuando fui de viaje en el año 52... Es el único sobreviviente.

—Es muy lindo —admitió Álvaro.

—Entonces, ¿usted nunca oyó hablar de esos papeles? ¿Y su hermana, y sus hermanos? —preguntó Fernando, sin interesarse en el cenicero veneciano.

—De Heredia siempre se ha hablado mucho en la familia, pero de esos papeles que ustedes dicen...

Mientras Carmen Junco negaba con la cabeza, Fernando Terry sintió cómo su alma caía al suelo. Otro camino empezaba a cerrarse y ninguna luz se vislumbraba en el horizonte.

—¿Y sus parientes que están en Miami? —indagó, tratando de insuflar alguna vida a sus moribundas esperanzas.

—Estoy segura de que mi hermano Pepito no sabe nada. Pero por los primos de la parte de Ricardito no puedo hablar. De ellos no sabemos mucho desde que se fueron...

Álvaro, con la vista fija en el piano, hizo al fin la pregunta que desde el principio él y Fernando traían en la mente.

—Y ustedes, Carmencita, ¿por qué no se fueron de Cuba?

—¿Irnos nosotros? ¿Por qué? Acuérdese de que los Junco, los Ponce de León y los Vélez de la Riva somos cubanos desde hace tres siglos y no siempre hemos tenido dinero, pero hemos seguido viviendo. El que quiera irse, que se vaya, pero por lo menos a mí, que soy cubana por los cuatro costados, tienen que botarme, si no, no me voy a ningún lado. Ah, y si en vez de Junco fuera Heredia, con más razón...

Álvaro y Fernando se miraron, conmovidos por la contundente declaración de la anciana, pero seguros también de que los papeles de José María Heredia eran una quimera tan perdida como el orgullo y el esplendor pasado de la familia Junco.

Recuerdo aquel mes de abril de 1823 como el momento de calma que precede al feroz huracán. Mi fama de poeta se extendía como el efluvio potente de un perfume y mis versos afloraban en bocas de jóvenes enamorados o comprometidos políticamente. La vanidad de creerme importante me alimentaba tanto o más que la comida. Mientras, Lola Junco y yo nos adorábamos como dos seres elementales, en celo perpetuo, que sólo en el acto amatorio alivian sus exaltaciones y liberan sus mejores energías. Los meses de aprendizaje y práctica nos habían adiestrado como amantes perfectos, que se complementan y se satisfacen con igual capacidad de goce que de entrega, y por eso cada minuto de separación nos parecía siglos, y las horas de compañía y amor, apenas segundos fugaces. Manteníamos nuestra relación en absoluto secreto —incluso para mis amigos más cercanos— y esperábamos con impaciencia el momento de presentar mi expediente para, ya con la posibilidad de ejercer la abogacía, formalizar la relación y fijar una pronta fecha de matrimonio. Por eso, en mi mente, cada día con más fuerzas aparecía, como un gusanillo impertinente, la idea de conversar con el doctor Hernández y confesarle mi decisión de abandonar una conspiración que no acababa de fraguar, mientras la cadena pretendida por el generalísimo Lemus apenas conseguía sumar los eslabones necesarios para aspirar al éxito, pues prácticamente ninguno de los cubanos que gozaban de influencia y poder se habían sumado a la sedición, aduciendo excusas como las de mis amigos para no enrolarse en una aventura en cuyo derrotero siempre aparecía una misma interrogante sin respuesta: ¿y los negros? Únicamente lo tétrico de aquella situación impedía que fuera risible el hecho de que los negros traídos de África y esclavizados en la isla fueran a su vez quienes esclavizaban las voluntades de sus amos, atándolos a sus mismas cadenas, castrando su libertad.

El orgullo me impedía realizar tan vergonzosa retractación, y el hecho de saber que tanto Lola como mis amigos me consideraban un héroe, me cerraba el camino hacia una retirada, cuando en verdad mi deseo en esos momentos era permanecer en Matanzas, junto a mi amada, escribiendo versos y tragedias, y ganando con mi trabajo el dinero necesario para una vida apacible. Con aquel propósito en mente, decidido a obtener cuanto antes mi diploma de abogado, puse rumbo a La Habana para allí tomar una goleta hacia Puerto Príncipe, sede de la Audiencia, convencido de que a mi regreso todo se definiría, pues si algo no deseaba era arrastrar a Lola en una aventura de zozobra y dolor: y si mi destino político era irreversible, estaba dispuesto a arrancarme el corazón, como Edipo los ojos, y dejar a Lola fuera de una vida en la que, además de peligro y miseria, no podía ofrecerle ninguna otra garantía.

La Habana a la que llegué en esta ocasión era una ciudad al borde del caos, donde cada día era mayor la violencia, más las mesas de juegos y las casas de citas, frecuentes los insultantes remates públicos de esclavos, como si el nuevo gobierno del capitán general Dionisio Vives hubiera decidido envenenar con una dosis mayor de infamia y desidia la sangre de una sociedad ya enferma. Al mismo tiempo, las noticias llegadas de España y las reacciones que éstas provocaban en Cuba elevaron la temperatura política hasta niveles nunca antes alcanzados, y mis amigos se habían colocado al lado de la al parecer incontenible hoguera. El primer cañonazo de aquella guerra sorda sonó cuando se supo que las tropas de la Santa Alianza, organizadas por el monarca francés, se acantonaban en los Pirineos, prestas a invadir la Península y erradicar el mal ejemplo del constitucionalismo, en cuya órbita, ese mismo día, se había producido un acontecimiento que en otro momento hubiera resultado esperanzador: Varela, mostrando sus uñas y dispuesto a traspasar los límites de lo posible, había presentado un atrevido proyecto de abolición de la esclavitud y de autonomía política para la isla de Cuba.

La gravedad de la situación impulsó a mis amigos estudiantes en el seminario de San Carlos a la redacción de un manifiesto de apoyo al constitucionalismo, el cual hicieron público en *El Revisor Político y Lite-*

rario. Domingo, especialmente dotado para la elaboración de este tipo de escritos, ocultó su autoría, aunque apareció entre los muchos firmantes de un documento donde se hablaba abiertamente de libertad, soberanía y se atacaba a los traidores a la Constitución. Lo que no sabían mis amigos era que, al publicarse su ardiente proclama, ya hacía una semana se había iniciado la invasión a una España indefensa y sin cabeza, traicionada por sus jefes militares y por su propio rey. Fue entonces cuando Varela, Gener y Santos Suárez, como otros muchos diputados, se jugaron el destino a la más peligrosa de las cartas: decretaron la incapacidad de Fernando VII para reinar sobre el país y sus colonias, y trasladaron las Cortes a Sevilla y luego a Cádiz, para no conseguir otra cosa que prolongar la agonía de un sistema político condenado a muerte.

Si antes fue el orgullo, la vanidad y cierta dosis de soberbia las que me impidieron acercarme al buen doctor Hernández y pedirle mi exclusión del movimiento independentista, ahora la actitud de mis amigos, y el ejemplo de Varela y los otros diputados, me cerró el camino de regreso, si es que tal retorno aún era posible.

En medio de aquel ambiente exaltado, una noche en la cual habíamos bebido más vino del recomendable, y en la que discutimos durante horas las posibles salidas a la crisis del momento, decidí, casi sin pensarlo, subirle la apuesta a mis amigos y les confesé al fin mi pertenencia al movimiento de los Rayos y Soles de Bolívar. Además de los contertulios habituales, recuerdo que aquella noche también nos acompañaba Saco, quien, al calor de los nuevos sucesos, se había convertido en uno más de un grupo donde encontraba resonancia para sus ideas y actitudes.

Mientras Domingo mantenía fijos en mí sus escrutadores ojos de miope y lanzaba el humo de uno de aquellos puros que entonces le dio por fumar, las caras de Silvestre, Cintra, Sanfeliú y el propio Saco se cubrieron de asombro al saber, definitivamente, de mi pertenencia al movimiento sedicioso. Y el más elocuente de los comentarios, como era de esperar, lo hizo Domingo, que sin sacarse el tabaco de la boca, susurró:

—Te has vuelto loco. ¿Me entiendes? —y agregó, creo que de corazón y muy a su pesar—: Siempre te vas delante, pero esta vez te pasaste.

Locuaz y atrevido, como solía ser cuando bebía, les hablé del apoyo de Bolívar, de las logias, de la cadena, de la presencia en Cuba de Lemus y otros militares venidos de Suramérica, hasta que Saco puso otra vez el dedo en la eterna y sangrante llaga:

—¿Y los negros, poeta? ¿Qué va a pasar cuando se subleven? Todo lo que has dicho suena muy bien, pero si no tienes respuesta para esa pregunta, no cuentes con la gente que decide en Cuba.

—Pero la independencia... —protesté.

—Hoy es una quimera. ¿Ves a tus buenos amigos? —y me señaló a mis compañeros—. Ahora hasta envidian tu valentía, pero mañana, cuando sean ricos como todos ellos lo serán, van a decir que tú eras un delirante. Dale tiempo al tiempo y verás, poeta.

Dos días después, con todas mis dudas y una gran tristeza como equipaje, abordé la goleta que me llevaría hasta San Fernando de Nuevitas, un atracadero cercano a la villa de Puerto Príncipe. Pero al poner pie en aquella ciudad descubrí que ni el auge y la vitalidad de Matanzas, ni el caos y la vida licenciosa de La Habana habían llegado a una población terriblemente provinciana y como detenida en el tiempo. Las calles sin pavimento y apenas alumbradas tenían alguna animación a lo largo del día, pero a las ocho de la noche, como por mandato real, cesaba toda la actividad. Entonces el vecindario cerraba sus puertas, los negocios corrían sus cortinas y el silencio se apoderaba de la vieja ciudad que había tenido, tiempo atrás, sus días de gloria y riqueza gracias a un desaforado comercio de contrabando. El aburrimiento se sentía en la atmósfera, sólido, como si se pudiera cortar con una navaja, y apenas llegado sentí deseos de regresar.

Mi precaria situación económica me obligó a aceptar la hospitalidad del oidor José Eugenio Bernal, viejo amigo de mi padre, con quien dediqué algunas noches a visitar a sus parientes y amigos para, reunidos en los bellos patios interiores de las casas, conversar de los temas más insulsos y verme en el compromiso de recitar algunos de mis versos, demasiado atrevidos para el gusto pacato de mi auditorio.

Casi eternas me resultaron las cuatro semanas gastadas en el prolongado papeleo que conllevaba la validación de mi título, y todo pareció destinado al fracaso cuando descubrieron que aún me faltaba tiempo para cumplir los dos años de pasantía necesarios entre la graduación y la titulación. Afortunadamente, en Cuba todo parece imposible pero a la vez todo tiene solución: con la influencia de Bernal y su amigo el regente Campuzano, y la suma de ciento treinta pesos que me prestó el oidor para colocarlos en las manos adecuadas, mi tiempo de pasantía apareció en los papeles y el 18 de junio de 1823 era yo un joven abogado dispuesto a huir de aquella insoportable ciudad...

Nada más llegar a Matanzas, a primeros de julio, corrí hacia la plaza de la Vigía y me aposté en la esquina de la casa de mi amada, sin apenas escuchar la noticia que me daba mi madre de que Silvestre estaba en la ciudad. Durante los meses anteriores, siempre que necesitaba o deseaba comunicarme con Lola, preparaba yo una minuta y esperaba a que Teté o alguna de las esclavas de la casa –todas aliadas nuestras– saliera en algún momento y le deslizaba el papel. Pero aquella tarde, de la casona cerrada a cal y canto no salió nadie, mientras pasaban las horas, caía la noche y me rendían la fatiga, la sed, el hambre y los deseos de orinar.

Pasadas las nueve comí unos bocados del ya frío quimbombó con carne cocinado por mi madre para celebrar mi titulación y me encerré en mi recámara. Algo extraño estaba sucediendo y, lo presentía, no resultaría agradable. Al fin el cansancio me venció y sólo desperté cuando sentí que me movían una pierna y, al abrir los ojos, me hirió un rayo de sol.

–Que son las diez de la mañana, carajo –decía una voz que pronto reconocí como la de Silvestre Alfonso–. Vamos, lávate un poco y toma café. Tenemos que hablar.

–Pero ¿qué es lo que pasa?

–Despiértate primero –insistió–. Te espero en el comedor. Pero lávate bien, hueles a rayos.

Cuando entré en el salón, Silvestre bebía una taza de café y me sirvió otra a mí. Sin hablar me alargó un papel rosado. Apenas probé el café, leí la nota, cuyo remitente ya conocía: «Tuvimos que salir de la ciudad. Te escribo pronto. Te quiere, más que nunca, tu Lola».

–Se fueron de ahora para luego –me dijo al ver mi estupefacción–. Teté me alcanzó esa nota... Y yo que te creí cuando me dijiste que no había nada, que no querías arrastrar a Lola en tu vida de mártir...

Silvestre, que podía hablar por horas sin tomarse un respiro, prefirió esta vez no hacer leña del árbol caído, advertido quizá por la expresión de mi rostro, donde debía reflejarse la incertidumbre provocada por aquella inesperada situación.

De pronto la ciudad y mi vida perdieron atractivos con la ausencia de Lola. Y calibré en esos días las proporciones verdaderas de mi amor, sin imaginar todavía que lo peor estaba por llegar.

Poco tiempo tuve para revolcarme en mi aflicción porque un segundo y más terrible suceso me advirtió de la llegada de la irreversible tempestad. Fue el primero de agosto, temprano en la mañana, cuando se presentó en mi casa el doctor Hernández y pensé que la razón no podía ser otra que el inicio de la rebelión, y me lamenté al considerar que ésta iba a llegar cuando lo único que deseaba era posar mi cabeza sobre el regazo amable de Lola. Mas la noticia fue otra y resultó desoladora.

—Lo han descubierto todo —me dijo y sentí que aquel hombre bueno y valiente era capaz de llorar.

La policía especial del capitán general había penetrado la célula habanera de la conspiración a partir de la delación de un esclavo que trabajaba en la imprenta donde se estampaban las proclamas que Lemus distribuiría al iniciarse el alzamiento. Y los primeros detenidos habían contado cuanto sabían.

—¿Y no es éste el mejor momento para alzarnos? —pregunté, pues sabía que, si tenían el hilo pronto llegarían a la madeja, y suponía que luego de años de trabajo la arquitectura de la conspiración debía estar a punto.

—Lo que te voy a decir es muy triste, José María: desde diciembre todo está listo para el alzamiento, pero siempre quedaba pendiente una cuestión...

—Los negros —solté, y el doctor asintió.

—No hay solución mientras haya esclavos. Nadie nos quiere apoyar... Es la trampa de Cuba.

—¿Y qué vamos a hacer?

—Por ahora, esperar. Quizá no lleguen hasta nosotros. Pero si llegan, mi consejo es que te vayas de Cuba.

—¡No puedo irme! —casi grité.

—¿Sabes qué es lo peor? La vergüenza que me da hablar de esto con gentes como tú. Me siento responsable de haberte arrastrado a esta locura... Fui un iluso al creer que este país era capaz de revertir su destino. Pero no tiene remedio, y no lo tendrá en mucho tiempo, quizá no lo tenga nunca. Un país que prefiere una tiranía a enfrentar los riesgos que sean, se merece todas las tiranías.

Quince años hace que escuché estas palabras y aún no puedo sacarlas de mi cabeza. Como tampoco puedo olvidar la imagen final que me dejó aquel hombre en el cual había palpitado tanta fe: vencido y avergonzado lo vi salir de mi casa, sin siquiera despedirse de mí...

Atontado me sentí por varios días, sufriendo unos celos abrasadores y alarmado por los acontecimientos que se precipitaban en La Habana, donde se había instruido causa a los conspiradores, mientras las delaciones llevaban a nuevas y diarias detenciones, incluida la del generalísimo Lemus, capturado con todos sus uniformes, grados y proclamas, pero sin desenvainar la espada. Tras Lemus, cayó en Matanzas el buen doctor Hernández, y la evidencia de la delación puso a temblar al resto de los conspiradores. Por mi parte, para aparentar que mi vida continuaba por los cauces previsibles, me presenté en el ayuntamiento dispuesto a validar mi título de abogado, aunque no comencé a ejercer, y poco me importó, igualmente, que *El Revisor* publicara mi poema a la insurrección de los griegos, con su canto a la libertad... En medio del calor infernal de aquel agosto, cuando mi vida pendía del hilo improbable del silencio de mis hermanos Caballeros Racionales, comencé a planear, con la ayuda de Silvestre, un viaje hasta el ingenio Miraflores, donde permanecían los Junco. Mi intención era exigirle una explicación a Lola por su silencio y, una vez aclarada la situación entre nosotros, pedirla en matrimonio, pues sólo dos cosas podían pasar y ninguna era peor que la incertidumbre: que me aceptaran o que me rechazaran, y entonces viviría dichoso o me lanzaría a la lucha.

Disponíame yo a emprender el viaje cuando recibí un mensaje del doctor Hernández, enviado desde la cárcel donde lo habían confinado. El texto, conciso, era una orden: «Vete». Y como firma aparecían los rayos de un sol. Pero sencillamente yo no podía irme sin hablar con Lola, y en ese instante comprendí el grado de mi desatino al proponerme viajar hasta el ingenio de los Junco, pues sólo habría conseguido mezclarla a ella y a su familia en mis aventuras políticas. Pero tenía que verla... A instancias de Silvestre, decidimos entonces que el mejor sitio para esconderme, hasta tanto pudiera tener más claras mis ideas, era precisamente en La Habana.

A finales de agosto salimos de Matanzas mientras en la ciudad se producían nuevas detenciones y se designaba juez instructor de la causa el alcalde Francisco Hernández Morejón, hombre con fama de cruel. Para continuar mi aparente rutina, me alojé en casa de Silvestre, validé mi título en el ayuntamiento de la capital y comencé colaborar en el bufete de José Franco, otro de los viejos amigos de mi padre, quien fungía como asesor del Real Consulado.

Algo sorprendente para mí fue que Domingo hubiera desaparecido del panorama de las tertulias y reuniones de amigos. Según Cintra, convertido ya en algo así como el paje de Domingo, la razón era que, muy afectado por la ruptura definitiva de relaciones con Isabel, nuestro amigo había viajado hacia Matanzas precisamente cuando yo me encaminaba a La Habana. La historia que nos contó Cintra fue que Isabel era pretendida otra vez por el negrero don Pedro Blanco. Desesperado, Domingo había renunciado entonces a sus proyectos literarios y había aceptado el trabajo que, como asesor jurídico, le propuso el alcalde del pueblito de Guane, en el casi despoblado extremo occidental de la isla, pero antes de partir, había ido a despedirse de su madre y hermanos.

Sólo a mediados de septiembre Domingo regresó a La Habana y, por diversas razones, no fue a verme antes de su traslado a Guane.

Aquel inexplicable desencuentro me dejó un mal sabor, sobre todo porque las noticias provenientes de Matanzas me hacían pensar cada vez más seriamente en la alternativa dolorosa que me ordenara el doctor Hernández... Pero únicamente muchos años después, en posesión ya de otras evidencias, mi mente lograría atar todos los cabos y pasar de las sospechas a entender cabalmente las verdaderas razones de la extraña actitud de Domingo.

Dispuesto a esconderme en un sitio seguro, me despedí de mis amigos. Lejos estaba yo de imaginar que a Sanfeliú lo estaba viendo por última vez, que Saco sería por un tiempo mi compañero de exilio y el más sagaz defensor que jamás tuvieran mis poesías, que a Silvestre sólo lo volvería a encontrar en la fría Nueva York y que Tanco, Cintra y Bermúdez me negarían el saludo cuando volviéramos a vernos. Aquella noche, mientras bebíamos un vino triste y hablábamos del trágico destino de la isla, cerraba yo mi pertenencia a un grupo de amigos que dejarían, para siempre, un vacío irrellenable en mi corazón.

Al llegar a Matanzas, pasé subrepticiamente por la casa de mi tío Ignacio y, luego de saber que no había noticias sobre los Junco, me enteré de la detención de mis amigos matanceros iniciados por mí en el movimiento. Los hermanos Aranguren y su cuñado, Antonio Betancourt, desde hacía tres días estaban en la cárcel y, con ellos, varios miembros de La Tertulia y de los Caballeros Racionales. ¿Quién los había delatado? ¿Cómo era posible que aún no me buscaran a mí? Únicamente la entereza del doctor Hernández me podía haber garantizado seguir en libertad, pero ahora mi suerte dependía de los últimos detenidos.

A instancias de mi tío, que lo preparó todo, partí hacia el ingenio Los Molinos, el mismo desde donde tuve mi primera visión de Matanzas. Allí me recibió con afecto la marquesa Reina María, viuda de Prado Ameno, gran admiradora de mi poesía. En aquel sitio amado de la naturaleza, a la vera del río San Juan, pero viendo cada mañana la triste salida de las dotaciones de esclavos hacia los campos de caña, viví a la sombra magnífica de una de las grandes fortunas cubanas, y comprendí definitivamente la imposibilidad de contar con los hacendados para iniciar una revolución: demasiado lujo, demasiado poder y dinero ponían en juego por un cambio político que, al fin y al cabo, no les reportaría mayores beneficios, y menos ahora que volvían a tener en el trono a un rey títere, atado a los dineros cubanos para comer y vestir. Para esos ricos criollos la esclavitud de otros hombres era un modo de vida tan natural que una mujer culta y mundana como la que ahora me brindaba protección podía ser la misma persona que varios años atrás se había empeñado en cercenar, con ejemplar crueldad, el innato talento para la poesía del joven esclavo Juan Francisco Manzano, nacido en su propiedad, al cual martirizó por la atrevida pretensión de querer escribir y publicar sus versos. Para la marquesa, como para todos los de su clase, un negro era menos que un perro, y por tanto inconcebible que pudiera leer o escribir.

Casi me desmayo la mañana en que aquella mujer anunció que abandonaba por unos días la casa, pues iba a visitar a sus amigos los Junco en el ingenio Miraflores. A punto de pedirle de rodillas que me dejara ir con ella, comprendí lo absurdo de mi pretensión, pero le rogué que me hiciera el favor de entregarle una nota a mi amiga Lola.

—¿Así que amiga? —sonrió la marquesa—. En Matanzas todo el mundo dice que son más que amigos. Dame la carta, yo se la llevo.

Quince, veinte, mil veces inicié y terminé la misiva, y otras tantas la desgarré. La incertidumbre me impedía encontrar el tono preciso para una carta que podía ser de ira, de amor, de celos... Y al fin opté por suplicarle a Lola que me dejara saber de ella y el porqué de su silencio. En vilo pasé los días que la marquesa estuvo fuera de la hacienda: casi no dormí, ni comí, ni pensé siquiera en mi situación. Y cuando la vi llegar, corrí sin vergüenza alguna hacia el carruaje y le pedí noticias de Lola.

La marquesa me entregó un sobre rosado. Con el corazón desbocado me alejé hacia la sombra de un almendro, mientras mis dedos, torpes como nunca, intentaban desgarrar la envoltura de la carta. Pero, mucho más que palpitaciones me invadirían cuando comencé a leer las breves líneas, que ahora vuelvo a tener ante mis ojos, unas pocas palabras destinadas desde ese día a colocarme de golpe frente a una de las mayores tragedias de mi vida: «Mi amadísimo José María», me escribió Lola. «Dios oyó mis ruegos y al fin tengo noticias tuyas y sé que estás libre y a buen recaudo. Yo confío en que no te pase nada, por el bien tuyo y el de nuestro hijo. Sí, amor mío, estoy grávida de cinco meses y ésa es la razón por la que mis padres me han traído al ingenio, pues desean ocultar mi condición. Yo insisto en que lo mejor es que me permitan casarme contigo, pero ellos se oponen, y más al conocer las circunstancias en que te encuentras. Yo sigo rogando a Dios porque todo pase, que tú sigas libre y, con la ayuda de San Esteban, al fin podamos casarnos y tener en paz nuestro hijo. La marquesa te explicará algo más, pues ahora debo terminar. Recuerda que mi amor por ti es inagotable, como el manantial de la montaña del que nace el río Yumurí, a cuya vera concebimos lo más grande y milagroso de la vida. Te besa muchas, muchas veces, tu Lola.»

—¿Por fin cuántas botellas hay?

—Yo traje una —dijo Miguel Ángel.

—Yo otra —dijo Conrado.

—Yo media. No, un poquito más —rectificó Fernando.

A medida que escuchaba las cantidades de alcohol disponible, Álvaro iba levantando dedos, y mantuvo la mano en alto, dos dedos erectos y el índice de la otra mano cruzado sobre ellos.

—Dos y medio —dijo, como decepcionado.

—Yo estoy sin un kilo —dijo Víctor.

—A mí, ni me miren —dijo Tomás.

—Yo advertí que no traía más ron —dijo Enrique.

—Yo también estoy arrancao —dijo Arcadio—. Ayer me fui con una jevita ahí...

—Deja la historia —lo cortó Álvaro, molesto—. Y con media mía, tres rifles. Está bien, ¿no? Y como Enriquillo ahora no toma...

Las botellas fueron acomodadas en un pequeño banco de madera, sobre el cual también estaba la bandeja con los vasos, un jarro con hielo y varios limones cortados en mitades. Como mantel colocaron un periódico de esa tarde: 23 de octubre de 1974.

—El Hígado Negro de la literatura cubana, así te van a decir —Enrique observó cómo Álvaro servía ron en los vasos, y los iba repartiendo a los consumidores, algunos de los cuales le agregaban hielo, otros limón—. ¡Y mira cómo sirve...!

—Oye, Sor Juana, no jodas más —ripostó Álvaro y todos rieron, incluso Enrique—. A ver, ¿vas a leer o no un pedazo de la *Tragicomedia*?

—No, todavía no. —Enrique trató de acomodarse, como si estuviera incómodo en su sillón—. Hasta que no la termine no leo nada. Ya lo advertí, ¿no?

—Oye, Enrique, procura que esa cosa rara sea buena, porque llevas como un año jodiendo con eso, y nunca la terminas. —Miguel Ángel devolvió el cigarro a sus labios después de tragar un buche de ron.

—No sé, a lo mejor sí es una mierda —dijo Enrique, sin encontrar acomodo definitivo.

—¿Tú sabes lo que yo creo, Enrique? —preguntó Arcadio—. Que debes olvidarte de esa *Tragicomedia* y escribir otra cosa. Si se traba tanto es por algo...

—Se traba porque quiero decir muchas cosas y unas no sé cómo decirlas y otras no sé si puedo decirlas.

—Las que uno no sabe cómo decirlas son las más cabronas —intervino Víctor, que aún no había probado su ron: mientras los demás bebían como desaforados, él pasaba toda la noche con uno o dos tragos, y los saboreaba a pequeños sorbos—. Las otras, dilas. Para meter tijera hay tiempo, así que no empieces a censurarte tú mismo desde ahora.

—Yo no sé qué delirio tienen ustedes de andar metiéndose en la candela —preguntó Conrado mientras agregaba hielo a su trago.

—Yo creo que es verdad lo que dice este guajiro lépero. —Tomás ya había bebido su primer trago y sostenía en la mano el vaso, volteado hacia abajo—. A mí no me gusta escribir por gusto. Yo lo que hago es que si se me ocurre algo que puede ser candela, lo apunto en algún lado pero no me meto a escribirlo. Total...

—Qué buena idea —dijo Álvaro—. Así no te buscas líos ni contigo mismo.

—¿Tú sabes lo que yo voy a hacer en la novela que quiero escribir? —volvió Tomás—. Voy a olvidarme de la política, de cualquier cosa que huela a política. Porque lo que tiene jodida a la literatura cubana es el delirio de la política.

—No seas berraco, compadre —terció Miguel Ángel, con su cigarro en los labios—. La política está en todo. Y claro que se puede escribir de política, pero lo que no se puede es dejar que la política sea lo más importante.

—A mí no me importa un carajo la política —dijo Fernando—. Yo escribo poesía y lo que me interesa es la gente, si sufre o si se enamora, si tiene miedo de morirse o si le gusta el mar.

—¿Y eso no es una posición política? —preguntó Miguel Ángel.

—Mira, Negro —Tomás se sirvió más ron—, el problema tuyo es que desayunas con rojo aceptil y meriendas remolacha con mercuro cromo. Cada día estás más rojo.

—No jodas, Tomás, que tú sabes que es verdad lo que yo digo. Ahora, que algunos escritores aprovechen la política para hacer carrera, eso es otra cosa.

—No, ésa es la cosa, ésa es la cosa —enfatizó Álvaro y hasta dejó su trago en el suelo—: hay una pila de oportunistas congraciándose con lo que escriben...

—Oye, Varo, ¿ya se te olvidó a cuánta gente sacaron de circulación por lo que escribieron y hasta por lo que no escribieron? —preguntó Conrado.

—No, no se me olvidó, claro que no se me olvidó.

—Tú ves las cosas muy fáciles —opinó Arcadio—. Pero si de pronto te sacan de tu trabajo, no te publican más, no viajas más...

—Si fue por lo que escribí, y creo en lo que escribí, y fui sincero con lo que escribí, pues me jodo callado —aseguró Álvaro—. Pero no bajo la cabeza para volver a viajar, a publicar, a figurar...

—Hazte el guapito... —susurró Tomás.

—¿Y si de verdad cambias de manera de pensar? ¿Si de verdad te convences de que lo que estabas escribiendo era perjudicial y no debiste escribirlo nunca? —volvió Arcadio.

—Pues entonces fuiste un comemierda y vas a seguir siéndolo —remató Álvaro.

—Conclusión: lo mejor es no meterse en esos líos, como decía mi abuelo —propuso Tomás.

—Pero si no nos metemos en líos estamos muy, pero que muy jodidos —saltó Enrique—. La literatura tiene que ver con la realidad, y la realidad no es el paraíso. La literatura es también la memoria de un país y sin memoria...

—¿Tú crees entonces que el escritor es la conciencia crítica de la sociedad? —seriamente preguntó Miguel Ángel.

—Oye, métete el manual de marxismo en las nalgas —casi gritó Enrique—. El escritor es un tipo muy jodido, lleno de angustias, que vive en un país y escribe de lo que pasa o lo que no pasa en el país. Y si es un escritor de verdad, trata de ser sincero consigo mismo, aunque escriba de los marcianos.

—Pero si todo el mundo nada más que escribe de las cosas buenas que pasan, y no meten el dedo en la llaga... —comenzó Víctor.

—La literatura es una mierda —lo cortó Arcadio.

—¿Y de qué hay que escribir para que sea buena? —entró al ruedo Conrado—. A ver, ustedes que son tan bárbaros, ¿de qué hay que escribir?

—Yo no lo sé, pero sí sé lo que yo quiero escribir —respondió Fernando—: sobre la gente, sobre la esperanza y la desesperanza...

—Eso se llama intimismo... ¿o es individualismo? —dudó Tomás.

—Eso es muy fácil, Fernando —opinó Miguel Ángel—. Yo creo que hay que escribir sobre lo que uno siente y en lo que uno cree.

—¿Y si uno cree en milicianos y macheteros y alfabetizadores...? —atacó Conrado.

—Pues escribe sobre eso —dijo Enrique—, pero no por oportunismo, sino porque uno cree en eso. Lo extraño es que ahora nadie escribe sobre un machetero o un miliciano maricón. Porque tiene que haber milicianos maricones..., es más, yo conozco a unos cuantos.

—Yo sabía que tú terminabas en eso —protestó Arcadio—. Si uno no escribe sobre maricones no es escritor. Ven acá, ¿tu *Tragicomedia* no será sobre la mariconería?

—A lo mejor —dijo Enrique—. No es mal tema, ¿verdad? Ser maricón en este país nunca ha sido fácil.

—¿Y qué es lo que no te atreves a decir? —preguntó Víctor.

—Oye, mulatico, no me sonsaques, que no voy a soltar prenda —y sonrió Enrique.

—Coño, ya se jamaron dos botellas —exclamó Tomás—. Ustedes toman más que...

—A mí, la verdad, lo que me gustaría es escribir una novela sobre el siglo XIX —dijo Miguel Ángel—. Porque yo creo que cuando hay tiempo por medio, el escritor es más libre, no sé, tiene menos compromisos con la realidad y puede...

—Pasamos del intimismo al escapismo —sentenció Enrique.

—No, tú sabes que no —se defendió Miguel Ángel—. Lo que no tiene sentido es escribir sobre el XIX como un escritor del XIX. Hay que ver la historia desde ahora.

—¿Y así no te autocensuras? —preguntó Víctor.

—Y dale con la censura —bufó Conrado.

—Es que siempre tiene que asomar la oreja —admitió Álvaro mientras acariciaba una carabela imaginaria—. ¿Me autocensuro o me censuran?, ésa es la cuestión.

—Pero yo no quiero escribir del XIX por la censura o la autocensura, sino precisamente por lo contrario. ¿Ustedes se imaginan cuántas cosas se autocensuraron los escritores del XIX? Sobre la política, el sexo, la religión. Sobre el racismo...

—Coño, Negro, claro que te estás escapando —intervino Fernando—. Pregúntatelo así: ¿cuántas cosas sobre la política, el sexo, la religión, el racismo y no sé qué más dijiste, se censuran los escritores de ahora?

—Me gusta eso —saltó Álvaro—: nosotros escribimos sobre el XIX y les dejamos lo que pasa ahora a unos Socarrones del 2074 y ellos les dejan sus líos a los del 2174 y así todo el mundo vive en paz y escribe sus novelas sin autocensurarse... Los de ahora viajamos al extranjero y los del 2074 a la Luna y los otros a Plutón.

—Por cierto, dicen que la Feria del Libro de Plutón es la mejor de la galaxia —soltó Arcadio y, menos Álvaro, todos rieron.

—Si le dan esa vuelta tienen la razón —admitió Miguel Ángel—, pero a mí me interesa el XIX porque me gusta esa época... Ser negro en Cuba ha sido más difícil que ser maricón.

—Tú hubieras sido esclavo, como Manzano, y Del Monte no te hubiera salvado, así que estate tranquilo aquí —lo cortó Conrado.

—Ya queda menos de una botella... —advirtió Tomás, alarmado.

—Échame un poquito aquí, antes que se acabe —pidió Víctor.

—¿Y qué estás escribiendo ahora, Negro? —quiso saber Fernando.

—Un cuento. Sobre un negro que ahora mismo se siente discriminado.

—¡Ay mi madre! —exclamó Arcadio—. ¿Y cómo se come eso?

—Lo empecé ayer. A lo mejor lo leo la semana que viene. Todavía no sé muy bien por dónde van los tiros, pero yo sé lo que es ser negro. Bueno, eso se ve.

—Si te conozco, sé por dónde vienes —se atrevió Enrique—. El pobre negro es americano y se lo comen los perros racistas que hay en Estados Unidos.

—¿Y el negro es maricón? —preguntó Arcadio, indicando a Enrique con el labio.

—¿Tú sabes, Arcadio? —Enrique parecía molesto—. Tú tienes tanta obsesión con los maricones que no me extrañaría verte un día clavado con un tipo..., digo, con un negro.

—Dejen eso, dejen eso —terció Víctor—. Oye, Fernando, ¿y el poema que ibas a leer hoy?

—Todavía no me gusta como está —se justificó Fernando—. Entre las reuniones y el trabajo de curso sobre Heredia, casi no he podido escribir... Aquí el único que no para es Enrique.

—Porque los escritores escriben —dijo Enrique.

—¿Entonces tú eres un escritor? —le preguntó Conrado.

—Yo sí, ¿y tú?

—Aspirante...

—Yo ya no sé si quiero escribir, ni qué coño voy a escribir... —intervino Álvaro—. Cuando termine la carrera me voy a meter a barman.

—¿A Batman? —soltó Tomás.

—¿Saben algo? —intervino Fernando—. Pensando en todo esto que estamos hablando se me ocurrió que me encantaría mirar por un huequito el futuro, no sé, dentro de veinticinco años, y ver qué cosa va a haber hecho cada uno, qué va a ser cada uno...

—No sé por qué me imagino que vas a ver unas cosas más feas... —musitó Enrique.

—A lo mejor no —dijo Fernando y recorrió con la vista a sus amigos—. No seas pesimista, Enrique.

—Yo lo que creo es que hay que escribir, ahora y dentro de veinte años. ¿Y saben por qué? —Miguel Ángel hizo una larga pausa.

—¿Por qué, Negro? —fue Víctor quien preguntó.

—Porque nada más que escribiendo uno puede saber qué es lo que quiere escribir, hasta dónde puede llegar, si quiere hacer o no hacer política con la literatura, si uno es buen escritor o un comemierda, si uno se autocensura o alguien lo censura después. Y uno puede tener dudas, no saber cómo decir algo, como le pasa a Enrique ahora. Pero como Enrique es escritor, va a seguir escribiendo, y eso es lo mejor que uno puede hacer.

—Yo creo lo mismo —dijo Víctor.

—Ojalá yo supiera —dijo Conrado.

—Y yo... —dijo Tomás—. Coño, se acabó el ron.

José de Jesús se alarmó cuando desapareció la luz. ¿Era el final? ¿Ya, ahora mismo? ¿Sin dolor, casi sin angustia? Podían faltar tres o cuatro horas para que cayera la noche, y hasta el instante en que dejó de percibir la luz, había creído que aún le alcanzaría el tiempo. Durante la ronda matinal de los médicos había observado, sin asombro ni miedo, el movimiento pendular de la cabeza del jefe del pabellón, pero él ya no necesitaba de aquellas negaciones con cara de no-hay-remedio para saber que no existía remedio posible, salvo esperar la llegada segura de una muerte quizá demasiado perezosa. Ocho días atrás sus esfínteres se habían bloqueado y, gracias a las gestiones de sus hermanos masones, lograron ingresarlo en la Quinta de Nuestra Santísima Virgen de Covadonga, donde lavativas y sondas consiguieron descargar los escasos desechos producidos por un cuerpo ya incapaz de acometer hasta aquella función. Su organismo se despedía por tramos, cansado de tantos años de trabajo, y con cada muerte parcial había llegado el alivio de perder uno de los dolores que lo atenazaban.

Sin embargo, mientras iba muriéndose a plazos, sintió cómo una avasallante lucidez se instalaba en su mente. Siempre creyó que, llegado el momento de morir, lo mejor era que todo ocurriese de un modo repentino, para evitarse la agonía que había visto sufrir a tantos ancianos, mientras languidecían, ya sin posibilidades de raciocinio, convertidos en vegetales mustios, sin voluntad siquiera para desear la liberadora llegada de la muerte.

Desde su habitación, de altísimo puntal y ventanales abiertos a un jardín poblado de álamos, falsos laureles y veraniegos flamboyanes florecidos, José de Jesús Heredia había disfrutado de una vista privilegiada del cielo, más allá de las copas de los árboles, y había gastado sus últimos días observando el paso de las nubes, los cambios de luz, la alternancia de colores en una cúpula celeste semejante a la que cubría los techos de las logias masónicas donde invirtiera tantas y tantas noches de su vida. Contemplando los movimientos del cielo, había dejado vagar su mente hacia la única encrucijada que le parecía haber dejado pendiente. Porque desde la noche de 1921, cinco años atrás, cuando entregó a la logia Hijos de Cuba las memorias de su padre, José de Jesús se martirizaba pensando si no había cometido un error. Aunque para él no existían dudas de que el sitio y las personas escogidas eran los mejores que había tenido a su alcance, la empecinada negación de Ramiro Junco a mezclarse en aquella historia, que tanto le incumbía, le hacían dudar sobre lo acertado de su decisión. Ahora el destino final del documento, puesto en el carril irreversible de su difusión, ardía solamente en su conciencia y lo quemaba como una llama infatigable, empeñada en robarle la tranquilidad de la muerte esperada. Después de un siglo viviendo en la mentira —se había preguntado el anciano, observando los hilos de nubes grises que cruzaban ante la luna—, ¿era mejor conservar la amable faz de una falsedad o enfrentar el rostro purulento y terrible de la realidad? Su padre, hombre de otra época y otro temple, siempre había creído en la verdad, aun cuando no siempre la hubiera dicho, pero José de Jesús era un infeliz que cerraba su vida acogido a la caridad de sus hermanos masones y a la del propio Ramiro Junco, que desde la revelación de su identidad le enviaba cada mes algún dinero. Además, en sus noventa años de residencia en la tierra —casi tres veces lo vivido por su padre— no había dejado en el mundo ni poemas, ni hijos, ni fama y, sin embargo, había tenido la potestad de salvar, con el más cobarde y oportunista de los silencios, lo que el tiempo había ubicado en remansos quizá menos dramáticos para todos: incluso para Heredia. El tormento de la duda, avivada por la cercanía de la muerte, había acompañado con obstinación aquellas pastosas horas finales, durante las cuales la única visión amable fue la de un cielo donde se alternaban, desde el origen del mundo, la luz y la oscuridad.

Dos días antes el cura de la Quinta, venciendo sus reticencias ante un masón hereje, lo había confesado y administrado los santos óleos, luego de leerle la extremaunción. Como la mayoría de los masones cubanos, José de Jesús era católico y, amparado en la libertad de culto y religión de su hermandad, siempre fue un creyente convencido aunque discreto, que rara vez entraba en una iglesia y, desde hacía muchos años, no se confesaba. Pero al sexto día de su estancia en el hospital, ante la evidencia de la muerte, había pedido los servicios del sacerdote y le confesó sus pecados. Para su asombro, el párroco lo bendijo, le dio la absolución, y lo ayudó a rezar las oraciones de penitencia, aquellos credos, avemarías y padrenuestros cuyos versos el moribundo había olvidado irremisiblemente. Al terminar las oraciones, le había pedido al cura que lo acompañara unos minutos más, y en voz baja había repetido los que para él se habían convertido en sus cantos al cielo: su desvencijada memoria le permitió recitar, en tono menor pero seguro, el «Himno del desterrado», la oda «Niágara» y sobre todo «En el teocalli de Cholula», aquellos versos que al menos le habían garantizado al pecador José María Heredia un lugar en el cielo de los hombres, que su hijo, con la última decisión de su vida, podía mantener con los colores amables concedidos por el tiempo o llenar de nubes oscuras, cargadas de lacerante electricidad.

Aquella noche, como todas las otras de su estancia en la Quinta, había recibido la visita de una comisión masónica, encargada de preocuparse por su salud y de comprobar si sus necesidades estaban cubiertas. La embajada de aquella jornada la componían tres hermanos masones, quienes, después de preguntarle cómo estaba y qué deseaba, decidieron salir al portal del pabellón a fumar cigarros y a esperar el término del horario establecido para las visitas. Desde su cama, José de Jesús consiguió escuchar la conversación de los visitantes, enfrascados en una discusión sobre los desmanes del gobierno del general Machado, pero había sentido un profundo temblor cuando la conversación dio un giro imprevisto y los hombres se dedicaron a comentar la noticia de la muerte repentina del hermano Ramiro Junco, ocurrida en Matanzas, el día anterior. A partir de ese momento, no logró oír más: una molesta inquietud se había adueñado de él, y cuando sus hermanos se disponían a marcharse, había lanzado su petición.

—Necesito un favor.

—¿Qué te hace falta, Heredia? —había preguntado uno de los masones, inclinado sobre el cuerpo del anciano.

—Avisen a Cernuda y Aquino. Quiero hablar con ellos.

—Cernuda y Aquino, ¿los de Matanzas? —había insistido el masón, que lo observó como si estuviera desvariando.

—Sí..., y claro que es urgente.

—Hoy mismo les ponemos un telegrama.

—Gracias —había dicho José de Jesús y le exigió a su cuerpo que resistiera hasta el instante del encuentro.

El imprevisto oscurecimiento, llegado desde muy dentro de su organismo, lo alteró ante la evidencia de un final cada vez más cercano, que ahora necesitaba posponer hasta la anunciada visita de Carlos Manuel Cernuda y Cristóbal Aquino. Entonces trató de calmarse, y se dispuso a esperar.

Calculó que ya había anochecido cuando sintió una presencia en la habitación. Un rato antes había pasado la enfermera, dispuesta a darle su comida y sus medicinas, pero él sólo aceptó beber los jarabes y un vaso de leche tibia, en la cual pidió le pusieran dos cucharadas de azúcar. Pero ahora, un rumor distinto al taconeo marcial de las enfermeras lo hizo abrir más los ojos, aunque la oscuridad persistió.

—¿Están ahí? —preguntó, y trató de mover el cuerpo, para demostrar que aún estaba vivo.

—Sí, Heredia —y reconoció la voz de Cristóbal Aquino.

—No veo nada —dijo él—. ¿También está Cernuda?

—Sí, estoy aquí —y la voz de Carlos Manuel Cernuda le pareció débil, tan agotada como la suya.

—¿Y no hay más nadie?

—No, Heredia, ¿qué es lo que pasa? ¿No puedes ver?

—Me enteré de que había muerto Ramiro.

—Sí, el corazón —siguió Aquino.

—Yo tengo miedo.

Cernuda y Aquino se miraron.

—¿Por qué, José? —preguntó Cernuda, mientras acercaba una silla a la cama. Miró detenidamente al anciano: ¿qué miedo se puede sentir más allá del último borde de la vida?

—Por los papeles de mi padre. Hay que sacarlos de la logia.

—Allí están seguros, Heredia —murmuró Cristóbal Aquino, alzando los hombros, pues no entendía qué podía cambiar con la muerte de Ramiro Junco.

—Ustedes no saben lo que dicen esos papeles.

—¿Es tan terrible?

—Sí, es terrible —ratificó Cernuda, sin atreverse a mirar al moribundo—. Perdóname, José, pero no me pude contener y los leí.

—Lo extraño sería que no lo hubieras hecho —admitió José de Jesús y habló hacia donde suponía estaba Aquino—. Son como unas memorias que Heredia le dejó al padre de Ramiro, que era hijo suyo.

—¿Entonces de verdad Heredia...? —Aquino se preguntó a sí mismo pero lo absurdo de su idea lo detuvo. Un silencio espeso cayó sobre la habitación. José de Jesús hubiera deseado ver la cara de sus hermanos, en especial la de Cernuda.

—Mi padre cuenta cosas que es mejor nunca se sepan —dijo al fin—. Sobre él mismo, sobre Lola Junco y sobre mucha gente... Descubre muchas mentiras. También dice que Del Monte lo delató en el año 23, que siempre fue un traidor.

—¿Domingo del Monte?... Pero, a ver, ¿Heredia no quería que se publicaran esas memorias? —Aquino se sentía incómodo, fuera de lugar, y en ese instante se preguntó por qué José de Jesús lo había convocado a aquel encuentro en el que aún no sabía cuál era su papel.

—Era un asunto privado. Esteban Junco debía decir si se publicaban, pero fue mi abuela la que lo decidió... Pero yo decido ahora. Sáquenlos y destrúyanlos.

La voz de Carlos Manuel Cernuda recobró entonces su fortaleza.

—¿Tú estás delirando? No cuentes conmigo para eso —dijo, y se puso de pie—. Esos papeles son demasiado importantes... Sí, tienes que estar delirando...

—No, eso es lo peor: ahora es cuando lo veo todo más claro y pienso que lo mejor es que nunca se sepa lo que escribió mi padre.

—Eso es un disparate. Heredia fue otras cosas, además de tu padre... No cuentes conmigo —dijo Cernuda y sin mirar hacia atrás abandonó la habitación del hospital.

Cristóbal Aquino lo vio salir y deseó que en ese instante se lo tragara la tierra. No entendía qué estaba sucediendo, por qué Cernuda reaccionaba de aquel modo ante el destino de las memorias de un hombre muerto hacía tantos años.

—¿Se fue?

—Sí, se fue. ¿Qué es lo que pasa, Heredia?

—Yo me voy a morir, Aquino. Hoy o mañana...

—No hables así.

—Me voy a morir, pero antes quiero que me jures que vas a quemar esos papeles.

—Pero, por Dios, Heredia. ¿Por qué no lo hiciste tú? ¿Por qué Cernuda se ha puesto así?

El anciano tosió y Aquino pensó que su cuerpo se desarmaba. Era una tos profunda, sonaba vacía y maligna. Cuando el acceso pasó, los ojos muertos de José de Jesús estaban anegados en unas lágrimas cuyo verdadero origen Cristóbal Aquino sólo llegaría a conocer varios meses después.

—Cernuda está así porque ya sabe lo que dicen esos papeles y les tiene miedo... Y yo no los quemé porque siempre pensé que en algún momento podía venderlos. Cuando no resistí más la tentación y hasta el hambre, decidí llevarlos a la logia. Entonces le conté a Ramiro Junco lo que mi padre decía de su familia y le pedí que se quedara con ellos, porque él era el verdadero dueño.

—¿Y él qué dijo?

—No quiso saber nada de los papeles... Pero al mes siguiente empezó a mandarme dinero. Era mi sobrino, ¿te das cuenta? Su padre era mi hermano.

Aquino sintió que no podía estar un minuto más sin fumar. Tocó los tabacos que llevaba en el bolsillo de su guayabera de hilo, pero se contuvo. Trataba de recolocar el mundo bajo la luz de aquellas revelaciones, pero sentía que el mundo se le escapaba.

—Yo también te hubiera ayudado, total, el dinero...

—No sigas. ¿No ves que es peor?

—Sí, disculpa —reconoció el otro.

—Ahora júramelo, por favor. Júrame que los vas a quemar. ¿Te convenzo si te recuerdo que es mi última voluntad?

Cristóbal Aquino miró hacia el exterior y descubrió una exultante luna llena.

—Voy a salir un momento, tengo que fumar.

Aquino comprobó que el resplandor de la luna hacía imposible entrever las estrellas. Mordió uno de sus tabacos y le dio fuego mientras escuchaba el regreso de la tos seca y persistente del anciano. Tragó con avidez el humo y sintió como un dolor en el alma la estampa del hombre que, desde su lecho de muerte, le pedía un juramento quizás absurdo y que de seguro lo desbordaba. ¿Por qué le ocurrían a él esas cosas? ¿Por qué Cernuda había escapado como un fugitivo? Una historia demasiado lacerante debía esconder aquel manuscrito para que José de Jesús lo hubiera conservado alejado de los compradores y para que ahora, después de entregarlo a la logia, exigiera su destrucción. Pero él no tenía nada que ver con todo aquello. Y era la última voluntad de José de Jesús. Miró el ascua de su tabaco y se dijo que ya nada podía hacerle daño al moribundo.

—Está bien, Heredia —dijo al regresar al cuarto y descubrió que la cabeza del anciano colgaba hacia un lado, mientras de su boca salía un prolongado y sordo ronquido. Con una mano temblorosa, Cristóbal Aquino tocó el pecho de José de Jesús, en busca de un latido, y sus dedos sintieron el borde amable de una pequeña concha marina, colgada de un cordón oscuro, del que también pendía un crucifijo plateado. Entonces el ronquido cesó, y comenzó el más largo de los silencios.

Antes de despertar, sintió la mirada. Era como un manto caliente, capaz de absorber la brisa del ventilador. Primero lo obligó a moverse y luego a abrir los ojos para descubrir la mirada rojiza de Miguel Ángel, de pie frente a la cama y con una taza de café en las manos. Desde hacía muchos años sólo algunos domingos o en época de vacaciones Fernando se daba el lujo de dormir la siesta. Sabía que sus despertares eran lentos y malhumorados y, hasta después de beber dos tazas de café y fumar otros tantos cigarros, no eran definitivos. Pero aquella tarde, luego de comerse dos platos del tamal en cazuela con que lo había sorprendido su madre, el cuerpo le propuso que el mejor de los postres podía ser una siesta en la cama de Consuelo, como solía hacer en los tiempos remotos del preuniversitario. Sus días en Cuba habían sido largos e intensos, y el cansancio se le hacía patente, pero lo que más le agotaba era la evidencia de que todos los caminos recorridos conducían a la nada: ni los papeles de Heredia, ni la revelación del amigo traidor, ni la pretendida relación con Delfina parecían tener destinos satisfactorios. Lo que más lo deprimía, sin embargo, era la certeza de haber vuelto a un país que los demás debían explicarle y donde sentía cómo sus viejas referencias se vaciaban de sentido, hasta resultar obsoletas.

—Cafecito para el niño —anunció Miguel Ángel al ver que movía los párpados y le dirigía una mirada desvaída.

—Coño, Negro, con lo rico que estaba durmiendo —protestó, mientras hacía el supremo esfuerzo de sentarse en la cama. Lentamente levantó un brazo y tomó la taza de café, y sintió que con cada sorbo recuperaba algunas de sus neuronas.

—¿Y en qué tú andas? —preguntó, ya de pie—. Espérate, déjame orinar y lavarme la cara. Ve para la terraza.

Aun en los días más calientes del verano, la terraza se mantenía fresca, beneficiada por la sombra de un guayabo, un mango y dos frondosos aguacates que el padre de Fernando había sembrado cuando él era un muchacho.

—Ya estoy despierto —anunció, con el pelo húmedo y otra taza de café en la mano. Miraba los árboles y habló como si se dirigiera a ellos—. Negro, quiero agradecerte que hayas seguido viniendo por aquí. La vieja me lo decía cuando me escribía.

—Venía por ella y por el café, no por ti.

Fernando al fin lo miró: ahora Miguel Ángel parecía cómodo y sosegado, mientras se balanceaba en el viejo sillón de madera, con su cigarro en los labios.

—Ayer vi a Tomás. Dice que tu tutora quiere verte…

—¿Y cómo se enteró la vieja de que yo estaba aquí?

—La doctora Santori siempre se enteró de todo, ¿no?

—No sé si quiero verla… —musitó Fernando, con la imagen de su vieja maestra ahora desvelada en la mente.

—¿Cómo te ha ido con lo de Heredia?

—Mal. —Fernando fue a sentarse en una silla, casi frente a Miguel Ángel—. No aparece nada.

—Pues si no aparece, puedes inventar la novela. Del Monte, Echevarría y los demás inventaron el *Espejo de paciencia*, así que aquí se vale inventar los libros que nos hacen falta.

—¿Tú sigues pensando que el *Espejo* es un invento de esos cabrones?

—Cada día estoy más convencido. Nada más acuérdate de que para inventar la literatura de un país hace falta tener una tradición, y lo que mejor suena a tradición es un poema épico. Si ellos inventaron la literatura cubana y escribieron los libros que hacían falta, ¿no te parece demasiado casual que hayan sido ellos mismos lo que se encontraran también por casualidad un poema épico que llevaba dos siglos perdido, del que nadie sabía nada, escrito por un hombre al que se lo tragó la tierra? Por lo menos yo no me lo creo...

—Pero no hay pruebas. Tú sabes que me pasé años revisándole la vida a cada uno de ellos y nada más saqué algunas sospechas. Te digo que no hay una sola prueba de que lo hayan inventado.

—Tampoco de que no lo hayan inventado. Nunca se vio el manuscrito original de Silvestre de Balboa, ¿verdad? Ni siquiera se vio la copia que ellos encontraron... Fernando: el *Espejo* es demasiado perfecto, tan perfecto como hacía falta. Por eso yo pienso que lo inventaron. La armaron bien, no dejaron pistas ni cabos sueltos, nadie habló... Del Monte era un genio de la intriga y la conspiración.

—Según tú, ¿cuál de ellos pudo escribirlo? —Fernando preguntó, recordando que en sus investigaciones sobre el siglo XIX cubano, la duda sobre la autenticidad de aquel poema épico, supuestamente escrito hacia 1608 por un tal Silvestre de Balboa, siempre afloraba como una serpiente venenosa: el texto era tan oportuno, tan necesario y tan perfecto (como lo calificaba Miguel Ángel), y los misterios en torno a su hallazgo tan numerosos, que la inteligencia de Fernando y la de otros muchos estudiosos no podía menos que alarmarse ante la nada desechable idea de que se tratara de una macabra superchería literaria.

—Para mí que fue Echevarría —dijo al fin Miguel Ángel—. A lo mejor el mismo Del Monte. Ese desfile de frutas cubanas del *Espejo* es más suyo que los zapatos que tenía puestos, que se los debía a su suegro Aldama.

—Nunca te gustó Del Monte.

—Tú sabes que no. Era un hijo de puta redomado que engañó a media humanidad.

—Pero se fajó con los anexionistas. Y organizó la colecta para comprar la libertad de Manzano...

—Porque era buena publicidad. Ya su suegro no era negrero. Al contrario, no le interesaba que siguiera la trata, y querían dárselas de filántropos. Y un negro esclavo poeta les vino como anillo al dedo. Pero Del Monte lo trataba como un animalito: hasta le reescribía los poemas... y perdió la segunda parte de la *Autobiografía* de Manzano. ¿Por qué se le pierde un libro y encuentra otro? Porque el Silvestre de Balboa era útil y el del negro Manzano no era conveniente. Sabe Dios las cosas que contaba de su época de esclavo.

Fernando sonrió: Miguel Ángel seguía siendo el mismo. Cuando creía en algo no admitía la duda, ni siquiera la de los demás, y sus juicios eran tan categóricos como sus adjetivos.

—Al final Del Monte se equivocó —siguió Miguel Ángel—, y le costó caro. Por culpa de los negros...

—¿Qué tú crees?, ¿que cogió miedo?

—Yo creo que se pasó de la raya. Por hacerse el simpático con los ingleses y parecer más puro que nadie. Pero aquí siempre se ha sabido todo, y alguien lo denunció.

—Pero nunca comprobaron que estuviera conspirando.

—Porque nunca conspiró. Con el dinero que tenía y viviendo como vivía, qué coño iba a conspirar. ¿Para qué, si ya lo tenía todo? Pero se quiso hacer el duro y después se apendejó, cantó todo lo que sabía y... ¿por dónde es más rápido? No paró hasta Francia.

—¿Y por qué no regresó cuando ya no tenía acusaciones?

—Coño, Fernando. Está claro: si volvía, todo el mundo iba a saber que él había sido el delator de los planes de los ingleses y que por su culpa se desbarató la sublevación de los esclavos en el 43. Pero en París y en Madrid podía decir que en Cuba lo perseguían y hasta escribir sobre eso en los periódicos... ¡En Madrid, coño!

—Negro, a mí tampoco me gusta mucho el personaje, pero la verdad es que no hay pruebas de que haya delatado nada.

—Más bien di que no tenemos pruebas, pero hay cartas suyas que lo meten en la candela. Después trataron de echarle tierra al asunto, ¿no? Con el dinero que se movía allí podían comprar cualquier cosa.

—Eso es verdad.

—Claro que es verdad, claro que sí —repitió Miguel Ángel y quedó en silencio, perdido en alguna cavilación.

—¿Y a ti cómo te va? —le preguntó Fernando—. Me extrañó que no hubieras venido por aquí.

—Es que casi no salgo de la casa. Ahora estoy terminando mi novela. Nada más puedo pensar en eso.

—¿Estás terminándola?

—Es la parte más jodida. Ahora mismo estoy convencido de que es la gran mierda. Ya casi no la resisto... Le he puesto todo lo que tengo y lo que no tengo a esa novela. Pero no ha sido fácil escribirla. En estos años me han pasado muchas cosas.

—¿Quieres hablar de eso? —preguntó Fernando, que necesitaba prepararse para entrar en aquel pantano, en el fondo del cual él y Miguel Ángel se daban la mano.

—No sé...

—Espérate, voy a traer más café.

Regresó con dos tazas y lanzó sobre la mesa una cajetilla de cigarros.

—Fernando, ¿te acuerdas de aquella vez que nos fajamos a la salida de la escuela?

Fernando sonrió y movió la cabeza.

—Hace más de cuarenta años de eso... Tú me dijiste que yo era un bitongo y yo te dije que tú eras un negro mono salvaje y trepador...

Miguel Ángel también rió, evocando la viejísima historia.

—Yo siempre fui un intransigente de mierda, y me pasé la vida compitiendo con todo el mundo, sobre todo contigo. Estaba convencido de que era el mejor y además tenía que demostrarlo... Por eso me inventé que estaba orgulloso de ser negro, y me bañaba dos veces al día, estudiaba más que todos ustedes, jamás fui a un toque de santos y nunca les decía si me gustaba una chiquita que fuera blanca. Qué rollo tenía en la cabeza...

—¿Tú sabes de lo que no me acuerdo? De cómo nos hicimos amigos después de la bronca...

—Yo sí. Estuvimos peleados todo aquel curso. Pero cuando empezamos el sexto grado tú me propusiste como jefe de aula. Y yo pensé pagarte con la misma moneda y proponerte a ti, pero me quedé callado, porque quería ser el jefe. Ese día volvimos a hablarnos y, aunque tenía once años, me di cuenta de que tú eras mejor que yo...

—Ah, no jodas, Negro. Yo te propuse para que no me propusieran a mí. Lo hice para joderte...

Se miraron a los ojos y sonrieron: sobre aquellas rivalidades había nacido una larga amistad que Fernando había utilizado como antídoto contra sus sospechas.

—De lo que me ha pasado ahora no hay mucho que decir —soltó Miguel Ángel—. Me cambié la casaca, como dice el Varo.

—Más bien te cambiaste hasta los calzoncillos, Negro.

—Es que de pronto todo me pareció absurdo y me desencanté... Después me botaron del Partido, del trabajo y me volví hipertenso. Hace dos años me dio una sirimba y por poco me muero.

—¿Y de qué has vivido? Sé que las dos novelas te las publicaron en Francia.

—Por una editorial de mierda que paga una mierda. Pero le agradezco a Arcadio que me la haya conseguido...

—Así que fue Arcadio.

—Sí, él se ha portado bien. Pero me pidió que no se lo dijera a nadie.

—Mañana da un recital de poesía. ¿Vas a ir?

—No, prefiero no ir.

—Es del carajo, Negro: el Varo no va porque dice que no resiste a Arcadio. Conrado, porque tiene mucho trabajo. Tomás, porque la poesía le importa un carajo. Tú, porque no quieres que te vean en un acto público. Enrique y Víctor porque no pueden... ¿Eso es lo que queda de lo que querían ser los Socarrones?

—¿Y a ti te parece que eso es extraño? A mí no. Para mí es normal. Aquello fue un sueño de muchachos y esto es la máquina de moler gentes que se llama la vida real.

—Sí, debe ser... ¿Y tú cómo te las arreglas en la vida real?

—Con lo que aparezca. A veces hago alguna traducción del inglés, o le doy clases a los que se van para el norte. De vez en cuando me publican algún cuento en México o en España. Pero no he entrado en el juego de nadie y nadie me promueve. Soy como un mojón en el espacio.

—¿Y por qué escribiste los artículos que salieron en España?

—Porque creí que debía hacerlo... Ojalá yo hubiera podido hacer como tú. Si me hubiera ido, creo que me hubiera evitado mil líos. Pero acuérdate que yo soy negro y donde quiera que llegue voy a ser un negro. Aquí estoy jodido, pero cuando camino por la calle sigo siendo persona. Además, yo creo que no hay que irse a ningún lado...

—Yo me fui porque no me quedaba más remedio. No podía más. Si esa carta hubiera llegado antes... Bueno, tú lo sabes...

—Claro que lo sé. ¿O se te olvidó que me jugué el carné el día que te llevé para que te fueras?

—No se me olvida. Hay muchas cosas que no se me olvidan. Buenas y malas, Negro.

—Fernando, dime la verdad, ¿todavía tú crees que yo pude echarlos para alante a ti y a Enrique?

—No me preguntes eso... No quiero hablar de eso.

—¿Por qué? ¿Tienes miedo de decirme que sí? Claro, como yo era el comunistón del grupo, debo de tener más papeletas que los demás...

Fernando lanzó la colilla hacia el patio y miró a los ojos de Miguel Ángel, cruzados por unas venas oscuras.

—Tú sabes que alguien fue. Eso no cayó del cielo. El policía hasta se había leído mis poesías... Pero no puedo ni quiero sospechar de ti. Tú siempre fuiste mi hermano...

—Yo te entiendo, Fernando, y sé lo que sientes. Uno se pone medio paranoico y no cree ni en los hermanos...

—Ojalá fuera paranoia, Negro. Lo más jodido es que es verdad. Alguien fue...

—Fernando, Fernando —se lamentó Miguel Ángel y encendió otro cigarro. Le gustaba tenerlo todo el tiempo en la boca, de donde sólo se lo quitaba para botar la ceniza, y su bigote había adquirido un tinte magenta.

—Mira, Miguel Ángel, una de las cosas por las que no quería venir a Cuba era para no revolver esa historia.

—Sí, pero por más que quieras no puedes olvidarte... Aunque hay una forma de averiguarlo.

—Sí..., preguntando: Negro, ¿fuiste tú?

Miguel Ángel fumó con avidez, pero le sostuvo la mirada.

—Ahora te contesto —propuso—, pero déjame decirte una cosa antes. El que fue tiene en el lomo el cadáver de Enrique y en los cojones todo lo que te ha pasado a ti. ¿Tú crees que te lo va a decir, que va a admitir que jodió a uno y destruyó a otro? ¿Tú sabes cómo único te diría la verdad?

—¿Cómo?

—Sí tú le prometes que lo perdonas.

—Yo puedo prometérselo.

—¿De verdad?

—Sí.

—Prométemelo.

—Te lo prometo.

—Anjá. Pregúntamelo ahora.

—Coño, Negro, no me...

—¡Pregúntamelo, cojones! —gritó Miguel Ángel y el cigarro le cayó sobre las piernas. Entonces se puso de pie, sin apartar la vista de Fernando—. ¡Pregúntamelo!

Fernando se levantó y sintió que sus manos habían comenzado a sudar. ¿Fuiste tú, Negro?, se preguntó.

—¿Fuiste tú?

Miguel Ángel demoró la respuesta, siempre con los ojos enrojecidos clavados en los de Fernando.

—No —dijo—. No fui yo. Porque si hubiera sido yo, me habría matado —afirmó, mientras se llevaba otro cigarro a los labios y le daba fuego—. Pero te puedo ayudar a saber quién fue.

Los que me conocen y hasta los que no me conocen suelen considerarme una persona veleidosa e inconstante, y me acusan de haber vivido una vida de poeta, exagerada siempre, al borde de los riesgos, pero sin atreverme a llevarlos hasta las últimas consecuencias. Suelen decir que, para crear mi personaje, fragüé amores fingidos, abandonos y celos, concebidos por mi febril imaginación de romántico. Se ha dicho, incluso, que fui cobarde y se ha esgrimido, como prueba, la carta que en aquel fatídico mes de noviembre de 1823 le escribí al instructor de la causa de los Rayos y Soles de Bolívar en la ciudad de Matanzas, el tal Francisco Hernández Morejón. En esa epístola yo me descargaba de culpas, le mostraba al verdugo mis manos jamás manchadas de sangre y le confesaba que nunca pretendí luchar por la independencia, sino apenas crear un ambiente favorable a ella, dentro de los límites constitucionales del país donde había nacido... ¿Cómo es posible, han llegado a preguntarse mis jueces, que la misma pluma, casi el mismo día, pergeñara aquella carta de descargo y también «La estrella de Cuba», considerado ya uno de los poemas patrióticos más desgarrados que jamás se han escrito en la isla? «Que si un pueblo su dura cadena / No se atreve a romper con sus manos, / Bien le es fácil mudar de tiranos / Pero nunca ser libre podrá».

Mas ninguno de los que me condenan saben cuántos dolores había en el corazón del hombre que, leída la devastadora carta de la mujer amada, recibió casi de inmediato la noticia de que sus amigos los Aranguren y Antonio Betancourt lo habían acusado de ser un Caballero Racional y de detentar incluso el grado de Sol, por haberlos iniciado a ellos y otros más en el movimiento sedicioso. La marquesa Reina María, una vez sabida la noticia de la delación, me pidió conversar en privado. Solemne, como no la había visto hasta entonces, me dijo que en mi nueva situación no le era posible alojarme ya por más tiempo en su casa, lo cual no quería decir que debiera salir de inmediato, sino cuando halláramos alguna alternativa segura. Además, me repitió la petición de Lola de que, si comenzaban a perseguirme, escapara de

Cuba por cualquier vía, pues más valía mi libertad que una impredecible estancia en prisión. Bien sabíamos todos que las represalias contra los conspiradores podían ser drásticas, y mi amada me rogaba me mantuviera libre y con vida, y que hiciera cualquier cosa por dejar abierta una puerta para mi regreso. Así, con las manos atadas, casi con un pie en la cárcel, le pedí a la marquesa se comunicara con mi tío, el único hombre en quien podía confiar, para que me sacara del ingenio y buscara el modo de escapar hacia algún país vecino.

Con la carta de Lola ante mis ojos, con su petición en mis oídos, con el corazón adolorido por la delación, con la amargura por la veleidad de los jefes de una conspiración que sólo fue un circo y con la perspectiva de pasar años en la cárcel o de morir en la horca, me senté aquella noche del 5 de noviembre de 1823 en la estancia que me había destinado la marquesa y escribí, de un tirón, sin vergüenza ni dudas, mi carta dirigida al juez instructor de la causa en Matanzas. Mi propósito, al hacerlo, no era salvarme ni disculparme: únicamente trataba de salvaguardar la posibilidad de regresar a Cuba para encontrarme con la mujer que amaba y con el fruto sagrado de ese amor, un hijo que nacería sin tenerme a su lado. Únicamente aquel sentimiento me podía llevar a afrontar el trance de escribir algo tan infame como una carta de exculpación, en la cual, por supuesto, no acusé a nadie, no mencioné nombre alguno ni agravé la situación de los que se hallaban detenidos. Los riesgos que asumía hacia la posteridad no me importaron, no me importan ni siquiera ahora, porque la mano que escribió aquella misiva estaba movida por el más sagrado de los impulsos: el del amor.

A la mañana siguiente, cuando mi tío se presentó en el ingenio, me entregó una copia del auto de prisión dictado contra mí y yo le entregué la carta dirigida al juez y, con ella, mi destino. Por fortuna, con su habitual eficiencia, Ignacio ya me había conseguido un alojamiento transitorio, en un sitio absolutamente seguro: iría a la casa de José Arango, muy cercano amigo suyo, uno de los vecinos más distinguidos de la urbe y, como tal, respetado por las autoridades.

El viaje a Matanzas, a través del valle del Yumurí, fue esta vez como un descenso a los infiernos. Estaba yo a dos meses de cumplir los veinte años y el hombre que las circunstancias habían hecho de mí parecía más al final de todo que al principio de la vida: hastío, asco, desesperación, rabia y dolor se amontonaban en mi espíritu, y se revolvían con el miedo y la vergüenza que, una vez entregada la carta, también afloraron... Sólo el amor, golpeado y maltratado, arrinconado en mi corazón, me mantenía en pie y con deseos de terminar con toda la locura que se había apoderado de mi existencia, a una edad en que la mayoría de los hombres apenas se preocupa por el color de sus calcetines y el brillo de su pelo.

En una pequeña habitación, con buenas velas, vino y libros pasé los ocho días que fui huésped de don José Arango. Mi tío, por su lado, había entregado la carta a las autoridades y esperaba alguna señal satisfactoria, pero sin dejar de organizar mi salida de la isla.

En las mañanas y en las tardes de mi encierro, la joven y amable hija de don José, la inefable Pepilla, que admiraba mi poesía del modo limpio que saben hacerlo las mujeres, iba a la habitación para hacerme compañía y distraerme de mi soledad. A aquella muchacha, comprensiva y elegante, le confesé una noche todos mis secretos, pues necesitaba de un oído humano que los alojara, como si esa condición fuese imprescindible para hacer real mi desgracia. A ella le pedí el favor de localizar a Tanco y solicitarle que viniera a verme para hacerle el encargo de recoger mis poesías publicadas, y también a Pepilla le entregué la carta en la cual (pensaba yo que de modo transitorio) me despedía de mi amada Lola. Juramentos de amor eterno derroché en aquel papel, en el cual le expresé a Lola mi mayor deseo de entonces: vivir alejada y apaciblemente, con ella a mi lado, en un sitio donde jamás se hablara de política ni de esclavos, de dineros ni de reyes. Un lugar fuera de la historia, olvidado del mundo y sus convulsiones, donde mis poemas jamás se conocerían, pues tendrían apenas dos lectores: una mujer amada y un hijo querido.

Fue la noche del día 13 cuando mi tío me hizo llegar el mensaje de que estuviera preparado, pues si todo ocurría según lo previsto, abordaría a la noche siguiente el bergantín *Galaxy*, con destino a Boston, en los Estados Unidos. Pero más que calma el aviso me produjo una extraña desazón, y recordé en aquel instante la despedida tumultuosa pero triste que un año antes le habíamos dado al padre Varela. Privado del sueño, salí de mi habitación y caminé por el patio interior de la casa, sintiendo cómo me faltaba el aire y el espacio. Me desesperaba irme sin llevarme siquiera mis poemas, lo único que en verdad me pertenecía, pero Tanco seguía sin aparecer. Entonces observé la generosa mata de mangos que casi velaba el cielo y, sin pensarlo, me aferré a su tronco y comencé a escalarla para dejarme caer en el tejado de la vivienda. Desde allí, favorecido por la luz de la luna llena, observé la bahía, plagada de barcos alumbrados por sus fanales. Contemplé los techos oscuros de las casas. Las calles despobladas. Las montañas, lejanas, como animales en reposo. Y vi la corriente adormilada del río Yumurí, casi al alcance de mi mano, y me pregunté, ya con lágrimas en los ojos, cuánto tiempo iba a vivir lejos de aquel sitio, fuera de mi territorio, sin derecho a respirar mi aire ni abrazar a mi mujer. Todas las respuestas que le ofrecí a mi imaginación fueron despiadadas, pero fui incapaz de concebir por un instante que la realidad me daría respuestas que doblarían, largamente, los más arduos castigos que un joven poeta podía imaginar. Al día siguiente comenzaría mi destierro y, con él, el aprendizaje verdadero de lo efímera que suele ser la felicidad y lo inconmensurable que puede resultar el dolor.

Segunda parte
Los destierros

... ya es tiempo de que acabe la novela
de mi vida para que empiece su realidad.

J.M.H., 20 de mayo de 1827

Por más que fatigara a su memoria, Fernando Terry no conseguía recordar cuál había sido la última vez que había subido a la azotea de su casa. A pesar de tenerlo tan cerca, aquel territorio siempre conservó intacto un misterioso sabor de isla exótica, y muchas veces funcionó como una especie de refugio donde disfrutaba de una invencible sensación de libertad. Varios viajes a la azotea, siempre trepando por las rejas de la ventana y ayudado por la tubería que bajaba desde el tanque del agua, habían quedado prendidos en sus recuerdos a través de los años y las distancias, aunque de todos ellos le resultaba especialmente inolvidable el ascenso realizado la noche que optó por la azotea para llorar en solitario la muerte de su padre. ¿Pero cuál había sido su última excursión? Fernando no lograba que su memoria le respondiera, quizá por la insistencia en evocar que, sentado en aquella azotea, había leído por primera vez la dramática interrogación de José María Heredia cuando, alarmado por la desproporción de los fatales designios que lo perseguían, había comprendido al fin su carácter de personaje novelesco y había preguntado –¿a quién, en realidad?– hasta cuándo viviría aquella envolvente ficción de la que no conseguía escapar...

Las rodillas crujieron y la espalda se le engarrotó en el ascenso. La respiración se le aceleró y por un momento temió que la tubería no resistiera su peso. Cuando al fin logró reptar hacia la placa, caliente por el castigo del sol, pensó que hubiera sido lamentable no haber intentado aquella aventura antes de irse de Cuba. Entonces recorrió el espacio de la azotea y disfrutó de la vista privilegiada del barrio. Su casa quedaba en la parte más alta de la zona y en la distancia consiguió distinguir la cúpula del Capitolio, el obelisco gris erigido en honor a José Martí y las estructuras de algunos edificios de El Vedado. Caminó hacia el otro extremo y observó el paisaje íntimo que le ofrecían los árboles del patio, sembrados todos por su padre, y a los que tantas veces Fernando trepó para alcanzar alguna fruta. Bajo aquellos mantos verdes, y ya en la última esquina del terreno, entrevió las tumbas de los perros que lo habían acompañado en su niñez y su juventud –*Coco, Negrito, Mocho* y *Canelo*–, a las que se habían agregado las de otros dos huéspedes de su casa, compañeros de Carmela en los largos años de su soledad, y de cuya existencia Fernando sólo había sabido por las cartas de su madre. Aquellos dos montículos, identificados con los nombres de Rinti y Sombra, lo remitieron a otra novela interrumpida, irrecuperable, que había seguido su apacible curso en aquella casa –que era su casa–, pero ya al margen de su presencia: y comprendió que había pasado a ser un simple testigo en una historia de la que siempre había sido protagonista.

El sol se ponía tras unos árboles cuando se sentó contra el tanque del agua y extrajo su pasaporte del bolsillo de la camisa. El cuño oficial que le había dado entrada a la isla cruzaba sobre la anotación manuscrita donde se advertía en letras negras el plazo de treinta días para su estancia en Cuba. Ya había agotado más de la mitad de su tiempo y la idea del regreso a España empezaba a aguijonearlo. Todo lo que había venido a buscar permanecía en la bruma del deseo, y fuera de aquel salvoconducto estricto no tenía nada en las manos. ¿Cómo habría sido el que recibió Heredia para visitar su patria? ¿Especificaría también los días, las horas, los minutos de su última estancia en Cuba?

Fernando sentía que los caminos hacia los esquivos papeles se habían cerrado en la casa de las Junco, pero la conversación que unos días antes había sostenido con Miguel Ángel puso más sal en aquella herida: porque si los antiguos compañeros de Heredia habían sido capaces de armar una superchería poética como el *Espejo de paciencia* para garantizar la existencia de un pasado literario hasta entonces vacío, ¿qué otras cosas no podían haber hecho para preservar el secreto de su fraude? La inquietante coincidencia de fechas entre el regreso del desterrado a Cuba y la milagrosa aparición del poema épico atribuido al escribano Silvestre de Balboa era como una mecha encendida hacia la dinamita. Aunque nadie sabía, con detalle, qué habían hablado Heredia y Del Monte la última vez que se vieron, tras la llegada del poeta en 1837, Fernando presumía que aquel diálogo del reencuentro, cargado por las tensiones del instante y los mutuos resentimientos acumulados, no había sido propicio para confidencias impensables en un hombre como Domingo del Monte. Pero ¿y las conversaciones que sostuvo con Tanco, con Echevarría, con Blas de Osés, y quizá con otros de los viejos amigos? ¿Y la actitud posterior de Del Monte, negado a concederle un nuevo encuentro al antiguo camarada que volvió al destierro con el corazón herido por el juicio cruel del hombre de quien una vez fue su mejor amigo? Si en realidad habían inventado aquel poema épico, además de Del Monte, otros de los amigos cercanos debían de conocer el asunto. Y de existir la conjura, y de haberse enterado Heredia por alguno de ellos, ¿qué fuerza podía taparle la boca para no contar en unas confesiones de moribundo la terrible patraña que daba un pasado necesario y remoto a la literatura de la isla? Las injurias recibidas en Cuba durante aquella corta y dolorosa estadía final, propinadas precisamente por los autores del posible fraude, eran motivo más que suficiente para la venganza y la denuncia, pero el silencio de Heredia, que hasta donde todos sabían nunca delató aquel lance peligroso, movía las evidencias en un rumbo que también se perdía en la bruma de los años y los silencios.

Fernando observó el resplandor dejado atrás por el sol y pensó que la fácil evidencia del apellido Junco quizás había nublado la posibilidad de levantar recelos entre los otros individuos con acceso al intangible manuscrito del poeta. Pero, según el viejo Aquino, apenas unos pocos masones tuvieron la oportunidad de apoderarse de él y, por lo que sabían, sólo Ramiro Junco una razón factible para hacerlo. Y el propio padre del viejo Aquino, ¿no tendría algún motivo inimaginable, escondido o hasta desconocido por su hijo? ¿O habría en la logia algún descendiente de Del Monte, de los riquísimos Aldama, o del mismo José Antonio Echevarría que se presentó como descubridor afortunado del milagroso poema épico?

Miró otra vez su pasaporte y comprendió que eran tantos y tan intrincados los senderos por recorrer que una pastosa desazón envolvió su espíritu, dominado ya por la certeza de que jamás llegaría a la tierra perdida de la verdad. Tal vez lo mejor sería dejar a los muertos y a las traiciones en sus tumbas, selladas por el tiempo, sin alterar lo que ya había sido establecido. Pero el brillo molesto de una advertencia insumergible le impedía aceptar en paz aquellas disquisiciones egoístas, pues estaba convencido de que Heredia había escrito algo que debía de tener como fin su publicación, y que violar su voluntad sólo podía esconder una razón demasiado infame.

Caminando por la azotea, Fernando trató de espantar de su mente la incisiva idea de que, en el fondo, su empeño también escondía un mezquino afán de protagonismo y revancha, exacerbados por las cicatrices de frustraciones acumuladas en los años de marginación, exilio y renuncia a las más entrañables necesidades de su vida. El hallazgo de aquel documento al parecer maldito sería su victoria mayor sobre todos los demonios que le cambiaron la existencia, y ese triunfo, que exhibiría como una copa dorada, quizás hasta podría compensar la esterilidad de su vida de poeta sin poesía, la ausencia de los libros que debió y no pudo escribir, la amargura esencial de su estancia anodina y vacía en la tierra. Le aliviaba pensar que su mundo, al fin, recuperaría el sentido que le habían hurtado: al menos una parte. Porque el resto dependía del desvelamiento de una traición; y del reencuentro con la poesía; y de la restauración de su capacidad de dar y recibir amor. ¿Y todas las historias ya irrecuperables de las que había sido excluido?... Puestas así, en formación de combate, eran tantas y tan evidentes las castraciones y dolores con los cuales había debido sobrevivir, que Fernando Terry se sintió extraño ante su propia tenacidad, capaz de mantenerlo en pie durante veinte años, sin tener más que una tenue luz en el horizonte, como la que desde la azotea le permitió ver, al doblar la esquina, el paso cimbrante y preciso de una mujer, salida de la oscuridad, y que sólo podía ser Delfina. Entonces recordó cuál había sido la última vez que subió a la azotea de su casa.

Estábamos a 4 de diciembre de 1823 cuando el *Galaxy* al fin atracó y, no más poner pie en tierra de Boston, aprendí de un golpe lo que es el invierno y tuve en ese segundo la premonición de que aquel frío despiadado sería mi perdición. La imagen de un río helado y de un campo que parecía consumido por un incendio, sin una sola hierba para consolar la vista de aquella aridez espantosa, me resultó descorazonador. Las calles desiertas semejaban las de un pueblo asolado, y las pocas personas que se acercaron al muelle andaban mudas y tristes bajo unos gruesos capotes que apenas dejaban entrever el rostro. Todo era blanco, o gris, o negro, sin matices ni alteraciones, y tal panorama me advirtió de que no podría vivir allí mucho tiempo, pues antes me mataría la angustia.

El preámbulo agónico de lo que me aguardaba ya lo había tenido durante la travesía, pues ni siquiera las amables atenciones del capitán Harding, a quien me habían recomendado como un fugitivo político muy importante —además de darle sus buenos reales—, pudieron ponerme a salvo de las inclemencias de un tiempo que se presentó con una faz más terrible que la del torbellino que envolvía mi alma. Para abordar el *Galaxy* había vestido yo unas ropas del propio capitán, traídas a la casa de los Arango por mi hermana Ignacia, quien, con la ayuda de la imprescindible Pepilla, obró el milagro de hacerme parecer un viejo marino, con muchas tormentas a cuestas. En la tranquilidad de la noche y con don José Arango como compañero, el carruaje de la casa me dejó en las inmediaciones del puerto, donde me esperaba Harding para conducirme a la nave.

Apenas abordamos, el capitán dio la orden de levar anclas y por tres días navegamos sobre un mar apacible. Mucho pensé, en aquellas jornadas, si no hubiera sido preferible permanecer en Cuba y afrontar el rigor de la cárcel, pues así me habría sentido más cerca de Lola y de los míos. Entonces, quizá para armonizar con mi ánimo, la naturaleza demostró cuán terrible puede ser su ira, y el resto de la travesía debimos hacerla en medio de vientos y lluvia, hasta que a la altura de los cuarenta grados nos cayó una helada tan furiosa que el agua del mar se cuajaba al pasar las olas sobre la cubierta. A fuerza de habilidades el capitán logró que llegáramos a Nantucket, donde tomamos un práctico conocedor de los muchos accidentes de estas costas. Pero el práctico se emborrachó y sólo por obra divina no nos hicimos pedazos contra los agresivos arrecifes entre los que navegábamos.

Al desembarcar en el puerto de Boston, me encaminé hacia las oficinas de Peter Bacon, el comerciante amigo de mi tío Ignacio para quien llevaba unas letras de pago que afortunadamente me cambió de inmediato. El propio Bacon me recomendó la pensión de mistress Mac Condray, a pocas cuadras de sus oficinas, en el número 15 de la Battler Street, y allí me encerré por dos días, tratando de recuperarme de los efectos del viaje y de adaptarme a la idea de tener que andar por las calles con botas, abrigos, guantes y gorro de piel. Pero aproveché el tiempo en escribir algunas cartas, dando inicio a la consoladora costumbre de suplantar los diálogos con los seres queridos por largas misivas donde les contaba los avatares de mi vida. Cientos de cartas escribiría yo a lo largo de estos más de quince años de un destierro que entonces apenas se iniciaba.

Lo peor de aquellos días era la incertidumbre del futuro. Tronchada de un golpe mi vida en Cuba, donde tenía amor, amigos, oficio, casa, prestigio, ideales y deseos de estar, yo había sido lanzado a una especie de hoyo sin paredes ni fondo en el cual flotaba como una marioneta, sin un lugar preciso al cual dirigir mi vista, mis pasos, mis expectativas. Estaba terriblemente solo, en un país desconocido, con una lengua que no dominaba, dependiendo para vivir del dinero de mi tío y en medio de aquel clima capaz de aterrorizarme. ¿Era esto mejor o peor que la cárcel? ¿Tenía el exilio ese rostro tan poco amable?

Al tercer día mejoró el tiempo y salí a la calle, dispuesto a encontrar algún lado bueno a una ciudad donde tendría que vivir por sabía Dios cuánto tiempo. Lo primero que llamó mi atención fue la regularidad y limpieza de sus calles, anchas y bien empedradas, tan diferentes de las estrechas y sucias vías de las ciudades cubanas. Los carruajes se movían con elegancia por aquellos caminos propicios y no sufría el transeúnte el peligro de ser cubierto de lodo. Traté de engañarme y creer que me gustaban aquellas casas, de ladrillo descubierto, algunas de tres y hasta de cuatro pisos, en cuyos ventanales los inquilinos se empeñaban en cultivar alguna flor. La zona más céntrica de la ciudad estaba llena de gentes a esas horas de la mañana y me sorprendió comprobar que no por eso reinaba allí el bullicio de las plazas y paseos de La Habana, donde mis paisanos, más que hablar, gritan, se saludan de balcón a balcón, de carruaje a carruaje y hacen por todo una algarabía. Verdad es que aquí no hay negros carretilleros, de los que en Cuba anuncian a voz en cuello su mercancía, ni negras mondongueras reclamando con sus rítmicas cantaletas la atención de los clientes. Orden y paz se respiraba en la vetusta ciudad, una de las más importantes y antiguas de la potente república norteamericana.

A los pocos días tuve noticias, precisamente en el negocio de Bacon, de la también reciente llegada a Nueva York de los diputados cubanos a las Cortes españolas. Allá estaban ahora Varela, Gener y Santos Suárez, todos en fuga y condenados a muerte por Fernando VII tras la disolución de las Cortes. Saber de su presencia en el país fue un alivio para mi desesperación, y de más está decir que, arregladas las cuestiones financieras con Bacon, abordé un carruaje de postas y a finales de diciembre, a unos pocos días de mi cumpleaños, llegué a Nueva York para encontrarme con aquellos héroes cubanos.

Varela se había alojado en una modesta pensión de la calle Broadway, en el centro de la isla de Manhattan, y se mostró jubiloso al verme. Luego del abrazo y la bendición que me otorgó, el cura me condujo a la pequeña cocina montada en su habitación, donde se las había arreglado para poder colar café del modo que nos gusta a los cubanos: bien cargado de polvo, con poquísima agua, servido en pequeños pocillos de loza y con una proporción delicada de azúcar que mate el amargor profundo pero no el amargor esencial de la infusión. Volver a paladear aquella bebida vivificante, tan diferente del agua oscura e insípida que suelen beber los yanquis, me trasladó a la patria lejana y me instalé en el mismo centro de todas las ausencias que yo estaba sufriendo.

El cura, cuya casa se había convertido ya en una especie de embajada por donde pasaban todos los emigrados y viajeros procedentes de la isla, me dio noticias frescas de los últimos acontecimientos en el país. Grato me fue escuchar que mi amigo matancero Teurbe Tolón había logrado escapar, pero nubló mi ánimo la noticia de que eran más de seiscientos los encarcelados a causa de la conspiración. Y Varela me contó entonces que aquella sedición estuvo condenada al fracaso desde el inicio, pues los espías del capitán general Vives y los del intendente de hacienda de La Habana, el macabro conde de Villanueva, la tenían penetrada hasta los tuétanos, y ahora se sabía que desde varios meses atrás recibían informes sobre cada una de las decisiones y planes de los líderes de la asonada. La delación y el espionaje, tan frecuentes en Cuba, habían funcionado como una maquinaria bien afinada, y todo el presunto secreto de las logias no fue más que un juego de niños irresponsables. Sin embargo, la fallida conspiración había creado, a su entender, un ambiente propicio para iniciar una lucha abierta a favor de la independencia, y por eso él había aceptado la propuesta de los exiliados y de otras personas residentes en Cuba de encabezar el movimiento proindependentista. Ellos, como era de esperar, le habían impuesto una condición: que no hablara del problema de la esclavitud hasta tanto no se consiguiera el éxito. El cura, por su lado, había pedido tener libertad de opinión y no aceptó cofradías ni logias como células conspirativas. Y me confió algo que me dejó desconcertado y me reveló hasta qué niveles llegaba mi inocencia política:

—Todo es muy complicado, José María: los que tienen dinero y poder para fomentar la independencia son los que se oponen a ella, más que el gobierno español. ¿Sabes quién es el capitán general Vives? —y bajó más la voz, como si temiera ser escuchado—. Pues es un hombre de mi colega Gener. No, no te asombres. Son los ricos cubanos los que deciden quién gobierna en Cuba, porque en realidad son ellos los que controlan la vida del país y financian a la monarquía española. Lo de las Cortes fue una mascarada, y ya verás si dentro de algún tiempo la condena a muerte de Gener no cae en el olvido. Pero yo voy a aprovechar la coyuntura, y haré todo lo que pueda, si no para lograr la independencia, al menos para conseguir que la gente en la isla piense en ella como una alternativa viable. Más es imposible.

Alarmado por aquella tétrica revelación, le pedí al cura que me confesara. Varela, sonriente, me dijo que no se imaginaba cuáles podían ser mis terribles pecados, pero fue hasta su baúl y extrajo los atributos necesarios y también me mostró su viejo violín, del que nunca se separaba. Sentado en una silla, me ofreció otra, pero yo preferí arrodillarme a su lado y, sin mirarle la cara, le conté de mi historia con Lola, de mi lujuria permanente, de mi amor desesperado y de la carta de disculpa que había dejado en manos de mis perseguidores. Y por último le dije que tenía mucho miedo de no poder regresar a Cuba... Varela me escuchó, sin interrumpirme, y me ordenó que al salir de su casa

pasara por la cercana iglesia de San Patricio y rezara allí tres padrenuestros y tres avemarías y rogara mucho por la salud de la mujer y el
hijo que había dejado en Cuba. Pero antes me ordenaba ocupar mi
silla, pues el perdón de mis pecados podía esperar y ahora quería hacerme escuchar una hermosa melodía andaluza que había adaptado
para su violín.

Decidido a permanecer en Nueva York, dispuesto además a participar con Varela en cualquier intento sedicioso, me alojé en una casa
de huéspedes donde, por seis pesos y medio a la semana, me daban
habitación, comida y fuego. Como apenas tenía ánimo para leer y muy
poco para escribir poesía, mi mayor distracción era caminar por las
fangosas calles de la ciudad los días en que la nieve y la lluvia lo permitían, y solía andar hasta cinco o seis leguas, descubriendo los nuevos barrios de italianos e irlandeses, probando la excelente comida de
los primeros y el magnífico whisky de los segundos.

Pero a menudo sentía como si me faltara el aire. Aunque celebré
con Varela, Gener, Teurbe Tolón y otros amigos la llegada de mis veinte años, la insatisfacción me corroía y desde entonces empecé a fraguar
la idea de marcharme al sur, quizás a Pensacola, donde había vivido
varios años en mi niñez, o a Nueva Orleáns, por donde andaban
Anne-Marie y Betinha, ciudades en las cuales, además, podría comunicarme en español o en francés, y no en el rudo idioma inglés que
mucho desagradaba a mis oídos. Sólo que en aquellos sitios me falta-
ría el calor de la amistad que tanto necesitaba y la sensación de pertenecer a una cofradía, que tanto me gustaba.

En enero empecé a recibir respuestas a mis primeras cartas y en
ninguna de ellas mis confidentes —Silvestre y mi tío Ignacio— me
daban noticias de Lola. Contaba yo los días, pues calculaba que su
alumbramiento ocurriría a más tardar en ese primer mes del año. Por
eso cada día esperaba con ansiedad la llegada del cartero, con el ánimo agarrotado por el frío.

No fue hasta principios de marzo que la carta llegó. Estaba escrita
de puño y letra de Lola y venía en un pequeño sobre cerrado, incluido dentro de una carta de Silvestre, donde ya éste me anunciaba que
había pasado lo peor. Como un desquiciado rasgué el sobre y vi la
letra querida de mi amante: pero mientras leía aquellas palabras espe-
radas con tantas ansias, mis ojos fueron anegándose y mi alma desga-
rrándose a pedazos, como arrebatada por los más feroces lobos. En
unas breves y gélidas líneas Lola me decía que nuestro hijo había nacido muerto y que, sellada con aquella desgracia, daba por terminada
nuestra relación. Sus padres lo habían arreglado todo y en el verano se

casaría con Felipe Gómez, por lo que me rogaba no le escribiera más y, mejor aún, que la olvidara.

Fácil será colegir que la fiesta de la primavera fue para mí un funeral. Si hasta entonces apenas escribí poesía —con la excepción del largo poema que dediqué a Pepilla Arango—, desde ese día no volví a hacerlo, por semanas no redacté una sola carta, ni asistí a las reuniones en la pensión de Varela. Apenas comía, mientras, tendido en la cama, leía una y otra vez la esquela de Lola, sin entender aquel cambio radical en su actitud. ¿Era la misma Lola que yo amé la que me rechazaba ahora de un modo tan brutal? ¿Qué presiones y decisiones terribles debían actuar sobre ella para que de un solo golpe terminara con todas las ilusiones compartidas? ¿La muerte de nuestro hijo la habría trastornado al punto de preferir aquella radical ruptura? Nunca, ni ahora mismo, creí estar más cerca de la muerte que en esos días nefastos, cuando me convencí de que mi gran error había sido abandonar la isla sin haber tenido antes una necesaria conversación con la mujer a la que tanto amaba. En la hostil y lejana Nueva York se me hacía evidente cómo el destino, más cruel conmigo de lo que yo merecía, me estaba cobrando al fin, con altísimos intereses, las fingidas penas de amor sobre las cuales cimenté mi fama de poeta romántico y atormentado, mi ligereza en cuestiones del corazón y mi pretensión de pasar por encima de lo que, en mi momento, era posible hacer. Derrotado como conspirador, ahora también era vencido como amante, al tiempo que me sentía perdido en una tierra donde me sabía absolutamente extranjero. Ay, ¿por qué, si el dolor era inmenso y verdadero, no venía a mi mente un maldito verso capaz de expresarlo?... Al cabo de varias semanas acudí a Varela y le solicité otra vez la confesión. Necesitaba hablar con él para tener un confidente de mi desdicha, pero también quería dirigirme a Dios y decirle que hay castigos capaces de exceder las culpas de un hombre.

—¿Por qué me encaramaste aquí?

—Tómate el café y después te cuento.

Fernando la había dejado de pie en la terraza, mientras salía corriendo hacia la casa de sus vecinos. Había regresado con una vieja escalera de madera que apoyó contra el alero.

—Sube y espérame allá arriba —le había pedido y ella obedeció, con cara de no entender. Luego él llevó hasta la azotea dos banquetas y una jarra con café.

—No te lo tomes todo, déjame un poquito —le pidió, mientras la veía saborear la infusión, apenas iluminada por la luz de una farola que pintaba la azotea con un resplandor amarillento.

—¿Y eso que te dio por venir?

—Quería hablar dos o tres cosas contigo. Lo que no me imaginé es que fuera una conversación de altura.

—¿No te gusta? —preguntó él, extendiendo la mano, como si mostrara un valle verde y bucólico.

—No está mal.

—¿Sabes lo que hice la última vez que estuve aquí arriba?... Estaba desesperado y creo que vine para no pensar en nada. Entonces la vecina de allá al lado subió a la azotea y se puso a tender la ropa. Y de pronto me di cuenta de que no me quedaba más remedio que irme y que más nunca iba a ver esta azotea... A mí me encantaba subirme aquí.

—Te gustaban muchas cosas que ya no haces. Escribir, por ejemplo.

Fernando disfrutó golosamente de su perfil cuando ella volteó la cara hacia el mundo de tanques de agua, antenas de televisión, árboles, palomares y tendederas que se extendía a su alrededor. Él comprendió que no resultaría un paisaje romántico ni evocador para otra persona que no fuera él mismo.

—Si quieres bajamos.

—Aquí se está bien. Es más fresco.

—Cuando llegué a Madrid empecé otra vez a escribir —soltó él, mientras encendía un cigarro—. Después de cuatro años en Estados Unidos, cuando volví a oír a la gente hablando en español pensé que podía escribir poesía.

—¿Publicaste algo?

—Ni lo intenté. La vanidad de publicar la perdí en el camino... No quise conocer a otros escritores, decidí no seguir mi libro sobre Heredia, preferí enterrar todo lo que tenía dentro, lo que quise haber sido en Cuba. Me busqué un trabajo para vivir, como cualquier persona...

—¿Y de verdad tenías que irte?

—Creo que sí. Por lo menos creo que no podía quedarme.

—Después las cosas cambiaron.

—Si yo fuera adivino, hubiera esperado aquella carta que llegó con casi dos meses de retraso. Nunca he sabido a ciencia cierta si hice lo mejor. Pero cuando me acuerdo de lo que pasé en ese tiempo, creo que hice bien. Aquí tampoco hubiera vuelto a ser el mismo.

—¿Estás seguro?

—Ya nunca estoy seguro de nada, Delfina.

—Ese problema lo tenemos todos a los casi cincuenta años.

—Además de la barriga y la calvicie —admitió él y trató de enrumbar la conversación—. Pero no me has dicho por qué viniste.

Ella lo miró, directamente a los ojos, y Fernando sintió el abrazo del miedo: temía por igual el fracaso que el éxito, pues uno lo dejaba sin nada, más herido incluso que como había estado al regresar, y el otro lo enfrentaba con un problema quizás insoluble, que podía engendrar nuevos dolores.

—He pensado en lo que hablamos hace unos días —ella hizo una pausa y el silencio de Fernando la obligó a continuar—. Y creo que es una locura.

Fernando dejó caer el cigarro y lo aplastó contra las soladuras de la azotea.

—Sí, es una locura —admitió al fin—. Tenemos casi cincuenta años, tú vives aquí, fuiste la mujer de Víctor, Víctor fue mi amigo, y además yo no te gusto.

Ella sonrió.

—¿De eso sí estás seguro?

Él la miró.

—¿Qué otra cosa puedo pensar?

—Fernando, me estoy poniendo vieja y eso sí que no me gusta. Vivo sola y me gusta menos. Ahorita vuelvo a ser virgen y la verdad es que tampoco me hace gracia. Para sentirme mejor puedo acostarme contigo, empezar un romance, creerme que es posible... ¿y después qué?

—Después la vida sigue.

—No te hagas el filósofo, no te asienta.

—¿No te gustaría vivir en España?

—No —dijo ella tajantemente—. Quiero seguir aquí, aunque me esté comiendo un cable. No me da la gana de irme...

—¿Por qué?

—Porque no quiero verme en tu espejo, porque no quiero equivocarme, porque quiero quedarme aquí... Fernando, olvídate ahora de mí y piensa en ti mismo. Después que te quites la picazón, si de verdad empezamos algo, ¿te imaginas cómo te vas a sentir cuando tengas que irte?

Mecánicamente Fernando se llevó la mano al bolsillo y sacó otro cigarro. Se había impuesto fumarse uno por hora, pero su ansiedad lo traicionaba constantemente.

—Es verdad —musitó—. Pero me jode pensar que no pueda hacer

con mi vida lo que me dé la gana. Que ya no me ría y que ahora ni siquiera tenga el derecho a querer a una mujer.

—Suena feo todo eso.

—Y huele peor. Y no es justo. No es justo nada de lo que nos ha pasado: ni la muerte de Enrique y de Víctor, ni el alcoholismo de Álvaro, ni la mediocridad de Tomás... ¿Alguna vez supiste por qué Enrique se montó en esa lancha para irse de Cuba? Él me lo contó la última vez que nos vimos. Se quiso ir porque se enamoró: el que se robó la lancha era su novio, y Enrique decidió irse con él. Quiso irse por amor, ¿te das cuenta? Por Dios, qué conversación de mierda —dijo y lanzó el cigarro a medio fumar.

—Yo creo que hiciste bien en volver. Viste a tu madre, a tus amigos, subiste otra vez a esta azotea, y aunque te duela, tenías que hacerlo. Te pasaste no sé cuántos años tratando de olvidarte de lo que no podías olvidarte, y al final no lo conseguiste... Porque yo sigo pensando que ninguno de tus amigos te traicionó. Algunos se portaron mal, pero ninguno te traicionó.

—¿Por qué estás tan segura?

—Por una carta de Víctor. La última que me escribió desde Angola. La he leído mil veces y esa carta me ha convencido de eso.

—¿Qué dice en la carta?

—La escribió dos días antes de que lo mataran. Me dice que no quería morirse.

Ella hizo silencio. Fernando esperaba ver el nacimiento de unas lágrimas previsibles en los ojos de la mujer, pero su mirada cargaba un dolor asumido y en sus pupilas sólo encontró el reflejo de la farola pendiente del poste. La fortaleza de Delfina lo sorprendía y le provocaba cierta envidia.

—¿Quieres hablar de eso?

—Sí —dijo ella—. Tengo que hablar para sacármelo de adentro... La carta me la entregaron al día siguiente de recibir la noticia de que Víctor se había muerto. ¿Te imaginas? Era como si él volviera a vivir, para morirse por segunda vez. Es una carta larga, y me cuenta cosas de las que nunca me habló. De ti y de Enrique y de que se sentía culpable por no haber ayudado más a Enrique. Él quería escribirte para decirte que lo perdonaras por no haber estado más cerca de ti cuando estabas jodido y más falta te hacían los amigos. Cada vez que leía la carta y me acordaba de que Víctor se había muerto con aquella espina en el corazón, se me derrumbaba el mundo. Estuve meses imaginándome cómo había sido todo, cómo era la carretera, qué sintió cuando la bomba explotó, si tuvo tiempo de saber que se iba a morir... Y yo me martirizaba pensando por qué había tenido que morirse, precisamente él. Lo más duro que me confesaba era que muchas veces había tenido miedo de hacer o decir cosas acá en Cuba. Y que en Angola, donde tenía que jugarse la vida todos los días, había descubierto que lo hacía sin miedo. Donde no se podía ser cobarde, había descubierto que no era un cobarde.

Fernando permaneció en silencio. Aquella manera de revivir la muerte de una persona tan cercana resultaba demasiado devastadora. Todo el absurdo de la muerte de Víctor, apenas con treinta años, se levantaba desde la voz de Delfina, buscando una razón. Entonces pensó que aquel monólogo, provocado por él, arrastraba un castigo desmedido y sintió unos incontenibles deseos de abrazarla, de protegerla, de pedirle perdón por obligarla a remover un pasado con el que había debido convivir por casi veinte años.

—Pero sobre todo era una carta de amor. Fue su última carta de amor... Yo lo quería mucho, Fernando. Víctor fue mi novio y mi marido y era el mejor hombre del mundo. No merecía morirse, y mucho menos sintiendo que yo iba a sufrir y pensando que él no había actuado bien con sus amigos.

—Pero si él no...

—No es lo que pienses tú, es lo que pensaba Víctor, y él creía que no había actuado como debía contigo y con Enrique. Y tú bien sabes, Fernando, que has dudado de Víctor todos estos años. Pero te puedo decir sin temor a equivocarme que lo borres de tu lista: él no te delató. Víctor era tu amigo.

—Gracias, Delfina.

—Es del carajo... No me gusta sentirme como me siento ahora, pero me hacía falta desembuchar toda esta historia. ¿Sabes lo que estamos haciendo en esta azotea? Estamos enterrando a Víctor. Él llevaba diecisiete años pidiendo que lo enterráramos de una vez. Y mientras tú dudaras de él, eso no era posible.

Fernando sintió que la tierra se sacudía. Quizá porque recibía el espíritu redimido de Víctor. Quizá porque una de las razones que lo habían mantenido vivo y en pie, a lo largo de los años, empezaba a agrietarse. Y pensó: si no fue Víctor, ni Enrique, ni Miguel Ángel, ¿hubo de todas formas un traidor? Quedaban Álvaro, Tomás, Arcadio y el guajiro Conrado, y no era poco. Pero sacar a Víctor de su resentimiento le propició un cálido bienestar. ¿Podría borrar alguna vez al resto de los Socarrones?

—Te agradezco esta conversación, Delfina. Tú sabes cómo yo quería a Víctor... Me gustaría leer esa carta. Hoy no, otro día.

197

—Mejor que no la leas nunca... Mil veces pensé mandártela pero nunca me decidí. No me imaginaba que para ti hubiera podido ser tan importante saber que Víctor no... —y la voz se le quebró.

—¿Quieres bajar? ¿Vamos por ahí a tomar algo?

—Después. Ahora estoy hecha tierra. Pero la marea va a bajar, no te preocupes. Es que llevo mucho tiempo sintiéndome como una viuda y alguna vez tenía que sacarme todo eso de adentro.

—Ha sido terrible —dijo Fernando y se descubrió ante el lamentable sinsentido de sus palabras, incapaces de expresar las dimensiones de lo vivido por Delfina.

—¿Entiendes ahora por qué nunca me pude enamorar otra vez? ¿Por qué no fui capaz de empezar de nuevo?

—Te castigaste demasiado, podías haberte olvidado...

—Mira quién habla. El guardián de la memoria y los resentimientos. ¿Por qué no olvidaste tú, dime?

—Traté, pero no pude. Supongo que porque era mi vida.

—Y Víctor era una parte muy importante de la mía.

—También de la mía... Ahora me siento mezquino. No debí ni insinuarte...

—No. Al contrario. Saber que te gusto y que pensabas en mí ha sido importante. Fue como volver a sentir que estaba viva. Sé que contigo no voy a ser un pedazo de carne para dar placer, sino que otra vez puedo ser mujer.

—Me vas a volver loco. No entiendo un carajo.

—No tienes que entenderlo todo, Fernando. Ni tienes que complicarte la vida ni complicarme la mía. Ni tienes que enamorarte de mí —dijo ella y lo miró a los ojos—. ¿Cómo hacemos? ¿Nos acostamos allá abajo o vamos para mi casa?

Y de improviso regresó la poesía, como un alivio para tanta calamidad. Atrás quedaba la primavera, era llegado el verano, pero la paz se negaba a retornar a mi espíritu, y aún no sé por qué azarosa razón acepté la invitación de varios amigos cubanos y emprendí con ellos la excursión a las famosas cataratas del Niágara. Sólo puedo pensar, ahora, que fue obra del Señor, quien cansado de escuchar mis lamentos, apenado quizá por sus excesos conmigo, se dispuso a hacerme presenciar una de sus obras maestras para que, salvado por un instante de la parálisis en la cual me había arrojado el dolor, escribiera la oda que habría de convertirse en la más famosa de mis poesías.

198

Recuerdo que apenas llegados a Goat Island, en la parte inglesa del famoso salto de agua, a falta de café bebí una taza de té bien cargado y me separé de mis compañeros de excursión, dispuesto a seguir en solitario, como me lo pedía mi ánimo. En las últimas horas mucho habíamos hablado de la singularidad de aquel paisaje y me proponía disfrutarlo en soledad, sin imaginar siquiera las verdaderas dimensiones y cualidades del espectáculo que verían mis ojos. Tomé entonces la vereda hacia el puente que une Goat Island con la orilla americana del río, y los rápidos me indicaron el camino hacia el precipicio. Mientras avanzaba por la orilla, a mi lado se iba desprendiendo la catarata inglesa o de la Herradura, que me pareció ya de por sí majestuosa y alarmante. Pero cuando me alejé lo suficiente y logré obtener una vista completa de ella, descubrí que me hallaba al borde de la catarata americana, y no pude menos que estremecerme al considerar que, sin advertirlo, había llegado a pocos pasos del tremendo abismo.

Me detuve y por algunos minutos me fue imposible distinguir mis propias sensaciones en medio de la estupefacción causada por el sublime panorama. El caudaloso río pasaba rugiendo y, casi a mis pies, se despeñaba desde una altura prodigiosa: las aguas, deshechas en ligero rocío al golpe violentísimo, subían atomizadas en columnas que se extendían por toda la altura del precipicio y ocultaban parte de la singular escena. El trueno de las aguas me ensordecía y me petrifiqué observando el arco iris dibujado por el sol, como un brochazo magnífico, sobre el rocío perenne. Nada igual había visto hasta ese momento y nada similar vería en el resto de mis días. La mano misma del Creador tenía que estar detrás de aquella obra prodigiosa, tan diferente de otras que, por diversos motivos, habían calado en mi corazón. Pero aquí todo era fuerza desatada, pasión sin límites, muerte segura, a la vez que explosión de una belleza sublime, dotada del poder de sacar de su tumba a mis pensamientos y centrarlos en lo que le remitían mis pupilas.

Imposible me sería calcular cuánto tiempo pasé frente a las cataratas sin que mis ojos se saciaran. Por momentos sentí cómo mi cuerpo se vaciaba y mi espíritu flotaba fuera de sus límites físicos, libre y alborozado, ajeno a mi carne yerta, abandonada sobre una piedra húmeda, como restos de un muñeco inservible. Y en algún instante lloré, no de dolor, sino conmovido por tanta belleza, y creo que fue aquel llanto liberador y la inesperada sensación de que aún debía hacer algo, la fuerza capaz de salvarme de cometer el acto que, desde mi llegada, me atraía hacia el precipicio: sólo con dar un paso más mi cuerpo se convertiría en parte de la lluvia de espuma, y mis penas, deshechas, volarían por el aire, ya sin pertenecerme ni atormentarme.

Contemplando la caída de las aguas y la subida del rocío me pareció ver en aquel espectáculo la imagen de mis pasiones y de la borrasca de mi vida, y nunca como en ese instante sentí el peso tremendo de mi soledad, el lamentable desamor en que vivía, el absurdo infinito que marcaba los senderos de mi vida, haciéndola correr, como los rápidos del Niágara, por caminos abruptos y fatales. Con los ojos humedecidos por el agua y las lágrimas me pregunté entonces por qué no terminaba de despertar de mi sueño. ¿Cuándo, ¡Dios mío!, acabaría la novela de mi vida y empezaría al fin su realidad?

En medio de aquella exaltación espiritual y del convencimiento de la equivocación que era mi existencia toda, saqué un papel y, después de largos meses de absoluta sequía poética, sentí que me desbordaba, como el río desde la montaña:

> Dadme mi lira, dádmela, que siento
> En mi alma estremecida y agitada
> Arder la inspiración. ¡Oh!, ¡cuánto tiempo
> En tinieblas pasó sin que mi frente
> Brillase con su luz…! Niágara undoso,
> Sola tu faz sublime ya podría
> Tornarme el don divino, que ensañada
> Me robó del dolor la mano impía.

Todos los juicios que se han emitido después sobre estos versos quedan lejos de imaginar siquiera el modo en que intenté trasvasar el drama de mis sentimientos sobre un trozo de papel. Mi calvario de amante rechazado, de padre frustrado, de exiliado sin retorno, marcan aquel instante luminoso en el cual la poesía volvió para darme una sola buena razón para seguir con vida. Y aprendí en ese instante, apenas cumplidos mis veinte años pero sintiendo que llevaba siglos a cuestas, que valía la pena vivir si aún quedaba un poema por escribir… Pero ahora, ¿qué puedo hacer ahora si ya no hay poesía?

Con mis versos a cuestas desanduve el camino y comencé a recorrer los bosques y eriales de Goat Island, hasta llegar al borde de la cascada inglesa. Pero me pesaba demasiado retirarme de aquel lugar y, antes de marcharme, atendí el reclamo de mi espíritu y, a riesgo de molestar a mis compañeros, volví al borde de la catarata americana. Allí, de pie sobre la misma piedra donde había escrito mi oda, estuve contemplando el salto prodigioso durante larguísimos minutos. Mas cuando decidí irme, apenas me aparté de la piedra la vi desprenderse y rodar al abismo: aquella piedra, sobre la cual había imaginado mi muerte y sentido mi resurrección, había caído donde ya no volverían a hollarla pies humanos y enfrióse de repente mi corazón, al comprender otra vez la debilidad de la línea que separa la vida de la muerte y la pequeñez de la voluntad humana ante los designios de Dios.

Gracias a la poesía me sentía vivo otra vez y, ayudado por la tregua amable del verano, decidí retomar ciertos asuntos casi olvidados en el fragor de mis tormentos. El primero que traté de zanjar estaba relacionado con Domingo. Por Silvestre sabía que, pasada la tormenta, él había vuelto del lejano pueblito de Guane y vivía otra vez en La Habana, dedicado a lamentar la pérdida de su amor y su pobreza material. La carta que le escribí en esa ocasión fue amarga y cruel, motivada sobre todo por su decisión de no verme en La Habana y de perderse después en los remates de Guane: cada vez más estaba convencido de que, temeroso de las represalias del gobierno, había hurtado el cuerpo, y llegué a decirle, incluso, que no dudaba de que hubiera colaborado con las autoridades, como tantos informantes y traidores, pues él había coqueteado con los sediciosos, sabía de los planes conspiradores y me resultaba extraña la lejanía en que había pasado los meses de persecuciones y represión.

Con el transcurso de los días aquella carta me llegó a parecer desproporcionada, pues en ese momento no tenía yo certeza alguna de que mis acusaciones pudieran poseer otro fundamento que mis rencores y la lógica sospecha de que tras el intempestivo traslado de Domingo se debía esconder algo más que un desplante amoroso. Al escribirla fui despiadado y rotundo, sin imaginar qué honduras tocaba con mis reproches: pero la respuesta de Domingo, sin embargo, fue más plañidera que furibunda, y en ella me preguntaba cómo era posible que yo, «su amigo dulcísimo», podía haber dudado de «la pureza de mis principios políticos», y creído cosas tan terribles de él, «franco, puro, adorador entusiasta de la libertad», mientras desmentía cualquier relación con los verdugos con un tono tan dolido que de inmediato lamenté mi exabrupto y, pensando ya cuán injusto había sido, otra vez lo perdoné, y así se lo dije en nueva carta, donde me retractaba de mis imputaciones.

Buscando algún sentido a mi vida, en el mes de julio viajé a Filadelfia, adonde se había mudado Varela para comenzar la edición del periódico *El Habanero*, de abierta filiación independentista. Allí conocería que el tabloide estaba financiado por ciertos personajes cubanos, siempre ocultos en la sombra, pero que cansados del peso económico impuesto por la metrópoli, ahora se hallaban a favor de una posible emancipación, planificada del modo en que la habían pactado con Varela, o sea, sin tocar el tema de la esclavitud y sin la participación de ninguna potencia extranjera. El grupo más activo de los ricos cubanos, entre los que se hallaban los parientes de Silvestre y otros dueños de ingenios y grandes fortunas, ex negreros casi todos, al ver amenazados sus bolsillos se lanzaban al ataque y para ello financiaban el traslado de Saco a los Estados Unidos, con el propósito visible de colaborar con Varela en la nueva empresa y con el más oculto de tener al lado del cura irreductible a un hombre de su confianza, como lo demostró ser Saquete. El periódico, no obstante sus limitaciones y breve vida, fue una de las grandes obras del buen sacerdote y en las semanas que pasé a su lado lo ayudé en las diversas tareas que exige una publicación.

Mientras, algo curioso estaba ocurriendo en mí y en mi percepción de los Estados Unidos. Y digo curioso porque en los días que pasé en Filadelfia comprendí cuánto me molestaba lo que, un año antes, había ponderado como virtudes de Boston. Ahora me exasperaba la uniformidad de esta ciudad, la regularidad de sus calles y la casi completa igualdad de sus edificios, encajonados como nidos de palomas. Percibí cómo me abrumaba el cúmulo de esfuerzos reiterados, la hipocresía profunda del protestantismo dominante, mientras sentía cómo la ausencia de gritos en las calles, de colores en las casas, de comercios caóticos y olorosos, y de gentes vulgares pero vivas, me advertía que aquél no era ni sería jamás mi lugar en la tierra.

Con el alma oprimida por esas sensaciones, recibí la noticia de que al fin se me iniciaría juicio en Cuba, acusado de conspirar contra la Corona española. Poco antes las autoridades de la isla habían hecho publicar mi carta de retractación, con el objetivo de manchar mi figura, y no miento si digo que muy poco me importó. Sólo lamenté que las razones que me movieron a escribir la misiva hubieran desaparecido, dejando una terrible cicatriz en mi corazón.

De vuelta a Nueva York comencé a planear seriamente trasladarme al sur de la Unión o, incluso, a algún otro país con un clima más benigno. Pensé en México, en Colombia, incluso en Santo Domingo, donde vivían muchos de mis parientes Heredia, pero mi tío Ignacio, dueño por esos tiempos de mi destino en virtud de su ayuda económica, me prohibió moverme, pues aún confiaba en una posible absolución, y si viajaba hacia alguno de aquellos lugares, focos de sedición con respecto a Cuba, podía perjudicar el resultado del juicio. Pero me aterraba la perspectiva de pasar allí otro invierno, como si presintiera los fatales resultados que traería para mi vida. A mi pesar, debí obedecer, y conseguí un trabajo como profesor de español en la Academia de Bancel, donde ganaba quinientos pesos y tenía derecho a casa y comida. Lo que no me atreví a hacer fue revalidar mi título de abogado, pues entre mis dificultades con el idioma y lo enmarañado del sistema judicial del país, sabía me resultaría imposible ejercer la profesión.

Y en ésas llegó el invierno, con sus puñales de nieve, lluvia helada y aire frío: aunque esta vez mi estado de ánimo era mejor, mi cuerpo sufrió lo indecible durante la aciaga temporada. Los resfriados fueron constantes, incluso con altas fiebres, y, al decir de los médicos, con claros síntomas de pulmonía. Lo que no supe entonces fue que, debilitado mi organismo y afectados mis pulmones, me invadiría el germen terrible de esta tisis que hoy me hace rogar al Señor se apiade de mí y perdone mis muchos pecados...

Para cerrar aquel año tétrico llegó a mi alojamiento la noticia de que había sido condenado a destierro perpetuo. Mi madre, mientras me informaba de los resultados del proceso, me contaba cómo varios de los reos habían sido absueltos o condenados a pequeñísimas penas y de inmediato indultados, en especial aquellos tras cuyos apellidos se acumulaban millones de pesos, ingenios, cafetales y almacenes portuarios. Sin embargo, todos los miserables encausados —entre los que yo me hallaba— sufriríamos cárcel o destierro. Ella, que aún creía en milagros políticos, había hablado mucho con Ignacio y éste me proponía que, siendo yo una figura pública, debía dirigirme al tribunal y explicar mi causa, a la vez que solicitar un indulto, prometiendo no participar en ningún nuevo movimiento conspirativo.

Con infinito pesar respondí a la carta de mi madre. Recuerdo que mientras lo hacía mi cuerpo temblaba, no sé si de frío o por los efectos de la fiebre, y que mis dedos engarrotados apenas conseguían sostener la pluma. Comencé diciéndole cuánto la amaba a ella y a mis hermanas, y cuánto deseaba volver a Cuba, a su clima propicio donde de seguro me restablecería de mis achaques. Allá había dejado cuanto quería, y cada día pensaba en mi patria, sabiendo que difícilmente aprendería yo a vivir en otro sitio y a sentirme tan pleno, tan la persona que quería ser, como entre las costas de aquel ínfimo pedazo de tierra en medio del mar Caribe. Pero también le dije que el precio exigido para mi posible regreso era demasiado alto y no tenía yo el valor para retornar indultado a la isla mientras un hombre como el doctor Hernández se pudría en la cárcel y, junto a él, otros que habían creído en la independencia y el mejor destino de aquella tierra. Si ése era

203

el único camino, le dije, prefería vivir lejos, como un proscrito, antes de volver a Cuba como un perdonado... Recuerdo que mientras escribía, afuera soplaba el viento gélido de aquel enero de 1825. Y recuerdo también que sentí en mi alma cómo se cerraban, quizá para siempre, las puertas de un añorado regreso a mi amada isla, aquel sitio donde había nacido y en el cual apenas había pasado tres años de mi vida adulta. Y en ese instante comprendí que había dejado de ser un exiliado para convertirme en un desterrado.

Cristóbal Aquino abrió la puerta y respiró satisfecho el vaho dulce de la complicidad. Aunque lo había inhalado cientos de veces a lo largo de su vida masónica, aquel inconfundible olor a misterio y a muerte siempre lo remitía a su primera estancia en ese sitio, cincuenta años atrás. En aquella ocasión, deseoso ya de atravesar una frontera que tanto anhelaba cruzar y aun cuando sabía que era la mano de su padre, don Salustiano, la que aferrada a su brazo lo guiaba desde que sus ojos fueron cegados por una banda de tela blanca, el joven Aquino no pudo evitar un temblor profundo cuando oyó los toques precisos en la puerta de madera, respondidos desde el otro lado por nuevos toques en clave, que a su vez fueron reafirmados por otro golpetear rítmico sobre la puerta. Entonces sintió el chirrido de bisagras y, mientras tragaba en seco, en su nariz se había metido por primera vez aquel olor persistente que ahora volvía a disfrutar. La estancia iniciática en la Cámara Secreta de los maestros masones debía de resultar inolvidable para los elevados a la máxima categoría de la hermandad pues, más que un viaje de apenas cincuenta pasos hasta una habitación de tres por tres metros, ubicada en el fondo del templo, debía de ser el ascenso final hacia la revelación de los grandes misterios —vencidos los escalones de Aprendiz y Compañero—, a los cuales sólo tienen acceso los Maestros masones, herederos de los secretos conservados por la fraternidad desde su milenaria fundación. Mareado por aquel aroma capaz de registrarle la vida, Cristóbal Aquino había pasado de la mano de su padre a la de otro hombre, quien con menos miramientos lo hizo avanzar unos pasos, mientras le advertía nuevamente que la discreción era el primero de los cimientos sobre los cuales se elevaba la masonería. Luego, cuando le retiraron la venda que lo cegaba, tuvo que hacer un esfuerzo por ubicarse en un recinto cuyas proporciones se le perdían en la oscuridad apenas mitigada por las cuatro velas encendidas en los ángulos, y cuya decoración se limitaba a la presencia de calaveras y espadas, destinadas a recordarles a los iniciados dos principios básicos de la vida: que la muerte nos iguala a todos y que la libertad es el bien supremo del hombre, por el cual debe luchar, llegado el momento de luchar.

Cristóbal Aquino tiró de la cadenilla y encendió la bombilla pendiente del techo, apenas a dos palmos de su cabeza. Incluso con aquella luz el cuarto resultaba sobrecogedor. Las calaveras, espadas y telas negras, recogidas sobre una pequeña mesa de madera, aguardaban la próxima ceremonia, pero apenas las miró y fue directo al nicho empotrado en la pared, cerca de la puerta. En el mazo de llaves buscó la apropiada y abrió la cerradura. Entonces se movió hacia un lado para permitir que la luz beneficiara la pequeña gruta y entre libros y documentos vio el costado amarillo del sobre entregado a la logia por el difunto José de Jesús Heredia. Aquino fue a tomar el paquete, pero algo lo detuvo. Las dudas insistentes que lo embargaban desde que había aceptado destruir aquellos papeles volvían al ataque, como un enjambre de avispas furibundas. Las pocas evidencias reunidas le advertían de que dentro de aquel sobre había mucho más que un chisme familiar y otras revelaciones personales quizá desleídas por el tiempo. La insistencia final de José de Jesús y la negativa de Cernuda a tomar parte en aquella ejecución histórica ponían en una difícil encrucijada la promesa hecha por Aquino. ¿Debía leer los papeles y decidir por sí mismo? Sabía que, en principio, no tenía derecho a violar la voluntad de José de Jesús, pero a la vez le parecía que sólo el conocimiento le permitiría ser justo con la memoria de un hombre como José María Heredia: entonces podría decidir si lo más conveniente era destruir las memorias o conservarlas hasta el día marcado para su revelación. ¿Por qué tienen que pasarme estas cosas a mí?, volvió a preguntarse, como lo hacía cada día desde que fuera convocado por el moribundo José de Jesús Heredia.

Con cuidado, tomó el sobre amarillo. En sus dedos sintió la película viscosa de la humedad y de su propio sudor. Cerró el nicho y con el sobre bajo el brazo tiró de la cadenilla y volvió la oscuridad impenetrable. La luz del sol barrió la Cámara Secreta cuando abrió la puerta. Afuera hacía un día claro y fresco, como si la puerta de madera demarcara las fronteras de dos mundos colocados en las antípodas del universo.

Cristóbal Aquino regresó al edificio principal del templo masónico. La desazón sentida en los últimos días se había convertido en angustia y lo atormentaba con un dolor punzante en el pecho. Entró en la secretaría y dejó el paquete encima del buró, junto al frasco de alcohol que había comprado en la farmacia para agilizar y garantizar la eficiente incineración de los papeles que suponía húmedos por su ya larga estancia en el nicho. Mientras encendía uno de sus tabacos, no dejaba de pensar en su próxima acción. Entonces levantó la vista hacia la pared del fondo donde, en tres filas paralelas que cubrían casi todo el espacio, colgaban los retratos de los miembros más ilustres de la cofradía: allí estaba José Martí, de pie, con su mandil de maestro masón y su mirada de apóstol; el general Antonio Maceo, de recia estampa; Carlos Manuel de Céspedes, el padre de la Patria, que murió abandonado incluso por sus hermanos masones; Calixto García, el más empecinado de los generales cubanos; Ignacio Agramonte, con aquella invencible dulzura en la mirada; y también José María Heredia, con su perfil esmeradamente conseguido por el retratista, su mirada triste y su halo definitivamente romántico. Para Cristóbal Aquino aquel hombre, cuya imagen veía allí desde hacía tantos años, pero que con el tiempo había dejado de observar, siempre fue un ser lejano y detenido en una época remota, un hombre del cual sólo llegaban hasta el presente los ecos de sus poesías aprendidas en las escuelas y las historias de su participación en el primer movimiento independentista organizado en la isla. Pero ahora los ojos del poeta lo miraban como a un conocido. Aquella mirada, joven aunque ya cargada de pesares, quería decirle algo que él se sentía incapaz de descifrar. ¿Me estaré volviendo loco?, se preguntó y apartó la vista del retrato para fijarla otra vez en el sobre amarillo.

Entonces acomodó su tabaco humeante en el borde del buró y abrió el sobre. Extrajo una manoseada carpeta de cartón que protegía las hojas, atadas con una cinta, y observó la caligrafía fluida, grabada en tinta negra sobre los papeles amarillos, de consistencia porosa y pesada. Sin desatar los folios, Aquino empezó a leer:

«Aunque muchos años tardé en descubrirlo, ahora estoy seguro de que la magia de La Habana brota de su olor. Quien conozca la ciudad debe admitir que posee una luz propia, densa y leve al mismo tiempo, y un colorido exultante, que la distinguen entre mil ciudades del mundo. Pero sólo su olor resulta capaz de otorgarle ese espíritu inconfundible que la hace permanecer viva en el recuerdo. Porque el olor de La Habana no es mejor ni peor, no es perfume ni es fetidez, y, sobre todo, no es puro: germina de la mezcla febril rezumada por una ciudad caótica y alucinante».

—¿Tú sabes lo que estás haciendo, mijo?

Sin dejar de mirarle a los ojos, Carmela le entregó el pozuelo con el dulce de coco cubierto por dos lascas de queso blanco. Fernando evadió por un instante la mirada de su madre, hasta que decidió enfrentarla.

—Creo que sí: me estoy suicidando.

Aunque la idea era tan vieja que había aprendido a convivir con ella, la certeza de estar atentando contra su vida retornaba ahora con una tenacidad amarga. La había sentido por primera vez en 1978, cuando decidió no volver a la revista *TabaCuba*; le oprimió el corazón en 1980 cuando, sin tener de quién despedirse, atravesó la hilera de enardecidos que lo calificaban de escoria antisocial, para abordar el yate que lo llevaba a un exilio del cual, bien lo sabía, no tendría regreso; la había recuperado cuando en Madrid se encaminó hacia el consulado para pedir el permiso de visita y volver a la isla a desenterrar su pasado, más que el de Heredia. Pero ahora la convicción de estar poniendo una bomba bajo sus pies lo agobiaba con la misma intensidad que la sensación de estar en medio de un sueño feliz, del cual temía despertar.

—Por Dios, Fernando, no hables así.

—A ver, siéntate un rato, vamos a conversar.

—¿De verdad quieres hablar?

Desde su regreso había pospuesto aquel diálogo con su madre, pues quería protegerla de sus propios dolores. Sabía que Carmela había compartido durante todos aquellos años sus sufrimientos, y Fernando pensaba que lo mejor era evitarle nuevos pesares. Pero desde la noche, tres días atrás, en que se había encerrado en su cuarto con Delfina, para hacer el amor torpe y plenamente, como rastreadores que miden cada paso en el avance por una tierra desconocida, Fernando había caído en un limbo rosado, capaz de hacerlo olvidar algunas de sus obsesiones, al extremo de que esa misma mañana había despertado con el inquietante sentimiento de que necesitaba escribir. Se había levantado esmerando cuidados para no despertar a Delfina, dormida con el pelo sobre los ojos, la boca levemente abierta y un seno descubierto. Conteniendo los deseos de besar aquel pezón oscuro, la había observado durante un tiempo impreciso, mientras trataba de deglutir una estampa de mujer dormida que tanto se parecía a la normalidad. Al acostarse, la noche anterior, habían hecho el amor, de un modo más preciso, y tantas horas después todavía conservaba en sus papilas y su olfato los aromas tibios de la mujer. Silenciosamente había buscado entre los papeles de Delfina unas hojas en blanco y con un lápiz, se había sentado en el comedor del apartamento a escribir un poema sobre la resurrección del amor. Por un instante había pensado en Machado y su otro milagro de la primavera, pero supo tomar su propio camino a medida que los versos se armaban sobre el papel.

—Siempre estuve enamorado de ella. Desde antes que fuera novia de Víctor.

—¿Sabes que te vas a complicar la vida?

—Sí, claro que lo sé y...

—Entonces sigue, pero no mires para atrás...

Al terminar, se había asomado al cuarto para comprobar que Delfina seguía dormida, y le había escrito una nota, explicándole que iba a su casa y regresaba en la noche. Después había calzado con un cenicero la nota y las hojas de papel llenas de tachaduras y borrones, donde quedaba escrito su poema sobre una mujer dormida.

Fernando había caminado sin rumbo preciso por las calles de El Vedado, tratando de recolocar su mente en la nueva situación. Aquel retorno imprevisto del amor y la poesía era demasiado alarmante, y la necesidad física y mental de tener a Delfina cerca le resultaba dolorosa, como la sensación vivificante de estar matándose cada vez que encendía un cigarro y se llenaba los pulmones de aquel humo maligno y placentero. Fernando sabía que estaba al borde de los cincuenta años y quizás ésta era su última oportunidad de disfrutar del amor: cada día, en su impreciso futuro, era ya un paso hacia la vejez, con sus añadidos más terribles: la impotencia, los dolores, el cansancio...

—Es que llevo más de veinte años posponiéndolo todo, vieja.

—Así no se puede vivir, Fernando.

—Yo no escogí vivir así.

—¿Estás seguro?

Sus pasos lo habían conducido hacia las inmediaciones de la Escuela de Letras, donde un grupo de estudiantes conversaban sentados en la breve escalera, y Fernando recordó que tenía pendiente una cita con su tutora, la vieja doctora Santori. Pero aún no se sentía con fuerzas para regresar a aquel lugar al que entró por primera vez codo a codo con Miguel Ángel y Víctor, aferrados a las boletas que les garantizaban la matrícula en aquel lugar a través del cual penetraban en el mundo dorado de las bellas artes y las sublimes letras. Y no había vuelto a la escuela desde el día de diciembre de 1976 en que esperó en vano toda una tarde para conversar sobre su caso con la decana. En su memoria aquel lugar se había convertido en la boca del infierno y los últimos años que vivió en Cuba trató de mantenerse alejado de allí. Pero ahora, al detenerse y observar la estructura opaca y calurosa del edificio, agrisado por el tiempo, había comprendido que llevaba tres días sin acordarse apenas de Heredia y mucho menos de la traición que había cambiado su propia vida. El baño de sexo y alivio al cual se había lanzado lo remitía a un estado anterior a los grandes pesares de su vida, y su subconsciente, necesitado de aquella tregua, había bloqueado las evocaciones lacerantes para dejar todo el espacio a la resurrección del amor y quizá —como le reclamara Delfina— hasta de la alegría y la risa.

—Lo más duro fue estar lejos de aquí, sabiendo que no hay regreso... Hay que vivirlo para saberlo.

—Yo creí que te habías acostumbrado, mijo.

—No pude. Nunca volví a ser el mismo. Los amigos que tengo allá no son como los que tuve aquí. Lo que ahora quiero no se parece a lo que quise aquí... A veces me parecía extraña la persona que yo había sido. Casi no me conocía.

Sólo la nebulosa del futuro empañaba el horizonte de aquella sensación de bienestar. Apenas le quedaban diez días en Cuba y quería beberlos sorbo a sorbo, hasta el fondo, para tener al menos el consuelo de aquella compensación que, bien lo sabía, cobraría su osadía con nuevos desgarramientos, para los cuales no tenía armada defensa alguna.

—Cuando me sentía así me acordaba de Heredia. Dos veces, estando ya en el exilio, escribió que estaba viviendo en un sueño.

—Lo de la novela de mi vida.

—¿Todavía te acuerdas?... «¿Cuándo acabará la novela de mi vida para que comience su realidad?»

—Ay, Fernando, tú no sabes cuántas veces me he leído tu tesis. Creo que la puedo recitar de memoria. Tú eras lo que yo hubiera querido ser. Y de pronto todo se derrumbó. Mi vida tampoco volvió a ser la misma.

Junto a la necesidad de hartarse de placer a la sombra de Delfina, también debía terminar lo que con su regreso había iniciado, pensó. Renunciar sería matar sin piedad al ser ajeno y amargado que lo había acompañado por los últimos veinte años y no tenía más alternativas que resolver su deuda con el pasado y exonerar de una vez a los inocentes y condenar al culpable. La idea de regresar con aquellas banderillas todavía clavadas en la espalda le parecía tan grave como desprenderse del amor renacido. ¿O sería verdaderamente posible hacer la cruz y comenzar de nuevo? ¿Podría definitivamente saltar por encima de su pasado y caer en la realidad del presente? ¿Tendría capacidad y posibilidades de enmendar el destino de los años finales de su existencia? ¿Sería capaz de asumir que aquel regreso le estaba cambiando la vida?

—Dime una cosa, vieja, ¿por qué ya no tienes ningún perro?

—¿Quieres que te lo diga?

—Sí, claro.

—Porque tengo miedo de morirme cualquier día... Y si me muero, ¿quién se hace cargo del pobre animal?

—Por Dios, vieja...

Había doblado por el antiguo paseo de Carlos III en busca de la calle Infanta. Aquella esplendorosa avenida había sido una de las grandes obras del capitán general Tacón, el mismo que había humillado a Heredia con un degradante permiso de regreso temporal, lleno de condiciones, y Fernando se había convencido de que no tenía escapatoria posible: el pasado lo asaltaba en cualquier rincón de la ciudad, en cada calle, en cada olor, en cada gesto de las gentes, y sólo satisfaciendo las demandas de aquel pasado podría reorientar su vida o, al menos, calmar los lamentos de su conciencia y recuperar la posibilidad de comenzar: no, definitivamente no había espacio para el olvido.

—¿Y tú qué vas a hacer, Fernando?

—Lo que tengo que hacer: resolver mis problemas con la vida y no esconderme más.

—¿Qué significa eso?

—Hoy, cuando me levanté, escribí un poema. Hacía más de diez años que no me pasaba.

—Me alegro. Pero ése no es el único problema. Ni siquiera el peor. ¿De verdad estás dispuesto a llegar hasta el fondo y enfrentar lo que venga?

—¿Tengo otra alternativa?

Al llegar a su barrio y ver su casa, luego de dos días de ausencia, lo había asaltado la sensación de que los regresos eran posibles. Para Heredia no lo había sido. Tampoco para Varela, Del Monte, Saco y tantos otros cubanos, durante casi dos siglos, condenados a vagar eternamente y a dejar sus huesos en sitios distantes. Martí había conseguido romper el ensalmo: había vuelto, para morir, pero había regresado. ¿Aquella inmolación era el precio del regreso? ¿Se suicidaba si volvía? Apenas diez días —había contado, otra vez— le quedaban de su permiso de estancia y entonces se vería obligado a alejarse del mundo que en vano quiso sepultar.

—Quise olvidarme de todo, pero nunca pude. Ahora sé que hice bien en regresar. Sí, tengo que enfrentar lo que venga.

—Me alegro por ti, Fernando. Mira, para mí ha sido importante verte otra vez, pero creo que volver a Cuba ha sido más importante para ti.

—Tenía que regresar, vieja. Aunque fuera para suicidarme.

—Mucha poesía escribí en aquellos meses fríos y terribles, mientras sentía cómo se levantaba la valla de mi condena: mi cárcel, curiosamente, era el ancho mundo, porque, para mi infortunio, mi espacio de libertad y vida estaba en el territorio de la isla donde había nacido y a la cual se me impedía volver. La nostalgia del desterrado se fue cebando en mí, marcando cada acto de mi vida y muchos de mis pensamientos, y comprendí la crueldad de un castigo tan repetidamente practicado por los que funcionan como dueños de patrias y destinos, y se arrogan el derecho de decidir la vida de quienes disienten de ellos.

Como compensación, la poesía siguió brotando en medio de tantos pesares y, olvidado de los consejos de Varela, puse en ella todo mi odio y mi dolor, grité contra el tirano, lloré por el destino de Cuba y clamé por su libertad. Y tanto escribí que en aquella primavera de 1825 pude organizar un volumen de mis poesías con la intención de darlo a un editor.

Como varios años atrás, fui con mis manuscritos bajo el brazo en busca del juicio del cura Varela y, si era posible, su aprobación. De los amigos que aquella cálida y lejana tarde habanera me habían acompañado al seminario de San Carlos, quiso la fortuna que uno, el más fiel y noble de todos, compartiera conmigo esta nueva peregrinación literaria. Porque, para mi agrado y salud espiritual, el buen Silvestre había viajado a los Estados Unidos y me había traído consigo la alegría infinita de sentirme cerca de un viejo camarada de los tiempos felices.

Además de haberme traído algunos de mis poemas perdidos, que tan necesarios me resultaban para completar mi colección poética, Silvestre llegó cargado de noticias, y me sorprendió saber que, contrario a lo pretendido por las autoridades coloniales al publicar mi carta y difundir la noticia de mi condena, mis poesías patrióticas, entradas de contrabando, se hacían populares en Cuba, y entre los más jóvenes yo me iba convirtiendo en una especie de ídolo, por mi condición de poeta y abierto partidario de la emancipación. «La estrella de Cuba», aquel desgarrado poema escrito poco antes de mi partida, resultaba ahora una especie de himno de entendimiento para los jóvenes liberales, que incluso ya hacían circular copias manuscritas de mi oda «Niágara».

Y hablamos, por supuesto, de la boda de Lola Junco con Felipillo Gómez, celebrada en la mismísima catedral de La Habana, y del traslado del matrimonio al ingenio Miraflores, donde habían decidido vivir. Hablamos de la repentina enfermedad de Sanfeliú, por cuya suerte temían los médicos. Hablamos de mi familia, a la cual él visitaba en cada ocasión que pasaba por Matanzas, pues, así me lo confesó, tenía el interés adicional que despertaba en él mi hermana Ignacia. Y mucho platicamos, como era de esperar, del incansable Domingo, al que todavía Silvestre llamaba Lunes, aunque a la vez lo defendía como un buen amigo, a pesar de que reconociera que el olor del poder y del dinero cada vez lo atraían más, hasta límites que podían ser peligrosos. Así me contó el desafortunado final del romance de Domingo con la cada vez más bella Isabel, cuyo desplante lo obligó a retirarse por largos meses al ingenio de su familia, donde, cual Werther tropical, sufrió y lloró en muchas cartas sus penas de amor, como si de amor se tratara, mientras sus más fieles súbditos —con Cintra y Tanco a la cabeza— le rogaban que volviera a la ciudad.

Luego de comer en un magnífico restaurante de cubanos de la misma calle Broadway —donde ni el cerdo asado ni la yuca rociada con mojo de naranjas alcanzaban los sabores precisos que tenían en la isla—, fuimos a casa de Varela, quien nos recibió con un magnífico café y con una noticia desconcertante: dos días antes un asesino a sueldo del gobierno colonial había tratado de matarlo en plena calle. El hombre, venido desde La Habana con esa misión, había fallado en su intento gracias a la intervención de Saco. Lo satisfactorio del hecho, según Varela, era haber comprobado cómo el efecto de su trabajo se estaba sintiendo en el país, al punto de que se empeñaran en sacarlo del juego. La parte triste era, sin embargo, que el impulso inicial de los personajes que le habían dado apoyo a Varela comenzaba a retraerse, al mejorar otra vez sus relaciones con la Corona. Escuchando al cura caí en la cuenta de que cada vez más aquellas componendas políticas, llenas de intereses ocultos y espúreos, tendían a asquearme y a demostrarme hasta qué niveles llegó mi ingenuidad al abrazar romántica y limpiamente la causa independentista.

Mientras hacía todo lo posible por disfrutar de la presencia de Silvestre en Nueva York y me tomaba un respiro de tanto frío invernal, mi salud no había dejado de deteriorarse, pues sufría de fiebres esporádicas, malestar en el cuerpo, cansancio y dificultad para dormir debido a interminables ataques de tos. Mi aspecto, con relación al joven salido de Cuba apenas dos años antes, había cambiado mucho, pues además de lucir ahora unas ralas barbas, mi semblante estaba demacrado a causa de la delgadez y visiblemente pálido por la falta de sol. Tan lamentable era mi estampa que decidí posponer la idea de hacerme retratar, pues mi hermana Ignacia me exigía, en cada una de sus cartas, un retrato de su hermano del alma, y había pensado yo que enviárselo con Silvestre hubiera sido un magnífico regalo. El estado de mi salud y los consejos de los médicos ponían otra vez sobre el tapete la necesidad de buscar un clima más propicio y cercano a mis preferencias, un sitio cálido donde no se me entumecieran los dedos al escribir y donde me sintiera más en posesión de la vida. Y ahora, ya sin la esperanza de una posible absolución, le pedí a mi tío Ignacio su ayuda para salir de aquel país o, al menos, asentarme en el sur, porque la idea de irme a Nueva Orleáns seguía tentándome gratamente, al igual que la de embarcarme hacia alguno de los nuevos países hispanoamericanos, donde podría ejercer la abogacía y sostenerme por mis propios medios.

Unas semanas después, con el juicio entusiasta y aprobatorio de Varela a mi favor, entré en contacto con los libreros neoyorquinos Berh y Kahl, dos emigrantes alemanes que aceptaron gestionar la impresión de mis poesías por un precio razonable, del cual ellos asumían un porcentaje en calidad de distribuidores absolutos. Gracias a la siempre alerta generosidad de Silvestre y a un envío especial de mi tío Ignacio, pude pagar los costes de una edición en la cual, pensando en su eventual circulación en la isla, me plegué a la más lamentable de las censuras: la de autocensurarme y suprimir del libro todos los poemas que de alguna manera más o menos directa se refirieran a la libertad de Cuba. Al aceptar aquella castración, tan inevitable como definitivamente cruel, estaba yo iniciando —otra vez era el iniciador— la triste modalidad de la censura en la literatura cubana, aunque presentía que mi ejemplo iba a tener, a lo largo de los años, muchos seguidores.

La entrega del manuscrito a los editores ocurrió la noche del 18 de mayo de 1825, un día antes del regreso de Silvestre a Cuba, y mi amigo insistió en celebrarlo en una excelente *trattoria* italiana ubicada en el número 87 de Broadway, donde a precio de oro comimos unos inolvidables mariscos, rociados con mucho vino blanco... Lo que nunca pude imaginar era que aquella noche feliz me estaba despidiendo para siempre de uno de los hombres más nobles y sinceros que jamás haya conocido. Porque a la mañana siguiente, inmovilizado por el dolor de cabeza adquirido en la farra, fui incapaz de levantarme para acompañarlo al puerto, y perdí la ocasión de darle otro abrazo al joven que, tres años después, moriría en La Habana, dejando un irrellenable vacío en mi corazón.

A principios de julio se materializó al fin la esperada salida de mis *Poesías*. Cuando fui a la imprenta para recoger una muestra de aquellos cuadernillos todavía olorosos a tinta, sentí una de las impresiones más curiosas de mi vida: algo de incredulidad, mucho de vanidad y hasta un poco de miedo me sorprendieron cuando acaricié la trama amable del papel y sostuve el peso sólido del libro, en cuya portadilla aparecía mi nombre, y en cuyo interior estaba lo mejor de mi vida, en pequeñas letras de bordes precisos. La consumación del acto poético estaba en mis manos y ahora me parecía imposible que yo fuera el creador de aquellos versos que, de alguna extraña manera, a la vez dejaban de ser míos para ser ellos mismos, dueños de su suerte y destino.

Grande fue la fortuna de aquel libro, capaz de hacerme creer que era yo un gran poeta, merecedor de los elogios del famoso escritor español Alberto Lista y del lírico venezolano Andrés Bello, dos verdaderos oráculos de la poesía de la lengua castellana. En Madrid, en Londres, en Caracas, en París y en los mismos Estados Unidos exaltaron mi obra, y en México, poco después, me calificarían de «el poeta más distinguido de este suelo y acaso de toda América», mientras algunos de mis textos eran vertidos al inglés, al francés, al italiano y hasta al rudo alemán. Lamenté, cada día, haber suprimido mis poemas patrióticos, pero a pesar de su ausencia me convertí desde entonces en referencia de la nueva poesía del mundo hispánico, y fui conocido como «el cantor del Niágara», catalogado como el primer gran intérprete de la naturaleza americana, el más alto poeta cívico del idioma, el más huracanado de los románticos hispanos, y hasta se habló de mí como el fundador de una sensibilidad diversa a la española. Nada de vergüenza siento al recordar el orgullo que me provocaron aquellos encomiásticos juicios, pues sentí cómo gracias a la poesía había recuperado yo el nombre y el espíritu que quisieron hurtarme al impedirme regresar a Cuba y al intentar silenciar mi fama en la isla. A pesar de los censores, los tiranos, los envidiosos, y gracias a algo tan pequeño pero invencible como la poesía, volvía yo a ser Heredia, convencido de que el poeta Heredia era más importante de lo que el pobre y enfermo José María Heredia podía creer. Entonces empaqué cien libros y los envié a Cuba, dispuesto a sufrir su posible retención o su desaparición, y sin pensarlo más abordé en un barco con rumbo a México, con el propósito de salvar mi vida y encontrar un espacio de identidad.

Duro me fue dejar otra vez a los amigos con los cuales conviví en esos años norteamericanos. Aunque mi corazón ya debía de estar acostumbrado a los periódicos regresos al mar y las despedidas que nunca sabía cuán definitivas podrían resultar, siempre me dolía abandonar afectos y entendimientos. Pero mi destino era vagar, ya lo sabía, y así se lo dije a Varela, a Gener y a Saco, mientras bebíamos el último café que me prepararía aquel cura, el más santo y puro de mis contemporáneos, el de fe más sincera y al cual, muy pronto, también censurarían en Cuba y a quien, en su momento, los ricos cubanos lanzarían al cesto de desperdicios. Cuando nos despedimos en la puerta de su pensión, después de un breve concierto de violín, Varela me confesó que el presidente Guadalupe Victoria lo había invitado a marchar a México y enviado incluso un pasaporte especial. Sin embargo, aunque le tentaba la idea, él prefería continuar su labor sediciosa y religiosa en Estados Unidos, pues de todos era sabida la intención de Victoria de independizar a Cuba y él prefería que tal evento sólo ocurriera si los cubanos se lo proponían.

—Tendremos lo que seamos capaces de tener —me dijo— y lo que merezcamos tener. Si llegamos a ser libres, debe ser por nosotros mismos, para que la libertad tenga su justo valor y la apreciemos en su verdadera medida. Si continuamos siendo esclavos, debemos serlo por nuestra propia incapacidad para sacudirnos los yugos de la tiranía. Por eso prefiero quedarme aquí, donde nadie me va a ayudar y donde, incluso, sé que los políticos no me quieren bien. Mientras pueda, voy a resistir el frío y voy a hablar ese idioma que me suena como zumbido de moscas. Y después, ya veremos qué dispone Dios.

Con las palabras del cura en mis oídos y el peso de su abrazo en la espalda abordé el 22 de agosto de 1825 la goleta *Chasseur*, con destino al puerto de Alvarado, en México. Entonces, como si no pudiera faltar a la fiesta, una tormenta feroz vino al encuentro del barco, que a punto estuvo de zozobrar. Aunque las maniobras del capitán Claudel lograron sacarnos del apuro, el rumbo debió de alterarse en muchas millas respecto a la ruta planeada, y por esta inesperada circunstancia fue que, una mañana, el señor Claudel ordenó me despertaran justo al amanecer y me pidió subiera a cubierta. Alarmado obedecí, pensando en la cercanía de otra tormenta, aun cuando sentía que navegábamos por mares apacibles, y sólo al llegar junto al capitán supe la razón de su llamada: me indicó hacia estribor y vi a la distancia la línea de la costa sobre la cual se destacaba una suave elevación.

—Es su patria, señor Heredia —me dijo—. La costa norte de Cuba. Y esa montaña es la que ustedes llaman el Pan de Matanzas.

Sin hablar me acerqué a la borda y clavé los ojos en aquella tierra apenas entrevista, difusa como un sueño. Mi nostalgia de Cuba se arremolinó y, sabiendo que estábamos en las inmediaciones de la ciudad donde vivían mi madre y mis hermanas, y sobre todo mi inolvidable

Lola, sentí como una puñalada el rigor de mi destierro. ¿Qué harían, allá en la distancia, mi querida Ignacia, mi madre, mi tío? ¿Ya habrían bebido aquel café matinal de cuyo sabor no podía olvidarme? ¿Y los bizcochos de coco, y la leche con chocolate? ¿Y Lola? ¿Abrazaría en la cama al oportuno Felipillo? ¿Tendría aún entre sus piernas el olor del acto sexual consumado la noche anterior? ¿Se acariciaría los pezones, en busca de placer, como hizo cuando aprendió a disfrutar del amor conmigo? ¿Consentiría en llevarse a la boca el miembro de Felipillo como al fin lo hizo con el mío, después de muchos ruegos, besos, caricias? ¿Tendría suelto o recogido el pelo? ¿Me habría olvidado para siempre o sería capaz de amarme otra vez?

Imposible sería recordar todas las preguntas que me hice, las embestidas de los celos y los ardores de las nostalgias, hasta perder de vista el perfil de la isla. Bajé entonces a mi camarote, con el odio a flor de piel, y me senté a escribir mi «Himno del desterrado», quizás el más sincero de todos mis poemas, y desde el cual grité, mirando hacia donde debía de estar mi patria: «Aunque viles traidores le sirvan / Del tirano es inútil la saña / Que no en vano entre Cuba y España / Tiende inmenso sus olas el mar».

Álvaro lo asumió como una misión personal e intransferible. Con el dinero que le había dado Fernando, dijo, se podían comprar dos botellas en el mercado, pero con esa misma plata a él le alcanzaba para comprar tres, y sobraba un dólar (¿traigo dos cajas de cigarros?), en la licorera clandestina del Bacán, quien vendía el mismo ron, con la misma calidad que en el mercado oficial, pero con la absoluta garantía de no estar adulterado.

—El negocio del Bacán es redondo: él hace el ron en su casa y tiene una maquinita para sellar las tapas igual que la fábrica. Entonces, con dos o tres contactos que tiene, venden ese ron perrero en las *shopings* y él se lleva la misma cantidad de botellas del ron bueno y las vende por su cuenta, claro que más barato. Así a los del mercado nunca los pueden coger robando, porque no faltan botellas, y el Bacán siempre tiene compradores fieles... Ah, y me dijo que dentro de poco empieza también a fabricar Coca-Cola...

Álvaro salió, poniéndose la camisa, y dejó a Fernando y a Conrado, frente a frente, mirándose a los ojos.

—¿Es verdad que fabrican Coca-Cola? —preguntó Fernando, todavía asombrado.

–Y también café empaquetado al vacío, y tabacos Montecristo y Cohiba con sellos de garantía, y todas las marcas de cigarros cubanos –dijo Conrado–. Esto es una locura... Cuando tapan un hueco se abre otro y no alcanza ni con un policía por persona... Venden cualquier cosa: desde una licencia de construcción hasta la matrícula en una escuela o un certificado de defunción falso. Cualquier cosa.

A Fernando le pareció advertir un dejo de tristeza en las palabras de Conrado, pero recordó que su amigo trocaba caramelos de su empresa por vinos; mochilas de propaganda por aceite; chicles por gasolina; mientras, por debajo del tapete, recibía algunos dólares del español dueño del negocio, y comprendió que Conrado era parte del mismo engranaje de la supervivencia, y su tristeza posible una absoluta hipocresía.

–Ya me enteré de que te llevaste el gato al agua, cabrón –dijo entonces Conrado, buscando una ruta para alejarse de tristezas reales o fingidas–. Quién lo iba a decir, ¿eh?

–Ni yo mismo –admitió, mirando los ojos de Conrado.

–¿Es verdad lo que dice el Varo, que estás escribiendo otra vez?

Fernando alzó los hombros, restándole importancia a la pregunta.

–¿Qué coño te pasa? Oye, viejo, no sufras por adelantado.

–Es que han sido muchos palos, Conrado. Y si uno se prepara, duelen menos. Lo más jodido es cuando te cogen desprevenido.

Conrado iba a replicar, pero se detuvo. Miró a su amigo y luego bajó la cabeza.

–Yo sé lo que te pasa... Estuve hablando con el Varo y dice que tú sigues pensando que uno de nosotros te echó para la candela.

–Mira, Guajiro, esta historia con Delfina lo ha sacado todo a flote. Lo que fui, lo que soy, lo que pude haber sido... Y el miedo, los años que viví con miedo. ¿Te acuerdas de la última vez que nos vimos antes de que yo me fuera?

Nunca había podido olvidar aquel encuentro con Conrado, unos meses antes de su salida de Cuba. Por esa época ya había dejado de esperar la carta capaz de enmendar su destino y se estaba ganando la vida como ayudante de un carpintero que moldeaba tacones de madera para un artesano, a su vez especializado en fabricar zapatos de plataforma para vender en el mercado negro, y todos los días Fernando sufría el temor de que la policía allanara la carpintería y lo acusaran de realizar trabajos clandestinos. Pero además temía que el presidente del Comité de Defensa de su cuadra pudiera comunicar que no tenía vinculación laboral y lo aterraba la idea de estar fichado como vago o antisocial, luego de su vergonzosa salida de la revista *TabaCuba*. El temor a afrontar nuevos problemas rozaba un paranoico delirio de persecución y había llegado a ser tan agobiante que Fernando sólo abandonaba su casa para meterse en el taller de carpintería y jamás había vuelto a visitar una biblioteca, un teatro, una sala de conferencias. También había dejado de visitar a sus antiguos amigos, convencido de que alguno de ellos lo había delatado, y únicamente Álvaro y Miguel Ángel se atrevieron a desafiar las sospechas de Fernando y hasta sus propios temores, y alguna vez pasaron por su casa, bebieron un café y le dejaron libros que Fernando casi nunca leyó.

Pero aquella tarde de febrero de 1980, imponiéndose a sus aprehensiones reales e imaginarias, había decidido salir a la calle. En tandas consecutivas del cine La Rampa, donde habían programado un ciclo de Alfred Hitchcock, pasaban ese día *Vértigo* y *Psicosis*, dos de sus películas preferidas. Fernando le había pedido permiso al carpintero para salir temprano, y a las seis de la tarde había entrado en el cine. Aquella sala, convertida desde hacía varios años en cine de ensayo, figuraba entre los sitios amables de su memoria, pues allí, con Víctor, Enrique, el Varo y el resto de los Socarrones acudían como musulmanes a la Meca, en busca de obras que ellos consideraban complejas e intelectuales, y se bebieron ciclos completos del expresionismo alemán, de la comedia muda norteamericana, del cine checo anterior al 68, de las películas de Orson Welles y Kurosawa, y de tanto neorrealismo italiano que terminaron por inventar el idioma «neorromano» para hablar entre ellos, mientras comían las desangeladas pizzas napolitanas y los espaguetis encrespados, apócrifamente boloñeses, de la vecina pizzería Milán.

A las once menos cuarto abandonó la sala, con la nerviosa imagen de Anthony Perkins como compañera. La céntrica avenida comenzaba a despoblarse, aunque los clubes nocturnos debían de hallarse repletos de parejas, en el Coppelia seguramente se reunían otros nuevos poetas, y de la altura bohemia del Pico Blanco le llegaba, muy mitigada, la voz ronca y caliente de José Antonio Méndez cantando *La gloria eres tú*. Una oleada de nostalgia había revuelto las entrañas de Fernando, que se sintió como un exiliado en su propia tierra: aquel territorio que fue suyo ya no le pertenecía, apenas sobrevivía entre sus maltrechos recuerdos, y la densa soledad que lo acompañara por la calle O, en busca de Infanta, le advirtió cuánto había perdido en aquellos años de marginación.

Una costumbre ancestral, no meditada, lo hizo tomar aquel rumbo y Fernando había encontrado la razón cuando las pocas letras supervivientes del anuncio lumínico del cabaret Las Vegas bañaron sus pupilas. Entonces, con un cigarro en los labios y veinte centavos en la mano, avanzó hacia la barra de madera negra de la cafetería, para sentir cómo recuperaba parte de su persona:

—Ponme un café doble, mi hermano —dijo, sin imaginar que estaba diciendo, por última vez en su vida, unas palabras que sólo adquirían todo su valor insondable en aquel preciso lugar, donde tantas noches a lo largo de tantos años habían ido él y sus amigos, después de ver una película, una obra de teatro, al terminar una tertulia en casa de Álvaro o una amable borrachera, a beber el último café de la noche, o el primero del día, si ya estaba más cercana el alba que la oscuridad.

Acodado en la barra de Las Vegas bebió su café doble y dulzón, y con el cigarro encendido observó la actividad de los dependientes, encargado uno de servir las tazas mientras el otro operaba la vieja cafetera National, veterana de mil campañas. Y entonces oyó la voz, casi a su lado.

—Ponme dos cafés dobles, mi hermano —y con el alma en suspenso, se volvió para buscar el rostro del Socarrón que estaba pronunciando el conjuro mágico..., El choque con los ojos veloces de Conrado fue frontal, pero los dos permanecieron estáticos, como si no pudieran creer lo que resultaba evidente. Fernando creía recordar que sonrió, pero los nervios empezaron su labor y un miedo diferente pero más dañino lo atacó por todos los flancos: ¿qué hago?, se preguntaba, ¿lo saludo?, ¿va a saludarme?, hasta que por fin el Guajiro extendió la mano.

—¿Cómo estás, Fernando?

—Bien —mintió, descaradamente—. ¿Y tú?

—Bien, bien —dijo el otro—. Ahora estoy trabajando aquí enfrente, ¿sabes? Soy jefe de turno en Radio Habana Cuba.

—Me lo habían dicho.

—Ah, mira —y Conrado se movió, evidentemente nervioso—, éste es Fonseca, un compañero..., es el secretario del Partido —y Fernando supo que lo decía con toda intención, mientras miraba hacia Fonseca—. Él estudió conmigo... Bueno, Fernando, nos vamos, es que estamos trabajando. Se ha formado un lío del carajo, porque hay gente metiéndose en la embajada del Perú... Llámame un día, ¿eh? —y le estrechó la mano, para de inmediato darle la espalda. Sólo entonces Fernando advirtió que el guajiro lépero había dejado intacto su café sobre la barra de madera oscura.

Tres meses más tarde, cuando Fernando decidió irse de Cuba por la puerta que aquella noche se había abierto en la embajada del Perú, el encuentro con Conrado fue uno de los aguijones que más lo impulsó, y ahora, casi veinte años después, todavía sentía el escozor amargo de aquella experiencia capaz de demostrarle que no había sido el dueño exclusivo del miedo.

—Yo tampoco he podido olvidarme de eso —admitió Conrado—. Cada vez que me acuerdo, quisiera que me tragara la tierra. Pero en aquella época uno no sabía... Sí, tenía miedo.

—¿Y por qué quisiste verme en Madrid?

—Después las cosas cambiaron. Yo mismo cambié. Ya no es igual que cuando aquello...

—Menos mal —dijo Fernando y atacó—. Ahora hasta puedes ser santero.

—¿Ya te enteraste?

—Tú siempre fuiste un guajiro lépero, como decía Tomás, pero de ahí a la brujería...

—Me metí en un rollo. Iban a partirme la vida con una auditoría que hicieron en la empresa. Y cuando tienes el agua al cuello, te agarras de cualquier palo. Empecé echando polvos y brujerías y terminé haciéndome santo... Ochún —dijo y metió la mano en el bolsillo: de una pequeña bolsa de tela amarilla sacó un mazo de collares de cuentas ambarinas y los mostró con satisfacción.

—¿Entonces no crees de verdad?

—Sí, sí creo. Es que he visto cada cosa... Los santos me dijeron que arreglara mi pasado... Por eso fui a verte en Madrid.

—Menos mal que en eso nos ayudaron los santos —y Fernando tuvo que sonreír—. Porque no es justo que termináramos todos odiándonos para siempre.

—Por eso es bueno que hayas venido.

—¿Y tú y el Negro?

—Eso es más complicado. Miguel Ángel está cubierto de mierda de pies a cabeza y yo tengo un trabajo..., bueno, qué voy a explicarte. Las cosas cambiaron, pero no tanto, y los santos no pueden pasarse la vida sacándote de la candela —y devolvió los collares a la bolsa.

—¿Entonces todavía tienes miedo?

Conrado levantó la cabeza y sus miradas volvieron a cruzarse.

—El Negro está loco y yo tengo un trabajo que... —comenzó y otra vez desvió la mirada.

—Sí, ya lo dijiste, y viajas al extranjero, y tienes carro, y le conseguiste trabajo a tu mujer en un hotel, y cambias chupa-chups por tabacos Cohibas legítimos..., pero ¿todavía tienes miedo?

—No jodas, Fernando. ¿Tú no sabes...?

–¿No sé qué, Conrado? –dijo, alzando la voz, e inclinando el cuerpo hacia delante–. ¿Cómo que no sé? He tenido que tragarme veinte años fuera de Cuba y voy a tener que soplarme todos los que me quedan viviendo en casa del carajo, ¿y no sé qué?...

–Está bien, no te pongas así.

–¿Y cómo me pongo? ¿O ya se te olvidó que un hijo de puta que decía ser mi amigo me vendió como un saco de papas? ¿Y que algunos de ustedes hasta se me escondían? Dime, ¿cómo me pongo?

Conrado se incorporó, lentamente. Con pasos inseguros rodeó la banqueta donde estuvo sentado y caminó hacia el muro de la azotea.

–Yo no fui, Fernando –dijo–. Yo no sé quién fue, y no puedo acusar a nadie, pero te juro por lo más sagrado que yo no fui. Si quieres sigue pensando que me porté como un pendejo que se acobardó y te dio la espalda, que soy un oportunista que preferí viajar y tener carro, que me hice santo porque me convenía…, piensa lo que te dé la gana, pero óyeme bien: yo no te chivateé, ¿me oyes? Yo no fui –y Fernando sintió una vergüenza maligna al presenciar el derrumbe de aquel hombre que una vez había sido su amigo. Conrado temblaba, apoyado contra el muro de la azotea, pero le sostenía la mirada y, en el fondo de sus ojos, Fernando encontró aquella chispa de alarma con la que el guajiro demasiado inteligente, recién llegado de un pueblito de Las Villas, solía mirar un mundo hasta cuya cima se había propuesto ascender.

–Y yo te creo, Conrado. Perdóname por todo lo que te dije –y se puso de pie, para abrazar al otro, en el instante en que se abría la puerta de la azotea y Álvaro, cargado de botellas, asomaba la cabeza.

–¿Qué? ¿Los emocionó el atardecer?

Salvado y feliz me sentí al poner pie en tierra de México aquel 15 de septiembre de 1825. Muy lejos de mi imaginación estaba la idea de que pasaría en este país casi toda mi vida adulta y más distante aún andaba yo de imaginar cuántos jirones de mi carne dejaría en esta tierra, como uno de esos condenados por el fanatismo, sacrificados a filo de pedernal al pie del teocalli de Cholula. Pero la perspectiva de volver a un sitio conocido, donde se hablaba mi lengua, donde el frío no me mataría y donde ya tenía afectos y lugares con historia, me daba una sensación de pertenencia jamás sentida en los Estados Unidos.

Por eso, sin reponerme apenas de la fatiga del viaje, partí hacia la alta Jalapa, donde me esperaba mi compatriota y tocayo José María

Pérez, que me acogió como a un viejo camarada. Alojado por aquel amigo de otros amigos, acepté su generosa invitación a pasar unos días con él y allí supe, asombrado por la coincidencia, que alguna extraña razón había impedido que yo recibiera en Nueva York una invitación y un pasaporte similares a los de Varela, expedidos por el presidente Victoria, con los cuales me hubieran hecho huésped ilustre del país.

Los días en Jalapa fueron plenos y agradables, y sólo puso una gota de preocupación en mi mente la noticia de que un grupo demasiado entusiasta de compatriotas, después de nombrarme miembro de la Junta Patriótica Cubana en México, me hacían aparecer como firmante de una declaración sediciosa, con lo cual quizás inauguraba yo otra costumbre cubana: la de que alguien figure como firmante de una declaración que jamás ha visto. Pero apenas hice caso al suceso y me amisté otra vez con ese modo de ser de los cubanos cuando escuché, en uno de los cafés de la ciudad, a toda una orquesta de paisanos, dirigida por el maestro Marino Cuevas, que interpretaba las contradanzas que tantas veces escuché en la isla, con esos aires melancólicos capaces de expresar, como la mejor poesía, el alma de mi país.

A finales de mes al fin logré desprenderme de la absorbente hospitalidad de mi tocayo, y tomé una diligencia hacia la capital. Pero en el camino empecé a sentir cómo desfallecía, mientras mi cuerpo ardía, hasta que por las manchas oscuras que me cubrieron de pies a cabeza se hizo evidente que había adquirido el sarampión. No miento si afirmo que nunca, como en esta ocasión, creí llegado el fin de mis días. Las fiebres, dolores y náuseas me acecharon durante una semana, en la cual no comí y apenas dormí, entre sobresaltos y alucinaciones terribles. Ni idea clara tengo de cómo me atendieron en la posada de Puebla, adonde logré llegar, y creo que sólo mi juventud y el poco de dólares que me quedaba consiguieron sacarme vivo de este trance.

El 14 de octubre, todavía débil y demacrado, llegué a México. Desde la pensión en que me alojé envié una notificación al presidente y éste me rogó fuera a verlo cuanto antes. Cuando entré en el palacio de Gobierno y estuve frente a Guadalupe Victoria, éste me miró y dudó por un momento si era yo la persona esperada. Incluso me preguntó dos veces si era el licenciado Heredia, y cuando al fin se convenció, me estrechó con un abrazo... No por gusto el mítico héroe de la independencia mexicana me pidió que ante todo descansara y me repusiera, para lo cual ordenó fuera alojado en palacio. Sin duda, a pesar de mis veintidós años y mis poquísimas barbas, mi cara devastada por las enfermedades y la fatiga, con unas ojeras de las cuales ya nunca me libraría, le hicieron pensar que esa ruina humana no podía ser el hombre cuya fama de conspirador y poeta lo había movido a invitarlo a vivir en su país.

De no ser por el maldito sarampión, mi vida en México comenzó con los mejores augurios. Cuando al fin conversé con Victoria, éste me pidió que viviera en palacio y me asignó un sueldo decoroso hasta que me ubicara en un cargo adecuado a mi capacidad y categoría, y me habló, además, de lo mucho que esperaba de mí si finalmente México se decidía a propiciar la independencia de Cuba.

Libre al fin de la presión que significaba saberme sostenido por mi tío, dediqué mi ocio a revisar y poner a punto las versiones de la tragedia *Abúfar*, de Ducis, en cuya traducción trabajé en el viaje desde Nueva York, y *Sila*, del francés Jouy, la cual adapté como homenaje a Victoria, pero sin dedicársela, pues, aun cuando fuera mi amigo, no me atrevería a tal acto de genuflexión —en Cuba llamado guataquería—, mientras no fuese él un hombre común, despojado de los rayos del poder. Ambas obras, que de inmediato encontraron entusiastas patrocinadores, fueron estrenadas en el mes de diciembre, con aplauso de público y crítica, y sedimentaron mi prestigio en el país.

Todo, en el México de 1825, en medio del invierno benigno de esa región, parecía empeñado en restañar las heridas de mi cuerpo y mi ánimo. Me era especialmente grato comprobar cómo en pocos años la nación había logrado estabilizar su independencia y su sistema republicano y federal, luego de la intentona imperial de Iturbide, y ahora, con un gobierno electo por la voluntad popular y una constitución democrática, se vivía un estado de prosperidad que hacía pensar que cinco siglos, y no cinco años, habían transcurrido desde mi última estancia en el país.

Recuperada la relación con mis viejos amigos Anastasio Zerecero y Blas de Osés —que entonces vivía a medio camino entre Cuba y México—, también trabé amistad con muchos personajes del mundillo político y cultural de la capital. Nombrado al fin como oficial quinto de la Secretaría de Estado y del Despacho de Relaciones Interiores y Exteriores, y residiendo aún en palacio, estaba yo en una situación privilegiada, económica y social, para lanzarme a los más diversos proyectos. Por eso accedí a participar en la creación del periódico literario *El Iris*, escribí el discurso de inauguración del nuevo Instituto de Ciencias, Artes y Literatura, del cual pronto fui electo socio honorario, publiqué poemas en varias de las revistas más prestigiosas del país y recibí apoyo para la preparación y redacción de un ambicioso ensayo filosófico sobre la Historia Universal. Al mismo tiempo me enrolé en la vida política del país y asistí a mítines presidenciales (para algunos de los cuales redacté las palabras de Victoria), cultivé el afecto de militares como el general Santa Anna y de políticos como Andrés Quintana Roo y me afilié a la rama masónica de los yorquinos, liberales contumaces cuyo gran maestro era el propio Victoria... Todo eso sin contar con que, por mi preeminencia, juventud y posición social, pude dormir ciertas noches en algunas de las camas más cotizadas de México, donde hice compañía a bellísimas damas. Viví esos meses con una plenitud e intensidad que mucho me hacían recordar mis mejores tiempos en Cuba, al punto que por momentos me sentí curado de la nostalgia eterna por mi patria. Pero bien sabía que me engañaba cuando así me decía, pues no hacía más que posponer mis ansias verdaderas: la ausencia de mi familia y de mis viejos amigos, más la mordida remota pero todavía ardiente de un amor perdido, me provocaban una sensación de vacío que ni siquiera los infinitos elogios llegados a mis oídos pudieron llenar. Tal vez la muestra mayor y más dramática de esa ausencia lacerante sea la poca poesía que escribí por estos días al parecer felices, como si los versos se negaran a compartir la suerte de un hombre aclamado en los salones de la alta sociedad política y literaria.

También fue en esta época cuando obtuve, y gratuitamente, el primero de los retratos que envié a mi madre y hermanas. Si ahora acepté posar, se debió a la insistencia del artista por perpetuar la imagen del hombre aclamado que yo era y porque mi físico, en pocos meses, había sufrido una benéfica transformación, convenientemente realzada por un pincel que puso un poco de poesía para que pareciera yo, además de saludable, adusto y potente, con un halo romántico, como luce en ciertas imágenes el joven Simón Bolívar.

En medio de tantos aplausos, mi ánimo sentía un amargo pesar por el desarrollo de los acontecimientos en Cuba. Las cartas de Silvestre, de Domingo y de mis parientes me hablaban con frecuencia del estado de desmoralización que se vivía en la isla, donde las autoridades coloniales habían abierto las puertas a todos los vicios y lacras —en especial la prohibida trata de esclavos— como estrategia para prostituir y encadenar a su población con poder económico y participación civil. Al mismo tiempo, la noticia de que Varela tuvo que suspender la salida de *El Habanero* al dejar de recibir apoyo financiero, advertía a las claras que la idea de independencia se hacía agua y sal ante los ojos de quienes una vez soñamos con ella. Por ello comencé a pensar si el fervor de los hombres que se habían inmolado por la justa causa no habría sido más que un sueño vano y me juré desistir de cualquier empeño dirigido a luchar por la independencia de un país atrapado en el destino fatal que se merecía y deseaban sus prohombres. ¡Pobre Cuba!

Cuando me asaltaban tan decepcionantes pensamientos, yo buscaba alivio en el trabajo. A lo largo de varios meses realicé la versión del *Tiberio* de Chernier que tanto me recriminó Domingo, empeñado –con alguna razón– en que no invirtiera mi talento en traducciones e imitaciones cuando debía emplearlo en la obra propia. Por eso me empeñé en concluir, en largas jornadas de escritura, la novela *Jicoténcal*, sobre cuya paternidad siempre guardé el más rígido silencio pues nunca me satisfizo como obra literaria. Sólo Varela, con quien hablé de la idea en Nueva York, sabía de mis intenciones de escribir el relato novelado de la vida del héroe indígena, cuya leyenda había conocido en mis primeros años mexicanos y que, algún tiempo atrás, traté de convertir en un drama. Luego de comenzar y abandonar varias veces aquella obra, decidí retomarla y a finales de 1826 se imprimió en Filadelfia, obra imperfecta, lo sé, pero que se alza con el mérito de ser la primera novela de carácter histórico escrita en castellano.

Mientras, el éxito de mi versión de *Tiberio*, a la cual titulé *Cayo Graco*, retumbó en todo México. La actuación protagónica del famoso Andrés Prieto fue de las más memorables de su pródiga carrera, y mi idea de dedicar la obra a Fernando VII, el abominable sátrapa español, un feliz acierto: «Ésta es mi primera y última dedicatoria a un monarca», escribí. «No creo que me tachen de adulación porque dirijo la tragedia de Tiberio al tirano de España, un rey del que soy enemigo. ¡En efecto, a nadie mejor que a vos conviene este obsequio, por las grandes analogías que existen entre vuestro carácter y el del monstruo que fue terror y oprobio de Roma!»

El día del estreno, mientras recibía felicitaciones y abrazos, se produjo otro de los hechos que me obligan a mirar aquellos días como excepcionales. Estaba yo flanqueado por mis amigos Blas de Osés y Quintana Roo cuando de entre la masa de admiradores salió un hombre, de algo más de cincuenta años, el cual me pareció lejanamente conocido y a quien al fin pude recordar cuando me dijo su nombre: Isidro Yáñez, o el magistrado Yáñez, como lo llamaba mi padre, de quien había sido uno de los mejores amigos en sus días finales de alcalde del crimen en aquella ciudad. Orgulloso de su antigua relación con mi familia, el magistrado se sumó a los cumplidos y me pidió, casi como un ruego, que por favor saludara a su esposa y sus hijas, grandes admiradoras de mi poesía. Sin mucho entusiasmo le pedí a mis amigos me esperaran y fui a cumplir el inevitable compromiso. Me acerqué con el magistrado a una sólida matrona que me sonreía, mientras dos mujeres sin duda jóvenes permanecían de espaldas. Al llegar al grupo, Yáñez llamó a sus hijas, alborozado.

–Graciela, Jacoba...

En el preciso instante en que Jacoba, la más joven de las hijas del magistrado, se volvió y clavó en mí sus ojos de azabache, supe que aquella mirada estaba destinada no a mi rostro, sino a mi corazón. La piel impoluta de la joven de diecisiete años brillaba bajo los fanales del teatro, al tiempo que su sonrisa y sus labios rojos ponían más luz en el mundo. Mientras conversaba con las mujeres de temas anodinos, fui sintiendo cómo una puerta que creía cerrada para siempre se abría, y cómo por ella, tal vez, podría penetrar el amor, quizá sin la intensidad ciclónica de otros días, pero con la marcha segura de los destinos inapelables.

Apenas unos días después, el presidente Victoria me dio la noticia de que se me asignaba la judicatura del distrito de Veracruz, con un sueldo fabuloso y con la compensación maravillosa de volver a vivir cerca del mar y en el clima inmejorable del trópico. Tan cerca estaría de Cuba que de inmediato empecé a fraguar un viaje de mi madre y mis hermanas a aquella ciudad, donde podría abrazarlas de nuevo... El cielo, valga la mala metáfora, se ponía al alcance de mis manos.

La alegría que me desbordaba me lanzó esa misma noche hacia la casa de los Yáñez, de la cual me había convertido yo en visita habitual. En esta ocasión, sin embargo, apremiado por mi próxima salida de la capital, iba decidido a salir de allí con una respuesta ya esperada pero que aún no tenía, y en la primera ocasión en que me dejaron por unos momentos a solas con Jacoba, le confesé mi amor y le pedí que fuera mi esposa. Mi alma sintió entonces el calor de una verdad en la cual ya no creía: aquella mujer no sólo me amaba, sino me idolatraba y consideraba un premio del cielo que el gran poeta se hubiera fijado en ella. Tanta belleza y candidez me revelaron que yo también la amaba y que el espíritu tenaz de Lola Junco había pasado a ser un fantasma postergado, condenado a morir el día en que tuviera una necesaria conversación con aquella mujer. Un beso, leve y cálido, cerró mi pacto de amor con la dulce Jacoba, y fui feliz al pensar que oficiaría de nuevo como profesor de una alumna inexperta en el arte del amor.

Esa misma noche, ya con todos los Yáñez puestos al corriente de nuestra relación, decidimos fijar la fecha de nuestro matrimonio, y un poco más tarde, en mi lujosa habitación del palacio del Gobierno, le escribí a Silvestre, contándole la buena nueva: «Voy a casarme en octubre», le decía, «pues ya es tiempo de que acabe la novela de mi vida para que empiece su realidad».

... adónde iré, cuando se pare el corazón y mis
manos se caigan hacia el suelo para abrirse un pedazo de silencio.

Eugenio Florit

El fin de la tarde siempre había sido su hora preferida para bañarse en el mar. El agua cálida, el sol despojado de la furia del mediodía,
la arena ya despoblada del gentío que en los largos días de verano se
congregaba en las playas, creaban un ambiente más reposado y ahora
Fernando disfrutaba de aquel amable interregno entre el día y la noche,
sintiendo cómo las olas acariciaban su cuerpo y mitigaban los efectos
de la cerveza.

Entre Delfina y Miguel Ángel habían concebido la excursión. El
Negro dijo que ese día podía usar el carro de su hermano, siempre después de las tres de la tarde, y Delfina pagó la gasolina. Fernando apor-
taría las cervezas, mientras Ana Julia, la mujer de Miguel Ángel, preparó tostadas y croquetas de pescado, y Álvaro —que insistía en que
siguieran hasta Varadero— los obsequió con su presencia y la promesa
de no emborracharse.

Desde que pisó la arena de Santa María y sintió que su pie descalzo se hundía levemente en aquel polvo fino, Fernando comenzó a
recuperar sensaciones que creía perdidas, o cuando menos olvidadas.
Tomó a Delfina de la mano, avanzó hacia el mar y, sin quitarse los
pantalones, entró hasta que el agua le lamió las rodillas. Con el sol a
la altura de sus ojos, disfrutó la caricia de un mar tan diferente a las
aguas siempre frías de las playas europeas donde se había sumergido
en los últimos años. Sin poder pronunciar palabra metió una mano en
el agua, que le pareció densa y palpable, y se mojó la cara.

—¿Qué te pasa, Fernando?

—Nada —dijo, pero decidió de inmediato que no debía mentir—. Es
que ahora mismo estoy feliz. Y tengo miedo.

Entonces se volvió y besó a Delfina, con una vehemencia despiadada. La mujer le apretó más la mano y apoyó su cabeza en el hombro de Fernando.

Los gritos de Álvaro, cerveza en mano, los sacaron del arrobamiento y, luego de darse un beso leve, salieron a la arena.

En épocas más propicias los Socarrones habían viajado con frecuencia hasta Santa María, siempre armados con algunas pizzas, bote-

llas de ron y hasta raquetas para jugar a *squash* en las canchas ahora inexistentes del hotel Atlántico. Recordó que él y Tomás eran los más entusiastas promotores de esas excursiones y, casi con vergüenza, evocó los registros visuales que le hacía a Delfina, empeñada por aquellos años en usar unos bikinis atrevidos, demasiado sugerentes y capaces de alborotar al resto de la tropa poética.

Empezaba a oscurecer cuando Álvaro, ante la evidencia de que la caja de cervezas había fenecido –como solía decir–, decidió al fin meterse en el agua. Miguel Ángel y Ana Julia lo siguieron y Fernando logró convencer a Delfina de que también lo hiciera, pues ella prefería bañarse mientras hubiera sol. Con el agua a la altura del pecho formaron un círculo, y conversaron, recibiendo la luz lejana de las farolas ubicadas en el patio del hotel.

Hablaron de los hijos de Miguel Ángel y Ana Julia, empecinados los dos en estudiar medicina, y de los tres de Álvaro, diseminados por la estela de matrimonios fenecidos que iban dejando a sus espaldas, como botellas de ron. Y sin saber cómo, Fernando se descubrió contando las peripecias de sus largos años de exilio: los días inciertos de Miami, cuando debió vivir por tres meses en los jardines del Orange Bowl, hasta que una iglesia protestante de Fort Lauredale tomó la responsabilidad de su custodia y sostenimiento, y pudo al fin salir a las calles apenas entrevistas de una ciudad que siempre concibió como una réplica cubana, pero que en realidad no encajaba en ninguna de las nociones existentes en su recuerdo. Durante aquel primer año, mientras trabajaba como albañil en las obras del Downtown de Miami, Fernando sintió en la piel el desprecio de los viejos emigrados cubanos que también lo consideraban una escoria, mientras a su nueva condición legal y racial de «hispanic», con permiso de trabajo pero sin residencia permanente, debió sumar la degradante categoría social de «marielito». Luego, impelido a cambiar de aires y necesitado de reencontrarse a sí mismo, embarcó hacia el norte y vinieron los tres años pasados en Union City, New Jersey, donde tampoco dejó de ser *hispanic* y *marielito*, y debió soportar además el frío que en el largo invierno lo hería cada mañana al salir de su pequeño apartamento para tomar el ómnibus que lo llevaba a Manhattan, donde había conseguido trabajo como custodio de los fondos del Museo Guggenheim. Fueron tiempos vividos a la espera, dilatada cuatro años, de su permiso oficial de residencia en Estados Unidos, que, apenas llegado, le sirvió sólo para emprender un nuevo viaje, ahora hacia España, en busca de su yo perdido o, al menos, de otra atmósfera, otras costumbres y la sonoridad entrañable de su lengua.

Desde entonces vivía en un ático del centro de Madrid, alquilado años atrás por muy poco dinero. De acomodador de libros en una biblioteca, al año había pasado a trabajar como profesor en un liceo, enseñando español y literatura a unos jóvenes más interesados en el rock, la movida y el alcohol que en las andanzas del Quijote, la lírica de Lorca y el uso correcto del gerundio. Sin embargo, Fernando había logrado centrar su vida, había tenido algunas relaciones amorosas más o menos satisfactorias, hizo unas pocas pero buenas amistades con las que intercambió libros, salidas al cine y conversaciones de café, e incluso escribió poesía y en los primeros años aprovechó el tiempo libre leyendo sobre Cuba, su historia, su literatura, mientras se imponía con firmeza militante no perder su vocabulario ni sus veloces inflexiones habaneras, aunque con dolor debiera preguntar por el autobús en lugar de por la guagua, o comprar unos calcetines en vez de unas medias. Cada día pensaba en la isla, aun cuando sabía que su regreso estaba vedado por su condición de «emigrante definitivo», una especie de exilio a perpetuidad que sólo en casos muy específicos era posible revocar, mediante complejísimos trámites burocráticos. Y vivió su presente como una prolongación opresiva del pasado, hasta aquella mañana en que despertó con deseos de oír música y en su prehistórico tocadiscos colocó una antología de canciones cubanas comprada la tarde anterior a un vendedor de discos viejos y escuchó la *Linda cubana*, de Eduardo Sánchez de Fuentes, y tuvo la agobiante certidumbre de que, por su salud mental, lo mejor era olvidarse de Cuba y, sobre todo, de su propio pasado. Fernando recordaba cómo había quitado el disco del plato y, mirándose en el espejo del cuarto, se impuso matar su memoria, alejarse de la tentación de sus indagadoras lecturas del siglo XIX cubano y renunciar a una empecinada pertenencia que sólo servía para abocarlo a la nostalgia y al rencor.

Fernando movió la mano y aferró la de Delfina, como si temiera hundirse en arenas devoradoras. Sentía que aún se le oprimía el pecho cuando levantaba la loza de sus recuerdos y por primera vez contaba cómo en aquella necesaria amputación del pasado lo que más le ayudó fue recordar la conversación que, en los días de Miami, había tenido con el viejo Eugenio Florit, autoexiliado en Estados Unidos desde los años cincuenta. Aquel poeta, nacido en España pero que había escogido ser cubano, ya mítico aunque a la vez olvidado en su patria de nacimiento y excomulgado en su patria de adopción, era una referencia de un pasado tan remoto como los años veinte, en los cuales había dado a conocer su poesía de vanguardia, renovadora y pura, de adjetivos prístinos y sonoros. Sus versos, que Fernando había descubierto en decrépitos ejemplares cazados en librerías de viejo, fueron una telúrica revelación para el aprendiz de poeta que, por vías tan alternativas, había llegado al conocimiento de una de las grandes voces líricas de su país, rara vez mencionado en los cursos universitarios, pero dueño de unas bellísimas décimas obsesionadas con el mar, el aire y la luz de los trópicos, pletóricas de una extraña premonición de nostalgia por un mundo que alguna vez perdería.

Como a una peregrinación, Fernando se había encaminado una mañana de domingo a la pequeña casa del South West donde Florit vivía con su hermano Gerardo, apenas unos años menor que él. Dos días antes lo había llamado por teléfono y luego de explicarle a gritos que en la universidad se había graduado con una tesis sobre Heredia y que conocía su poesía, el viejo Florit le había dicho que le encantaría conocerlo y lo había invitado a desayunar a las diez de la mañana, cuando regresara de la misa dominical.

A las diez y dos minutos Fernando había tocado un timbre que le devolvió un sonido hueco de casa deshabitada. Insistió un par de veces y, cuando ya pensaba rodear el jardín, había visto llegar un viejo Ford de los sesenta, de un verde rabioso, desde el que lo saludaba una mano. Según sus cálculos, Florit tendría ochenta y tres años, pero el hombre delgadísimo que había bajado del auto por la portezuela del copiloto, vestido con una guayabera cubana, blanca e impoluta, parecía mucho más joven.

—Es que Gerardo maneja a treinta millas —le había explicado, señalando hacia el otro anciano, que le sonrió mientras terminaba de cerrar el auto—. Ven conmigo, Gerardo nos va a preparar el desayuno.

En lugar de dirigirse a la entrada principal, el poeta había metido la llave en una puerta que Fernando supuso daba al garaje.

—Ven, pasa —y de inmediato Fernando recibió la sensación de estar atravesando el espejo hacia el país de las maravillas: la habitación, de unos cuatro por seis metros, estaba tapizada de libros del piso al techo, y los pocos espacios vacíos eran ocupados por obras de pintores cubanos: un vitral de Amelia Peláez, una ciudad de Portocarrero, un paisaje de Romañach, una mulata de Carlos Enríquez, unos campesinos de Abela, una acuarela de Mijares. Con el teclado descubierto, un piano negro y vertical exhibía en el atril una manoseada partitura de Sánchez de Fuentes, y de unos de los estantes pendía una descolorida bandera cubana. Mientras el anciano ponía a funcionar el aire acondicionado, Fernando se había acercado a las estanterías, leyendo títulos y, sobre todo, autores de los libros: Mañach, Ichaso, Lezama, Baquero, Villaverde, mucho Martí, Casal, Mariano Brull, Eliseo Diego, Regino Boti,

Heredia..., ¿sólo había autores cubanos?, ¿sólo pintores cubanos?, ¿sólo músicos cubanos?, ¿sólo la bandera cubana?

Cuando Fernando se volvió, ya Florit ocupaba uno de los dos sillones de mimbre colocados en el centro de la habitación y parecía más diminuto, como si la guayabera blanca hubiera crecido hasta convertirse en una especie de mortaja.

—¿Todos son de escritores cubanos? —le había preguntado mientras buscaba el otro sillón.

—¿Cómo? Ah, disculpa —y del bolsillo de la guayabera sacó un audífono que se llevó a la oreja—. Estoy más sordo que una tapia. ¿Decías?

—¿Que si todos los libros son de cubanos?

—No, no es para tanto. Allá están los españoles, acá los ingleses y los americanos. Pero la mayoría son cubanos, sí. Traje muchos de Cuba, y otros los he ido comprando, poco a poco. Es una biblioteca de setenta años.

El aire acondicionado, puesto al máximo, había comenzado a enfriar la habitación. Fernando sintió un leve temblor, pero quiso atribuirlo al frío y no a la dolorosa certidumbre de que aquel hombre, salido de Cuba hacía más de treinta años, jamás se había ido de la isla. Entonces descubrió que el recinto no tenía ventanas, ni cristales ni claraboyas: sólo la luz de dos lámparas gélidas iluminaban aquella atmósfera irreal, obstinadamente aislada del sofocante mundo exterior al cual renunciaba.

—Porque usted nunca volvió a Cuba, ¿verdad?

—No, me fui de un solo golpe. A veces pensé regresar, ver alguna gente, pero ya no. Allá nadie me conoce ni se acuerda de mí. Todo el mundo está muerto. Nada más falto yo.

—¿Y no siguió escribiendo?

—Me paso el día aquí en la biblioteca, leo mucho, toco el piano, que me encanta, oigo óperas y zarzuelas, pero casi no escribo. Ya estoy seco.

Gerardo había pedido permiso y entró con una bandeja en las manos: dos tazas blancas de café con leche, dos platillos con pan tostado cubierto con mantequilla y dos tazas pequeñas de café, sólidas, blancas, con el borde pintado de verde. Mientras le recordaba a Eugenio que tomara sus vitaminas y que tuviera cuidado de no mancharse la guayabera, acomodó la bandeja sobre la banqueta del piano y la acercó a los sillones. Sus movimientos eran tan seguros que Fernando supuso que cada día repetía aquel ritual.

—Que les aproveche —dijo, mirando a Fernando, y salió.

—Gracias, Gerardo. Sírvete, Fernando —lo invitó Florit, que ya había tomado una taza de café con leche y mojaba en ella la rebanada de pan con mantequilla—. Éste es mi desayuno de siempre.

Fernando lo había observado mientras masticaba cuidadosamente el pan. El anciano se había inclinado mucho, para no ensuciar la guayabera impoluta y le recordó a un pajarito indefenso y feo, en medio de aquel frío intenso.

—¿Ve esas tazas de café? Traje doce de Cuba, y ya nada más me quedan cuatro... Me encantan esas tazas. Todas me las robé, una a una, del café Vista Alegre —y sonrió, con una picardía rescatada del tiempo.

—Maestro, ¿cómo han sido estos años fuera de Cuba? —se atrevió a preguntarle, sin saber exactamente qué pretendía saber.

—Como todos los exilios: muy jodidos. Desde hace muchos años no voy a ver el mar, que era lo que más me gustaba hacer en Cuba. Nada más salgo de aquí para ir a la iglesia y a la ópera, y ni siquiera me importa si la temporada es buena. Las iglesias y la ópera siempre hacen las mismas funciones, ¿verdad? Ya casi no escribo y casi nadie me lee. Aquí nadie sabe quién soy, ni les importa saberlo. Lo mismo pasa en Cuba. La mayoría creen que estoy muerto hace años. Y lo jodido es que no sé cuándo voy a morirme. Mi condena es ser siempre el más viejo. Ya maté a Brull, a Ballagas, a Lezama, a Eliseo, que era un niño... ¿No vas a desayunar?

—No, gracias..., bueno, el café —aceptó Fernando y trató de beber la infusión. Sentía su garganta bloqueada y ni siquiera lo acecharon los deseos de fumar. La soledad sideral de aquel poeta era como una espada de muchos filos, dispuesta a cortar cualquier esperanza.

—¿Sabes por qué estoy siempre aquí? El resto de la casa es como un corral. La hija de Gerardo nació loca, la madre se murió en el parto y él nunca quiso meterla en un hospital. La casa es para ella. Gerardo la amarra por un tobillo, para que pueda caminar, pero la cuerda no la deja llegar a la puerta. Cuando tiene crisis grita como un demonio. Pero yo cierro todo, pongo el aire acondicionado y una ópera, y me quito el audífono. Tiene ahora cuarenta y cinco años, y si sale a los Florit, no se va a morir nunca.

Mientras escuchaba la historia de la sobrina atada como un perro, Fernando sintió cómo su angustia crecía. Pensó que podía asfixiarse. De alguna manera, se dijo, el poeta también vivía atado: a los libros, a las pinturas, a la música, a la bandera, a las tazas de café del país donde había vivido y escrito por tantos años. Amarrado a una vida que ya no existía, por demasiados años. El exilio de Florit era una cárcel, y su único consuelo había sido reproducir Cuba en otra isla de cuatro por seis metros.

—Me he acostumbrado a ver el mundo desde esta esquina extraña y lejana. Pero no he podido matar mi pasado... Creo que nadie puede. Bueno, déjame tocarte algo —dijo el anciano y levantó la bandeja para dejarla sobre el escritorio. Acercó la banqueta al piano—. De tío Eduardo.

—¿Tío Eduardo?

—Sánchez de Fuentes —aclaró Florit—. ¿No sabías que era mi tío?

Fernando negó con la cabeza, pero el anciano ya estaba de frente al piano. Tenía dedos pequeños, huesudos: dedos de muerto. Con aquellos dedos desprendió el audífono de su oído y de inmediato empezó a buscar las teclas precisas, y Fernando escuchó la *Linda cubana.*

Atenazada por la angustia sentía la garganta mientras observaba, con ojos nuevos, las hileras estrictas de las casuarinas centenarias, con sus cortezas arrugadas, mil veces tatuadas con iniciales, corazones y heridas menos románticas; el piso pavimentado del paseo, oscuro y sucio, que se perdía en la distancia, hasta morir en el mar; el pedestal de mármol, ocupado por un busto modesto de Martí que vino a sustituir a la gigantesca estatua de Fernando VII, derribada de su sitio en 1900 por unos jóvenes entre los cuales él mismo se hallaba, felices todos de mancillar con rencor acumulado los símbolos del pasado colonial que con tanta crueldad se aferró al ya incontrolable y último jirón de un imperio perdido. Pero la mirada de José María Heredia, manipulando a su antojo la de Cristóbal Aquino, ponía cuotas adicionales de sentido en el redescubrimiento de un sitio que, hasta pocos días antes, Aquino había creído anodino y familiar, como tantos otros lugares de aquella ciudad con los cuales había convivido desde su ya lejana niñez, y que ahora adquirían reveladoras significaciones.

Cristóbal Aquino caminó hacia el final del paseo, consciente de haberse adelantado demasiado a la hora fijada para la cita, pero movido por la necesidad de reubicar muchas de las nociones adquiridas a lo largo de su vida. No podía quitarse de la mente, quizá para el resto de sus días, la descarnada confesión de José María Heredia, leída con el alma en vilo, y que lo había colocado ante la humanidad desnuda de un hombre a quien siempre creyó un ser decidido, genial, inalcanzable, y por el cual desde entonces sentía una molesta compa-

233

sión. Pero con especial ardor lo perseguía el recuerdo de las sensaciones descritas por el desterrado al evocar, en su lecho de muerte, la tarde de 1836 en que, recién inaugurado aquel fastuoso paseo Nuevo, hijo del infame esplendor azucarero y esclavista de Matanzas, había avanzado entre esas mismas casuarinas, entonces jóvenes y de cortezas impolutas, y caminó sobre el pavimento brillante hasta detenerse ante la imagen del rey español que había torcido su existencia de hombre y de poeta, como se manipula la de una marioneta despojada de voluntad: y allí Heredia se había preguntado cuál era el verdadero sentido de su vida, destrozada por la traición, el desarraigo y el olvido, siempre a merced de los designios de la política y las tiranías. Pero Cristóbal Aquino tampoco podía librarse del recuerdo de la última conversación de Heredia con Lola Junco, sostenida en aquella misma ciudad, la mañana del 26 de diciembre de 1836, pues le parecía el colofón de un castigo desproporcionado, capaz de destrozar al más insensible de los hombres y de matar al ser angelical y dubitativo que siempre había sido el celebrado Cantor del Niágara.

Después de abrir el sobre donde dormían los viejos papeles que jurara destruir, Cristóbal Aquino comenzó a vivir una de las más insólitas experiencias de su larga estancia en la tierra. Durante dieciséis horas no había hecho otra cosa que fumar y leer aquellas singulares memorias, atado a sus páginas desvaídas pero vivas a pesar de los casi cien años transcurridos desde su escritura. La certeza de estar presenciando un acto irrepetible, capaz de enfrentarlo descarnadamente a un espectáculo privado que, sin embargo, tendía sus tentáculos a los cuatro vientos de la posteridad, había resquebrajado sus pocas convicciones respecto al juramento dicho a un muerto, más que a un moribundo.

Los días siguientes, lejos de calmar la sensación de convivir con una responsabilidad empecinada en desbordarlo, habían acrecentado sus dudas, al punto de robarle el sueño y el habitual sosiego de su vida. Por eso había citado a Carlos Manuel Cernuda y escogido, precisamente, aquel sitio ingrato en la memoria de Heredia, donde las casuarinas, el mar y la historia quizá los ayudaran a tomar la más justa decisión.

A las diez en punto, como habían acordado, Cernuda entró por el extremo del paseo más cercano a la ciudad, y Aquino, desde el linde opuesto, avanzó hacia él. A pocos metros del pedestal ocupado por Martí, en cuyo homenaje se había rebautizado el paseo al instaurarse la República, los hombres se estrecharon la mano, añadiendo al apretón el toque de la identificación masónica, y ocuparon uno de los bancos de granito, dando las espaldas a la ciudad y el rostro al mar verdoso de la bahía.

—No puedo hacerlo, Carlos Manuel.

Aquino buscó uno de sus habanos y se lo llevó a los labios.

—¿Leíste los papeles?

—Tenía que leerlos.

—¿Me entiendes ahora? ¿Ves por qué yo me negué? José de Jesús no se atrevió a hacerlo y Ramiro Junco tampoco. Es que no es justo con Heredia —afirmó Cernuda y recalcó sus palabras con un movimiento de la cabeza, repetido una y otra vez.

—Los Junco no son los únicos que van a vérselas negras. Hay descendientes de Del Monte, de Echevarría, de los Aldama... Algunos son masones, ¿sabes?

—Claro que lo sé.

—¿Y el Cernuda de que habla Heredia?

—Era mi abuelo —admitió el otro.

—¿Qué hacemos entonces?

—Yo no voy a hacer nada. Ya se lo dije a José de Jesús...

—No sigas con eso, Cernuda, tienes que ayudarme.

Aquino ya había puesto en una balanza el mandato de José de Jesús y la verdad oculta en aquellos papeles, y la aguja había indicado que la más elemental fidelidad hacia el poeta y su memoria exigían la conservación del manuscrito y su publicación.

—¿De verdad quieres que te ayude? —preguntó Cernuda, sin mirar a su amigo.

—Para eso te llamé.

—Entonces no hagas nada. Si acaso busca otra persona que decida.

—¿En quién estás pensando?

—En Ricardito Junco...

Aquino no pudo evitar una sonrisa. Ya por su mente había pasado la posibilidad de que los herederos de Ramiro Junco y, por tanto, de José María Heredia, tuvieran la última palabra en el destino de la memoria del poeta, pero sólo de pensar que un hombre como Ricardo Junco fuera el juez encargado de decidir la suerte de aquellos papeles le provocaba un intenso malestar.

—Ricardito no es Ramiro —dijo Aquino y por fin dio fuego al habano.

—Eso yo lo sé. Es un político...

—Di mejor que es un ladrón. Como todos los que viven a la sombra de Machado.

—Pero tiene un derecho que nadie puede discutir. Esos papeles de

Heredia le pertenecen a él, porque es el hijo mayor de Ramiro. Y porque además lo pueden perjudicar.

—Ése se caga en todo, Cernuda. Es un tiburón, y cada día es más rico. Esa carretera Central es el negocio de su vida.

—Pero eso a ti no te importa. Esto no tiene que ver con...

—Sí tiene que ver, y tú lo sabes.

—Pues no le des los papeles y decide tú. Quémalos, guárdalos, publícalos, haz lo que creas...

Cernuda se puso de pie, dispuesto a emprender la retirada.

—¿Pero qué cosa...? —empezó Aquino y también se levantó—. Oye, viejo, ¿qué te pasa con esos papeles? ¿Es por tu abuelo?

Cernuda dio dos pasos y entonces se volteó.

—No me pasa nada. O me pasa mucho... Yo no tengo nada que ver con nadie en esa historia: no soy Junco, ni Del Monte, ni un carajo. Y mi abuelo vivió su vida sin preguntarme a mí lo que yo pensaba. Yo lo único que creo es que se deben publicar. Y que se joda quien se tenga que joder. Pero no quiero tener nada que ver con todo eso. No es mi problema.

—No seas egoísta, sí es tu problema, también es tu problema. La historia de este país es tu problema, lo que Heredia dice de las tiranías es tu problema, ¿me entiendes?

—Estás como Del Monte, preguntándole a uno si entiende lo que no se puede dejar de entender... Pero no quiero involucrarme. La misma historia de este país, ésa de la que tú hablas, me enseña que lo mejor es no mezclarse, vivir al margen, y si uno tiene la fortuna de hacerlo decentemente, defender su decisión. Me importan un bledo los Junco y los Del Monte y lo que haya sido mi abuelo, ¿me oyes?, porque esos papeles de Heredia no tienen que ver con los Junco, los Del Monte o los Cernuda, sino con algo mucho más grande que se llama la verdad, y en este país eso casi nunca ha servido para nada.

Mientras Carlos Manuel Cernuda se alejaba, Cristóbal Aquino volvió a sentir las tenazas de la angustia. Su hermano masón, el único ser en la tierra que conocía la existencia del documento, se desentendía definitivamente de su futuro y lo dejaba solo con la ingrata decisión. Lejos de aplacar sus dudas, aquella conversación las multiplicaba, aunque también le marcaba un camino peligroso hacia la solución: el nombre de Ricardo Junco, gobernador de la provincia de Matanzas, era una ficha posible en aquel dominó que amenazaba cerrarse en la próxima jugada.

Arrastrando un gran cansancio, Aquino regresó al extremo del paseo Martí que moría en el mar. Abandonó la parte pavimentada y avanzó unos pasos sobre las rocas lamidas por el agua de la generosa bahía. A su derecha observó la desembocadura del Yumurí y, apenas doscientos metros más allá, la del río San Juan, por donde ahora salía al mar un lujoso yate de recreo, con sus velas henchidas, sus maderas brillantes, y en cuya popa ondeaba una pequeña bandera cubana. Aquino desconocía quiénes eran los dueños de la embarcación, en realidad no le importaba identificarlos, pero los imaginó elegantes, pulcros, satisfechos, con sus manos limpias y sus conciencias tranquilas. Seguramente habían olvidado que el origen de tanta belleza apenas se remontaba a cien años, cuando por aquel mismo río subieron hacia los ingenios del valle las dotaciones de esclavos, sobre cuyo trabajo y sudor se alzarían las grandes fortunas de la ciudad, las mismas encargadas por años de retardar el fin de la esclavitud y la independencia de Cuba. Aquino comprendió que hasta ese instante nunca había visto el fasto y la riqueza matancera con aquella mirada cargada de claridad y resentimiento, y pensó que jamás lo hubiera hecho de no haber compartido con Heredia la novela de su vida.

De pronto todo cambió: vívidamente sentí cómo el puñal artero se clavaba en mis espaldas, y supe en un instante que la ilusión de haber encontrado en México una nueva patria no pasaría de ser eso, una ilusión, que empezó a deshacerse como el humo ante mis ojos.

Todo comenzó cuando el presidente Victoria decidió que era poco el congratularme con el nombramiento de juez del distrito de Veracruz y me pidió aguardara en México, pues tenía planes aún más altos para mí. Entonces, aprovechando ese compás de espera, el senador y sacerdote José María Alpuche, vocero de los masones escoceses, acérrimos conservadores enemigos de Victoria, presentó al Senado una denuncia para inhabilitarme como juez, aduciendo que no era yo mexicano, como lo exigía la ley, y ni siquiera contaba con los veinticinco años requeridos para ocupar el cargo.

Molesto por tal ataque, le pedí al presidente me confiriera la ciudadanía, mientras elevaba un expediente en el cual pretendía demostrar que, en lugar de mis reales veintitrés, había cumplido veinticinco años, y hasta busqué testigos para confirmarlo, mientras aseguraba haber iniciado mis estudios universitarios en Santo Domingo, en 1812. Metido hasta el tuétano en aquel engaño, comprendí que nada de lo que hacía tenía sentido y por eso, tras escuchar el fallo del Senado que dejaba sin lugar la protesta de Alpuche ante una designación presidencial, opté por renunciar al cargo, decidido a permanecer en México, al lado de mi amada Jacoba.

Para compensarme, el presidente insistió en que aceptara el puesto de juez de letras en la muy cercana ciudad de Cuernavaca, y me asignó un digno salario de cinco mil pesos. Allá me fui, contento, y dediqué los días hábiles al trabajo, mientras pasaba los fines de semana en México, en compañía de mi novia, con la que sólo esperaba casarme para llevarla a vivir conmigo. Pero, en medio de aquella recobrada tranquilidad, yo presentía la proximidad de nuevas tormentas y quizá por esa certidumbre la poesía, casi desaparecida por largo tiempo, volvió a visitarme y escribí por esos meses varios poemas dedicados a Jacoba, y también algunas de mis últimas obras de aliento patriótico.

Viviendo en esa tregua de paz y poesía llegó septiembre de 1827 y desposé a Jacoba, para darle aquel sentido de realidad que, pensaba, había estado ausente de mi existencia, llena de peripecias impuestas por el destino, más que deseadas o buscadas por mí. Definitivamente real comenzó a ser todo cuando, en los días finales del año, mi esposa me advirtió que estaba embarazada. Lógicamente recordé a Lola por esos días, pero ahora mi vida miraba más hacia el porvenir que hacia el pasado, pues la sentía enrumbada por los senderos de una ansiada normalidad, apenas preocupado por la publicación de mis versos y los afanes por hacer feliz a mi bella y joven esposa, la real, la que cada día me alimentaba y me premiaba con su amor carnal y espiritual, con la que, en las tardes propicias de Cuernavaca, salía a caminar, acompañados por el perro que insistió en tener Jacoba, y al cual bautizamos *Hatuey*, como el cacique indio asesinado por los conquistadores españoles.

Con frecuencia recibía cartas de Cuba y me llegaban los ecos de mi creciente fama en la tierra natal. Pocas misivas crucé entonces con Domingo, pues, a pesar de mi expreso perdón, nuestra amistad ya no era la misma. Incluso, para justificar mi desinterés, llegué a decirle, coqueteando con la ofensa, que si no le escribía con más frecuencia era para evitarle los posibles perjuicios que podían traerle a un joven y brillante abogado, doctorado incluso en España, las cartas de un proscrito. Él, extrañamente, encajó el golpe con elegancia y apenas me reprochó el desplante y sólo se lamentó de que no le escribiera con más frecuencia, a él, mi viejo amigo. Más centrada en consejos literarios y en proyectos artísticos que en noticias personales, nuestra correspondencia mantuvo por un tiempo la baja temperatura de nuestra relación, aunque yo no dejaba de quererlo y presumía que todo pasaría el día dichoso en que conversáramos frente a frente, tal como siempre había sucedido.

Triste, en verdad devastador, fue para mí recibir la carta de mi hermana Ignacia donde me hablaba de la fulminante enfermedad del buen Silvestre, y me daba la noticia de su increíble fallecimiento. Sin querer aceptarlo pasé varios días en un limbo de conciencia, pretendiendo negarme lo irrebatible, diciéndome que Dios no podía ser tan cruel de mantener vivos a tantos seres despreciables, mezquinos, repugnantes como había en la tierra, y arrebatarnos a aquel joven en el cual jamás palpitaron ambiciones arteras, ni odio ni rencor: el más honesto de todos los seres que me fue dado conocer se había unido ahora al otro ángel de nuestra generación, el inteligente y generoso Cayetano Sanfeliú, muerto dos años antes...

Por fortuna vino a sacarme de mi depresión el nacimiento de nuestra primera hija, a la que nombré como mi madre, María de la Merced. Pequeñita y vivaz, como lo fue mi hermana Ignacia, la niña se convirtió entonces en el centro de mis preocupaciones, en el orgullo de su madre y en el delirio de sus abuelos mexicanos, y mucho deseé que mi familia pudiera tener la dicha de conocerla.

Pensé también, por estos días, en preparar una nueva edición de mis poesías, ante el hecho de que la primera se había agotado ya. Mi idea era actualizar el poemario del año 25 e imprimir, en tomo aparte, mis versos patrióticos y políticos, en un volumen que titularía *Poesías americanas*. Mas el lamentable estado de las imprentas mexicanas y el alto precio exigido por las de Nueva York me obligaron a posponer el proyecto, pues aun cuando mi sueldo me permitía sostenerme con dignidad, no alcanzaba para tales lujos poéticos y ni siquiera para enviarle una ayuda regular a mi madre, eternamente alojada en la casa de su hermano Ignacio.

Al mismo tiempo en que trataba yo de asentar mi vida, la paz casi absoluta que durante varios años se había vivido en México empezó a nublarse ante la cercanía de nuevas elecciones. Casi sin quererlo, me vi envuelto en las luchas políticas y legales que se desataron, pues el presidente Victoria había decidido hacerme diputado en la próxima legislatura. Con horror descubrí hasta qué punto la alta política del país se decidía en las capillas secretas de las logias masónicas, las cuales se hallaban divididas en dos bandos: por un lado el de los yorquinos, liberales y republicanos, y por el otro los escoceses, conservadores y monárquicos. Estos últimos, opuestos al presidente Victoria, llevaban como candidato a Manuel Gómez Pedraza, un hábil orador, sin mayores méritos políticos que su labia retórica. En medio del caldeado ambiente, donde se cruzaban ataques en los cuales solía acusarse a los «extranjeros» de dominar la vida económica y política del país, las Legislaturas de los Estados, en asamblea general, decidieron entregarle a Gómez Pedraza la banda presidencial, en un acto que apenas sería el prólogo de una larga y enconada contienda civil, que en los próximos diez años provocaría una anarquía interminable y el ascenso al poder de trece presidentes y el fin de la paz y la prosperidad. Aquél era el inicio de una batalla estéril, empeñada en sumir al nuevo país en el caos y la rapiña de los que no parece poder salir.

El día 16 de septiembre de 1828, en la Plaza Mayor de Cuernavaca, subí a la tribuna para pronunciar un discurso de celebración del aniversario del Grito de la Independencia mexicana. Allí dije —y lo repitieron varios periódicos de la República—: «Jamás olvidemos que la justicia es la base de la libertad; que sin justicia no puede haber paz, y sin paz no puede haber confianza, ni prosperidad ni ventura», y clamé por el respeto a la Constitución y por evitar la orgía política que sobre nosotros se cernía, desde que esa misma mañana se supo que en Jalapa se había levantado contra el Senado el general Santa Anna... A partir de ese instante los acontecimientos se desarrollaron como un torbellino, por el cual yo mismo fui arrastrado cuando, en mi nueva condición de fiscal del Estado de México, debí empuñar la espada para defender la justicia, pues, a raíz del pronunciamiento militar, un grupo de facinerosos que se hacía llamar «el pueblo», asaltaron y saquearon los comercios de la capital. Allí, a mi pesar, debí participar en una violenta represión y vi, con mis ojos, horribles escenas de mutilación y muerte.

Doloroso me fue vislumbrar cómo las alternativas de México se reducían al despotismo o la anarquía. Era evidente que un demonio terrible parecía turbar la razón de los republicanos americanos, haciéndolos enfrentarse unos a otros, en pos de la más despreciable fruta del infierno: el poder. Bien lo sabía la Gran Colombia de Bolívar. Ahora México lo ponía en práctica.

Empezó a rondarme entonces la idea de irme de México, donde con frecuencia era yo tildado de extranjero. Pero ¿adónde ir? Cada vez más triste se me hacía mi interminable destierro, sabiendo que en Cuba, aun con despotismo, tendría al menos un ambiente propicio en el cual, cada día más, se me consideraba un gran poeta, el fundador incluso de la lírica cubana. Mis convicciones de siempre volvían a chocar con una realidad amarga y la decepción empezaba a minar mi espíritu revolucionario. Para hacer más desesperada mi situación y advertirme que las desgracias pueden ocultarse pero siempre regresan, el 22 de junio de aquel año 1829 vi morir de una terrible disentería a mi hija María de la Merced: Dios me empezaba a cobrar la felicidad pasada, y cada vez con más saña.

A fines de ese año tuve que volver a las armas, en una estúpida defensa de un gobierno que, de alguna manera, parecía ser el legítimo. Vencido esta vez nuestro bando liberal, en enero de 1830 subió al poder un gobierno conservador y se estableció un periodo de terror y persecuciones, del que yo mismo fui víctima, cuando perdí la fiscalía del Estado y debí volver a mi pequeño juzgado de Cuernavaca, ahora con un salario miserable.

Mientras, otros hechos habían dado algún alivio a mi vida, pues el 27 de noviembre de 1829 una luz de esperanzas nos iluminó a mí y a Jacoba con el nacimiento de nuestra hija Loreto, llamada así por una promesa de su madre, todavía transida de dolor por la muerte de nuestra primogénita. Por fortuna, a esta niña despierta y hermosa la vería crecer a nuestro lado, en estos pocos años que me ha dado la vida y ha sido uno de los pocos motivos que me mantuvieron en pie en los días más difíciles.

Un incidente desagradable ocurrió cuando los exiliados cubanos de la Junta Patriótica me pidieron apoyo para una nueva conspiración independentista que ellos llamaban El Águila Negra. Aunque habían escogido el peor momento para buscar el auxilio del gobierno de México, mis compatriotas insistían en que ya era tiempo de pasar a la acción. Pero al conocer las características del movimiento y saber que sus contactos en Cuba eran a través de logias masónicas fundadas en secreto, recordé mis aventuras pasadas y las charlas con el cura Varela, y les advertí de su seguro fracaso. Definitivamente, les dije, yo no participaría en la conspiración, aunque en algún momento, si era preciso, podían utilizar mi nombre ante las autoridades mexicanas.

Aquella sincera e ingenua respuesta me costaría otros muchos sinsabores. Primero porque los conspiradores se enfadaron al punto de criticar mi postura y tildarme de apático y renegado político. Luego, porque tal como yo había predicho, el movimiento fue abortado antes de nacer, pues el espionaje del gobierno volvió a funcionar de maravillas. Lo peor resultó ser que, a pesar de los reproches que me hicieron, mi nombre fue empleado ad líbitum, y yo aparecía en varios documentos como uno de los cabecillas sediciosos. A resultas de tal suceso, sobre mí cayó una segunda condena, esta vez a muerte, sin opciones a beneficiarme con ninguna amnistía futura. Mi delito, ahora, era el de «correspondencia criminal». ¡Pobre Heredia!, pensé entonces.

De La Habana, mientras tanto, me llegaban noticias diversas, algunas de ellas satisfactorias, otras inquietantes. Entre las primeras me alegró la lectura, al fin impresas en varias revistas, de algunas de las poesías de Domingo, concebidas como una colección de romances en donde lograba exhibir su capacidad versificadora, su inteligencia y su cultura, pero –y mucho lo lamenté– rara vez demostrar que era poeta. Lo curioso, por parecerme injustificado, era que mi amigo se hubiese inventado que aquellos romances no eran suyos, sino copias por él realizadas de un poeta habanero del siglo XVIII, al cual nombró Toribio Sánchez de Almodóvar. ¿Por qué ocultarse otra vez? ¿Era que siempre necesitaba la máscara para salir a escena?... Entre las noticias inquietantes, por su parte, estuvo el hecho de que mientras el propio Domingo, en su nueva y elegante revista, llamada *La Moda o Recreo Semanal del Bello Sexo,* se atrevía a publicar algunos de mis poemas e, incluso, parte de mi correspondencia norteamericana, el autodenominado científico español Ramón de la Sagra –el mismo al que Sanfeliú revolcó unos años atrás al descubrir que plagiaba a Kant– lanzó en sus *Anales de Ciencia, Agricultura, Comercio y Arte* –abarcador el hombre– unos encarnizados ataques contra mi poesía, destinados, sobre todo, a minar mi creciente popularidad. La respuesta a la agresión, como era de esperar, tampoco esta vez fue asumida por Domingo –que de nuevo había sido quien encendiera la chispa y me juró en una carta que haría «talco» al gallego atrevido–, sino que debió encararla Saco, quien ahora publicaba en los Estados Unidos *El Mensajero Semanal*, una réplica atenuada de *El Habanero* que antes editó con Varela. Aquel artículo de respuesta, más político que literario, cargado de un tono agresivo, no fue en puridad una defensa de mi obra, sino más bien una hábil argumentación de la existencia de una literatura cubana independiente y propia, de la que era yo la mejor encarnación. De este modo, Saco se empeñaba en proclamar una independencia artística cubana para lograr su objetivo: demostrar que en la isla convivían dos clases de personas, los peninsulares y los cubanos. Así, mi nombre y mi poesía resultaron apenas el pretexto necesario al polemista y fueron conveniente y demoledoramente utilizados. Por eso, aunque agradecí a Saquete su gesto, supe en aquel momento –al parecer de gloria– que mis días como gran poeta cubano, representante de los ideales nacionales, estaban contados: mi compromiso con una postura independentista, mis ataques al despotismo, mi enfrentamiento al gusto decadente, pronto dejarían de ser útiles a unos cerebros que estaban fraguando una literatura, y con ella un proyecto de país, en los cuales, ya lo comprobaría, mi figura iba a resultar incongruente y hasta molesta.

En medio de estas cavilaciones que me quitaban toda esperanza por el futuro de una Cuba donde cada día había más esclavos e ignominia y me hacían mirar con horror el presente de México, desangrado en una interminable guerra fratricida, escribí mi testamento como poeta civil y patriótico. Lo titulé «Desengaños», y a mis veintiséis años lancé la despedida («Cerré mis libros, quebré mi lira») a las ideas que me envolvieron en el romántico movimiento independentista del que ya nadie se acordaba en mi patria. Renunciaba yo en mis versos a la lucha por unos hombres que «en la vil servidumbre, con más profunda ceguedad se hundieron», mientras se hacían ricos y poderosos, a la sombra de la tiranía. «Ya para siempre abjuro / Al oropel costoso de la gloria, / Y prefiero vivir simple, olvidado, / De fama y crimen y furor seguro...» Escribí, y lloré sobre mi destrozada lira...

De la buganvilla a la areca y de la areca al rosal voló el sinsonte, en busca del sitio más florido para entonar su canto, y el tránsito blanco y gris del ave distrajo a Fernando del arrobamiento en que había caído desde su llegada al palacio. El prepotente concierto de maderas y mármoles —blancos de Carrara, rojos de Levante, verdes de Venecia, amarillos de Nápoles y negros de Bélgica—, de rejas imperiales al parecer tejidas con delicadeza femenina más que labradas en ardientes forjas, de techos altísimos grabados con rozagantes motivos clásicos, de escalinatas anchas como calzadas y de lámparas cual arañas colgantes, ahora ciegas, pero concebidas para arrojar mil luces en días de saraos imaginados y nunca realizados, ponían esplendor apabullante a un lugar despojado desde hacía más de cien años de la lujosa alharaca complementaria, capaz de multiplicar su ya desbordada majestuosidad: tapices persas; pinturas flamencas, toscanas y españolas; espejos ingleses; bronces franceses; alfombras rusas; platería mexicana; cristalería italiana; porcelanas alemanas y orientales, y góticos candelabros de Praga, aquellos objetos que una vez dieron todo su esplendor a la mansión que, convencida de su absoluta supremacía insular, pretendió competir en fasto, comodidad, claridad y opulencia con los palacios burgueses de Londres y París.

Sólo la conjunción maravillosa de la fortuna inaudita del vizcaíno Aldama, llegado a la isla a principios del XIX, apenas con la ropa que traía puesta, y el amor por la belleza y el lujo de su yerno Del Monte, picapleitos que jamás pisó un jurado, podían haber dado origen y forma a aquella mansión singular que era un canto a la ironía más trágica: porque el viejo y riquísimo Domingo Aldama apenas pudo disfrutarla unos años, y murió lejos de ella, amargado y repudiado, tiritando de frío en una cama extraña de desterrado, mientras su yerno y tocayo, luego de planearla y modelarla a su gusto y capricho, jamás pudo verla terminada y gastó los últimos diez años de su vida rumiando su rencor y soñando, en la lejanía del exilio, cómo hubiera sido vivir, comer, dormir, recibir en aquel palacio deslumbrante, destinado a coronar el éxito de su existencia mundana.

Por su propio gusto, Fernando no hubiera regresado jamás al palacio de Aldama que tanto lo admiraba y lo indignaba, pero Arcadio, taimadamente, había conducido sus pasos hacia las inmediaciones del edificio, adivinando que el magnetismo de aquel imán de piedra, con sus columnas perfectas y su aroma de tragedia, terminarían por atraparlos. Casi lo impidió, sin embargo, la visión del solar contiguo, devenido basurero, y los personajes que se arracimaban a la sombra de los frontones y portales del edificio: vendedores de velas, estropajos, estampitas de santos y bolsas de nailon; indigentes y limosneros, armados algunos con perros reales e imágenes de San Lázaro destinadas a conmover a los paseantes; boteros dispuestos a alquilar sus autos hacia cualquier destino de La Habana; traficantes de tabaco y ron a la caza de algún turista, y hasta una cartomántica, en plena faena, con su vaso de agua como testimonio de la pureza de sus adivinaciones.

—¿Desde cuándo está esto así? —había preguntado Fernando, asombrado por aquel panorama desconcertante.

—Cinco, seis años. Cuando las cosas se pusieron difíciles, todo esto salió como de abajo de la tierra —comentó Arcadio—. Parece mentira, ¿no?

—¿Te imaginas que Aldama o Del Monte vieran para lo que han quedado los portales de su palacio?

—Hicieron bien en morirse hace un siglo. Con el horror que le tenían a los negros y a la miseria —dijo Arcadio y al fin propuso—. Vamos a entrar, dale.

El destino más reciente del palacio de Aldama lo había convertido en un instituto de historia regentado por las Fuerzas Armadas, pero la invocación del nombre conocido del poeta Arcadio Ferret les abrió las puertas de la fortaleza con una simple llamada interna. Sumergido en la admiración malsana que siempre le había provocado aquel lugar levantado sobre la sangre y el sudor de miles de esclavos, Fernando siguió a Arcadio hasta el patio interior del edificio y sólo el vuelo inquieto del sinsonte consiguió devolverlo a la realidad.

—¿Para qué vinimos aquí? —preguntó, mientras encendía uno de sus cigarrillos.

—Porque quería hablar contigo sin nadie delante, y me parece que éste es un buen lugar.

—Yo no estoy tan seguro.

—Fernando, esto es piedra muerta... Aquí no hay poesía.

—No sé... Cada vez que veía este edificio me acordaba de Heredia...

—Te traje por eso...

—Heredia casi se estaba muriendo de hambre en el mismo momento en que Del Monte planificaba este palacio. ¿Tú sabes que esto costó más de setecientos mil pesos de oro de la época?

—Salió barato —bromeó Arcadio y le indicó un banco de mármol gris a su compañero.

Fernando vio cómo el sinsonte volaba otra vez hacia la buganvilla y desde allí empezaba a trinar, con una potencia capaz de desbordar sus diminutos pulmones. ¿Cómo habría llegado aquel pájaro de los campos hasta aquel jardín, en el centro mismo de la ciudad? ¿Cómo regresaría a su sitio, si es que deseaba volver?

—Lo increíble es que esto lo haya pagado un hombre que treinta años antes era un muerto de hambre que empezó trabajando como albañil.

—No sabía que Aldama hubiera sido albañil —dijo Álvaro y se despojó de sus espejuelos oscuros.

—De albañil a dependiente de un comercio y de ahí al gran braguetazo. Y después traficante de esclavos. El cabrón metió tantos negros en Cuba que llegó a tener cuatro ingenios en Matanzas, almacenes en el puerto, acciones en el ferrocarril, una compañía de vapores, una empresa de seguros...

—¿En cuántos años?

—En veinte años... Tenía tanto dinero que quiso tapizar el piso de su despacho con monedas de oro, pero el rey de España se lo prohibió, pues nadie podía pisarle la cara... Si quería, podía hacer su piso de monedas de oro, pero debía ponerlas de canto.

—¿Cómo carajo sabes todo eso? Estás obsesionado con esa gente.

—Treinta años después los voluntarios allanaron esto y se llevaron hasta los clavos. El gobierno les confiscó todo porque acusaron al hijo de Aldama de conspirador. Cuando les devolvieron el palacio tuvieron que venderlo, porque los Aldama casi estaban en la miseria... Imagínate que los nietos de Del Monte remataron su biblioteca, que era la mejor de Cuba. Hasta incunables y códices originales tenía. Tanto nadar para morir en la orilla. ¿Y no sabes que allá arriba hay un salón que nunca se usó? Era el que Del Monte diseñó para sus tertulias.

—Pero él nunca vivió aquí, ¿verdad?

—No, se tuvo que ir huyendo en el 43, y la casa se terminó en el 44. Nunca la vio terminada.

—¿De verdad tú crees que él haya sido el que delató la conspiración de los esclavos? Plácido lo acusó de estar metido en eso...

—Dice Miguel Ángel que Del Monte se metió en el juego con los ingleses, pero cuando la cosa se puso seria, se rajó y parece que cantó toda la jugada —dijo y miró a los ojos de Arcadio.

—¿También cuando el destierro de Heredia?

—Nadie lo sabe, pero yo creo que algo tuvo que ver. Heredia sospechaba algo...

Arcadio miró un momento hacia los pisos superiores del palacio, como si buscara algo en las alturas, y luego observó directamente a Fernando.

—Yo no sé qué te habrá dicho Álvaro de mí, pero yo no te denuncié —dijo, como si se sacara del costado la lanza de la culpa—. Ayer estuve hablando con Miguel Ángel...

—No sé qué tenía que decirme el Varo ni qué te dijo el Negro, pero yo no te acusé de nada —trató de disculparse Fernando, sorprendido por la afirmación del otro.

—Ni falta que hacía. Siempre pensaste que podía haber sido yo.

—¿Quién te dijo eso?

—Mira, Fernando, a lo mejor yo he hecho algunas cosas en mi vida de las que podría avergonzarme, como todo el mundo. Pero nunca he jodido a nadie... Yo sé que Álvaro piensa que soy un poeta mediocre y un oportunista que no me busco problemas, que Conrado cree que soy un vanidoso, que Tomás no me traga porque viajo al extranjero y él no va ni a Guanabacoa... Yo lo único que hago es escribir mi poesía lo mejor que puedo, como lo he hecho siempre. Pero si tú crees que soy un chivato y que los eché para adelante a ti y a Enrique, estás equivocado. Y si no lo hice no fue porque yo sea más valiente ni más bárbaro que nadie: es que no me preguntaron nada... y yo no sabía nada.

La carga de dolorosa sinceridad que trasmitían las palabras de Arcadio le sonaron a Fernando como confesión de moribundo, y sintió vergüenza de andar provocando aquellas revelaciones.

—Miguel Ángel y Conrado juran que ellos no fueron. Enrique tampoco fue. Y Víctor le escribió a Delfina antes de morirse y le dijo que él no había sido...

—Yo no sé quién fue, ni sé si fue alguien. Pero te juro que yo no fui.

—¿Y por qué debo creerte, Arcadio?

El bello Arcadio sonrió, pero en su rostro se asomó una pesada tristeza.

—Porque una vez fuimos muy amigos y tú sabes bien que yo nunca haría una cosa así —dijo y se puso de pie—. ¿Tú crees que yo tendría estómago para mirarte a la cara después de haberte chivateado? Coño, Fernando... Dale, vámonos de aquí, ya no me gusta este lugar.

El sinsonte, abstraído en su cantata, miraba hacia el pedazo de cielo azul y limpio que se disfrutaba desde el patio interior. Quizás echaba de menos la amplitud del cielo que podía verse desde la copa de una palma, allá en el lugar remoto donde había nacido. Fernando sintió pena por el pájaro y también por su amigo.

—Vas a tener que perdonarme, Arcadio...

—No hay nada que perdonar. Si acaso salvar la amistad que sentimos alguna vez. Ya hemos perdido tantas cosas, que no resisto más pérdidas.

—Sí... Ahora mismo yo estaba pensando que quizá nunca en mi vida vuelva a ver este lugar. O ese pedazo de cielo...

—¿Cuándo es que te vas?

—Me queda una semana.

—¿Y lo de Delfina...?

—Estoy enredado hasta el cuello.

—Vas a tener que volver —dijo Arcadio, colocándose otra vez sus gafas oscuras—. Tienes que volver... ¿Y la novela de Heredia?

—A veces ya ni pienso en eso. Pero cada vez que me acuerdo de que existe o existió, y que no tengo la más cabrona idea de qué pasó al final...

—¿Y qué tú crees que haya pasado?

—Que alguien me ha dicho una mentira. O más de una. Me parece que Aquino sabe más de lo que dice, que Carmen Junco esconde cosas, que la mujer de Cernuda se me hizo la comemierda...

—Oye, ¿por qué te pasas la vida creyendo que el mundo está contra ti?

—No es eso, Arcadio. Es que alguien sabe más de lo que dice. Estoy seguro.

—¿Y qué vas a hacer?

—Creo que voy a seguir jodiendo —y miró otra vez las viejas paredes del edificio maldito—. Me parece que Heredia se lo merece.

Por más que me proponía alejarme de ella, cortar amarras, voltear la cara, la política insistía en tocar a mi puerta, hasta meterse en el centro de mi vida, como empecinada en arrastrarme tras sus funestas consecuencias. Fue, creo yo, un sino trágico para los poetas de mi tiempo, una época turbulenta en la cual se nos hizo imposible dejar de participar. En distintas partes del planeta, con distintos idiomas y circunstancias, de alguna manera todos nos habíamos propuesto luchar por lo mismo: crear un mundo nuevo más libre, una sensibilidad y una poesía nueva también beneficiada de necesarias libertades, para así darle rostro y palabra a países con conciencias nuevas. Y esa pequeña guerra fue dramáticamente absorbida por una guerra mayor, de la que no pudimos o no quisimos escapar, como le ocurrió al maestro Andrés Bello, eternamente desterrado, al gran Byron, muerto en un campo de batalla mientras luchaba por la libertad de una tierra que no era la suya, o al sublime ruso Pushkin, autor de aquella «Oda a la libertad», conspirador que, también como yo, sufriría los rigores del destierro, aunque los dioses lo premiaron con un final más afortunado que el mío, pues si no en el campo de batalla, murió en el del honor, espada en mano.

Poco pude hacer yo, en el terreno de las armas, por la libertad de Cuba. Y aunque más de una vez empuñé la espada, poco, igualmente, por la libertad democrática de México, mancillada por caudillos que parecían cegados por la droga del poder. En mis espaldas llevaba yo, no obstante, una condena a destierro perpetuo y otra a la pena de muerte, mientras en México, donde cada vez más me tildaban de extranjero, los nuevos dictadores me ponían en las listas negras por haber pretendido defender lo que creía necesario y honorable defender: un gobierno electo y una Constitución aprobada por la mayoría.

El camino de mi desgracia política fue lento pero indetenible desde aquel 14 de enero de 1830, cuando el general Bustamante se hizo con el poder y se instituyó algo peor que el despotismo español en aquel pobre país. El nuevo gobierno, que se sabía cargado de la execración universal, apoyó su fuerza en la soldadesca desbordada y en el clero restituido en sus fueros para imponer su terror y voluntad. Las cámaras de gobierno y los ministerios se llenaron de bribones, que medraban desde sus puestos y callaban en medio de los desmanes más inauditos. Los comandantes militares, cual nuevos señores feudales, ejercían sus poderes locales de un modo tan absoluto como si cada uno fuera una réplica grotesca de Fernando VII. La venganza, la delación y la revancha política se convirtieron en modo de vida en un país que se desmoronaba ante los ojos ávidos de las potencias imperiales.

El grado sumo del horror de aquellos días se tocó cuando, a instancias de los curas, comenzaron a destruirse imprentas, a quemarse libros por considerarse sediciosos o inmorales, y a fusilarse a impresores y editores. ¿Para llegar a esto habían muerto más de quince mil mexicanos en la guerra contra España? ¿El camino de la libertad conducía a este precipicio sin fondo de represión, intolerancia, revancha y tiranía? ¿El futuro de la Cuba libre que yo soñé también sería pasto de fanáticos borrachos de odio y de poder?

Desencantado, quise alejarme de cualquier actividad política, pero tanta infamia hacía arder mi vergüenza y decidí que, perdido todo, daba igual si perdía la vida: me convertí entonces en azote del régimen, y desde las páginas del periódico *El Conservador*, empecé una campaña contra aquellos desafueros y atrocidades. Recuerdo que en cada ocasión que entregaba uno de mis artículos, regresaba a casa sintiendo mi eterno temblor en las piernas, pues cada escrito podía significar mi encarcelamiento o muerte a manos de cualquier banda de forajidos uniformados, tal como le había ocurrido a mi benefactor, el ex presidente Victoria, «juzgado y fusilado» la madrugada del 14 de febrero de 1831, sin que contaran para nada los largos servicios hechos al país. ¡Pobre México!

Aunque mi salud comenzaba a resentirse de sus viejas dolencias y mi escepticismo se hacía cada día mayor, una extraña fuerza me obligaba a seguir participando, a imponerme a mis miedos, y por eso, desde mi nuevo cargo de representante en la Comisión de Códigos del Estado de México, luché por algo tan vano como la legalidad y me opuse en mi pobre medida a los actos de injusticia. Más activa incluso fue mi posición cuando me convertí en magistrado de aquella audiencia, con sede en la alta ciudad de Toluca, donde residía desde hacía algún tiempo.

En medio de aquel torbellino vino al mundo mi tercera hija, el 21 de julio de 1831, y la nombramos Jacoba Julia Francisca de Paula. Pero esta niña, a diferencia de la incansable Loreto, resultó ser una criatura apacible, demasiado callada y proclive a las enfermedades, lo cual siempre nos hizo temer lo peor. También por esos meses, y como coronación de un largo esfuerzo, pude comenzar la publicación de los cuatro tomos de mis *Lecciones de Historia Universal* que, lejos de cumplir mis ambiciosos propósitos iniciales, no pasó de ser una adaptación americanizada de los *Elementos de Historia* del inglés Tytler.

Pero ni aquellos nacimientos, ni las luchas y decepciones sufridas por estos años lograron despertar al poeta que, al parecer, se había esfumado de mí. De todas las afirmaciones, algunas de ellas hasta vergonzosas, que hago a lo largo de estas líneas, ninguna es más dolorosa y terrible que ésta: porque mucho antes de que muriera el hombre que soy, supe que había muerto dentro de mí el poeta que había sido. El proceso resultó lento y silencioso, pero cada vez se me hacía más evidente que aquella furia y capacidad que Dios me había dado y me permitía trasmutar en poesía mis sentimientos reales o fingidos, se comenzaba a agotar sin esperanzas de renuevo. Traté de no rendirme, sin embargo, porque si dejaba de ser poeta, ¿qué podía ser yo? Desgarrante fue admitir la verdad. ¿Qué había cegado aquel manantial que creí inagotable? ¿Cómo era que mis ojos no veían ya, en cada acto, en cada sentimiento, el origen y la necesidad de un poema? ¿Dónde había ido a parar aquel estado de espíritu que me seguía, fiel y obsesivo, desde mi niñez? Hoy me lo pregunto, sin saber aún la respuesta, pero en aquellos días me empeñé en seguir siendo lo único que siempre fui, y la poca poesía que logré escribir resultó ruda y cerebral, sin una gota de la sangre caliente que circuló por cada uno de mis versos juveniles.

No obstante, por aquellos días volví a la idea pospuesta de hacer una segunda y definitiva edición de mis poesías. Con la ayuda de mi familia y de Domingo, que se brindó complacido, iniciamos en Cuba una campaña de suscripción, mientras en Nueva York era Gener quien se encargaba de gestionar la edición. La locura política en que me vi envuelto durante el año 31 y los problemas de salud que comencé a sufrir, retrasaron el necesario trabajo de revisión, y sólo en el año 32 pude dar por terminada la tarea y así lo anunció Domingo en la nueva revista que ahora dirigía, llamada *Bimestre Cubana*, en la cual me calificó de «feliz ingenio a quien Cuba cuenta orgullosa entre sus hijos». Sin embargo, fueron pocas las suscripciones obtenidas y los altos precios de los editores neoyorquinos me obligaron a buscar impresores en México. Finalmente opté por hacer el libro en la misma ciudad de Toluca para abaratar costes, con la ayuda de mi buena Jacoba me encargué yo mismo de la composición tipográfica, mientras ambos revisábamos cuidadosamente las galeradas, para evitar esas molestas erratas, similares a los gusanos agazapados en el interior de una apetitosa manzana.

Al fin, en el mes de junio de 1832 pude acariciar los cuadernillos que formarían los dos tomos en los cuales estaba yo de pies a cabeza. El primer volumen lo dediqué a Jacoba, y el segundo, a quién si no a Domingo, el único de mis viejos amigos de los buenos tiempos idos que, al parecer, aún confiaba en mi poesía. Como ofrenda a la tiranía, debí imprimir toda mi poesía patriótica como pliego final del segundo tomo, para excluirla de los libros que planeaba encuadernar y enviar a Cuba.

Como en aquel momento el ambiente de México no era propicio a la literatura, la nueva colección de mis versos no causó el revuelo de la mutilada primera edición. Fuera del país, en cambio, el libro resultó acogido con entusiasmo y hasta mis vanidosos oídos llegaron los clamores de aplausos y felicitaciones, debidos muchos de ellos a grandes personajes de la política y el arte… Pero ya no era yo, ni por asomo, el joven que llegó a México envuelto en el halo romántico del joven poeta conspirador. Las penas me habían tornado en un hombre prematuramente envejecido, decepcionado e, incluso, acosado en el país donde había vivido más años de mi vida.

Porque otra vez los acontecimientos políticos, como fierro al imán, corrían tras de mí. El año 32 se había abierto con un nuevo pronunciamiento de mi viejo amigo, el general Santa Anna, quien ahora lanzó su grito de guerra contra el dictador Bustamante. Reclamado por el caudillo, que conocía mi aversión por el Gobierno de facto, me vi envuelto en su campaña y pasé a ser su secretario personal durante la asonada, por lo que en un momento dado debí huir con mi familia de Toluca, cuando las tropas del Gobierno llegaron a la ciudad y, entre otros sitios marcados, saquearon mi casa hasta dejarla casi en ruinas. Pero antes de terminar el año, Santa Anna venció a Bustamante y el general victorioso hizo una de sus habituales jugadas: colocó a su títere Gómez Pedraza al frente del Gobierno y se quedó él con la vicepresidencia, desde donde era el verdadero artífice de los destinos del país, pero a la vez gozando de mayor libertad para disfrutar de sus dos grandes aficiones: las peleas de gallos y el latrocinio.

Con el nuevo Gobierno fui electo al fin diputado, esta vez por el estado de México. Como cabía esperar, algunas voces se alzaron para recordar que no era nativo de la república, pero Santa Anna, como también cabía esperar, impuso su voluntad. Sin embargo, a pesar de la amistad que nos unía y la filiación política que nos ligaba, no pudo el general callar la empecinada boca mía, que como primer acto en función de diputado se opuso a los procesos que intentaban declarar beneméritos de la patria a varios ciudadanos notables —con el mismo Santa Anna a la cabeza—, todos vivos y actuantes, y a la no menos peligrosa moción que pretendía declarar proscritos y sin derechos constitucionales a varios enemigos políticos. Argumenté que sólo a la posteridad cabe el derecho de otorgar las glorificaciones a los hombres, pues –ya lo habíamos visto y seguiríamos viéndolo– muchos héroes y benefactores de hoy resultaban ser los villanos de mañana. De igual modo, rebatí la ley de proscripciones por considerar que poner a un ciudadano fuera de la protección de las leyes era una medida absurda y atroz... De más está decir que ambas mociones fueron aprobadas y días después, consciente de que me suicidaba políticamente pero convencido de que era preferible la inmolación a participar en la ignominia, renuncié a mi puesto como diputado, sin haber cobrado ninguno de los sueldos que me adeudaba el Gobierno.

Cada día me convencía de que México iba al abismo. Como todas las dictaduras contra las que yo había jurado luchar, ésta se apropiaba sin escrúpulos de la ley para oprimir la voluntad de los ciudadanos, por lo que la disidencia, la inteligencia, el acto individual se convirtieron en delitos y el poder aplastó sin piedad a sus opositores. Sin embargo, armado de un valor personal que me sorprendía, desde mi nuevo periódico, *El Fanal,* seguí defendiendo lo que yo creía justo y legal, aun cuando Santa Anna me retiró el apoyo económico que antes me había brindado para la fundación de la revista. Pero no me dejé vender y, más libre y sin trabas, continué su publicación, debiendo acudir más de una vez a mis menguadas finanzas para sacar alguna edición. Aquella actitud me valió todo tipo de consecuencias funestas y hasta de amenazas, como la que publicara el periódico oficial de Toluca, donde se me acusaba de ser un asalariado de los enemigos del pueblo al servicio de poderes foráneos, encargado con la misión de criticar las gestiones del Gobierno y desacreditar a las autoridades de un país que me había ofrecido patria, honores y subsistencia, para terminar con una clara advertencia: «Cuidado, señor Heredia. Mucho cuidado». También para amenazar servía ahora el periodismo...

La paz, sin embargo, no regresaba, y Santa Anna –ya conocido en el país como Quinceúñas, pues había perdido una pierna en combate, y se decía que si no robaba más era porque sólo podía afanarse lo que agarraba con sus quince uñas– se hizo aclamar presidente ante «el inminente peligro que vivía la patria», mientras la represión se endurecía. ¿Dónde, por Dios, había caído yo?

Para colmo, no fueron mejores las noticias que recibí de Cuba en aquel aciago año de 1833. Las cartas me hablaban de la llegada de un nuevo capitán general, un tal Miguel Tacón, también revestido de facultades onmímodas y conocido por su aversión profunda hacia los nacidos en esta parte del mundo. Antiguo oficial de las tropas realistas en el continente, apenas llegado, Tacón había advertido que la historia de la isla se dividiría en un antes y después de él, y para conseguirlo venía dispuesto a todo. Otro tirano, uno más. Y yo me sentía tan cansado...

Fernando Terry no podía imaginar que estaba viendo por última vez al doctor Mendoza, pero conservaría para el resto de su vida, como un tesoro amable, la expresión de júbilo del viejo maestro al saludar a Delfina: ella había sido su alumna modelo en aquel curso, la única capaz de responder quién era el autor de *El asno de oro* y la que con mayor facilidad dominó las declinaciones latinas, recordó el anciano como si regañara a Fernando. Encontrarla ahora, veinticinco años después, sentirla feliz y verla todavía hermosa fue como un regalo inesperado que el profesor decidió disfrutar, y luego de entregarle a Fernando una relación de los masones presentes en la sesión de la logia Hijos de Cuba del 11 de abril de 1921, tomó a la mujer de la mano y se la llevó a uno de los bancos colocados bajo los ventanales de la biblioteca que daban al antiguo paseo de Carlos III. El doctor Mendoza parecía dispuesto a recordar tiempos pasados.

Con la relación de nombres en la mano, Fernando ocupó una de las mesas destinadas a los lectores. Hubiera querido tener la ayuda de Delfina, pero se resignó a la avaricia del profesor. En una primera lectura marcó los nombres de Cristóbal Aquino, Carlos Manuel Cernuda, Ramiro Junco y José de Jesús Heredia, sus viejos conocidos, y colocó interrogaciones al lado de otros tres: Ricardo Ramiro Junco, Serafín del Monte y Cándido Alfonso. El primero, obviamente, debía ser el tío Ricardito del cual le hablara Carmen Junco, mientras los otros dos, totalmente desconocidos para él, arrastraban apellidos demasiado sonoros en aquella historia: Del Monte y Alfonso. ¿Habría pretendido un descendiente lejano de Domingo del Monte o de la familia Alfonso, tan ligada a los Aldama y al mismo Del Monte, acallar unas molestas revelaciones del poeta? La idea sonaba factible, incluso agradable a su mente, eternamente predispuesta contra el hombre que Heredia consideró por años su mejor amigo y del cual recibiría la humillante calificación de «ángel caído» y el desprecio de considerarlo un renegado. Fernando cerró los ojos, dispuesto a liberarse de prejuicios y, lápiz en mano, volvió a repasar el papel, tratando de encontrar alguna otra revelación menos evidente entre los ochenta apellidos que ahora pasaban bajo su mirada. Y de pronto sintió cómo se encendía una luz roja, casi al final del listado: Rafael Figarola. ¿Cómo era posible que se le hubiera escapado aquel nombre que lo remitía directamente al doctor Domingo Figarola Caneda, director de la Biblioteca Nacional por las décadas de 1910 y 1920, y autor de un estudio titulado *El gran poeta José María Heredia*? Sin necesidad de forzar su memoria, Fernando recordó el episodio contado por el mismo Figarola Caneda sobre una compra de documentos de Heredia que le hiciera a José de Jesús, quien le confesó en esa ocasión haber destruido la onerosa carta de 1823, en la que el poeta negaba su participación en la conjura de los Rayos y Soles de Bolívar. Aunque no podía recordar la fecha exacta, sí estaba seguro de que el episodio narrado por Figarola Caneda había sido anterior al año 1921 y recordaba perfectamente que el bibliotecario también mencionaba su indagación sobre unos papeles inéditos de Heredia, quizás una novela, de los cuales su hijo había dicho desconocer cualquier referencia. Aquella pista ciega había sido, durante años, una de las pocas menciones a la posible existencia de una novela perdida de Heredia, y encontrar un Figarola entre los masones enterados de la entrega a una logia de unos documentos inéditos del poeta, sazonados con el atractivo ingrediente de su misterioso plazo de publicación, no podía indicar más que hacia el bibliófilo empedernido, buscador incansable de documentos históricos, quien, por si fuera poco, también preparó una edición de la papelería de José Antonio Saco y, para colmo de implicaciones, fue el editor de los primeros tomos del *Centón epistolario* de Domingo del Monte, donde el patriarca de la vida intelectual cubana de su época recogía la correspondencia recibida y en la cual, por alguna razón, nunca incluyó varias cartas de José María Heredia. ¿Figarola Caneda? Pero si llegó a hacerse con los papeles del poeta, ¿por qué no los publicó?

Meditó unos instantes, tratando de organizar su ofensiva. Demasiadas posibilidades le empezaban a abrir aquella relación de nombres olvidados, que sólo se le ocurría revisar a seis días de cumplir su estancia en Cuba, y que le despertaba la sensación de hallarse al principio de algo. Desde su mesa le preguntó al doctor Mendoza dónde estaban los diccionarios, y el anciano le indicó un estante, cerca del tarjetero, y Fernando vio sonreír a Delfina. Entre los gruesos tomos buscó el *Diccionario de la literatura cubana*, esperanzado en encontrar una ficha de Figarola Caneda, y respiró aliviado al hallarla. Leyó, muy por encima, pues apenas buscaba un dato: Figarola Caneda había muerto en 1925, o sea, cuatro años después de la entrega de los documentos hecha por José de Jesús. Aquella fecha resultaba prometedora, pues advertía que el bibliotecario tuvo cuatro años para hacerse con los papeles, si es que llegó a saber de su localización exacta. Si todo aquello era posible y Rafael Figarola le había revelado el secreto a su presunto pariente Domingo Figarola, y conseguido además el modo de hacerse de los papeles, la única razón para que el bibliotecario no los publicara era haber respetado la petición expresa de José de Jesús, y quizá del propio Heredia, de que no se hicieran públicos hasta 1939. Pero ¿y después? Si los documentos no estaban en la Biblioteca Nacional, como todos los que adquirió Figarola, ¿dónde fueron a parar? ¿Quién pudo hacerse con ellos y evitar su publicación? ¿O había sido el propio Figarola quien decretara la desaparición de un manuscrito quizá plagado de revelaciones molestas, definitivamente inconvenientes?

Aquellas románticas y complicadas suposiciones eran una gratificación para el intelecto de Fernando, que volvía a llenarse de entusiasmo ante la posibilidad de encontrar el camino hacia los papeles malditos. Con la lista en el bolsillo se acercó a Delfina y Mendoza y les contó su hallazgo. Delfina sonreía, compartiendo su alborozo, pero el doctor Mendoza trató de recolocarlo en la realidad.

—Todo eso es muy interesante, Fernando, pero cada vez me convenzo más de que esos papeles ya no existen.

—Maestro...

—No quiero desembullarte y no te digo que dejes de buscarlos. Pero ahora estoy convencido de que quien se quedó con esos documentos lo que quería, justamente, era que no se conocieran... Si los hubiera recuperado Figarola Caneda, él los habría publicado, dijeran lo que dijeran. Pero si fue Ricardo Junco, o un Del Monte o alguien relacionado con la familia, la cosa es diferente. Heredia se murió hace ya ciento sesenta años, y a nadie le importa ahora ser más o menos pariente de Del Monte o de los Junco como para esconder una historia tan vieja... ¿No te parece? El que los robó o los compró lo hizo para que no se conocieran nunca. Perdóname, Fernando, pero estoy por creer que esos papeles ya no existen. Después que te hice venir...

Pero Fernando no se dejó vencer. Gozaba del empuje de un optimismo recién estrenado, quizás originado por la misma sensación de renacimiento que le insuflaba Delfina. Una advertencia recóndita le decía que no podía volver atrás, que la memoria del poeta merecía aquel empeño, que la verdad y la justicia no eran quimeras olvidadas, y presentía que si lograba rescatar la vida perdida de Heredia, de muchas maneras también estaba salvando la suya propia. Y así se lo había dicho a Delfina mientras caminaban hacia la casa de las hermanas Junco, y ella le dio la opinión que más necesitaba:

—No te pares entonces. Sigue hasta donde puedas.

A aquella hora de la tarde, a medio camino entre el almuerzo y la comida, el paladar Palmar de Junco se tomaba un descanso. Fernando oprimió el timbre de la reja y, en lugar de la nieta de Carmencita, vino a abrirles la vieja negra que en la primera visita les sirvió el café.

Ya en la sala, Fernando observó que la instalación surrealista se había enriquecido: encima del piano ahora estaba también un perro, sobre el que Delfina lanzó una mirada de asombro, pues permanecía tan estático que parecía disecado.

—Está vivo, ¿no? —preguntó ella.

—Mírale la barriga. Está respirando —dijo él.

Carmencita Junco, envuelta en una bata de seda con motivos chinos entró en la sala y los saludó.

—Ésa es *Rosita* —e indicó al animal—. Es que la bañamos y para que no se revuelque en la tierra la ponemos ahí hasta que se seque. Tiene tanto miedo a caerse que no se mueve hasta que no la bajamos.

—¿Y ya la puede bajar? —preguntó Delfina, compadecida por el terror del animal.

—Deje ver. —La anciana comprobó la posibilidad metiendo los dedos entre los pelos de la perra—. Sí —añadió y tomó al animal por la axilas y lo depositó en el suelo: como picada por una avispa, la perra salió de la sala a toda velocidad—. Es una perra loca que sufre de vértigo —completó la información.

La anfitriona les indicó el sofá, mientras ella ocupaba la que parecía ser su butaca preferida.

—¿Ha encontrado algo nuevo?

Escogiendo con cuidado cada palabra, Fernando le contó sus pesquisas e hizo énfasis especial en la noticia de que Ricardo Junco también conocía la existencia de los papeles perdidos.

—Claro, tío Ricardito fue masón. Papá no, a él nunca le gustó.

—¿Y Ricardo no podría...? —se aventuró Fernando.

—¿Robar esos papeles? —lo interrumpió la anciana—. Pues claro que sí. Tío Ricardito era un desastre. Como negociante siempre hacía los peores arreglos y como político se suicidó cuando se metió a trabajar para Machado. Aunque ganó muchísimo, también despilfarraba el dinero, y varias veces estuvo al borde de la miseria. Él siempre repetía que era el hijo mayor y el heredero del abuelo Ramiro, y tenía una obsesión enfermiza con la historia de los Junco, con la riqueza de los Junco... y hasta con el palacio de los Junco. No creo que a él le hiciera gracia esa sospecha de que en vez de ser Junco fuéramos Heredia. Y si los papeles contaban esa historia...

—¿Pudo haberlos destruido? —preguntó Fernando, con los nervios quemándole la piel.

—Espérese, joven, espérese. Estamos suponiendo, porque de verdad yo no sé nada. Yo estoy hablando de cómo era tío Ricardito.

—Pero lo que usted me dice me pone a pensar.

—Bueno, usted quería pensar, ¿no?

—Sí, y se me ocurren cosas terribles. Mire, Carmencita, nadie sabe qué contaba Heredia en esos papeles. Pero tenía que ser algo mucho más importante que una historia de amor con Lola Junco, pues toda Matanzas sabía que ellos tuvieron sus amoríos, Heredia le dedicó varios poemas, y parece que más de una persona comentó que Esteban era hijo de Lola y de Heredia. Pero la decisión de esperar cien años significa mucho. Heredia debió saber muchas cosas que después se fueron olvidando, o peor, escondiendo. Secretos que podían cambiar la vida de más de una persona, o podían cambiar hasta algunas verdades de la historia de este país... Si él contaba su versión, creo que esos papeles eran más importantes para otras gentes que para la familia Junco.

Carmencita siguió con atención el razonamiento de Fernando. Sus ojos, inmunes al paso del tiempo, brillaban con aquella intensidad que la hacía parecer más joven. Lentamente, como si su mente estuviera en otro sitio, la mujer metió la mano en uno de los bolsillos de la bata y extrajo una cajetilla de cigarros, una fosforera plateada y una reluciente boquilla negra, coronada con un anillo de oro. Con cuidado colocó el cigarro en el extremo de la boquilla y le dio fuego. Fernando la observó fumar, con elegancia de vampiresa y el placer más pleno de los fumadores ocasionales.

—Usted ha pensado mucho en esos papeles —dijo al fin, observando el grabado de la fosforera plateada—. Y ahora voy a hacerlo pensar un poco más. Mire, en el año 37, cuando ya nosotros vivíamos acá en La Habana, tío Ricardito hizo unos negocios y casi se quedó sin un centavo. Me acuerdo bien de la fecha porque él vino a hablar con mi padre para decirle que, si no salía del hueco, iba a vender el palacio de Junco, y hubo una gran discusión entre ellos. Pero a los pocos meses tío Ricardito volvió a tener mucho dinero. Y le estoy diciendo mucho dinero. Mi padre nunca supo de dónde lo sacó. Aquello fue un misterio y como misterio quedó. Y yo le pregunto: ¿esos papeles de Heredia podían valer tanto? No me responda ahora. Piense un poco más y si al final descubre algo no deje de decírmelo, por favor. Mire que cada vez me convenzo más de que mi nombre es Carmen Heredia.

Doce horas, calculó Cristóbal Aquino mientras daba fuego a su habano. Si era cierto el aviso que le hicieron llegar, a las ocho de la mañana del día siguiente la policía especial del tirano allanaría la logia Hijos de Cuba. Y aunque los esbirros del general Machado sabían que en el templo no hallarían ninguna evidencia sediciosa, el hermano masón que les pasó el dato advirtió que se trataba de un escarmiento y harían una demostración de fuerza. Sería un registro a fondo, pues conocían incluso la existencia de un nicho en la Cámara Secreta de los maestros masones. El delator, seguramente infiltrado desde hacía algún tiempo en la fraternidad, había dado los detalles precisos para que la temible policía especial mostrara su aterrador espectáculo de evidenciar hasta qué punto estaba al corriente de los asuntos de sus opositores e, incluso, de la vida privada de las personas con opiniones políticas contrarias al régimen. En sus archivos estaban registrados los nombres de los masones que habían promovido la idea de pedir la renuncia al dictador y, más tarde, la de ejecutar su expulsión de la fraternidad. Sin poder evitarlo, Cristóbal Aquino recordó cómo en días de Heredia otra policía especial, de otro sátrapa, había penetrado los secretos de la hermandad, al punto de desarmar la naciente masonería cubana. Nada ni nadie estaba a salvo de la traición, y menos aún en tiempos de dictaduras. ¿Su propio nombre estaría en la lista negra de los esbirros? Cristóbal Aquino no tenía ninguna razón para dudarlo, pues en su última veneratura, sin que nadie pudiera evitarlo, la logia se había convertido en un foro de debate político, y se había votado a favor de la expulsión deshonrosa de Gerardo Machado, acusado de traición a los principios masónicos.

Los muchos años dedicados al trabajo en la secretaría de la logia iban a facilitarle ahora la preparación del terreno. Aunque en los últimos dos años su hijo Salvador había ocupado aquella responsabilidad, Cristóbal Aquino sabía que hasta con los ojos vendados podía apartar, seleccionar, desechar documentos más o menos valiosos, y sacar de la logia los que consideraba invaluables, mientras dejaba alguna carroña destinada a calmar el apetito de las fieras. Puestos ya de acuerdo con el hermano masón que dirigía la biblioteca Gener y Del Monte, habían decidido trasladar al sótano de la institución los documentos más importantes, aunque Aquino presentía que del mismo modo en que los esbirros conocían los secretos de la logia, podrían haberse enterado del escondite provisional de los documentos.

La llegada de su hijo Salvador lo devolvió a la realidad. Con precisión, le explicó qué papeles debían salir del templo y cuáles quedarse, qué debía salvar primero y qué podía esperar. Y le explicó que tanto la selección de los papeles como su traslado a la biblioteca debía realizarlo solo, pues en esos instantes nadie le resultaba fiable. Mientras tanto, él debía hacer un par de cosas que únicamente él mismo podía hacer.

En ese instante Cristóbal Aquino recordó a su viejo amigo Carlos Manuel Cernuda. Su muerte, tres años atrás, lo había librado de estos trances y lo había convertido a él en el único conocedor del secreto de la vida verdadera de José María Heredia. Desde entonces, cargaba en solitario con el peso de una responsabilidad molesta que, al fin, había decidido quitarse de encima. Si la logia había dejado de ser un sitio seguro para los papeles del poeta, si la biblioteca podía ser allanada con la misma impunidad, y si su propia casa figuraba entre los objetivos posibles de la insaciable policía especial, ¿dónde esconder el manuscrito de Heredia y encaminarlo hacia su destino? La respuesta tantas veces pensada y al fin aceptada por Cristóbal Aquino cayó en su alma como un bálsamo reparador.

Pero antes debía dejar trazas visibles de sus pasos. Mientras su hijo iba colocando documentos en varias cajas de cartón, Cristóbal Aquino buscó el libro de actas del año 1921 y marcó la correspondiente a la sesión del día 11 de abril. Allí, grabado con tinta negra, estaba el resumen de lo ocurrido aquella noche, cuando se le rindió un homenaje a José de Jesús Heredia, condecorado con el grado honorífico de Venerable Maestro *ad vitam*, y éste correspondió al gesto entregando a su madre logia los reveladores papeles de su padre.

—Apúrate, pero con cuidado —le dijo Cristóbal a su hijo y pasó a la estancia contigua de la secretaría, donde se hallaba la máquina de escribir. Con habilidad, colocó una hoja contra el rodillo y comenzó a teclear: copiaba textualmente el acta pero, a medida que avanzaba, comenzó a agregar detalles capaces de redondear y poner vida en la historia de aquella noche. Hizo énfasis, entonces, en el juramento reclamado por Carlos Manuel Cernuda y expresó con mayor claridad la petición de José de Jesús de que aquellos documentos no salieran del templo hasta 1939, y que cuando lo hicieran sólo fuera para ser publicados. Dudó un instante si incluir o no la exigencia de José de Jesús de que Ramiro Junco fuera consultado antes de que se efectuara la publicación del manuscrito, pero decidió respetar la voluntad del hermano Ramiro de no verse mezclado en aquella historia. Cuando finalizó la transcripción corregida y aumentada, Cristóbal Aquino regresó al cubículo donde su hijo terminaba de rellenar cajas.

—No me preguntes ahora, luego te cuento. Pon el libro de actas con los documentos que van para la biblioteca y este papel déjalo entre los que va a requisar la policía. Yo voy al cuarto de los maestros.

Con delicadeza Cristóbal Aquino depositó su humeante tabaco en un cenicero de vidrio y salió al corredor que conducía a la Cámara Secreta. Cuando abrió la puerta, el olor misterioso de siempre le resultó esa noche especialmente evocador. Dio dos pasos en la oscuridad y respiró el aroma del recinto hasta llenarse de él y sentir que lo desbordaba el orgullo de pertenecer a una cofradía que tanto había hecho por la libertad y la igualdad entre los hombres y por la libertad de su propio país, cuya guerra de independencia había sido fraguada en una pequeña logia. En ese instante Cristóbal Aquino tuvo la relampagueante premonición de que estaba pisando por última vez aquel recinto, aunque de inmediato lo olvidó, pues nada en su realidad de esa noche del 25 de octubre de 1932 podía advertirle de que no vería la luz del próximo amanecer. Tiró entonces de la cadenilla pendiente del techo y, con la tenue iluminación de la bombilla a sus espaldas, logró introducir la llave en el nicho y extrajo los documentos que allí descansaban: un sobre amarillo, atado con una cinta malva y una caja de madera, cerrada a su vez con llave, donde se guardaban libros de contabilidad, la propiedad de los terrenos sobre los que se levantaba el templo, la lista de los toques secretos empleados desde 1863 y el acta de fundación de la logia Hijos de Cuba, del rito escocés y dependiente del Gran Oriente de Cuba y las Antillas. Para facilitarle el trabajo a los policías, cerró el nicho sin pasarle llave. En realidad, pensó, lo hacía para demostrarle a los sabuesos que en cuestiones de espionaje también los masones tenían larga experiencia.

Cuando regresó a la secretaría, su hijo Salvador acomodaba los libros de actas que debían ser trasladados y Cristóbal Aquino recuperó su tabaco. Con su encendedor dorado volvió a darle fuego y lanzó al aire una gruesa columna de humo.

—Saca las cajas una a una, por el fondo. Cándido Alfonso te espera en la biblioteca. Yo me llevo esto —y le mostró a su hijo la caja de madera y el sobre amarillo—. Cuando termines cierra todo y ve para tu casa, que tu mujer está sola. Yo todavía me demoro.

—¿Y ese sobre? —le preguntó entonces su hijo.

—Un encargo del pasado que me voy a quitar de arriba —le respondió y sonrió.

Cristóbal Aquino miró con dolor el espacio de la secretaría, donde en unas pocas horas meterían sus garras los perros de la policía. Aun cuando ellos lograran sacar toda la documentación valiosa, la profanación de que sería objeto la logia era como una violación, indigna y degradante. Martí, Céspedes, Heredia, Maceo, Agramonte, Calixto García verían, desde sus retratos colgados en la pared de aquel local, a qué extremos podía llegar la saña de un masón renegado.

Con su habano en la boca abandonó el templo por la puerta del fondo y, con muchos esfuerzos, trepó la tapia que lo separaba de la parte trasera de la bodega del gallego Terencio. Por un pasillo húmedo, entre sacos de viandas y cajas de cerveza, avanzó casi a tientas en busca de la calle y, luego de mirar a uno y otro lado, salió a la acera y avanzó hacia el centro de la ciudad. Anduvo durante varios minutos, sin dejar de preguntarse si su decisión respecto a las memorias de Heredia era la más correcta. Pero no encontró alternativas: lo importante era evitar que la policía se hiciera con el manuscrito y quizás hasta lo destruyera, pero a la vez era la forma más justa de quitarse de la conciencia el peso de la responsabilidad que había arrastrado durante los últimos años.

Aunque apenas pasaban de las nueve de la noche, la ciudad estaba extrañamente vacía, como amenazada por un huracán. Las acciones de la policía habían atemorizado a los matanceros, y hasta los borrachos habituales desertaron de los bares del centro. Aquino atravesó a paso ligero la plaza de Armas, dejó atrás el Casino Español y bajó por la calle Contreras en busca del número 96, donde vivían la viuda y los hijos de Cernuda. Después de comprobar que nadie lo seguía, tocó la puerta y le pidió disculpas a Milagros, la esposa de Carlos Manuel, por molestarla a esas horas. Ella lo invitó a pasar y él le advirtió que andaba con prisa. Entonces le pidió que guardara en un sitio seguro el cofre de madera, pues se esperaba un allanamiento de la logia. Le explicó que allí había documentos importantes, pero ninguno era políticamente comprometedor. Con el cofre contra su pecho, Milagros Alcántara le dijo que no se preocupara, y Aquino se despidió sin especificarle qué rumbo tomaría.

Cristóbal Aquino subió la pendiente de la calle Contreras, cruzó otra vez frente al Casino Español, atravesó el parque y, ya por la calle Milanés, avanzó por el costado de la catedral en dirección a la vieja plaza de la Vigía. Fue en ese instante cuando su hijo Salvador, que unos minutos antes había salido de la logia Hijos de Cuba con la primera de las cajas que debía trasladar a la biblioteca Gener y Del Monte, lo vio perderse en la calle desierta. Salvador sonrió: su padre, tan masón en cada acto de su existencia, debía sentirse en su ambiente, activo y conspirador, mientras caminaba con aquel sobre amarillo bajo el brazo. Lo que Salvador Aquino no pudo saber en ese momento era que estaba viendo vivo por última vez al hombre bueno y honrado que le enseñó los secretos de la vida y de la masonería.

¿Qué espacio físico, en metros, varas, codos, pulgadas puede ocupar la vida de un hombre? El poeta Florit había metido su existencia completa en una habitación de seis por cuatro metros; Hemingway, sin embargo, necesitó toda la extensión de su finca Vigía, con cuartos, despachos, escritorios y hasta árboles y miradores. Heredia no: ni tumba había dejado; todo él era apenas un puñado de poemas, varios centenares de cartas y un manuscrito perdido. Por eso, cuando cerró la puerta del cuarto y, sentado en la cama, observó por largos minutos los cajones acomodados en el piso del closet, marcados con unos desvaídos números 2 y 3, Fernando Terry pensó que allí estaba la mayor parte de su vida y, quizá, la vida entera de Enrique.

Todavía recordaba con una nitidez enfermiza cómo empleó varios días en la preparación de aquellos dos bultos y de un tercero ya inexistente, en los cuales había colocado, con su habitual preciosismo, los papeles que estimó salvables. Una cantidad similar de recortes, escritos, revistas y carpetas que alguna vez creyó importantes habían terminado en la pira preparada en el patio de la casa, convertidos todos en humo y cenizas, como una parte de su propio pasado.

El primero de los cajones lo había dedicado a los documentos relacionados con Heredia: fichas, una copia de su tesis, los borradores de los capítulos ya redactados de su trabajo doctoral, carpetas con algunos artículos y ensayos sobre el poeta, fotocopiados o recortados. Por un estricto orden de prioridad, aquéllos eran los únicos documentos que Carmela le había ido enviando desde su salida de Cuba. En el segundo había dispuesto lo reunido sobre los escritores y el ambiente cultural y político de la primera mitad del siglo XIX, y seguía intacto, tal como él lo dejara dieciocho años atrás, al igual que el cajón número 3, donde Fernando había acomodado sus textos y apuntes poéticos, los relatos que escribiera en distintas circunstancias de su vida, y la copia de la *Tragicomedia cubana* que, después de la muerte de Enrique, le fue entregada por los padres de su amigo, con una breve nota que terminó de alarmar sus lacerantes sospechas: «Esto es para Fernando», decía el papel, sin más órdenes ni deseos, sólo firmado con una E muy redonda, casi tanto como la rueda del camión que acabó con la vida de su amigo... Aquel mediodía cada vez más remoto, en el instante en que había dado por concluido aquella especie de entierro del escritor y del hombre que había sido, Fernando había llamado por teléfono a Miguel Ángel para pedirle que viniera a su casa. Tomado el acuerdo, al día siguiente el Negro lo había llevado en el auto de su padre hasta el antiguo bar Cuatro Ruedas, donde estuvieron abiertas las oficinas para que todo el que se reconociera como una escoria antisocial diera el salto definitivo hacia el exilio.

Desde que regresó había luchado contra sus deseos de abrir aquellos cofres. Sabía que podían funcionar como una caja de Pandora: una vez destapada, provocaría una dispersión incontrolable de nostalgias y otras rémoras incluso más agresivas. Pero la cercanía de su partida y la sensación de estar más cerca que nunca de los papeles perdidos de Heredia lo empujaron hacia la demorada exhumación.

Fernando encendió un cigarro y sacó el cajón número 3. Lo depositó sobre la cama y, con cuidado, destrabó la tapa de cartón. Entonces comprobó que durante años había equivocado el orden en que creyó haber colocado los documentos, pues siempre vio en la superficie el sobre donde guardó su libro trunco de poesías, al cual había titulado, de manera provisional que cada vez le parecía más definitiva, *El día de mi muerte*, como el poema destinado a abrir el volumen, donde ejecutaba su entusiasta parricidio contra César Vallejo: «No moriré en París, no habrá aguacero / el día de mi muerte no está en mi recuerdo. / No moriré en París, ni en ningún sitio lejano / mucho menos hoy, que es jueves, y termina el invierno…». ¿Por qué se creyó capaz de poder anticipar las circunstancias del día impensado de su muerte? ¿Por qué la vida lo había obligado a negar cada uno de aquellos versos cargados de optimismo, que ahora le parecían escritos por otra persona, prácticamente desconocida? ¿Cómo él, que siempre se sintió tan poeta, había conseguido vivir en la más drástica renuncia a aquella profesión de fe? ¿De verdad había tenido motivos para reírse? Ahora Fernando descubrió que, flotando sobre su poesía, se hallaba una carpeta rotulada como C-O-P-I-A-D-E-F-I-N-I-T-I-V-A de la *Tragicomedia cubana (novela teatral)*, y sintió que no estaba preparado para aquella profanación. Pero una fuerza exterior, empeñada en violar su voluntad, lo obligó a extraer la carpeta. En una primera hoja Enrique repetía el título de su texto, sin agregar su nombre. Como si no quisiera hacerlo, Fernando pasó la hoja y se enfrentó a las letras mecanografiadas, desvaídas por el tiempo, y penetró en un mundo sin fondo en el que comenzó a caer sin tener el mínimo consuelo de un asidero…

«Se escucha música de guitarra, laúd, maracas y bongó. Es una melodía sensual, mulata, con olor a monte y sabor a ron, que engañosamente induce a pensar cálidos placeres, hasta que de tanto escucharla se llega a perder la conciencia de que nos acompaña. El sol comienza a nacer, tropical y alegremente, mientras el cielo, negro, se va pintando de gris hasta dar paso a un resplandeciente color azul. Con la claridad gradual empieza a dibujarse el contorno de Isla Perdida: montañas al fondo, entre las que se despliegan valles verdes poblados de palmas deliciosas, ceibas, júcaros, caobos y majaguas. Los mangos y los ciruelos están florecidos y entre sus ramas vuelan sinsontes, tomeguines y discretas bijiritas, todos despreocupados y al parecer felices, tal como debió de ocurrir en los días anteriores a la definitiva expulsión.

»En el primer plano del espacio escénico se ven casas, de diversa arquitectura y antigüedad, dispuestas en calles estrechas y opresivas. Un cierto aspecto de abandono, de pueblo fantasma, da carácter al lugar en el que no se advierte ninguna presencia humana, aunque por todas partes se leen carteles en los que aparece la palabra PROHIBIDO.

»El proscenio ha sido inundado con un agua intensamente azul que reverbera: es el mar, siempre proceloso, que demarca el mínimo espacio de Isla Perdida, rodeándola, oprimiéndola, cerrándola en sí misma. Este mar es un elemento importante, y se repetirá como un *leitmotiv* a lo largo de la trama, pues complementa el sino de los personajes y determinará incluso su ser histórico, marcado por esa indestructible circunstancia insular.»

Fernando casi dio un salto cuando escuchó dos golpes en la puerta y la voz de su madre.

—Aquí están Tomás y Miguel Ángel.

—Diles que me esperen en la terraza —logró responder y respiró aliviado, incluso con conciencia de que respiraba. La interrupción le devolvía la cordura necesaria para desprenderse de aquella trama que, como una enfermedad sutil pero devastadora, podía metérsele en el tuétano de los huesos. Algo demasiado revelador, definitivamente demoniaco, había reposado durante veinte años en aquellos papeles que, ahora lo sabía, ya no podría dejar de leer. Con delicadeza acomodó el libro de Enrique y cerró la caja, para devolverla al lugar donde debió haber esperado otros veinte años, o tal vez durante toda la vida.

En el corredor lo abrazó el aroma del café que colaba su madre. Avanzó hacia la terraza y en el mismo sillón donde se sentara Enrique en su última visita encontró a Tomás, abanicándose con un periódico, mientras el Negro, en el patio, miraba algo entre los árboles.

—Compadre, qué calor —dijo Tomás al verlo.

—Es el infierno, que está ahí mismo —comentó Fernando, sin pretender la menor ironía—. ¿Qué se te perdió allá arriba, Negro?

—Un sinsonte —dijo Miguel Ángel y caminó hacia la terraza para saludar a Fernando—. Hacía tiempo que no veía uno...

—¿Cómo andan tus cosas, Fernando? —preguntó Tomás sin dejar de mover el periódico

—Bien y mal. No sé..., me tengo que ir en cinco días.

El café de Carmela marcó una pausa. Lo bebieron en silencio, y Fernando pensó si debía comentarles a Tomás y a Miguel Ángel lo que acababa de hacer, pero se contuvo, pues le intrigaba saber por qué Tomás había utilizado al Negro para venir a su casa, después de veinte años sin visitarla. En la mente de Fernando la posibilidad de que Tomás fuera el traidor había crecido con los sucesivos descartes de sospechosos y la gran diferencia entre los compartimientos de aquel hombre podía radicar en su condición de victimario o de víctima, de acusador infame o de acusado sin culpa, de conocedor o de inocente inadvertido. Entre uno y otro extremo la distancia era como un océano sin fin, que se había dilatado aún más con la lectura de unas pocas líneas de la obra de Enrique.

—¿Qué te trajo por aquí? —quiso saber Fernando.

—Tu tutora. Ayer me vio en la universidad y sigue con la cantaleta de que no te vayas sin verla.

—¿La Santori no se había retirado ya?

—Se retiró, pero sigue jodiendo. Dirige cuanta comisión inventan y está dando hasta un posgrado. Bueno, tú sabes cómo es la vieja.

Fernando pensó un instante.

—No, no sé cómo es. Yo pensé que era de una forma, pero después creo que resultó ser de otra.

—No te entiendo.

—Creo que conmigo se lavó las manos y dejó que me cortaran el cuello. Si ella se mete en la candela no me hubieran botado.

—Coño, Fernando... —lo interrumpió Miguel Ángel.

—Ustedes saben bien que la Santori era un poder en la universidad. Y más para arriba también. Si ella plantaba, había que oírla.

—En aquella época... —dudó Tomás.

—Todo el mundo se limpia diciéndome que si en aquella época... ¿Te imaginas que se hubieran enterado de que tú le alquilas el carro a los profesores extranjeros que vienen a la escuela? O peor todavía, ¿que eres amigo de Miguel Ángel, que vienes a mi casa y hablas conmigo?

—Salía por el techo —confirmó Tomás y desvió la vista hacia los árboles del patio. Sudaba, y Fernando no sabía si era por el calor o por el rumbo empedrado de la conversación. Tomás borró el sudor de su frente con un dedo y lo sacudió, mojando el piso–. Tú estabas liquidado, Fernando, y yo no soy un suicida. Si se enteraban de que venía a verte no duraba un día en la escuela... Ahora ya no es igual y tú lo sabes. Lo jodido era en aquel momento. A cualquiera le pasaban la cuchilla... A mí nadie me dijo nada, nadie me advirtió nada, pero todo el mundo en la universidad sabía que Enrique, tú y yo éramos uña y carne, y si yo sacaba un pie, seguro que me lo cortaban. Pero, oye, ¿tenemos que hablar de eso?

Fernando miró a Miguel Ángel y en su mirada rojiza de siempre descubrió una afirmación.

—Yo creo que sí... porque todavía no sé quién fue el que me chivateó.

Tomás sonrió. Parecía una risa sincera, aunque nerviosa.

—¿Estás oyendo, Negro? —se volvió buscando solidaridad, pero Miguel Ángel permaneció en silencio. Entonces miró a Fernando–. ¿Y tú crees que yo...?

—No sé, Tomás. Ahora el que sabe eres tú.

—De verdad creo que estás loco pal carajo, Fernando. ¿Qué ganaba yo con chivatearte, dime? ¿Y de qué coño te iba a acusar y con quién?

—Eso mismo dicen Miguel Ángel y los otros.

—Pues yo no fui, y no jodas más con eso. ¿Qué coño tú te has creído que yo soy?

—Ahora mismo no lo sé...

Tomás no pudo evitar sonreír, y parecía más confiado.

—¿Tú sabes lo que te pasa a ti? Pues que eres un trágico y te gusta tenerte lástima. Te encanta ver la mierda de los demás y no hueles la tuya... Mira, nunca te lo he dicho, pero yo hablé con Enrique y él me dijo que tú lo acusaste de maricón. ¿O se te olvidó eso? Ya, ya sé que se te descojonó la vida y toda esa historia, pero si hubieras sido un poco más inteligente y menos trágico te hubiera ido mucho mejor. ¿Qué hice yo desde el principio? Cogerlo todo como venía y no complicarme la vida. Uno ya está bastante viejo para creer que los muertos salen, que la poesía sirve para algo, que Heredia no era un comemierda que se metió en camisa de once varas y después se pasó la vida lamentándose, igualito que tú. ¿Y qué aprendiste de todo eso? Ni cojones, Fernando, ni cojones. Has vivido amargado y jodido, y te consuelas viendo y creyendo lo que te conviene ver y creer...

—¿De qué coño estás hablando? ¿Qué sabes tú de mi vida?

—Eso mismo digo yo —lo interrumpió Tomás, alterado—: ¿qué sabes tú de mi vida? Óyeme un momento, mi socio, ya que estamos metiéndonos en la mierda, vamos a revolcarnos de verdad: ¿tú sabes lo que es ser profesor de la bicentenaria y benemérita Universidad de La Habana y tener que desayunar con un cocimiento de hojas de naranja? ¿Tú has comido picadillo de cáscaras de plátano? ¿Tú has ido en bicicleta de tu casa a tu trabajo, todos los días, durante cuatro años? ¿Tú has visto a tu madre enfermarse de neuritis o de qué coño sé yo y quedarse ciega en dos semanas? ¿Y has tenido miedo de que tu hija termine metiéndose a puta? ¿O sabes lo que es reírle las gracias y servirle de chofer a un extranjero comemierda que hace lo mismo que tú pero gana cien veces más dinero que tú? Mira, Fernando, yo lo he aguantado todo y no tengo nada: un carro viejo sin gasolina, una casa despintada y unos cuantos libros, porque cuando la cosa se puso en candela les vendí los vendibles a esos mismos profesores extranjeros para comprar aceite y leche en polvo y un poco de carne para mis hijos y mi madre. En cuarenta años me he comido un barco de chícharos y he ido a más reuniones que el presidente de la ONU. Pero no me paso el día llorando por los rincones y lamentándome de cómo podía haber sido mi vida... ¿De qué tragedia me vas a hablar tú a mí?

—Pero yo tuve que irme...

—¿Y yo tengo la culpa de eso? ¿O la tiene el Negro, o el Varo, o quién coño la tiene?

—No quieres entender —Fernando trató de sajar la cuestión, aunque sabía que llevaba clavados los dardos lanzados por Tomás: su autocompasión se había convertido en una especie de coraza y culpar a alguien de sus desgracias en un alivio para sus frustraciones. Pero Tomás no se dio por vencido.

—A lo mejor. O a lo mejor eres tú el que no puede entender, porque no sabes mirar las cosas desde el otro lado. Y óyeme bien, para terminar esta historia de una vez y por todas: yo no te denuncié, ni a ti ni a nadie. ¿Está claro? Y la próxima vez que me vengas con eso te voy a estar dando patadas en el culo hasta que se me gasten los zapatos. Ahora me voy pal carajo. La Santori te espera mañana a las diez, después que termine sus clases. Ve si te sale de los cojones... Negro, ¿te quedas?

Tomás se puso de pie y Fernando no logró articular una palabra para detenerlo.

—¿Quieres que me quede? —le preguntó Miguel Ángel, con su cigarro en los labios.

—No, déjame solo...

—Mañana vengo —y comenzó a salir—. Fernando, ahora estás jodido, pero creo que así es mejor, ¿verdad?

—¿Tú crees, Negro?

La sensación de haber sido injusto, tantos años, con tantas personas, de haberse creído el único cuyos problemas importaban, le reveló a Fernando el egoísmo de los pensamientos y la mezquindad de las acusaciones entre las que se había revuelto. Quizá Tomás tenía razón y su frustración personal lo había incapacitado para entender a los demás. Sin embargo, no pudo dejar de pensar que alguien lo había traicionado y que si también descartaba a Tomás, el único traidor visible en su horizonte era Álvaro. No puede ser, se dijo, y sintió la necesidad desconocida de confesarse y el consuelo de escuchar unas palabras de absolución.

Fue entonces cuando la idea de irme de México empezó a tornarse obsesión. Me despertaba en las noches, me sorprendía en las comidas, casi me impedía respirar. Por más que a lo largo de los años traté de convertir aquel país en el mío, siempre me había tentado como un vicio perverso el deseo de volver a Cuba, precisamente a Cuba, el único lugar del mundo donde no podía volver. Con los años, Jacoba se fue acostumbrando a aquella especie de manía incurable y alguna vez la oí hablar de «cuando volviéramos a Cuba», como si ella también hubiera vivido alguna vez en la isla. Mi hija Loreto, que desde muy pequeña hablaba como un loro, en perfecta consonancia con su nombre, pronto aprendió a repetir que era cubana y a veces especificaba que matancera. El perro de la casa se llamaba como un cacique taíno, y en nuestra mesa, de acuerdo con las posibilidades económicas de cada momento, se comían platos cubanos, en especial la yuca y los tamales de maíz tierno, hechos en cazuela, del modo en que los preparan las negras de La Habana y Matanzas, muy cargados de carne de cerdo, con tomate, ajo y cebolla. Sé que es una actitud malsana cultivar de ese modo la nostalgia, pero únicamente aquellas referencias me mantenían cerca de una pertenencia a la que no quería renunciar. Quizá fue ése el gran error de mi existencia, o quizá todo fue así porque yo era incapaz de ser de otro modo y estaba predestinado a inventar el destierro de Cuba, la nostalgia por Cuba, el sueño de la libertad de Cuba, pero en cualquier caso hoy asumo esa forma de vida como la motivación principal que me mantuvo en la brega y me hizo ser el hombre que soy, y no otro, definitivamente distinto.

Cierto es que mis esperanzas de retornar eran alentadas por los comentarios sobre un posible indulto general a todos los condenados políticos del anterior reinado español, pero a la vez estaba tan harto de lo que ocurría en aquel pobre México, asolado por las ambiciones, que en esos días hasta comencé a planear irme a un lugar tan hostil como los Estados Unidos, incluso a la lejana y no menos fría Europa, con tal de evadirme del caos y la lujuria política. Cada día me convencía más de que aun cuando aquella tierra generosa me hubiera proporcionado patria, honores y subsistencia, como con razón decían mis enemigos, la patria se hacía pedazos y me gritaba que yo no era un verdadero mexicano, los honores dados me fueron retirados o disminuidos y la subsistencia se me hacía cada día más difícil pues pasaban meses sin que la patria me pagara mis salarios, lo cual me obligaba a depender muchas veces de la ayuda de la familia de Jacoba.

Sólo aquella desesperada situación económica me mantenía atado al país, pues imposible me resultaba reunir los dineros necesarios para pasajes, compra de ropas adecuadas para otros climas y la acumulación de algún recurso para establecerme. Además, enfermo como yo estaba, ¿en qué mina, campo de cultivo o camino en construcción podía trabajar? ¿Tenía derecho a soñar con la posibilidad de vivir como abogado en un nuevo país, con sus propias leyes y hasta con otro idioma? El horizonte de mi vida era así de oscuro, y lo fue más cuando supe de los nuevos vientos que el capitán general Tacón hacía soplar en La Habana, al decretar la expulsión de Saco a resultas de la publicación de un folleto en el cual defendía la abortada Academia Cubana de Literatura —en cuyo proceso de creación Domingo fue protagonista, aunque otra vez dejó a Saquete el papel de espadachín defensor...—. Pronto supe que la razón mayor de la deportación era que Saco criticaba en su panfleto a algunos amigos íntimos del macabro intendente de Hacienda de La Habana, el marqués de Villanueva, quien, con la autoridad que le daba ser el encargado de enviar a la empobrecida España los dineros que desde la rica Cuba sostenían a ministros y cortesanos, casi le exigió al capitán general que tomara aquella represalia contra el escritor. Aparatosamente aprehendido mientras impartía clases en el seminario de San Carlos, Saco fue acusado de hacer propaganda sediciosa y condenado a deportación, precisamente cuando se hacía público el indulto general dictado por la reina regente. Entonces, ante el silencio de Domingo, que no se atrevió a recoger el guante, debió ser uno de los hombres más lúcidos del país, José de la Luz y Caballero, quien asumiera la defensa del nuevo desterrado, en la cual argumentó que ningún hombre en su sano juicio era capaz ya de alentar ideales separatistas, pues «aun entre los más ilusos se ha desacreditado la opinión de independencia». Los ilusos, por supuesto, éramos el cura Varela, casi olvidado en Nueva York, y yo, de quienes el sátrapa Tacón, conocida la nueva ley de indulto, dijo que no nos beneficiaba, por haber sido ambos activos sediciosos durante todos estos años.

Yo no sé si en el futuro otros hombres sufrirán igual condena que la mía y vivirán por años como desterrados, siempre añorando la patria, eternamente extranjeros, lejos de la familia y los amigos, con mil historias inconclusas y perdidas a las espaldas, hablando lenguas extrañas y muriendo de deseos de volver: si así fuere, desde mi lecho de muerte los compadezco, pues padecerán el más cruel de los castigos que pueden prodigar quienes, desde el poder, ejercen como dueños de la patria y el destino de sus ciudadanos.

Pero mientras soñaba con la posibilidad de irme a algún sitio, no dejé por ello de trabajar, para ganarme la vida, y de escribir, para vivir. Como el Estado mexicano cada vez me pagaba menos, debí aceptar a finales de 1833 la cátedra de Literatura General y Particular del Instituto Literario, donde además impartía Historia Antigua y Moderna. Convertido, poco después, en ministro interino de la Audiencia del Estado de México, mantuve vivos mis intereses literarios a través de una de las mejores revistas que elaboré en mi vida, la llamada *Minerva*, de la cual logré sacar hasta veintisiete números, y al mismo tiempo concluí mi traducción de la novela *Waverley o Ahora sesenta años*, de Walter Scott, un escritor escocés con el que compartía yo la pasión por la historia.

Las noticias que llegaban de Cuba eran pocas y tristes, y la mayoría de ellas me rebotaban referidas por Gener, desde los Estados Unidos, pues tal como suele suceder en épocas de terror, los amigos cubanos temieron que su correspondencia, dirigida a mi nombre, les fuera interceptada. Así, por aquella vía oblicua, le enviaba yo saludos a Domingo y los otros amigos, pues me negaba a perder por completo mi vieja relación con ellos y, a la vez, a poner mis cartas en manos de los diligentes policías del régimen, numerosos y al parecer eficaces.

Duro fue, para mí, saber que perdía la conexión con Cuba que representaba Gener, cuando a mediados del año 34 éste me comunicó que acogiéndose al indulto iba a regresar. De inmediato vinieron a mi mente las palabras de Varela, diez años atrás, cuando me advirtió quién era Gener y cuál su grado de influencia en Cuba. Y al fin el catalán lo ejercía, habiendo sido precisamente él quien como presidente de las Cortes en 1823 aceptó la moción que decretaba loco e inhábil a

Fernando VII y lo excluía de toda decisión de gobierno. Pero el rico Gener regresaba mientras el pobre Heredia no era indultado porque su presencia en la isla podía generar disturbios... ¿Qué moral existe en el mundo para criticarme a mí? ¿Alguno de los muchos que se han enriquecido en estos años de corrupción y componendas pueden alzar la voz contra mis debilidades?... Gener regresó y en Matanzas le ofrecieron el mayor acto de recibimiento que recordaba la historia de la ciudad, con salvas de artillería y abrazos del gobernador de la plaza incluidos. Luego, en La Habana, tendieron alfombras a su paso y se dieron banquetes en su honor. Como colofón de la mascarada, el catalán fue agasajado en el palacio de Gobierno por el mismísimo Tacón, y como viejos amigos se despidieron al final de la noche con un abrazo al pie del lujoso carruaje de aquella especie de héroe nacional en que se había convertido Tomás Gener...

Por esos mismos días me llegó una carta de mi hermana Ignacia en la cual me contaba que, después de un breve e intenso noviazgo, Domingo al fin se había casado. Con su habitual habilidad para contar, mi hermana me daba detalles interesantes sobre el acontecimiento. El primero de todos era que la agraciada respondía al nombre de Rosita Aldama, y era bella, joven y, como cabía esperar, riquísima, pues su padre era nada más y nada menos que el famoso Domingo Aldama, dueño de una de las más potentes fortunas del país. Para colmo, el rico Aldama, con las familias Mádam y Alfonso –parientes del malogrado Silvestre–, formaban el clan de azucareros más fuerte del país y eran (lo sabía por Varela) quienes llevaban la voz cantante en la manipulación de los proyectos políticos que se gestaban en Cuba... Con el mejor retoño de aquel jardín se había casado el gran Domingo –sin que me lo anunciara nunca, a mí, «su amigo del alma»–, para entrar en la alta sociedad cubana, enriquecida gracias a la infame esclavitud que, alguna vez, Domingo se atrevió a criticar. Su cinismo era tal que aseguró no tomaría un centavo de su suegro y rechazó la dote de treinta mil pesos, aunque le pidió al nuevo papá que la invirtiera en algo provechoso y le pasara a su hija las rentas, pues él viviría de su trabajo como abogado (que nunca ejercería). No se negó, en cambio, a aceptar ciertos regalos, como el palacete matancero de la calle Gelabert y la casa de la capital, ubicada en la céntrica calle Habana. Definitivamente Domingo era un hombre rico y había logrado algo más que la lujosa volanta y la bella biblioteca que se había impuesto como metas cruciales de su vida...

Después de unos meses de relativa calma, México se volvió a remover de pies a cabeza cuando Santa Anna impuso un sistema centralista destinado a poner en sus manos todo el poder de la nación. ¿Tendríamos en breve un segundo emperador, émulo del enloquecido Iturbide? Nada más saber aquellos planes que revelaban las verdaderas intenciones dictatoriales de Quinceúñas, redacté un manifiesto contra el centralismo, y recabé las firmas de los ciudadanos de Toluca, mientras sentía los puñales de odio que hacia mí dirigía el dictador. Pero asumí el riesgo de mi actitud y la mantuve siempre que pude, en cuanta tribuna tuve a mi alcance. Santa Anna, con la magnificencia de los tiranos, al parecer decidió que yo era como un mal necesario, una vieja cicatriz imborrable, y si bien no me dio alas, tampoco me las cortó del todo, y me mantuvo en mi puesto de oscuro funcionario de la audiencia de un estado, como para que no muriera de hambre.

Gracias a la inagotable fertilidad de Jacoba, el cuarto de mis hijos nació el 5 de septiembre de 1834 y lo nombramos José Francisco, en honor a mi buen padre. Ahora éramos cinco en la casa, y mientras Loreto nos daba alegrías, Julia apenas progresaba, viviendo de enfermedad en enfermedad. Con tal prole a cuestas decidí aceptar el cargo de director del Instituto Literario del Estado, del que pronto fui promovido al cargo de rector, aunque el sueldo más bien parecía el de un bedel.

Pero era salir de México la idea que me obsesionaba. Mi madre había iniciado gestiones en la isla, únicamente ayudada por mi tío Ignacio, pues varios de los viejos amigos se negaron explícita o calladamente (fue el caso de Domingo, como sabría después) a enturbiar más sus ya problemáticas relaciones con el Gobierno gestionando mi regreso. Pero Tacón se mantenía inflexible y le pedí a mi madre que detuviera sus acciones: no quería, a estas alturas, que mi eventual retorno pareciera una obra magnánima, una especie de favor personal de un capitán general que imponía censuras, clausuraba centros culturales y decretaba nuevos destierros. Mi única opción, si acaso, era pedir permiso para visitar la isla por unos breves días, bajo la protección de unas veleidosas leyes españolas manejadas a su antojo por el omnipotente Tacón. Por lo pronto, centré mis esperanzas en que el Estado me pagara los sueldos que me adeudaba y, si obtenía ese dinero, saldría raudo hacia los Estados Unidos, para librarme al fin de la pesadilla en que se había convertido la vida en México.

¿Parecen suficientes las desgracias de mi vida hasta aquí anotadas? ¿Son pocas o muchas para una sola persona? Porque cualquier juicio debe incluir los golpes nefastos que, en apenas dos meses, me envió Dios desde su lugar en el cielo: el 17 de mayo de 1835, luego de una agonía que casi nos mata a mí y a su madre —también enferma ya de tisis–, murió la pequeña Julia, que al fin descansó en paz. Pero el 12 de julio, de una fulminante enfermedad, quien caía era el bebé José Francisco, para que un duro manto de oscuridad cayera sobre mi vida. A resultas de aquellas muertes, a la que debo agregar la de mi suegro, el viejo magistrado Yáñez, la mía pareció también inminente. De pronto se agudizó mi tuberculosis y atravesé una crisis como nunca antes había tenido, mientras sufría unas fiebres terciarias. En semanas enflaquecí, perdí pelo, se oscurecieron mis ojeras, y al cumplir los treinta y dos años, parecía yo un hombre de cincuenta. Y creo que si no morí entonces sólo se debe a la fuerza que me dio mi obsesión por volver a Cuba antes de salir del mundo.

Como regalo por aquel cumpleaños, al fin me llegó algo que había solicitado y ansiado durante largo tiempo: un retrato de mi madre. Éste, pintado al óleo, era magnífico y tenía la virtud de mostrarme a una mujer que, a su provecta edad, mantenía la fuerza de la mirada y el vigor de la expresión que la caracterizaron. Mucho lloré viendo aquella imagen de María de la Merced Heredia, después de doce largos y terribles años. ¿Y debía morir yo sin volver a abrazar a aquella mujer que me dio la vida y la palabra, que me entregó el primer beso y, una tarde caliente del verano de 1807, a mis cuatro años, me llevó al único comercio decente de la ciudad de Pensacola para comprarme aquel maravilloso volumen del fabulario de Esopo, el primero de los libros que tuve en mi existencia? ¿Jamás volvería a abrazar a mi querida Ignacia, y no conocería a los sobrinos que ella y mis otras hermanas me habían dado? ¿Moriría sin volver a contemplar una palma real?

Días, semanas, meses pasé con la pluma en la mano y el papel en blanco frente a mí. Mañanas, tardes, noches y madrugadas medité aquel acto, en lo irreversible de su ejecución, en lo doloroso que resultaba siquiera considerarlo. Pero sabía que todo se centraba en la alternativa infernal de ahora o nunca, pues mi vida se apagaba y Dios, juez tan severo conmigo, tendría que perdonarme por tamaña debilidad. Y la mañana triste del 1 de abril de 1836 salí de mi casa, con un sobre cerrado en la mano, donde iba mi última renuncia a todo o casi todo en lo que yo había creído y por lo que había luchado y sufrido.

La carta que dirigí al capitán general Miguel Tacón es de sobra conocida. Tal como cabía esperar, desde que tuvo en sus manos aquella misiva, Tacón creyó que me había vencido y mis viejos amigos me consideraron un traidor. Pero en aquella carta, de la cual no me avergüenzo pues en ella sólo digo la verdad, pedía al general su autorización para volver a Cuba por un breve tiempo, con el propósito de ver, quizá por última vez, a mi vieja madre. Para demostrarle que ya no era el mismo Heredia al parecer peligroso que le habían dicho, le comentaba entonces algo de lo cual ya estaba más que convencido: «Se me asegura que V.E. expresó saber que mi viaje tendría un objeto revolucionario, por lo que no dudo que sus informantes me han calumniado cruelmente. Es verdad que ha doce años la independencia de Cuba era el más ferviente de mis votos, y que por conseguirla habría sacrificado gustoso toda mi sangre. Pero las calamidades y miserias que estoy presenciando en los nuevos países americanos han modificado mucho mis opiniones, y hoy vería como un crimen cualquier tentativa para trasplantar a la feliz y opulenta Cuba los males que afligen al continente americano».

Resulta casi milagroso cómo el acto de enviar aquella carta produjo un giro en mi vida. De inmediato sentí que mi salud mejoraba, mi ánimo cambiaba y una esperanza volvía a alentar en mi existencia. Además, sano y robusto nació el quinto de mis hijos y lo nombramos José de Jesús, y hasta hoy lo he visto crecer saludable, para alegría de su madre y mía. Y no niego que me sentí feliz cuando, en el mes de junio, recibí la misiva de Tacón en la cual se me autorizaba a viajar hasta por dos meses a la siempre fiel isla de Cuba. Sentí ese día que se me abrían las puertas del cielo, aunque bien sabía que no había hecho más que trasponer el umbral del infierno.

Delicados fueron los preparativos del viaje, sobre todo por la parte económica. De algún modo debía asegurar la vida de Jacoba y los niños y, además, disponer de dinero suficiente para pasajes, alojamientos e, incluso, para la compra de ropa adecuada al clima de Cuba, y que por supuesto estuviera algo más decente que los bastos chaquetones y los pantalones de paño con los fondillos gastados que solía llevar en Toluca. Algunos buenos amigos, como el licenciado Quintana Roo y Anastasio Zerecero, me ofrecieron su ayuda, pero preferí empeñarme con préstamos antes que depender, una vez más, de la caridad de los que me querían.

Cada noche soñaba yo con el instante de partir, y mi mente sólo me remitía la certeza de que iba a vivir momentos felices. Mi madre y mis hermanas me auguraban una hermosa estancia en Matanzas, mi tío Ignacio se encantaría de tenerme a su lado, y todavía creía que mis viejos amigos de seguro me colmarían de preguntas y, luego de escuchar mis razones, de abrazos y afecto. Concebía yo además la posibilidad de tener al fin una necesaria conversación con Lola Junco, y oír de su boca el relato de los días difíciles de nuestra separación y las razones de su última, devastadora carta. Y hasta planeaba tener algunas sesiones de trabajo con Domingo, a quien pensaba encargar la preparación de una nueva y definitiva edición de mis poesías.

Fue en medio de ese júbilo cuando se produjo un acontecimiento capaz de revelarme hasta qué punto mi vida había cambiado. Ocurrió el 2 de octubre de 1836, fijada ya la fecha de mi partida para finales de ese mes: aquel día, invitado por el gran pintor inglés Sonkins, quien estaba de visita en México, emprendí junto a él y otros amigos la ascensión del monte Nevado, muy cerca de la alta ciudad de Toluca. Varias veces había yo planeado tal aventura y los rigores de la vida siempre terminaron por imponerse. Pero ahora me sentía tan bien que no quise perder la ocasión. El escalamiento del pico fue un éxito, y mis menguadas fuerzas respondieron valientemente. Entonces tuve la ocasión de ver, desde la altura, la inmensidad del altiplano donde, apenas cuatro siglos antes, habían imperado los poderosos aztecas. La emoción me embargó, como suele sucederme ante la magnificencia de la naturaleza y el tiempo, y pensé que estaba viviendo otro día inolvidable, como aquel en que contemplé las prodigiosas cataratas del Niágara.

Poco después comenzamos el descenso, y ya de noche entramos en Toluca. Luego de beber unos pulques en una cantina de la ciudad, al fin me dirigí a mi casa, donde encontré a Jacoba, que me esperaba en vela, a mis hijos que dormían como ángeles, al perro *Hatuey* que me lamió las manos. Me di un largo baño, mientras conversaba con mi esposa. Comí con avidez, tomé algo de vino, y luego de darle un beso a Jacoba fuimos a la cama, y debido a la fatiga del día, caí dormido como un bendito... Y a mi mente no subió, del pozo seco de mi sensibilidad, ni un triste y simple verso que pretendiera reflejar la experiencia vivida. Si desde antes me sabía un poeta muerto, al despertar a la mañana siguiente me sabía un poeta enterrado.

¿Y los coturnos? Allí estaban los frisos, que nunca engalanaron ningún templo, cubiertos de polvo perpetuo, mientras pretendían perpetuar épicas historias de emperadores triunfantes y de sus valientes centurias. También las cariátides, que jamás sostuvieron un techo y exhibían pechos rotundos y pétreos, como pesistas transexuados. Pero frisos y cariátides carecían de lustre propio, pues su misión sólo era engrandecer y recordar la obra y la vida de los señores de la historia, también allí reunidos: Julio César, Augusto, Adriano, Marco Aurelio, rígidas cabezas de yeso, vaciadas contra la marmórea imagen original, admirada en algún museo del mundo. ¿Y los coturnos? También ocupaban su sitio las grandes obras: la Niké de Samotracia, eternamente decapitada; la Venus de Milo, mutilada y tal vez por ello más sensual; el Discóbolo en su persistente acción; las estampas guerrera de Apolo y misteriosa de Afrodita, distribuidas entre un Partenón en miniatura, un Coliseo intacto y pretendidas ánforas prehelénicas, helénicas y posthelénicas, que nunca llevaron en sus vientres estériles los femeninos aceites de Persia ni los vinos viriles de Macedonia. ¿Y los coturnos? Un cancerbero, grabado sobre diminutas piezas de cerámica, mostraba sus dientes desde el mosaico colocado a la entrada de aquel museo de falsedades donde Fernando Terry buscaba, sin encontrarlos, un simple par de coturnos.

Porque Fernando nunca iba a olvidar el día que la doctora Calderón, para amenizar su clase sobre la tragedia griega, llevó al aula aquellos coturnos, y él quiso ser más inteligente y suspicaz que sus compañeros y lanzó la pregunta:

—Doctora, ¿y son auténticos esos coturnos?

La mirada incinerante de la profesora le advirtió hasta qué honduras había metido la pata, como prendida a un coturno de plomo.

—Compañerito —le preguntó entonces la doctora Calderón asiendo uno de los zapatones—, ¿es usted muy inocente o muy socarrón?

Y Fernando, mostrando su mejor cara de socarrón, se escurrió de ingente ridículo y recibió la sonrisa aprobatoria de sus amigos.

Nada más entrar en la escuela, había comenzado el inevitable proceso de confrontar la realidad con el recuerdo. Aunque la estructura del recinto no había cambiado, todo le resultó desangelado y frío, habitado incluso por hedores insultantes, sin la vitalidad que él mismo y sus amigos le imprimieron en aquellos tiempos empecinados en ser evocados como si en verdad hubieran sido idílicos. Al llegar al tercer piso, Fernando observó el número 19 sobre la puerta del aula, y le pareció un exceso del destino que la doctora Santori estuviera dando sus clases precisamente en el local donde él impartió su última conferencia en la Escuela de Letras. Dispuesto a beber hasta el fondo su dosis de cicuta, decidió darse un respiro antes de penetrar en el aula y, con un cigarro en los labios, se acodó en la baranda del balcón, como tantas veces hiciera en sus días, tardes y noches vividos en ese mismo lugar. A su lado podía estar Enrique, mordaz y divertido, dispuesto lo mismo a contar un chisme buenísimo del que se había enterado, como su arrobamiento al descubrir la literatura exquisita de Marguerite Yourcenar; o el bello Arcadio, empecinado en ser y parecer poeta, leyendo entre turnos, pública y ostensiblemente, a Roque

Dalton y Juan Gelman, a Eliot y Pound; o Tomás, advirtiéndoles sobre el culo de aquella novata que, desde entonces, llamarían «la Culoncita de Primer Año»; o Miguel Ángel, comentando su trabajo en el Comité de Base de la Juventud y los ensayos de Franz Fanon; o Conrado, con aquel ejemplar nunca leído del *Ulises* bien visible bajo el brazo; o el Varo, irónico y despreocupado, presto a burlarse del primero que pasara como si sólo eso le importara en la vida. En el ángulo del balcón, podían estar Víctor y Delfina, cogidos de la mano, seguramente hablando de cómo sería su vida: hijos, películas, libros, alegrías compartidas... Alguna de las novias que entonces tuvo Fernando podía pasar a su lado, con sus aromas frescos de capullos en reverberación. Él y sus amigos podrían conversar de muchas, de tantas cosas habladas en aquellos años: de la conferencia de Cortázar a la que asistieron como cronopios peregrinos; de la muerte de Lezama Lima, íngrimo y solo, apenas mencionada en los periódicos de la isla; de la prosa exquisita de Carpentier en el recién publicado *Concierto barroco*; de la lectura de una vieja edición de *El negrero*, aquella enloquecida novela de Lino Novás Calvo excluida de los programas de estudio desde que su autor se exiliara; de la impresionante sagacidad de Vargas Llosa y su *Historia de un deicidio*; del doloroso sentido de la vida hallado en el pequeño librito de Eliseo Diego recién editado o del furtivo descubrimiento de la poesía luminosa de Eugenio Florit...

Fernando dejó caer la colilla en el cenicero metálico y empujó la puerta del aula 19. Frente al pizarrón, de pie, estaba la doctora Santori, diminuta y frágil. Los años, en las cantidades excesivas que llevaba a cuestas, no la habían cambiado demasiado y todavía era capaz de enfrentarse a un aula sin llevar espejuelos. Sus ojitos de serpiente brillaron al encontrarse con los de Fernando, pero su voz convincente no cambió de tono, mientras les hablaba a sus alumnos del destino ingrato de Juan Clemente Zenea, uno de los tantos poetas exiliados que intentó el vuelo invertido del regreso para terminar acusado de espía por los colonialistas españoles y de traidor por los patriotas cubanos. ¿Cuántas veces en su vida la profesora había narrado aquella historia oscura de un poeta atrapado por la turbulencia política de su momento?

Mientras la doctora Santori remataba su comentario con el relato del fusilamiento de Zenea, Fernando comprendió por qué había sentido miedo de volver a la escuela: más que a la arbitrariedad del juicio sumarísimo ejecutado por el policía Ramón o las defenestraciones que desde entonces viviría, lo que temía resucitar era aquella otra existencia perdida, anterior al desastre, en la cual abundaban las sonrisas, las risas y las carcajadas, pues la felicidad era factible incluso en medio de carencias, silencios y limitaciones, gracias a tantas esperanzas limpias y proyectos rutilantes, y a un estado de inocencia capaz de hacerlo creer en los poderes de la poesía y en la autenticidad de ciertos coturnos.

—¿Y los coturnos, profe? —le preguntó por fin a la Santori que, terminada su clase, había preferido el empolvado museo de falsas antigüedades clásicas para la conversación con su ex discípulo.

—¿Los coturnos? Se los robaron..., alguien debió de imaginarse que eran auténticos, ¿no?

—Menos mal —dijo Fernando y la anciana profesora lo miró, sin entender su comentario.

Al fondo del local había un banco de madera junto al ventanal. Apoyándose en el respaldo del asiento, la doctora Santori se dejó caer lentamente, y sonrió. Del bolsillo de su vestido sacó la caja de cigarros y la fosforera de gasolina.

—¿Así que todavía fuma? —se asombró Fernando.

—¿Dejarlo a estas alturas?

—Yo todos los días pienso dejarlo..., pero ni lo intento —le confesó Fernando.

—Qué bueno, Fernando. Pensé muchas veces que me moría sin verte otra vez —dijo la profesora—. Arriba, cuéntame un poco de tu vida...

Fernando la observó cómo se llevaba el cigarro a la boca y exhalaba el humo. Fumar parecía ser un acto de supremo placer para aquella solterona empedernida, de cuyas preferencias sexuales siempre sospecharon sus alumnos. Sin embargo, a medida que avanzaban sus cursos, atrapados por las sorprendentes lecturas de los escritores cubanos que proponía la Santori, los estudiantes solían olvidar aquellos detalles y se dejaban envolver por una sabiduría sedimentada sobre una sensibilidad siempre alerta y años de investigación y docencia.

—Me ha pasado mucho y no me ha pasado nada —dijo al fin y trató de sintetizar los avatares de sus últimos veinte años.

—¿Entonces viniste para buscar ese manuscrito de Heredia?

—Sí, sobre todo...

—Me alegra oírte. Eso quiere decir que no te dejaste vencer. ¿Sabes una cosa? Nunca he vuelto a tener un alumno como tú. Ni siquiera Enrique fue tan bueno...

—Con tantos muchachos... —trató de esquivar el pesado elogio.

—En serio. Ni antes ni después. Por eso quise que te quedaras de profesor en la escuela. Yo pensaba que tú serías mi mejor sustituto.

—Pues ya ve, yo me fui y usted sigue aquí.

—Y eso no me lo perdono nunca —soltó la anciana, como si aquella afirmación la quemara. La doctora miró un instante su cigarrillo, le dio una última calada y lo lanzó por la ventana. Fernando optó por mantenerse en silencio, sorprendido por aquella revelación, sin imaginar lo que escucharía de inmediato—. Yo podía haberte salvado.

—Pero, profe, si usted...

—Era fácil, Fernando: o te restituían a la escuela o yo también renunciaba.

—No hubiera pasado nada, profe.

—Tú sabes que sí hubiera pasado, claro que sí. Por lo menos hubiera vivido más tranquila y más orgullosa de mí todos estos años. Pero ni me atreví a pensarlo. Protesté, le escribí al rector, al ministro, al ideológico del Partido, pero no renuncié...

—No sabía eso. ¿Y qué le respondían, profe?

—Me daban largas. Decían que tú habías cometido un error, que el compañero de la Seguridad había hecho un informe, que después tu actitud no había sido la más correcta, que esperáramos un tiempo... Hasta que me encabroné y dije que si no arreglaban las cosas iba a ver a quien tuviera que ver. Y por fin te mandaron esa carta, pero ya era tarde.

—Todo fue una estupidez. Alguien le dijo al policía que yo sabía que Enrique quería irse.

—¿Sabes una cosa? Yo no estoy tan segura de eso. Para mí fue una trampa que te pusieron. Cuando fui a ver a la gente de la Seguridad que atendían la universidad, ellos me dijeron que tú mismo te habías acusado...

—¿Pero cómo es posible?

—Eso dije yo, y entonces me pusieron una grabación tuya diciendo que a Enrique le había pasado algo y dijo que cualquier día se montaba en una lancha... Yo les dije que no era posible que por una tontería así te troncharan tu carrera... y entonces me enseñaron un informe sobre ti de la revista *TabaCuba*. Ahí te acusaban de desviado ideológico, de autosuficiente, de tener mala actitud ante el trabajo y en las tareas políticas, todas esas cosas de las que pueden acusar a cualquier persona inteligente. Ellos mismos me dijeron que nada de eso era grave, que en un par de años, quizá menos, podías volver a la escuela. Y en ese momento no hice lo que tenía que hacer: poner mi renuncia contra tu regreso... Cuando Tomás me dijo que te habías ido por el Mariel me sentí tan culpable que casi me enfermo. Me di cuenta de que todos nosotros, los que podíamos haber hecho algo, pero sobre todo yo, éramos los culpables de perderte.

Fernando sintió cómo se le secaba la garganta. La posibilidad, tantas veces soñada en sus días de marginación, de que recibía una llamada telefónica y le pedían que volviera a la escuela, había estado más cerca de lo que él imaginara, y podía haber llegado mucho antes de aquel mes de mayo de 1980, cuando se embarcó hacia el exilio. Su vida, entonces, se habría reencauzado, y todo hubiera sido diferente. Pero resultó que una confesión estúpida, el extremismo implacable de unas personas y la falta de decisión de otras habían ganado la batalla, sin necesidad, siquiera, de que alguien lo hubiera delatado. El absurdo de su destino le parecía ahora simplemente ridículo.

—No, doctora, yo sigo creyendo que alguien me acusó...

—Cuando te fuiste, yo vi al rector y se lo dije: que nosotros te habíamos botado del país. Pero él me respondió que tú mismo le habías dado la razón a los que te acusaron...

—Es que no podía más, profe.

—Eso le dije yo. Que hasta dónde querían llevarte sin que tú reaccionaras. Todo fue una estupidez lamentable... Por eso quería pedirte perdón, Fernando, y quería que fuera aquí, en la escuela...

—Yo no tengo que perdonarla, profe. Al contrario, le agradezco que se haya preocupado por mí.

—Sí tienes que perdonarme, porque no hice lo que debía. ¿Y sabes lo peor? No fue por miedo. Yo sabía que a mí no me iban a botar por eso... Si hubiera tenido miedo, habría sido más perdonable. Pero no lo hice por creer que todo era tan burdo que alguien se daría cuenta...

La vieja doctora Santori paseó su vista por la arqueología didáctica del museo. En sus cincuenta años como profesora, quizá nunca había tenido una conversación tan dolorosa como aquélla. Fernando comprendió entonces hasta qué punto debía llegar el sentimiento de culpabilidad para que aquella mujer, tan segura y precisa, reconociera su terrible flaqueza.

—¿Y cuándo es que te vas?

—Dentro de cuatro días.

—¿Y si no encuentras los manuscritos de Heredia?

—Tengo que irme de todas formas. Aunque cada vez me convenzo más de que esos papeles ya no existen.

—Sería una lástima que no los encontraras. ¿Y no se puede saber qué pasó con ellos? Al menos eso, ¿no?

—No estoy seguro, profe —admitió Fernando y le contó sobre su pesquisa en el archivo de la Gran Logia y las sospechas de Carmencita Junco sobre uno de los cíclicos enriquecimientos de su tío Ricardo.

La doctora Santori lo escuchó, mientras daba fuego a otro cigarrillo. Sus ojitos de serpiente casi se le cierran, irritados por el humo.

—Si el tal Ricardo Junco los vendió, y por buen dinero, entonces la flecha apunta a un Del Monte o un Aldama, o alguien de esa tribu. Pero descarta a los otros masones, incluso el Figarola. Lo que Heredia contaba era muy importante. Si no, su hijo lo hubiera vendido y no se habría andado con tantos misterios... Mira, me pone nerviosa imaginar que todavía pueden existir esos papeles —dijo la doctora y tomó a Fernando por una mano—. Oye, Fernando, no te rindas ahora. ¿Sabes una cosa? Sería una venganza preciosa. Contra todos los que te acusaron y los que no te ayudamos. No te pares, cuatro días es mucho tiempo.

Desde la terraza superior del palacio de Junco, don Ricardo contempló la entrañable vista de la vieja plaza de la Vigía y el último puente tendido sobre el río San Juan, antes de que sus aguas verdes fueran a nutrir el impávido mar de la bahía. El sol de la mañana, sin una sola nube capaz de entorpecer su trabajo, pintaba resplandores bruñidos en las aguas, los árboles y hasta las paredes de los vetustos edificios de la plaza, como si se empeñara en retocar un panorama ya rebosante de belleza.

Desde niño, don Ricardo sentía una amable predilección por aquel paisaje que, durante cien años, habían disfrutado desde esa misma terraza cuatro generaciones de la familia Junco. Cuando su tío abuelo Vicente levantó el palacio en 1838, la plaza de la Vigía era el corazón comercial de la ciudad más próspera de Cuba y la familia Junco era a su vez tan próspera y poderosa que don Vicente, en su afán de alzar el palacio más ostentoso de la ciudad, logró comprarle al Ayuntamiento un pedazo de la calle para extender sobre ella parte de la edificación y conseguir la armonía arquitectónica soñada para su mansión. Demasiadas cosas habían cambiado desde aquellos días gloriosos en que los Junco podían comprar calles, ingenios azucareros, vidas y hasta silencios. Ahora la plaza era diferente, pues el viejo fuerte de la Vigía, con el largo techo de tejas rojas que don Ricardo vio en su niñez, había desaparecido, al igual que la antigua aduana del puerto y la factoría de tabacos, que él nunca vio. Pero también se había esfumado la gran fortuna de la familia, asolada por guerras, crisis, fraudes y hasta dilapidaciones como las de su hermano Anselmito, empeñado en patrocinar desastrosas carreras de autos, ridículos juegos florales y en realizar conciertos en el teatro Sauto, siempre seguidos por saraos interminables que llenaban el palacio de personajes estrafalarios y siempre hambrientos, devotos del piojoso pianista polaco o la apestosa bailarina rusa de turno. Los trabajos de su padre, don Ramiro Junco, apenas habían conseguido apuntalar la maltrecha economía del clan, y sus propios esfuerzos, especialmente productivos en los años del Gobierno de Machado, llenaron unas arcas sin fondo que luego, al ver cortados sus fáciles suministros tras la caída del general, empezaban a mostrar cifras angustiantes. Pero de todas las opciones que en el horizonte se le presentaban como alternativas económicas viables, la única que don Ricardo Junco no iba a considerar era la venta de aquel palacio, orgullo de la familia y testimonio de su ancestral poderío.

Pero aquella mañana primaveral de 1938 Ricardo Junco se felicitaba, pues en apenas una hora debía iniciar una negociación que, cuando menos, podía retardar su debacle económica. ¿Un millón? ¿Dos millones?... Ahora recordaba con júbilo que si seis años atrás hubiera obedecido a su primer impulso, aquellos papeles de los cuales ahora podía venirle la fortuna se hubieran convertido en un montón de cenizas dispersas por el viento.

A punto había estado de no recibir a Cristóbal Aquino aquella noche de 1932 cuando el viejo se presentó en su casa a una hora tan poco apropiada. Cierto es que, sabiendo que el barco de Machado se hundía, don Ricardo había renunciado a sus actividades políticas, pero la presencia de Aquino en su casa no podía tener otro motivo que la inminente intervención de la logia por la policía, y él no estaba dispuesto a quemar sus menguadas influencias para proteger a aquellos obstinados que, como su propio padre, creían más en la fraternidad que en la vida misma. Para él la masonería había sido apenas una vía en la consolidación de su categoría social, pero debió enterrarla cuando en el colmo de su fanatismo aquellos locos habían comenzado a meterse en política para terminar pidiendo la renuncia al presidente y, luego, expulsarlo deshonrosamente de la institución en la que el general detentaba el Grado 33, el más alto escalafón de la vida masónica. Total, como si Machado hubiera perdido el sueño por la repulsa de sus patéticos hermanos masones.

Sólo una insondable y salvadora premonición, que nunca pudo explicarse, le había hecho cambiar de opinión y aceptó recibir a Aquino en la estancia de la biblioteca. Cuando lo vio entrar, había sentido lástima por el anciano que tanto le recordaba a su propio padre. Con un tabaco maltratado entre los dedos y un paquete amarillo y sucio bajo el brazo, Aquino se secaba el sudor del rostro. ¿Suda así por el miedo?, se había preguntado, aunque pronto comprendería su equivocación. Sin saludarlo, Cristóbal Aquino le había explicado que venía a darle algo que quizá le pertenecía y, según esperaba, Ricardo debía considerar en su justo valor. Y había dejado caer sobre el buró de caoba el paquete amarillo, atado con una cinta malva.

—¿Qué es eso que me pertenece y que vale tanto? —había preguntado don Ricardo, mientras le ofrecía asiento al anciano—. ¿Quiere un vaso de agua? ¿Café?

Aceptado el ofrecimiento, Aquino le había recordado que aquel sobre amarillo era el mismo que José de Jesús Heredia entregara a la logia once años antes. A medida que Ricardo Junco fue oyendo la historia encerrada en aquellos papeles de los cuales se había olvidado hacía mucho tiempo, se le fue desvelando el modo dramático y alarmante en que se relacionaban con la familia, con él mismo, y había comenzado a comprender la seriedad del asunto. Increíble le había resultado escuchar la actitud de su padre, don Ramiro, empecinado en no tener potestad alguna sobre el destino del manuscrito, pues ni siquiera quiso leerlo.

—Ahora mismo yo soy el único, además de ti, que sabe dónde están estos papeles —había agregado Aquino—. Ni siquiera mi hijo lo sabe. Y también soy la única persona viva que los ha leído...

Ricardo Junco había cometido en ese punto un error que pudo ser lamentable.

—No sé cuánto dinero quieres, pero la verdad...

—No quiero ni cojones, Ricardito. Bien se ve que no eres como tu padre —le había dicho el masón y todavía don Ricardo sentía un escozor malvado al recordar la mirada de desprecio con que Aquino lo había observado—. Estos papeles no tienen precio, no se pueden comprar ni vender. José de Jesús vivió en la miseria por años y no los vendió. Tu padre no quiso tocarlos, pero desde que supo que existían y que José de Jesús no los había vendido, le dio dinero todos los meses para que no se muriera de hambre. Cernuda se negó a destruirlos porque sabía que eran demasiado importantes... Éstos son documentos de tu familia, pero tienen que ver con lo que es y con lo que no es este país... Y hay cosas que son sagradas, por si no lo sabes.

—Disculpa, es que pensé... —don Ricardo había tratado de arreglar lo que parecía irreparable.

—Pues me ofendiste, y ahora mismo estoy pensando que nunca debí venir aquí con esos papeles. Lo que está escrito ahí es más importante que las memorias de un hombre y yo creo que se debe publicar, aunque perjudique la historia de los Junco y de otras personas. Pero si cae en manos de tus amigos esbirros sabe Dios qué pueden hacer con ellos... Y aunque pienso que eres un ladrón y un politiquero de mierda que nunca debió poner un pie en una logia, creo que te pertenecen. Haz con ellos lo que mejor te parezca, pero si los destruyes piensa primero en tu padre y en que estás destruyendo a tu propia familia. Gracias por el café.

En el recuerdo, don Ricardo Junco veía salir al viejo Cristóbal Aquino, con su alarde de dignidad, con su ética masónica desplegada en el extremo del asta, y apenas calmaba su rencor la satisfacción de saber que dos horas después el viejo boqueaba en su cama, doblado por el dolor del ataque cardíaco que lo mataría.

Esa misma noche don Ricardo había perdido el sueño mientras leía la historia que Heredia contaba en el manuscrito y al amanecer decidió que aquellos papeles no podían tener otro destino que el fuego. Pero un presentimiento salvador lo hizo posponer la acción cuando recordó que era el único conocedor de aquel secreto, aunque por largos meses había vivido con la sospecha de que la ira había matado al viejo Aquino y quizás, antes de morir, éste le había revelado a su hijo el paradero del manuscrito. Entonces, previendo que las circunstancias lo obligaran, se preparó para decirle al joven Aquino que su padre jamás le había entregado aquellos papeles, de cuya existencia él ni siquiera se acordaba.

Por seis años la caja fuerte de don Ricardo había servido de refugio a la memoria de José María Heredia. En cada ocasión que abría el nicho, lo embargaba la satisfacción al observar el sobre amarillo. Mas el regocijo de haberse hecho de una manera tan fácil con aquellos documentos solía ser superada por la comprobación, dentro de la misma caja, de que sus activos disminuían con una velocidad pasmosa y por la evidencia de que la bóveda metálica pronto estaría ocupada solamente por aquellos papeles infames.

La reciente noticia de que su pariente Dominguito Vélez de la Riva se empeñaba en aspirar a la presidencia de la República durante las venideras elecciones hizo que el acto de abrir la caja fuerte se convirtiera para don Ricardo en un inesperado motivo de alegría. Porque si el dinero menguaba a ojos vistas, aquel sobre amarillo seguramente se encargaría de remendar de modo más que satisfactorio su economía, cuando le propusiera a Dominguito la venta de unos papeles, escritos nada menos que por José María Heredia, donde si bien se desvelaba el origen bastardo de media familia Junco, también salían a flote algunas historias muy poco amables de su tatarabuelo Domingo del Monte, el patriarca familiar de quien tanto se enorgullecía aquel imbécil con ínfulas de presidente. Al fin y al cabo, para Ricardito Junco reconocer que era descendiente de Heredia podía considerarse hasta un honor, más ahora que se preparaba a bombo y platillo la celebración del centenario de su muerte y se publicaban otra vez las poesías del Cantor del Niágara y se exaltaba su figura de patriota y hombre civil. Sin embargo, para un aspirante a la presidencia de la República, tataranieto de Del Monte, descendiente también de aquellos Alfonso y Aldama enriquecidos con el tráfico de negros y que tanto retrasaron la independencia de la isla, la difusión de aquellas memorias podía ser un golpe mortal, irreparable, que sus enemigos políticos explotarían hasta la saciedad.

La brisa del mar alborotó el pelo de don Ricardo y lo devolvió a la realidad. Desde la altura de su azotea miró el reloj del ayuntamiento y comprobó que eran las nueve y cuarenta. En veinte minutos debía estar llegando a su casa el primo Dominguito, siempre tan puntual, y todavía don Ricardo no sabía la cifra exacta que le pediría a cambio de los papeles. ¿Un millón? ¿Es mucho o poco? ¿Cuánto vale ser presidente de la República? ¿Cuánto se puede robar en un año, cuánto en cuatro? ¿Dos millones?, calculaba, mientras bajaba las escaleras hacia la biblioteca de aquel palacio que, gracias a Dios y al abuelo Heredia, seguiría siendo de los Junco, por los siglos de los siglos.

Y al fin sentí que me tocaba la bendición de un océano propicio, femenino y dulce como aquella Yemanjá adorada por la inolvidable Betinha. Apenas emprendí aquel el más ansiado de todos mis viajes, comprendí que once años lejos de las volubles ondas del mar, de su solemne música, son demasiados para un hombre que ha nacido a su vera, que ha crecido adormilado por su murmullo, que tantas veces ha cruzado sobre él llevado por los vientos del destino: once años y muchas expectativas lograron el milagro de que mi corazón recordara que alguna vez fui poeta y escribí una oda «Al océano», con las últimas partículas de mi sensibilidad exhausta.

Casi interminable me pareció aquella travesía de apenas seis días desde Veracruz a La Habana, tan prolongada para mis ansias como la que Ulises emprendió en busca de los suyos y de su propio destino. En vigilia casi todo el tiempo, mi mente trataba de adelantar sucesos y sensaciones, empujado por un optimismo invencible que me pintaba de azules y rosa aquel regreso. Hasta que el 4 de noviembre, a media mañana, avistamos al fin la silueta de La Habana. Y no fueron palmas lo que primero vi, sino las moles de piedra de sus fortalezas, símbolos de un poder que se empeñaba en perpetuarse, y ya con los ojos anegados en lágrimas, dudé en ese instante, sólo en ese instante, si mi acto de rogarle su permiso a un gobernador extranjero para visitar mi propio país había sido en realidad la mejor solución.

Lentamente atracamos en la bahía, justo en el sitio donde estuvo anclado el barco que se llevó a Varela de Cuba, y desde la cubierta vi la vieja alameda de Paula donde tantos paseos di con mis amigos, la plaza de Armas, el seminario de San Carlos, el nuevo paseo del Prado, y entonces me llegó, como un dulce abrazo, para advertirme que estaba en mi lugar, aquel olor mestizo y tan propio de la ciudad que, sólo en ese momento, pude reconocer en su inconfundible y dolorosa singularidad.

Al bajar la escalerilla del barco, donde dos militares examinaban los pasaportes, tuve la primera gran sorpresa de las muchas que me reservaría aquel retorno: un hombre de barba precisa, elegantemente vestido con traje de hilo blanco de tres piezas, con leontina de oro y botines de brillante charol, me miraba a cierta distancia a través de unos lentes también engarzados en oro. Cuando el hombre empezó a avanzar hacia mí, encontré una sonrisa conocida en su boca, mientras abría los brazos y decía:

—Por fin, José María.

Y sólo entonces descubrí que aquel señor elegante era mi viejo amigo Domingo, a cuyos brazos me arrojé, creyendo que desfallecía.

Nada pude decir, mientras lo tomaba por los brazos y cobraba distancia para tratar de que la imagen actual encajara en la remota estampa de aquel hombre al que no veía desde junio de 1823, más de trece años atrás, y en medio de todas las dudas y temores de aquellos días difíciles. Pero Domingo no dejaba de sonreír y me miraba con satisfacción evidente de miope aliviado.

—Ya estás aquí —dijo.

—Qué sorpresa. No pensé que viniera nadie...´

—Tenía que verte antes que nadie. Y comprobar que no estás tan mal como decías en tus cartas. Siempre exagerado.

En ese instante se acercó a nosotros un oficial con tricornio, y preguntó si yo era José María Heredia y me pidió que lo acompañara para oficializar mi entrada en la isla.

—Tengo mucho de qué hablar contigo. ¿Cuándo nos vemos?

—Yo te espero fuera. ¿Me entiendes? Vamos a comer a mi casa. Quiero que conozcas a mi Rosita, que veas mi biblioteca, que converses a los escritores que te admiran...

Aquel ofrecimiento inesperado removió fibras de mi corazón que

286

creí petrificadas y sentí la absurda ilusión de que era posible volar sobre el tiempo y remendar sus efectos.

—Domingo, quiero que me perdones si alguna vez yo...

—Vamos, José María, no sé de qué estás hablando. Te espero afuera. ¿Me entiendes?

Preguntó, y nos dimos otro abrazo. Fuerte, afectuoso, cargado de años de amistad, disputas, juergas, envidias, poemas y amores cruzados: un abrazo que me impedía concebir siquiera que era aquélla la última vez que vería al amigo al cual tantas veces perdoné y del que recibí la más cruel de las decepciones y la más infame traición.

Tres horas me tuvieron sentado en un banco, y en cada ocasión que preguntaba me decían que pronto mis papeles estarían listos. Aquellos militares, advertidos sin duda de quién era yo, ejercían sobre mí el minúsculo pero terrible poder que las circunstancias les ofrecían y me obligaban a esperar todo el tiempo que ellos desearan, antes de permitirme entrar en la que era mi patria. Cuando ya desfallecía de hambre, por fin me hicieron pasar a un despacho, donde otro oficial, de más rango que el anterior, me hizo mil preguntas sobre los motivos de mi viaje, y me advirtió dos cosas: que mi permiso de entrada era revocable, por lo cual podían sacarme en cualquier momento del país si participaba en alguna acción inconveniente, y que cumplidos los dos meses de permiso, si permanecía en la isla, quedaba a disposición de los tribunales españoles. Y sin desearme suerte me entregó mis lamentables documentos.

Ni júbilo, ni gentío, ni descargas de artillería me aguardaban al salir a la calle. Aquel tipo de recibimiento estaba bien para el héroe Gener que volvía a sus millones, pero no para el diminuto Heredia que retornaba enfermo y vencido. Lo más extraño fue que tampoco encontré a Domingo, a pesar de que, con mis bártulos a cuestas, lo busqué por los bares del puerto, como si aún fuera posible que el señor oloroso a lavandas francesas que me había recibido todavía frecuentara aquellos viejos lupanares queridos, donde gastó tantas noches jugando a las cartas y bebiendo vino peleón.

Como mi plan era salir hacia Matanzas a la mañana siguiente, decidí tomar habitación en una pensión cercana. Allí me aseé, dejé mi equipaje y comí con avidez un plato de quimbombó con carne y arroz blanco que alborotó las papilas de mi memoria, empecinadas en reencontrar el placer escondido en aquellos sabores insustituibles. Entonces salí a la calle, en busca de mi amigo. A pesar de la enorme cantidad de volantas y quitrines de alquiler que se ofrecían, preferí caminar un poco por aquella ciudad maravillosa, cada vez más caótica y bullanguera, y me fui directamente a la casa de la calle Habana 62, donde ahora vivía Domingo. La mansión resultó ser, como lo esperaba, un verdadero palacio, con columnatas de mármol en la entrada, portón para carruajes y grandes ventanales de vidrieras, protegidos por rejas de bellísimo entramado. Nada más tocar la aldaba me abrió un mayordomo, negro y perfectamente uniformado, quien me preguntó en un español castizo qué deseaba yo. Le informé y el criado me dijo que el señor no estaba. Le pregunté si sabía dónde encontrarlo, y me dijo que no sabía. Le pregunté si tenía idea de a qué hora regresaba, y tampoco pudo informarme. Le pedí que le preguntará a la señora, y me dijo que la niña Rosita estaba en casa de sus padres.

Apenas comenzaba a caer la tarde y, para dar tiempo, deambulé por la ciudad, que encontré muy cambiada. En los últimos años, en medio de una sorda competencia de poderes, Tacón y el intendente Villanueva habían comenzado diversas obras, cuyo resultado ya se apreciaba en las calles bien empedradas y alumbradas, o en los edificios y plazas con bellas fuentes que, por doquier, daban empaque y elegancia a una ciudad cuya prosperidad era palpable. Con el alma en vilo fui hasta más allá de extramuros, y justo donde antes se había alzado la casa de madame Anne-Marie, encontré un desolador descampado junto a lo que era el inicio de un largo paseo en construcción, que llevaría el nombre de Tacón. Desarmado por la ausencia de los últimos vestigios de aquel sitio al cual siempre fui como a un santuario, tomé cualquier rumbo y a unas pocas cuadras hallé la estructura ya en pie del nuevo teatro que el capitán general había mandado levantar y que, como el paseo, también llevaría su nombre. La ciudad que tanto y tan bien conocía empezaba a escaparse de mis viejas referencias, a hurtarme las nostalgias y a advertirme de mi condición de forastero, casi extranjero en tierra propia. Pero su olor invencible vino en mi ayuda, para recordarme que hay cosas tan verdaderas que ni el poder de los dictadores logran cambiar.

Fatigado por la caminata y el cúmulo de emociones, me sorprendió escuchar la descarga de artillería que advertía la llegada de las nueve de la noche y me apresuré hacia la casa de Domingo, donde el mismo mayordomo me dio las mismas respuestas, insólitas y desalentadoras. Sin entender qué sucedía, fui a dormir a la pensión, y a pesar del cansancio sólo pude conciliar el sueño luego de mil vueltas en la cama. A la mañana siguiente, después de un café corto y fuerte que me devolvió a la vida, nuevamente desanduve las cuadras que me separaban de la casa de la calle Habana 62, y por tercera vez obtuve similar y tan extraño resultado. Por eso, mientras viajaba hacia Matanzas, en una diligencia atestada de personas y de olores desagradables, no podía sacarme de la cabeza aquel inexplicable suceso. ¿Dónde podría estar Domingo? ¿Por qué no dejaba referencias para mí si se proponía invitarme a su casa? ¿Sería posible que me evitara después de haberme ido a recibir, él, el único entre todos los que me conocían?

Alborozado, como siempre, por las incontables palmas reales del valle del Yumurí y por la belleza sin par de la entrada a Matanzas, lanzado a la evocación de un mundo de remembranzas y amores perdidos, de días de creencias hoy derrotadas, me olvidé por un tiempo de mi extraña aventura con Domingo y me entregué a la alegría de ver otra vez a mi familia. Mi madre, fuerte como un roble, lloró al verme y se preguntó qué le habían hecho a su hijo querido, al ver al hombre de treinta y dos años, enflaquecido, de cabello ralo y ojos hundidos por dos sombras negras, que la besó y le pidió la bendición. Mis hermanas Ignacia, Rafaela, Dolores y la pequeña Conchita, sumadas al coro de llanto, besos y abrazos, me parecieron personas nuevas que sólo ahora conocía, y mi tío Ignacio, cariñoso como siempre, pero con una tristeza que no conseguía ocultar, descorchó una excelente manzanilla gaditana para darme la bienvenida. Largas horas debí invertir en contarles los avatares de mi vida en los últimos trece años, mientras mi madre, sentada a mi lado, no dejaba de acariciarme las manos que, según ella, habían escrito los más bellos poemas del mundo... Como desesperados tratábamos de tender puentes sobre la distancia y el olvido, para recuperar con palabras, ya que los hechos eran idos, unas vidas rotas por la saña de la política.

Al final de la noche salí con Ignacio a dar un paseo por la muy cambiada y mejorada ciudad. Algo en la actitud de mi tío me preocupaba y, luego de caminar un rato, le propuse que bebiéramos un trago y decidió llevarme a la taberna del León de Oro, de moda entre la gente bien y los bohemios de la ciudad. Allí, bebidos unos vinos, supe al fin lo que tanto deseaba saber: Lola Junco vivía otra vez en la ciudad, siempre casada con Felipillo Gómez, y aunque le hice creer a Ignacio que aceptaba su consejo de no remover las aguas turbias del pasado, anoté en mi mente la dirección donde ahora vivía. Sólo entonces me arriesgué a preguntarle el motivo de su visible pesadumbre y aquel hombre bueno, al que tanto le debía, me miró a los ojos y, sin poder contenerse, comenzó a llorar. Confundido, creyendo incluso que era yo el motivo de aquella extraña reacción, le pedí que me explicara y el buen Ignacio me abrió su corazón.

—Estoy destrozado, hijo —comenzó, y me relató la inconcebible historia de sus lances de amor, por casi veinte años, con un tal Carlos

Manuel Cernuda, comerciante de la ciudad, del cual había vivido siempre enamorado. Sin poder dar crédito a lo que escuchaba, supe de una oculta y tormentosa relación carnal que me explicó al fin la siempre extraña actitud de mi tío en asuntos de faldas. Cernuda, casado y con hijos, había sido su gran amor desde los días en que asistieron juntos a la universidad, y el reciente fallecimiento de su amado dejaba a Ignacio en un estado similar a la viudez. Contrario a lo que pensé, no sentí ni asco ni desprecio al oír aquella tremenda revelación: la historia de aquel amor invertido, vivida en la más terrible clandestinidad, hizo que al fin entendiera a mi pobre tío e imaginara cuánto había sufrido y cuánto seguía sufriendo a causa de una inclinación abominada por Dios y por los hombres. Sin embargo, aquel ser transido de dolor era la misma persona bondadosa y fiel que por largos años dio cobijo a mi madre y mis hermanas, y me sostuvo con su dinero y comprensión en los tiempos duros de mi exilio norteamericano.

Desde la mañana siguiente, alentado tal vez por la confesión de mi tío, decidí que por una u otra vía necesitaba propiciar un reencuentro con Lola Junco, y con una nota manuscrita en el bolsillo comencé a pasar frente a su casa en cada ocasión que salía a la calle. Mi esperanza era verla salir en algún momento o encontrarme con su esclava Teté, nuestra antigua confidente, que de seguro seguiría a su servicio. Pero pasaron los días y de la casa donde ahora vivía la mujer a la que tanto había amado no salió una sola persona conocida.

Algo que me resultó curioso fue que de los muchos amigos que antes tuve en Matanzas ninguno pasó a verme en los primeros días de mi estancia en la ciudad. Al decir de Ignacio, debían de temer que les vieran alternar conmigo, pues yo seguía siendo considerado un enemigo del régimen, y en condiciones como las que se vivían en Cuba, con casi tantos policías como ciudadanos, nadie quería verse relacionado con un sedicioso como yo. Por tal motivo me parecía incluso más valiente el gesto de Domingo de ir a recibirme al puerto y más inexplicable su posterior ausencia y la prolongada falta de noticias suyas.

Curiosamente, gentes como el señor José Arango y su hija Pepilla acudieron a darme la bienvenida y me invitaron a cenar en su casa. De igual modo los Alfonso, tíos del malogrado Silvestre, me ofrecieron su incondicional amistad y me entregaron, por disposición de mi amigo, un fajo de las cartas que por años le envié. También me visitó Orlando Hernández, el hijo del buen doctor Hernández, y platicamos largas horas sobre los días finales de su padre, muerto en la cárcel, y el lamentable destino de nuestros deshechos ideales.

Hasta que una mañana, casi a finales de noviembre, tuve la sorpresa de recibir la visita de Félix Tanco, el gracioso Tanco de los viejos tiempos, convertido ahora en un conocido escritor y periodista, director de la oficina de correos de la ciudad. Al verlo en la sala de mi casa, apenas cambiado por los años, me acerqué y recibí su abrazo. De inmediato Tanco me pidió disculpas por su demora en venir a verme, pero desde un altercado que tuviera con los censores del capitán general, dos años atrás, sentía que cada uno de sus pasos era vigilado por los agentes secretos del Gobierno. Desproporcionado, en verdad, me pareció su delirio persecutorio, pues bien sabía que luego de su choque con la censura, Tanco había vivido normalmente y conservado su trabajo para el Gobierno. Pero algo lo hacía sentirse incómodo y le dije que no tuviera pena, que si tenía algún temor, podía irse. Entonces acudió a su risa espasmódica de siempre, y me dijo que me olvidara de todo y habláramos en paz, aunque, más que conversar, casi me limité a responderle sus preguntas sobre mi carta a Tacón, y al final él me contó de las discusiones que eso había suscitado entre los que estaban a favor o en contra de mi decisión.

—¿Y tú, estuviste a favor o en contra? —le pregunté, mirándolo a los ojos.

—Siempre dije que era una decisión personal, pero que..., no sé, José María. No sé si es mejor o peor para el país. Por lo que tú significas.

—El país nunca se preocupó por saber si yo estaba mal o peor, y yo no significo nada: yo soy un fantasma. Si estoy vivo y camino, creo que fue por el deseo de volver a Cuba, y de ver a mi madre y verlos a ustedes. Y por la ayuda que me dio mi tío...

—Por Dios, José María —me dijo—. No hables así. El destino del país está en juego, ¿me entiendes?

En ese momento, con esa pregunta vacía y conocida en mis oídos, sentí que entre aquel hombre antes eufórico y divertido y yo se alzaba una muralla impenetrable, y no hice el intento de derribarla ni de bordearla. Como la conversación se agotaba, le pedí que cuando se comunicara con Domingo le dijera que aún esperaba noticias suyas, aunque en breve iría a La Habana y pensaba visitarlo en su casa, tal como él me pidió a mi llegada.

Unos días después, de regreso de un infructuoso paseo por las inmediaciones de la casa de Lola, encontré que me esperaba el joven poeta José Antonio Echevarría, de quien algunos decían que representaba la nueva promesa de la lírica nacional. Nos presentamos y mientras bebíamos el café que amablemente nos sirvió Ignacia, el joven Echevarría me confesó cuánto me admiraba y lo ridículo que le parecía que su pobre talento hubiera sido comparado con el mío. Me visitaba, dijo, porque no le importaba lo que se decía en los círculos intelectuales de mi carta a Tacón y mi viaje a Cuba. Aquella sinceridad me agradó y por casi dos horas le fui contando la sucesión de acontecimientos y decepciones que me llevaron a escribir la carta que había desatado tantas opiniones, y creí advertir, por momentos, un brillo de comprensión en sus ojos. Al final, cuando lo despedía, Echevarría me dijo algo que me resultó especialmente alarmante:

—Heredia, usted vale mucho para Cuba, pero su vida es sólo suya y ya ha sufrido demasiado. No permita que le hagan más daño del que ya le han hecho.

Con aquellas palabras retumbando en mis oídos, decidí echar a un lado todos mis reparos y le escribí a Domingo, en quien de seguro hallaría todas las respuestas necesarias. Lo calificaba en mi carta de «amantísimo amigo» y le preguntaba qué había ocurrido luego de mi llegada, a la vez que le reiteraba, más que mis deseos, la necesidad apremiante de verlo y hablar largo y tendido con él. Le pedía, por favor, que respondiera mi carta y apenas le hablé de las extrañas visitas de Tanco y Echevarría.

La cegadora luz que desgarró las tinieblas de la incertidumbre la tuve al fin justo a la noche siguiente. Ya habíamos apagado las lámparas de la casa cuando escuchamos unos golpes nerviosos en la puerta y al abrirla entró Blas de Osés que, nada más verme, corrió a abrazarme y a pedirme perdón. Yo lo debía entender, me decía atropellando sus palabras, mientras trataba de explicarme que una especie de orden no emitida pero claramente circulada, recomendaba a los amigos no relacionarse conmigo, evitarme, no escuchar mis razones. Atontado por esa información llevé a Osés a mi habitación y cerré la puerta, para tener en privado la conversación que su noticia exigía.

—Te consideran un traidor por haberle escrito a Tacón, por haber vuelto... Dicen que escogiste el peor momento para volver.

—¿Pero quién coño lo dice? —casi grité, sin poder creer lo que escuchaba, aun cuando sabía que ésa era una de las fichas que podía depararme aquel juego peligroso.

—Todos. Tanco, Palma, Cintra...

—Pero si Tanco vino a verme.

—Y mira lo que le escribió a Domingo —dijo y sacó un papel del bolsillo de su chaqueta—: «He visto y abrazado a José María Heredia. Lo abrazaba y sentía vergüenza, sentía indignación, sentía lástima. Lo veía como a un desertor, como a un tránsfuga abatido, humillado, sin poesía, sin encanto, sin virtud...».

Osés arrugó la hoja y me miró.

—Tanco hizo varias copias de la carta... Esto es demasiado. Por eso vine a verte.

Una mezcla de indignación y pena nublaron mi mente y de mi conciencia alterada sólo brotó una pregunta:

—¿Y Domingo?

—Tanco es un infeliz —dijo Osés, e hizo una pausa—. Vino a verte para escribir lo que Domingo quería oír.

La consabida sensación de sentir que el mundo se abre a nuestros pies, o que el cielo y la tierra se juntan para aplastarnos sin piedad, me envolvió en ese instante.

—Creo que empiezo a entender, pero hay cosas que se me escapan y que tú me vas a decir, ¿verdad? ¿Qué es lo que hay detrás de todo esto? ¿Por qué se ensañan conmigo?

Osés me pidió que buscara una botella de vino. Con dos vasos en las manos, hablamos toda la madrugada y supe al fin la trama terrible de la que, sin saberlo, ahora yo formaba parte.

Mi regreso a Cuba, precisamente en aquel momento, era considerado un éxito más de Tacón, quien, como parte de su plan de gobierno, se había propuesto no sólo borrar cualquier idea de sedición, si es que aún había alguna, sino también socavar el poder político y económico de los ricos cubanos, que hasta entonces habían manipulado a su antojo a los capitanes generales. En esos días estaba en marcha un plan empeñado en quitar del medio a Tacón, y para ello los Alfonso, los Aldama y los Mádam habían invertido fuertes sumas, destinadas a comprar influencias en la metrópoli. Al parecer la estrategia del gobernante había sido eficaz y por eso urgía su deposición: aliado con los comerciantes peninsulares y los negreros catalanes y gaditanos, Tacón había inundado la isla de esclavos, contra los deseos de los ricos cubanos, que se proponían detener el flujo de negros que, por supuesto, frenaba cualquier intento independentista y los amarraba a una economía que cada vez resultaba menos ventajosa.

De modo que los potentados se habían propuesto dar la guerra en todos los frentes, pero centraban sus expectativas en las nuevas Cortes y en la petición de leyes especiales para la isla, pues habían logrado colocar a sus hombres en dos de los tres escaños de diputados: a Saco y al ciego Escovedo, escogido cuando Domingo, que era la verdadera carta de los ricos, prefirió una vez más permanecer en la sombra y trabajar entre bambalinas... Y el cerebro que manejaba toda aquella maquinaria no era otro que el gran Domingo, susurró Osés. Sus patrones y parientes ponían el dinero, y él aportaba la inteligencia y las relaciones necesarias para una batalla de sutilezas y visión larga.

—¿Y por qué fue a recibirme? —pregunté, casi adivinando la dura respuesta que me dio Blas de Osés.

—Quería ver en ti la imagen de la derrota. Se arriesgó a recibir reprimendas, pero no podía evitarlo. La batalla contigo es otra cosa: es su guerra personal y quería ver al perdedor. Si no te pudo vencer en la poesía, al menos quería ver cómo te ganó en la vida...

—No puedo creerte. Es demasiado morboso lo que me dices...

—Pero te puedo decir más. No fue Tacón el que hizo pública tu carta: fue Domingo... Por humillarte es capaz de cualquier cosa y lo que está planeando ahora es más pérfido y peligroso que todo lo que tú puedas imaginar. Él quiere disminuirte como poeta, porque se ha propuesto inventar la literatura cubana y quiere hacerlo sin ti.

—¿Qué estás diciendo? —pregunté, realmente confundido.

—Lo que oíste. Si tú brillas solo, nadie puede opacar tu esplendor. Pero si te envuelven las nubes ya no serás como el sol. Domingo lo ha planeado todo de una manera que da espanto y con el dinero de su suegro lo va a conseguir.

—No entiendo un carajo...

—Está usando las tertulias que hace en su casa para lanzarse en su proyecto. Ha puesto a escribir a todos y ha repartido los papeles. Unos van a rescatar a los indios cubanos para tener un pasado anterior a los españoles; otros escriben de los campesinos para inventar una tradición; otros de los horrores de la esclavitud para crear una moral antiesclavista; otros sobre las costumbres de La Habana para crear el espíritu de una ciudad; otros sobre la historia para demostrar que somos distintos a España... Cuando todo eso exista se podrá inventar la imagen de un país y hasta se podrá prescindir de tus versos... Pero nada de eso es lo peor. Porque además de crear ese país, lo van a subir sobre el pedestal de una mentira.

Y entonces Osés me contó algo más macabro que todo lo que había oído en mi nada apacible existencia. Hacía cinco años, me dijo, habían hallado en la biblioteca de la Sociedad Patriótica una historia de La Habana escrita por un tal Félix de Arrate en el siglo XVIII. Pronto el libro se publicaría y Domingo y sus acólitos iban a aprovechar el suceso para revelar otro gran descubrimiento: dirían que recientemente había aparecido un poema épico del siglo XVII, que estaba incluido en otro libro, escrito por el obispo Morell de Santa Cruz hacia unos cien años, el cual, casualmente, también había sido hallado en la papelería de la sociedad.

—¿De qué poema épico estás hablando?

—De un fraude, José María. El libro del cura existe, es una especie de historia de Cuba, pero él nada más copió varias octavas que alguien le recitó de un poema de un tal Silvestre de Balboa, donde se contaba el rescate de un obispo secuestrado por unos piratas franceses. Eran unos pocos versos, pero ahora entre Domingo y Echevarría están escribiendo el poema completo, y van a hacerlo pasar como un documento del año 1600.

—Pero eso es un disparate.

—No tanto. Porque si no cuela, todo queda como un chiste literario, como el de los *Romances* de Domingo firmados por Sánchez de Almodóvar. Pero ¿y si funciona? Pues ya tenemos una tradición propia, cristiana, con una épica donde el héroe de la batalla contra los piratas es nada más y nada menos que un negro bueno que es premiado con la libertad.

Una de las mayores tristezas que iba a sentir en mi vida me embargó en ese instante. No por lo que de mí se pensaba y se decía, sino por el futuro de aquel país, por cuya suerte yo había sufrido tan largos años, un país que iba a nacer sobre el manto de una mentira y una ficción pagada por unos viejos tratantes de esclavos y un poeta mediocre y maquiavélico, que había logrado lo que buscaba en el mundo gracias a un afortunado braguetazo.

A lo largo de la noche, varias botellas de vino pasaron por mi habitación y tras ellas se fue mi lucidez. Borracho, no recuerdo cómo ni cuándo se marchó Blas de Osés, pero sí el terrible malestar con que desperté, bien pasado el mediodía, con una especie de cansancio que atribuí al exceso de alcohol. Asqueado de todo, pensé que mi regreso a Cuba, por el cual había pagado tan alto precio, no era más que un grandísimo error, y empecé a desear volver a México, a su caos, su anarquía, mi pobreza, para sentirme lejos de una atmósfera que provocaba náuseas.

Encerrado en mi casa estuve por más de una semana, temiendo me sorprendiera una crisis de mi enfermedad, cuando me llegó una carta de Domingo y supe que toda la historia casi increíble que me contara Osés era tan cierta como la salida diaria del sol. En la carta, fechada el 28 de noviembre, en La Habana, él me llamaba «Mi querido José María», y me comentaba que pronto pensaba pasar por Matanzas, aunque no tendría tiempo para verme, pues aunque su palacete quedaba apenas a tres cuadras de mi casa, acá lo aguardaban su esposa y su suegra para ir por una temporada a uno de los ingenios de la familia. También me decía que no era el actual momento el mejor para publicar mis poesías en España, con lo cual se desentendía del trabajo de edición que antes había aceptado. Y, sin explicarme nada de lo que había ocurrido el día de mi llegaba, me expresaba: «No son menos vehementes los deseos que tengo de hablarte, pues para ello nos darán amplia materia, aunque no sea más que tu malhadado viaje a esta isla, bajo los funestos auspicios que lo has hecho», y se despedía de mí, clavándome un cuchillo en el corazón: «Ángel caído: siempre te quiere con caridad y cariño sin igual, tu constante amigo, Domingo»... ¿Debo confesar que lloré, como un niño, al leer aquella carta? Ni siquiera el piadoso insulto de llamarme ángel caído, ni la caridad en que se había convertido su cariño fueron bastantes para que el odio se impusiera al dolor. Ni siquiera su tono de triunfador, o la vanidad de restregarme en la cara sus vacaciones de rico a la sombra de la gran riqueza. Porque aquella misiva estampaba el fin de una turbulenta amistad, que en épocas mejores él luchó por sostener, que en otras yo procuré salvar con mis perdones, pero que ahora, envuelta en una trama mayor, era sacrificada por el potentado Domingo, nuevo dictador y diseñador de destinos, al dios de unos mezquinos intereses políticos ocultos tras cifras de seis y siete ceros. ¿Escribía aquella carta el mismo Domingo que siempre escondió su protagonismo detrás de otros nombres?; ¿el mismo que se jugaba el dinero, la ropa y hasta la vida en una mesa de cartas, una valla de gallos, un juego de dados?; ¿el mismo que repetía las frases de Varela y las hacía pasar como suyas?; ¿el mismo que estaba fundando una literatura sobre una superchería mayúscula y corrompía el talento de quienes lo rodeaban?; ¿el mismo que persiguió a mis mujeres, como un perro sin suerte?; ¿el mismo que acababa de publicar una diatriba contra el Gobierno de Tacón, pero otra vez sin su firma?; ¿el mismo que nunca había sufrido destierro, ni cárcel, ni persecución, porque nunca se atrevió a hacer de frente nada que implicara un riesgo?; ¿el mismo que, en memorial dirigido a la reina de España, se refirió al ideal independentista como «ese espantable monstruo»? ¿Era o no el mismo Domingo que veinte años atrás me cedió el paso hacia la cama de una prostituta porque no se atrevía a ser el primero ni siquiera en el amor, y el mismo que un día remoto perdió el control de sus emociones y se lanzó a besarme en los labios? Ángel caído: así me llamaba aquel perpetuo habitante del infierno del miedo, la intriga y la mediocridad. Entonces me enjugué las lágrimas, pues supe que nada podía hacer: ¿era tan terrible mi falta? Eso no importaba ya, porque mis razones no serían oídas y la voz de Domingo era la de los dueños de la historia y mi condena ya estaba decretada. Muchos años tendrían que pasar para que las verdades volvieran a serlo (si tal milagro es posible) y para que la justicia de la historia cayera sobre nuestras pobres cabezas. Y a esa justicia y a la de Dios me remito ahora, confiando en que tal reparación de mi memoria alguna vez sea posible.

—¿Y de verdad después vamos a Varadero? —preguntó Álvaro, con tono de súplica, mientras apoyaba su mano en el hombro de Fernando.

—Oye, compadre, ya te dije que sí. No sé qué lío tienes con Varadero.

—Lío ninguno —admitió el otro—. Lo único que quiero es ver tetas, muchas tetas.

—Ya sabía yo —dijo Delfina y se volvió para mirar a Álvaro, que le daba un buche a su petaca de ron.

—Cállate un rato, Varo —protestó entonces Miguel Ángel y se volteó un poco más, en busca del sueño perdido—. Mientras más viejo, más comemierda...

Arcadio se había disculpado de no participar en la excursión, pero les prestó el auto, mientras Conrado les había facilitado una tarjeta con la cual podrían consumir, sin pagar un centavo, cuanta gasolina devorara el motor insaciable del Lada.

La noche anterior, después de contarle a sus amigos la conversación con la doctora Santori, Fernando había decidido que la única pista posible seguía siendo Salvador Aquino, si el viejo, como pensaba, les había mentido o quizás ocultado parte de la verdad. Por eso, dispuesto a ablandar el corazón del anciano, Fernando se había detenido en un supermercado antes de salir de La Habana y compró dos pollos para obsequiárselos al llegar a Colón.

Mientras conducía por la desolada autopista, con Delfina a su lado y dos de los Socarrones en el asiento trasero, Fernando Terry comprendió que cada vez estaba menos preparado para irse. La recuperación posible de su pasado, la palpable evidencia de que quizá ninguno de sus viejos amigos lo había traicionado, el reencuentro con su madre, su casa y sus más remotos recuerdos, y la renovación de sus ansias corporales y espirituales conseguida a través de Delfina, le dibujaban su vuelta al exilio como un nuevo desgarramiento, inesperado y doloroso. Sin embargo, la posibilidad complicada de su repatriación, mediante un infinito papeleo al final del cual podía agazaparse una negativa, le parecía tan poco factible que ni siquiera intentó estimarla.

Además, si volvía, ¿de qué viviría?, ¿resistiría tener por jefe a un director como su viejo conocido de *TabaCuba*?, ¿se acostumbraría otra vez a los rigores económicos del país, a recorrer la ciudad en bicicleta, a inventar los modos de conseguir la leche en polvo, el café y la carne cuando se agotaran los dólares que trajera?, ¿sería alguna vez confiable para alguna estructura oficial? Las murallas impuestas entre aquel sueño y su realización eran tan compactas como el malestar que le provocaba la idea del retorno a la soledad y el silencio, más alarmantes después de haber despertado comportamientos y hábitos ancestrales. Sólo acudía en su auxilio la esperanza de regresos periódicos, en cada ocasión que su economía lo permitiera, de llevar a Delfina consigo cuando la vida de la mujer superara sus complicaciones, de poder abrir otra vez sus viejos libros y escuchar sus discos sin que la angustia fuera paralizante.

La monotonía de la carretera había dormido a Miguel Ángel y aburrido a Álvaro. Delfina, con la ventanilla cerrada, miraba hacia los naranjales que corrían por su lado. Una sensación de paz envolvió a Fernando y pensó que volvería tantas veces que al final se quedaría, porque, en realidad —y ahora tenía la certeza—, él no se había ido nunca.

Cuando traspusieron el cartel que advertía del arribo a Colón, Fernando comprobó que eran apenas las diez de la mañana y decidió ir directamente a la casa de Salvador Aquino, sin contar con la mediación de su nieto Roberto.

Tal como lo esperaban, el viejo ocupaba su sillón en el portal de la casa. Con su sombrero de siempre sobre la cabeza, se abanicaba el rostro, mientras con los pies imponía el ritmo del balanceo. ¿Cuántos años llevaría sentado allí, con los mismos atributos, a la espera de comer su último arroz con pollo? La llegada del auto atrajo su atención, y con sus ojos semicerrados trató de enfocar a los recién llegados.

—Buenos días, Aquino, ¿se acuerda de nosotros? —preguntó Álvaro, y el viejo sonrió.

—Sí, ya..., pero ¿y quién es el moreno?, ¿y la dama? —preguntó, señalando con el abanico hacia Miguel Ángel y Delfina.

—Amigos nuestros —dijo Fernando, para tratar de adelantarse a Álvaro, en cuya mirada vio la intención de decir alguna de sus barbaridades—. Vinimos a Matanzas y se nos ocurrió hacerle la visita. Mire lo que le traigo —y alzó la bolsa donde cargaba los dos pollos.

—Coño, está bueno eso. ¡Lucrecia! —gritó entonces hacia el interior de la casa.

Lucrecia los saludó afectuosamente, se llevó los pollos y los ayudó a sacar cuatro sillas hacia el portal, después de advertirles que su hijo Roberto andaba por La Habana, en una reunión.

—¿Y qué, encontraron algo? —preguntó el anciano, luego de beber el café ofrecido por su nuera y de darle fuego a uno de sus potentes tabacos.

—Sí y no —comenzó Fernando—. Los papeles no los encontramos, pero sabemos algunas cosas interesantes —y le contó al anciano sobre los nombres hallados en la sesión de la logia, las sospechas de Carmen Junco sobre la fortuna de su tío Ricardo, y la evidencia, cada vez más insistente, de que los documentos contaban una historia poco amable para algunas personas.

—Es lógico, sí —admitió el anciano, mirando a Delfina. Al parecer, le interesaba más el escote de la mujer que los comentarios de Fernando.

—Y cada día estoy más seguro de que alguien sacó los papeles de la logia.

—Sí, eso parece —musitó Aquino, como si no le importara mucho lo que escuchaba.

Miguel Ángel miraba a Fernando, mientras Álvaro se movía inquieto. Delfina también parecía ajena a una situación que se empantanaba, y hacía evidente el error de Fernando al esperar una revelación salvadora por parte del anciano.

—Abuelo —dijo entonces Delfina, inclinándose y añadiendo música a la dulzura habitual de su voz—, ¿de verdad usted no sabe nada más?

Aquino miró con más desenfado a la mujer y sonrió levemente.

—¿Por qué me lo pregunta?

Delfina se acomodó el pelo, que rozó el rostro del anciano.

—Ah, se lo pregunto porque nosotros creemos que sí sabe... Mire, yo pienso que esos papeles ya no existen, pero Fernando no se va a ir tranquilo si no está seguro de que alguien los sacó de la logia, y por qué los sacó... Es que Heredia podía decir cosas que ninguno de nosotros se imagina, ¿me entiende?

—Claro, y también entiendo que usted me quiere engatusar.

—¿Entonces? —insistió Delfina, sonriendo.

Salvador Aquino fumó de su tabaco, y una nube de humo envolvió su cara. El abanico y el sillón permanecieron estáticos, mientras con una mano se frotaba el cuello.

—La noche que sacamos los documentos de la logia mi padre hizo una copia del acta del día que José de Jesús entregó los papeles —dijo, casi sin respirar–. Ésa fue la copia que apareció en el Archivo Nacional. Él no sabía qué podía pasar cuando la policía se metiera en la logia y tampoco si las cosas que íbamos a llevar para la biblioteca estaban seguras... y él quería que se supiera que José de Jesús había entregado esos papeles de su padre.

–Por eso a Mendoza le extrañaba que hubiera un acta fuera del libro y que no fueran iguales –comentó Fernando.

–¿Y por qué su papá quería que se supiera...? –preguntó Miguel Ángel.

–Porque él sabía que esos papeles eran importantes y porque él los iba a sacar de la logia.

–¿Se los llevó su padre? –Fernando saltó, entusiasmado.

–Los sacó de la logia, eso fue lo que dije. Pero no sé para dónde. Porque mi padre murió esa madrugada.

–¿No los llevó para su casa? –preguntó Delfina.

–No, mi madre nunca los vio. Además, la casa de nosotros no estaba en esa dirección.

–¿En qué dirección, Aquino?

–Yo estaba sacando una caja cuando vi a mi padre cruzando por la plaza de Armas. Bajó por Milanés, hacia la Vigía, y nosotros vivíamos en sentido contrario.

–¿Entonces? –Fernando sentía cómo las manos se le humedecían y el corazón le palpitaba con furia mientras trataba de imaginar el modo en que los papeles de Heredia salían de la logia bajo el brazo de Cristóbal Aquino.

–Él los llevó a algún lugar. Pero yo no sé qué lugar puede haber sido.

–¿Está seguro de que no los escondió en la biblioteca?

–Tan seguro como que yo mismo llené, cerré y cargué las diez cajas que metimos en la biblioteca.

–¿Y no le dio ningún indicio?

–Me dijo que iba a hacer un par de cosas importantes, nada más. Él sacó los papeles de la Cámara Secreta de los maestros y se los llevó. Era un sobre amarillo, así de este tamaño, amarrado con una cinta medio morada...

–¿Y usted dice que él murió esa misma noche?

–Sí, la última vez que lo vi vivo fue mientras cruzaba la plaza y bajaba por la calle Milanés...

Fernando sintió un temblor que le recorría todo el cuerpo.

–Aquino, Ricardo Junco vivía en el palacio de Junco, en la plaza de la Vigía, ¿verdad?

—Sí, eso lo he pensado muchas veces.

—Y era un hombre de confianza de Machado, ¿no?

—También lo he pensado.

—¿Y todavía era masón?

—Estaba dormido, como decimos nosotros..., pero todavía era masón.

—¿Usted cree que su padre pudo haberle dado los papeles? ¿Por la historia de Heredia y Lola Junco...?

—No sé por qué, pero siempre he pensado que se los dio a él porque era el hijo de Ramiro Junco. Tanto lo pensé que se lo pregunté personalmente, pero Ricardito me dijo que no... y yo no le creí.

—¿Por qué no le creyó? —Álvaro parecía desesperado y se había puesto de pie.

—Por intuición. Por desconfianza. Porque Ricardito Junco era un reverendo hijo de puta.

—Lo extraño es que siendo como era Ricardo Junco su padre le diera los papeles de Heredia precisamente a él...

—También lo he pensado mucho y por eso nunca he estado completamente seguro. Pero si lo hizo, alguna buena razón tendría, digo yo. Quizás un compromiso con Ramiro Junco o algo así... Ramiro y mi padre fueron muy amigos.

Fernando encendió un cigarro y mientras el humo lo llenaba, sintió la definitiva convicción de que todos los caminos recorridos conducían a la nada. ¿Nunca sabría, entonces, qué contaban aquellos esquivos papeles? ¿Nunca conocería las verdades de Heredia?

—Aquino, ¿por qué la otra vez no nos contó esta historia?

El anciano sonrió y volvió a abanicarse, mientras ponía en movimiento el sillón.

—Porque no tenía permiso para hacerlo. Ustedes llegaron de pronto...

—¿Permiso de quién?

—De mi nieto Roberto... Si alguien encontraba los papeles perdidos de Heredia, debía ser él, ¿no?

—¿Y por qué ahora le dio permiso?

—Porque a estas alturas estamos convencidos de que el que se quedó con esos documentos les dio candela o los echó al mar.

La terrible impresión de ser un extranjero, que tanto había sentido a lo largo de mi existencia, volvió a asediarme con más ardor desde entonces. Sólo en esta pequeña e infeliz isla del Caribe me había sentido yo a salvo de aquella falta de defensas, de ese molesto vacío que me había perseguido por otras partes del mundo desde que yo era un niño. Cuba no: Cuba me pertenecía, Cuba era mi territorio natural, no por la imprevisible casualidad de que yo hubiera nacido en la cálida Santiago, entre el mar y las montañas, sino porque sólo allí había percibido yo que la luz, el aire, la gentes, los desarraigos, la comida, los paisajes, las esperanzas y los olores me hablaban en el oído, con un idioma propio que yo entendía aun en los silencios. Por eso era mi patria, y porque así yo lo había decidido, a pesar de que, contados estos dos meses de la que sería mi última estancia en la isla, apenas había vivido allí seis años, tres de ellos en mi primera niñez. ¿Seis años y un acta de bautismo asentada en Santiago de Cuba bastaban para que yo fuera cubano? ¿Hay relación posible entre patria, tiempo y lugar de nacimiento? No tenía ni tengo respuestas para tan enconadas cuestiones, pero en aquellos días amargos me sentí al borde del último precipicio, sin nada bajo mis pies, como aquella mañana gloriosa frente al Niágara, y contemplé otra vez cómo la piedra que me sostenía en equilibrio caía, aunque ahora iba yo al abismo tras ella: y no había una rama a la que echar mano para conservar mi cuerpo y mi alma atados a aquella idea de país, que yo forjé, y ahora me era arrebatado sin piedad.

Sólo un asunto me quedaba pendiente en la isla y traté de resolverlo cuanto antes, para cuanto antes volver a México, de donde me llegaban alarmantes noticias del estado de salud de mi pobre Jacoba: y pensar que durante trece años me había sostenido la ansiedad de este regreso. Además, mis achaques, que se habían contenido para darme fuerzas, salían otra vez a la superficie, pues ya se sabe que la tisis mucho tiene que ver con los estados de ánimo, y el malestar de espíritu que comencé a sentir despertó mi viejo padecimiento y me lanzó en cama por varios días.

Mi plazo en Cuba expiraba el 5 de enero y mi estancia en Matanzas con el año 1836, justo el día en que cumpliría mis treinta y tres años. Le había prometido a mi pobre madre y a mis hermanas que pasaría con ellas ese cumpleaños, para el que prepararían una cena e invitarían a algunos amigos. ¿Cuáles amigos?, les quise preguntar, pero no me atreví a tamaño desaire.

Con mis fuerzas algo restituidas reanudé mis caminatas por la ciudad y me aficioné a visitar el hermoso Paseo Nuevo, construido junto al mar en el barrio de Versalles. Allí, cerca pero a la vez lejos de la ciudad, sentía algún bienestar, a pesar de la pulida estatua del miserable

Fernando VII con que se abría aquella fronda resguardada por jóvenes casuarinas.

Quiso la suerte que una de las tardes que por allí andaba me topara con los ojos de un hombre que me observaba con una mezcla de recelo y de miedo. Debí forzar mi mente y por fin saltó el recuerdo: se trataba de Antonio Betancourt, uno de los viejos conspiradores a quien, junto a sus cuñados Juan y Pablo Aranguren, siempre consideré como mis delatores. Mi primera reacción fue negarle el saludo, pero los ojos de Betancourt lanzaban una súplica tan dolorosa que resultó capaz de detenerme. Entonces él se aproximó y me dijo cuánto se alegraba de verme.

—Yo quisiera decir lo mismo, pero no puedo —fue mi amarga salida.

—Sé lo que piensas, pero te engañaron. Nosotros no te delatamos.

—¿Y por qué debo creerte?

—Eso lo decides tú. Pero cuando nosotros caímos presos, tú seguiste libre, y después supimos que el precio que pidió el delator fue que te dejaran en libertad.

—¿De qué estás hablando? —pregunté, con justificada alarma.

Antonio Betancourt pareció más seguro y me miró a los ojos.

—Hablo de que alguien que sabía todo respecto a nosotros fue el delator. Alguien que sabía tu relación con el doctor Hernández y con Teurbe, y también sabía que mis cuñados y yo nos iniciamos en la conspiración gracias a ti. Esa persona sabía todo sobre nosotros y nos delató, pero a la vez no quería que tú fueras detenido. Tenía que ser alguien que te conocía mucho...

—No te entiendo ni puedo creerte.

—Es difícil de entender y de creer, pero te juro que ellos lo sabían todo cuando nos detuvieron. Ya alguien había cantado...

—¿Y quién fue esa persona?

—No lo sé. Pero tú sí deberías saberlo.

—Ya no quiero saber nada —fueron mis últimas palabras y, junto a la estatua del felón Fernando VII, cuya tiranía había torcido mi vida, dejé plantado a aquel hombre que tan extraña e increíble revelación me hacía.

A Blas de Osés, que subrepticiamente me seguía visitando, le conté esa noche aquel extraño diálogo, pues por absurdo que pareciera lo dicho por Betancourt una sombra de duda comenzó a cubrir la vieja certeza de que él y los Aranguren hubieran sido mis delatores. Pero de repente mis obsesiones tomaron otro rumbo cuando Osés me confirmó que Lola Junco estaba en la ciudad pues en el ingenio de su familia se había desatado un brote de viruelas y optaron por cancelar el viaje que a ese sitio hacían cada Navidad.

Largas horas, con más ahínco, invertí en la vigilancia de la mansión. Algo de mi viejo espíritu de conspirador me sostenía, mientras merodeaba como un espía. Pero Lola seguía sin poner pie en la calle, y tampoco Teté, lo cual me parecía cada vez más extraño. Sed, frío, lluvia, sol, como el joven que quince años atrás vigilaba a su amada, volvió a sufrir el hombre de treinta y tres, pero ahora con los pies inflamados por los malos humores que le invadían el cuerpo y sufriendo una tos desgarradora. Sólo la noche del 25 de diciembre tuve la certeza de que al fin la vería: mientras celebrábamos en casa la cena de Navidad recordé que al día siguiente era San Esteban y que Lola siempre había sentido especial devoción por aquel santo, cuyo nombre solía invocar. Pregunté y supe que la primera misa en la catedral se celebraba a las siete de la mañana, y pedí me levantaran a las seis.

Apenas clareaba cuando ocupé mi puesto de vigilancia. A pesar del frío, me sudaban las manos y las piernas me temblaban, como en los viejos tiempos. Faltando diez minutos para las siete la vi salir de su casa, acompañada por una esclava para mí desconocida. Aunque sólo tenía treinta años, la señora que vi andar hacia la iglesia, vestida de negro hasta el cuello cerrado, sin adornos ni joyas visibles, parecía mayor. Una huella de amargura había marcado su boca, con un triste descenso de las comisuras: aquella boca hermosa, que tanto besé. El pelo, recogido hacia atrás con rigor, mostraba las vetas blancas de un prematuro encanecimiento. Una desazón angustiosa me tocó el pecho al ver lo que había quedado de la ninfa del Yumurí, la más bella alhaja del cofre matancero, la muchacha suave y bien armada de carnes con la que viví los más intensos días de mi amor juvenil.

Tras ella entré en la iglesia y, sin que lo notara, me senté a sus espaldas. El oficio comenzó y, en una pausa en los rezos, le puse la mano sobre el hombro y dejé que sobre su regazo cayera mi pequeña esquela. Ella no se volvió, tomó la nota y, sin abrirla, la colocó en su mano, junto al rosario de azabache. Su olor, inconfundible como el de La Habana, pero absolutamente femenino y puro, me llegó hasta el fondo del cerebro, para alterar todos mis sentidos. No sé qué tiempo duró aquella misa, ni qué pasaje bíblico se leyó. Ni siquiera recuerdo cómo era el sacerdote que oficiaba: mi mundo se limitaba a un olor y a la nuca que tenía frente a mí, como si nada más existiera en la faz de la tierra.

Terminado el oficio, Lola se arrodilló para rezar. Yo, a la expectativa, me fui hacia el fondo de la capilla. Cuando ella terminó sus oraciones, habló algo con la esclava y ésta salió de la iglesia, mientras ella iba hacia la capellanía. Sin dudarlo un instante fui tras ella y, al trasponer el umbral, me encontré con los ojos anegados en lágrimas de aquella que fue mi mujer. En silencio, Lola me tomó de la mano y salimos al patio interior de la iglesia, donde unos naranjos cargados de frutas filtraban la todavía tímida luz del sol. Ocupamos un pequeño banco y dejamos entonces que nuestros ojos nos registraran.

–Nunca pensé que volvería a verte –me dijo, y comprendí que si los rigores de la vida habían cambiado su físico, su voz seguía inalterable, inmune al empeño devastador de nuestra pérfida fortuna.

–Yo he vivido todos estos años para verte –le confesé y, sin poder contenerme, la besé. Fue un beso suave, más doloroso que ferviente, tan distinto a nuestros febriles besos perdidos en el tiempo y entre los árboles del valle del Yumurí.

–Nos ha maltratado la vida –dijo y me acarició el rostro.

–Llevo días tratando de verte. Tenía esa nota para Teté.

–Teté ya no está conmigo. Mi marido la mandó al ingenio y la tiene cortando caña.

–¿Cómo es posible?

–Todo es posible cuando hay amos y esclavos. Era por eso que querías luchar, ¿no?

–Ya casi no me acuerdo de por qué quería luchar.

–Yo sí..., cada día.

–Por Dios, Lola.

–No sabes lo que he vivido, José María.

Todavía hoy, cuando todos los sufrimientos terrenos ceden espacio ante la presencia de la muerte que me acecha, siento rodar mis lágrimas al evocar aquel encuentro. Lola había tenido, en efecto, a nuestro hijo, y éste no había muerto como me habían hecho creer. Sus padres, empeñados en salvarla de una deshonra que ella hubiera preferido, le quitaron al niño: entonces lo bautizaron como hijo de su hermano Rubén, y bajo esa creencia lo hicieron crecer. Felipe Gómez había aceptado casarse con ella, pero jamás la había perdonado: amaba los millones que pusieron como dote de la joven impura, y despreciaba a la mujer que había amado a un poeta pobre y sedicioso. Aquel infierno duraba trece años, la edad que nuestro hijo tenía entonces, convertido ya en un jovencito robusto al que Lola sólo veía cuando la familia se reunía en el ingenio de su hermano Rubén. El dolor que sentía al verlo y no poder confesarle que ella era su madre, le partía el corazón, pero había aceptado que, para su bien, siguiera creyéndose hijo de Rubén y llamándose Esteban Junco.

—¿Y por qué me escribiste aquella carta?

—Me obligaron.

—¿Y por qué no volviste a escribirme?

—¿No era mejor que me olvidaras? ¿Que vivieras tu vida sin verte atado a un pasado que no podías cambiar, a un hijo que no podrías ver? También creí que el silencio era lo mejor.

—¿Y por qué me lo dices ahora?

—Porque sé todo de ti. Sé que estás muy enfermo. Que en unos días tienes que volver a México. Y porque todavía te amo.

El segundo y último de los besos que Lola y yo nos dimos aquella mañana, el último que nos daríamos en nuestras vidas, tuvo la furia y la pasión de los viejos tiempos. Sentí en todo mi ser el calor de su lengua, bebí los jugos de su boca, mordí la pulpa reverdecida de sus labios y acaricié sus senos, percibiendo sobre la tela la erección firme de sus pezones. Y comprendí de golpe el terrible error que habían sido nuestras vidas, cuando Lola se puso de pie y me miró a los ojos.

—Me tengo que ir. Por favor, no me busques. Ya sabes lo que querías saber: tienes un hijo llamado Esteban y yo siempre te he amado. Pero es imposible volver atrás. No sientas odio por nadie. Ésta es la vida que nos tocó y no otra, y ya no tiene sentido buscar culpables. Si acaso cambiar el mundo, para que otros no sufran lo que nosotros. Pero tú y yo sabemos que eso es imposible. Adiós, José María —y salió hacia la iglesia sin mirar atrás una sola vez.

En aquel banco, bañado ya por el sol del día de San Esteban, permanecí varias horas, inmovilizado, pensando en una vida que no era la mía y que tanto hubiera querido vivir: sin gloria ni aventura, quizás hasta sin poesía, lejos de la política y sus tormentas, tal vez como un simple y oscuro abogado de provincias que disfruta toda la dicha del universo en el beso de una mujer y en la caricia de un hijo. ¿Qué más se puede pedir?

—Es Álvaro —dijo Delfina y le entregó el teléfono, mientras seguía su camino hacia el baño.

—Dime, Varo. ¿Te caíste de la cama?

—Malas noticias, socio: feneció el doctor Mendoza.

Fernando supo de inmediato que no era uno de los chistes de Álvaro, pero algo le impedía creer la noticia. Aunque hacía apenas media hora se había despertado, las dos tazas de café bebidas ya lo habían devuelto a la lucidez.

—¿Fernando? —preguntó el otro ante el prologando silencio.

—Sí..., es que..., ¿qué pasó?

—Una sirimba, una embolia creo... El hijo me acaba de llamar. Lo entierran hoy a las cuatro. Lo están velando en la Gran Logia. Voy a llamar a los otros. ¿Qué vas a hacer?

—Espérame ahí, en una hora estoy en tu casa —y colgó.

Del baño le llegaban el sonido del agua y la voz de Delfina, mientras tarareaba una canción que él no consiguió identificar. Había dejado la puerta abierta y Fernando respiró el olor limpio del jabón deshaciéndose sobre la piel y contempló, sobre el inodoro cerrado, la bata de dormir y la ropa interior que ella se había quitado, y le parecieron evidencias quemantes de una convivencia necesaria, tan ajena a la muerte y que, sin embargo, la política, la vida y los hombres se empeñaban en hacer imposible.

—¿Estás ahí? —preguntó ella, detrás de la cortina.

—Sí.

—¿Qué quería el Varo a esta hora?

—Se murió Mendoza —dijo, de un golpe.

Ella corrió la cortina. El asombro dominaba su rostro mojado. Fernando la contempló un instante: los pezones oscuros y pulposos, el vientre levemente abultado, el vello del pubis alisado por el agua y como encanecido por los restos del jabón, los muslos largos y bruñidos por el sol de la playa. Y comprendió que estaba muy lejos de haber agotado los deseos y las necesidades que ella le provocaba.

—Estoy enamorado de ti, Delfina —dijo y se acercó a la poceta para besar los labios anegados de la que, sólo en ese instante, sintió que era su mujer.

Cuando llegó a la casa de Álvaro, Fernando tuvo la sensación de que había pasado muchísimo más tiempo que los veintisiete días transcurridos desde su regreso. El cúmulo de acontecimientos y recuperaciones vividas en cuatro semanas podía llenar años de su existencia invertebrada de Madrid. Y le parecía absurdo que precisamente hubiera sido el doctor Mendoza, ahora muerto, quien impulsara su decisión de volver para buscar la verdad perdida de la vida de Heredia y, en cambio, encontrar evidencias extraviadas de la suya propia.

—Vamos a esperar a Tomás —dijo Álvaro—, viene ahora para acá.

—Creo que Tomás está cabrón conmigo.

—Olvídate de eso. No, mejor olvídate de todo... Y Delfina, ¿no viene?

—Iba un momento a su trabajo, luego a prepararle el almuerzo a su padre y llegaba al velorio antes de que saliera el entierro.

—¿Quieres darte un leñazo?

—¿Ya empezaste?

—Más bien no terminé. No hice más que acostarme y me llamó el hijo de Mendoza.

—Te estás matando, Varo.

—Ya te dije que estoy muerto hace rato. Lo que estás viendo es pura inercia, una clonación como dicen ahora...

—¿Por qué haces eso?

—Porque me da la gana, Fernando. Porque me gusta y quiero. Porque es lo único que puedo hacer. ¿Satisfecho?

Álvaro entró en la casa y regresó con un vaso mediado de alcohol, en el que flotaba un pedazo de hielo.

—Total —dijo—, todo el mundo se muere. Es cuestión de tiempo y forma.

—No estás escribiendo, ¿verdad?

—¿Para qué? ¿Eso sirve para algo?

—¿Tan jodido estás?

—Aquí el más jodido eres tú. Te quedan dos días. ¿Qué vas a hacer?

—Irme. ¿Qué otra cosa puedo hacer? Después ya veré cómo se compone esta historia. Tengo a Delfina metida aquí —y se golpeó entre las cejas.

—¿Y Heredia dónde está?

—No sé, pero creo que ha valido la pena.

Álvaro movió el vaso para enfriar la bebida.

—¿Y el traidor? —preguntó.

—¿Por qué te empeñas en hablar de eso?

Fernando lo miró a los ojos y entonces se atrevió a soltar la idea que lo obsesionaba.

—Si no fuiste tú, no hubo traidor.

Álvaro sonrió.

—¿Perdonaste a todos los difuntos?

—Creo que sí. Incluso a Tomás. Siempre quise que hubiera sido él.

—¡Qué lástima!... ¿Y por qué piensas que pude haber sido yo?

—Porque tú sabías lo mismo que los demás..., pero me dolería mucho que hubieras sido tú.

—Pero ahora piensas que sí, que a lo mejor yo...

—Varo, te lo dije desde que llegué: vamos a olvidarnos de esto.

—Después de tanto joder con lo mismo, ahora resulta que no quieres hablar... Después de meterte veinte años pensando que un amigo tuyo te chivateó, ahora perdonas a todo el mundo y ya. Coño, Fernando, qué bárbaro eres. ¿Y tú te crees que los demás te van a perdonar que hayas creído que cualquiera de nosotros era un chivato que los echó para alante a ti y a Enrique?

—No sigas, Varo.

—Sigo, porque lo único que me queda en mi vida son mis amigos... A mis hijos casi ni los conozco, hace no sé cuánto que no escribo un poema que valga la pena, ninguna mujer me resiste más de una semana, cualquier día esta casa me cae en la cabeza...

—Pero deja la bebida, carajo.

—¡Que no, coño! Esto es lo único que hago por voluntad propia —dijo y alzó el vaso—. Y si me tengo que morir mañana, que sea con tremendo peo. A lo mejor ni me entero...

—Lo malo es que no te vas a morir mañana.

—Verdad, me morí ayer o antier, o hace veinte años. Ya ni me acuerdo de cuándo me morí.

Fernando lo vio vaciar el trago y sintió un estremecimiento en todas sus vísceras.

—Yo sé que tú no fuiste —dijo.

—Mira, Fernando, yo también te lo dije cuando llegaste: no fue nadie. Y no porque seamos más guapos, ni más bárbaros ni nada de eso: si nos apretaban, cualquiera de nosotros podía decir lo que fuera y acusarte de cualquier cosa. Pero dio la casualidad de que no nos preguntaron... Yo hice lo posible para que volvieras a tener a tus amigos, pero tú metiste el dedo en la herida y lo has hecho hasta el fondo. Y yo no sé los otros, pero yo, Álvaro Almazán, no te perdono tanta mariconada. ¿Me oyes?

—Ahora resulta que el hijoeputa soy yo... Deja eso, anda, estás borracho.

—Sí, pero no siempre los borrachos hablan mierda. Saca cuentas y vas a ver que tengo razón. ¿Quieres un trago ahora?

Fernando lo vio ponerse de pie y alejarse hacia la casa.

—Sí, dame un poco de ron.

La Habana vivía el júbilo del año nuevo de 1837 y yo, como un fantasma, pasé junto a la alegría sin tener ojos para ella. Era como si aquel muchacho que veinte años atrás quiso tragarse la ciudad, respirar cada una de sus exhalaciones, fuese alguien extraño para el hombre que ahora seguía de largo ante la felicidad vacía y condicionada de un pueblo que, comido el pan, disfrutaba del circo. Al llegar, tomé un cuarto en la misma pensión donde había estado a mi llegada y luego de escribirle a mi madre para hacerle saber que estaba bien, me bebí toda una botella de vino y me dejé caer en la cama.

Al día siguiente me presenté ante las autoridades para informarles de que estaba dispuesto a salir de la isla antes del 5 de enero, fecha en que se vencía mi pasaporte. Allí me explicaron que la goleta *El Carmen* había retrasado su salida unos diez días, por lo que alargaron mi permiso de estadía. Entonces, como un peregrino que se despide de sus creencias y lugares sagrados, dediqué buena parte de mi tiempo a recorrer la ciudad. Poco me atraían sus nuevas y deslumbrantes construcciones, sus amplios y modernos paseos, sus calles ahora más limpias y, en varias ocasiones, opté por tomar un quitrín hasta el lejano barrio del Manglar, zona de negros y gitanos, para allí comer en sus fondas, oír historias y sentir que estaba en la misma ciudad de la que yo había salido, millones de años atrás.

Mi ánimo apenas mejoraba: demasiado terribles habían sido los sucesos y revelaciones de este viaje al pasado para que las heridas tuvieran posibilidad de cicatrizar. Lo peor era la certeza de que nada me quedaba por hacer en aquel país que, lejos de devolverme salud, afectos, felicidad, me cargaba ahora, además, de culpas, olvidos y desprecios. Para mí ya todo sabía a final y, ante la inminente partida, le escribí a Domingo. Fue una carta sin rencor ni recriminaciones, donde apenas lamentaba no haberlo podido encontrar. Nada le hablaba de su carta, ni de que me hubiera esquivado y mucho menos de lo que ahora sabía por Blas de Osés. Al final, me despedía para siempre de él y le deseaba toda la fortuna del mundo.

Una noche, al regresar a mi alojamiento, encontré sobre mi cama una esquela, enviada por la oficina del capitán general. Presintiendo alguna represalia por haber traspuesto mi fecha de estancia en la isla, abrí el sobre y, para mi sorpresa, me encontré ante una invitación que me hacía el mismísimo Miguel Tacón, deseoso de tener una entrevista conmigo. El día fijado era el 12 de enero, a las cuatro de la tarde, en el palacio de los Capitanes Generales, y decía que sería un honor para él conversar con tan célebre escritor, y bajo su firma aparecían anotados —como era de obligatorio cumplimiento— los cargos políticos y honoríficos que ostentaba, con esa manía de los tiranos de hacer acompañar sus nombres con tan ridículos epítetos que pregonan cuán poderosos son: desde vizconde de Bayamo, marqués de la Unión de Cuba, caballero de la Insigne Orden del Toisón de Oro, hasta los de teniente general de los Ejércitos Nacionales y gobernador y capitán general de la isla de Cuba.

Con la zozobra que me había acompañado desde que recibí la carta, la tarde fijada subí las largas escaleras que conducían al despacho del sátrapa. La insana curiosidad por conocer al hombre terrible que tenía en jaque a los dueños del país mientras llenaba la ciudad de plazas y monumentos donde sus simpatizantes se reunían para dar vivas a su nombre, se mezclaba con la repugnancia que me provocaba encontrarme con un implacable censor de toda idea liberal, el ejecutor del poder que se arrogaba el derecho a regular mi relación con Cuba, el militar despiadado que había expresado su odio contra todo lo americano. De él, como suele ocurrir, se contaban historias y leyendas tan típicas de los personajes de su especie que casi no vale la pena anotar: desde que podía vivir sin dormir, trabajando noches enteras, hasta que poseía una memoria insólita y severa para recordar cada orden o deseo. De igual modo se hablaba de su potencia sexual, de sus iras incontenibles, y de su paranoia de orden y poder, así como su amor a los uniformes y los grados, de los que no se despojaba nunca.

Cuando el edecán me hizo pasar al despacho, el capitán general me esperaba, de pie, en el centro del recinto. Al fondo, junto a un gran retrato de la reina María Cristina, había un asta con una bandera española y otra con los símbolos de la casa reinante, además de un viejo escudo de armas de la corona de Castilla y León y los emblemas de varios cuerpos de ejército. Tacón dio unos pasos hacia mí y por esta vez no sentí temblor en las piernas. Me extendió la mano con gesto marcial y luego me indicó un asiento. No sonreía y sus ojos de cuervo trataban de hacerse una mejor composición de mi figura, que tal vez no le parecía adecuada a la de un enemigo político. El general, a sus sesenta años, lucía robusto, con el pelo negrísimo, y descubrí que aumentaba su estatura gracias a unas voluminosas botas, con anchísimas suelas. Al fin y al cabo, a pesar de su omnímodo poder, de su posibilidad de aplastar vidas y países, no era más que un hombre, tan frágil como cualquier ser nacido de vientre de mujer. Luego de brindarme un café demasiado dulce, el poderoso le pidió al edecán que nadie nos molestara y ocupó otro de los altos butacones de madera y piel, mientras clavaba la vista en un punto indefinido, a mi derecha.

—Tenía sinceros deseos de conocerlo —dijo—. En todo el mundo hispano se habla del Cantor del Niágara como de una leyenda viva, y en Cuba se le considera un héroe.

—De eso no estoy tan seguro —le advertí y sus ojos se volvieron hacia mí.

—¿Sólo porque me escribió y ha regresado?

—También por eso.

—Habrá sido doloroso para usted.

311

—Lo ha sido. Más de lo que usted pueda pensar.

—¿Lo han tratado mal en Cuba? Mire que di órdenes estrictas...

—No, no, sólo me han recordado que estoy aquí por su voluntad, y que su voluntad podía cambiar.

—Nada más lejos de mis deseos. Para mí era muy importante que usted viniera a Cuba.

—Ya sé... Soy como un trofeo de guerra, ¿no?

—Usted siempre ha sido un mal ejemplo, y sus poemas... Heredia, que usted haya claudicado es una victoria para mi gobierno, para la corona española.

—Mi claudicación, como usted le llama, mucho tiene que ver con motivos personales.

—Sí, por supuesto. ¿Encontró bien a su señora madre?

—Afortunadamente.

—Cuánto me alegro... —y me miró directamente a los ojos—. Pero en su carta usted me hablaba de otras cosas. Me decía que ya no estima que lo mejor para esta isla sea la independencia.

—He visto lo que ha ocurrido en México. Sé lo que sucede en Colombia, y no es alentador.

—Eso se veía venir hace años. Yo llegué a América en 1809, como gobernador de Popayán, y sabía que todo terminaría así. Su padre de usted también lo sabía...

No sé qué fibra de mi espíritu tocó en ese momento el general con la mención a mi padre. Pero el hecho de que se comparara con aquel hombre probo, muerto en la miseria, provocó una extraña revolución en mi espíritu. No fue la mía la reacción de un hombre valiente, pues creo que en verdad nunca lo he sido: fue, más bien, la revelación de que, sucediera lo que sucediera, yo estaba por encima de aquel personaje: el poderoso ya no podía aplastarme, pues la vida se había encargado de hacerlo. Sabía que mis días en la tierra estaban contados, que nunca volvería a Cuba, y eso me hizo sentirme libre, como nunca antes en mi vida, al saberme a salvo de sus posibles desmanes. Y sin temblor en las piernas ni en la voz le respondí:

—Es lamentable que algunos hombres, después de luchar por la justicia, se conviertan en injustos... Pero lo que ocurre en Cuba no es precisamente como para estar alegres. Hay prosperidad, es cierto, pero nada compensa la falta de libertad. O la esclavitud, por ejemplo...

—Sí, es una infamia.

—Que usted alienta.

—Por motivos políticos. Y usted sabe que la política impone sus condiciones.

—¡Y a qué precios!

Tacón me miró, como si no entendiera algo, y volvió a llevar su mirada a un punto impreciso, más allá de mi cabeza, y habló casi en un susurro.

—¿Qué piensa usted de mí? Sea sincero, por favor...

—No creo que deba decírselo. Usted es mi anfitrión...

—Por favor, dígamelo.

—No creo que quiera oír mi verdad. Pienso que prefiere la de esos piquetes que salen a la calle y le dan vivas.

—Ésa es la verdad de la mayoría.

—A muchos que hoy le han dado vivas los han sacado al otro día de sus tumbas y los han vituperado cuando ya no podían ejercer el poder. Así que no confíe mucho en los que lo alaban y lo obedecen, y menos si tienen miedo.

—¿Miedo? Creo que usted no ha entendido lo que pasa en Cuba.

—Yo creo que sí. ¿De verdad quiere oír lo que pienso de usted? Pues pienso que usted cumple su misión, pero ha impuesto el terror, la censura y la delación como forma de vida en este país. Usted odia a los que hemos nacido en esta isla. Usted es enemigo de la inteligencia, impone la demagogia y, como todos los dictadores, pide a cambio que lo amen.

Sólo en ese instante vi una breve risa asomarse en los labios de Tacón. Se reclinó levemente en su silla, se mesó la barba y, luego de mirarme por un instante, volvió a dirigir los ojos al vacío, como si su diálogo tuviera un interlocutor invisible, más importante que un simple poeta vencido y enfermo.

—¿Y no le parece que combatir el vicio, el juego, la prostitución y la corrupción es una obra notable de mi gobierno? ¿Cree usted que mejorar las calles, construir paseos, teatros, edificios públicos, una cárcel nueva donde los presos estén como personas y no como animales es una obra despreciable? ¿Traer el progreso a esta isla donde habrá ferrocarril incluso antes que en España es un acto despótico? ¿Está usted seguro de que censurar a dos o tres inteligentes es peor que permitir la indecencia, la inmoralidad, la constante agresión que imperaba en la prensa? ¿No piensa usted, señor Heredia, que impedir el caos en que puede derivar esta isla con una revolución en la que los primeros alzados serían los negros, que acabarían con nuestras instituciones y nuestra religión, es preferible a aceptar la sedición que usted mismo promovió hace unos años?

—Nada justifica pasar por encima de la voluntad del pueblo.

—Pero señor Heredia, no sea iluso. ¿De qué pueblo me habla usted?

313

No me dirá que habla por los negros delincuentes del Manglar que ha visitado en estos días. ¿O por los esclavos que ni siquiera saben pronunciar el castellano? —hizo una pausa y me miró—. No, no, de seguro usted habla por esos señorones, que se enriquecieron con la trata y últimamente se han vuelto filántropos, porque para mantener sus bolsillos repletos necesitan ahora otra fuerza de trabajo... ¿Cuántos de ellos apoyaron la independencia de Cuba en 1823?... Pero le digo más: ya sé que su amigo Domingo se le ha escondido, es más, ni siquiera lo ha invitado a una de esas tertulias que celebra en su casa y donde se comporta como un pachá. Pues ese mismo señor, que no se atreve a poner su nombre en un libelo que escribió contra mi gobierno, recibió la orden de tratar de engatusarme y quizá de comprarme, y creo que la cumplió con gusto. Dos veces fui a su casa: primero a una cena y luego a una de sus tertulias... Ojalá hubiera visto usted su biblioteca, con esos estantes repletos de libros de todas partes del mundo, revistas salidas ayer mismo en Europa, con aquellas sillas de cuero y las lámparas de cien luces. Y los esclavos de la casa, por Dios, vestidos como si estuviéramos en París. ¿Con esos señores se puede pensar en la independencia? ¿Ésos son los que se oponen a la trata y a la esclavitud? No me haga reír...

—Es demasiado triste para que dé risa. Pero esos señores que quieren asumir el nombre de Cuba, no son Cuba. Que ellos vivan como viven no justifican el terror, ni la falta de libertad, ni la represión de los que piensan de un modo diferente.

—Eso es otra historia. Sé que se me acusa de reprimir la actividad política en la isla, pero créame que lo hago para evitar males mayores. Este país tiene sobre sí los ojos de los Estados Unidos y de Inglaterra. Y si se abre una brecha, sería el fin. Si para conservar esta isla como española hay que acallar los reclamos políticos de unos cuantos, pues los acallamos. De los males, el menor. Eso es política y es realismo.

—También es realidad la vigilancia de una policía que sabe más de mí que yo mismo. También, que cada día hay más desterrados.

—Es un castigo cruel, y por eso lo aplicamos. Pero lo aplicamos con justicia. Si hay leyes, las leyes se cumplen. Pero ya que caemos en ese tema, déjeme decirle algo: de todos los actos de mi gobierno, del único que me arrepiento es de haber ordenado el destierro de Saco, porque lo hice compulsado por los intereses del señor conde de Villanueva, que es cubano igual que usted, pero que los odia y los desprecia. Pero a Saco no lo expulsé a la fuerza como dicen mis enemigos. En esta misma sala hablé con él y le expliqué lo que había sucedido. Por eso pasaron meses entre la orden de destierro y que él escogiera el país, el barco, la fecha que más le convenía para salir de la isla, con un sueldo en el bolsillo asignado por sus patrones los Aldama y los Alfonso. ¿No sabía eso?... Pero olvídese de Saco y mire a su alrededor. ¿Qué es más importante: un hombre o la prosperidad del país?

En ese instante, quizá por la tensión a la que estaba expuesto, sentí que mi vista se nublaba, mas una fuerza extraña, generada tal vez por la convicción de cómo mi vida había sido torcida por hombres como aquél, me sostuvo y me impulsó a seguir.

—¿Se considera usted el benefactor del país?

—¿Qué usted cree, después de todo lo que he hecho por esta isla? Hoy en Cuba se vive como nunca...

—Creí que era por el buen precio del azúcar. Pero esos beneficios no llegan a los barracones de los esclavos que usted hace traer a Cuba y por los que siempre recibe un porcentaje en metálico...

—No quiere usted entender... Parece que hablamos de dos países distintos —y por primera vez sentí algún resentimiento en su voz.

—Al contrario, es el mismo país y cada vez entiendo más. Lo único indiscutible en todo esto es que la esencia del poder es reprimir y su fin, conservarlo.

—¿Cree que me interesa el poder? Mire, un gran favor que me harían si otro viniera a gobernar la isla...

—El poder es como una droga y la borrachera de la historia puede ser su peor efecto.

—La historia es una puta, señor Heredia. Mal agradecida... —dijo, como si se le perdiera una palabra, y se puso de pie.

—Pero que la escriben los que tienen el poder. Aunque la otra Historia, la de verdad, es la que vale al final. Lo terrible es que no se aprenda de ella, jamás se aprende. Los pueblos nunca escarmientan...

Tacón detuvo su paseo y me miró a los ojos.

—En su carta usted...

—¿Qué quería? Tendría que ser yo muy tonto para no decirle lo que usted quería oír.

—Eso es cínico.

—Tiene razón. Pero un moribundo como yo, que deseaba ver a su madre y a su familia quizá por última vez en la vida, y que necesitaba respirar otra vez el aire de esta isla, tiene las licencias del cinismo y la mentira.

—Pero es que además usted es un cobarde, señor Heredia.

—Es verdad y ahora mismo tengo miedo. Usted, que ha prohibido a mis compatriotas leer mi poesía y que goza del poder para decidir sobre la vida de los que viven en esta isla, tiene ahora en sus manos la mía. Ya tiene mi renuncia política, y le ofrezco ahora mi cabeza.

Tacón sonrió entonces.

—Con su renuncia política es bastante. Hoy, en Cuba, usted es nadie. Usted es un insecto y ni sus amigos lo quieren. ¿Para qué voy a matarlo? Vivo y derrotado usted es más útil... Ah, y por cierto, no se crea lo que le han dicho: la poesía es peligrosa, pero no tanto.

—Tiene razón. Ningún poema va a tumbar a un tirano. Pero les hace una muesca, que a veces es indeleble. Porque recuerde que queda la otra Historia, la de verdad, que un día borrará su nombre de los edificios que construyó y que escupirá su tumba ya que hoy no puede escupir su figura. Y con esa Historia, si es que vale en algo, estará mi poesía. Y eso, ni todo su poder lo podrá evitar.

—Ya se lo dije: es un iluso. Me da usted lástima. Por eso quiero contarle algo que a lo mejor hasta me agradece —dijo, iniciando un paseo por la habitación, sin mirarme—. Su amigo Domingo se le ha escondido, ¿verdad? Pues no lo lamente. Ese hombre nunca fue su amigo. Él fue el que lo delató en el año 23, después de que usted le contara que estaba conspirando...

La estocada de Tacón me partió el corazón. ¿Sólo para eso me habría llamado?

—Si quiere le puedo enseñar unas actas que tenemos...

—No, no quiero ver nada —musité, sintiéndome destrozado y deseé estar muy lejos de allí, incluso no haber estado nunca en aquel recinto y escuchado la terrible revelación que me llenaba de una espantosa tristeza y devoraba todas mis fuerzas.

—Está bien. Sólo quería que supiera quién es ese señor.

—¿Ya puedo retirarme?

—Ya puede, ya puede. Pero recuerde algo: mientras yo gobierne esta isla, nunca volverá a entrar en Cuba.

—Eso es el poder. Aplíquelo. Buenas tardes.

Casi no pude ponerme de pie y debí tomar impulso con los brazos. Como un borracho bajé las escaleras y al llegar al último descanso levanté la vista. Desde su altura, con su uniforme brillante y cargado de grados, con todos sus honores y títulos a cuestas me miraba aquel hombre para el que, ya lo sabía, la Historia no tendría perdón. ¿Y para el delator Domingo? ¿Y para mí?

Filtrándose entre telas negras bordadas con blanquísimas carabelas, atravesando el opresivo olor a flores, cera e incienso, penetrando libremente los invariables atributos de la fraternidad, ahora enlutados, el tiempo, más que detenerse, comenzó a retroceder. Aquel devenir invertido parecía buscar esencias inalterables, fuera de la andadura progresiva de los relojes, como empeñado en desmentir la continuidad empecinada de la historia.

En el centro del salón, el ataúd gozaba de un protagonismo casi excesivo, plenamente asumido por los hombres que a su alrededor oficiaban la ceremonia de despedida con un sentimiento de patente resignación. Masones, familiares y asistentes, imbuidos del compacto espíritu luctuoso del momento, habían escuchado de pie la primera invocación del Venerable Maestro, capaz de expresar toda la filosofía de la vida y la muerte de los hombres iniciados y juramentados en los secretos de la milenaria fraternidad.

—Gran Arquitecto del Universo —había comenzado el hombre ataviado con las joyas de la veneratura—. Poder infinito. Ser misericordioso, que se concibe, pero que no puede definirse. Autor inmutable de las transformaciones incesantes. Tú, que no ves nada anormal en nuestra muerte, como no lo viste en nuestro nacimiento, a Ti te invoco. Ojalá nuestro hermano Gonzalo Mendoza Santiesteban viva contigo como vivió entre nosotros y lo acojas con bondad, concediéndole la recompensa del justo a él, que fue justo.

Mientras el Venerable Maestro daba fuego al incienso, Fernando sintió en su brazo la presión de la mano cálida de Delfina, y Miguel Ángel, a su lado, susurró:

—Esto es muy fuerte. Ni me lo imaginaba así...

—Sentaos —ordenó entonces el Venerable.

Junto a Miguel Ángel, ocuparon sus asientos Arcadio, Álvaro, Conrado y Tomás, también arrobados por la singular ceremonia, que ahora daba cuenta de la fragilidad de las más socorridas pretensiones humanas.

—A este proceso natural se ajusta la terrena existencia de los seres, y no hay hombre que a su influjo logre escapar. Las glorias, las riquezas, los honores que constituyen nuestro afán perenne en esta vida, se quedan aquí, como el cuerpo inerte, al redimirse el alma de su cárcel, por el avaro beso de la muerte.

En el montículo del Oriente, los dos hijos y la esposa del doctor Mendoza escuchaban las verdades repetidas por el Venerable. Quizás, en sus años de vida masónica, el profesor había aprendido aquellas lecciones y entendido su peculiar y descarnado consuelo.

Mientras el maestro de ceremonias comenzaba a pronunciar lo que el Venerable había llamado el panegírico al desaparecido, Fernando Terry, que por primera vez visitaba el interior de un templo masónico, comprendió por qué para aquellos hombres, empecinados en sostener una fraternidad ancestral, el tiempo podía correr por cauces diferentes de los que, hasta ese instante, él había entendido como normales: una ética invariable, ajena a los desmanes del tiempo y de la época, conectaba a los masones con un ideal de perfección sostenido sobre los principios inviolables de la fidelidad, la solidaridad y la hermandad, aceptados libre y conscientemente. Entonces trató de imaginar lo ocurrido la noche del 11 de febrero de 1921 cuando, en una ceremonia menos luctuosa pero asumida con la misma solemnidad, bajo las mismas luces y entre las mismas espadas, José de Jesús Heredia entregó a sus hermanos masones la custodia de la memoria de su padre y escuchó, de ochenta y seis hombres iniciados en aquellos rituales, el juramento de guardar su secreto.

A una orden del Venerable, los presentes, otra vez de pie, observaron cómo el Segundo Vigilante depositaba flores sobre el féretro, a la vez que lo rodeaba, una y otra vez. Luego, varios masones repitieron la operación, hasta que el Venerable Maestro descendió de su altura en el Oriente y pidió a sus hermanos armar una cadena humana alrededor del ataúd cubierto de flores. Pero algo extraño ocurrió en aquella formación: la cadena de hombres, tomados de la mano, quedó abierta entre el Maestro de Ceremonias y el Venerable. Entonces el Venerable susurró algo al oído del hombre que estaba a su derecha, que a su vez lo hizo con el que estaba a su lado, y el mensaje circuló hasta llegar al Maestro de Ceremonias, quien al fin alzó la voz:

—Venerable maestro, la cadena está rota.

A lo que el máximo funcionario de la logia respondió:

—Queridos hermanos, la muerte del hermano Gonzalo Mendoza rompió la cadena de unión que nos ligaba. La caída de ese valioso eslabón interrumpió, aunque sólo fuera momentáneamente, la corriente de solidaridad que debe unir a todos los masones... Y aunque esa ruptura sea consecuencia de una ley natural, única causa capaz de desatar los lazos fraternales que nos unen en la vida, debemos reconstruirla, ya que esos lazos jamás deben aflojarse... Os invito, hermanos, a reafirmar los eslabones de la simbólica cadena: unid el eslabón —ordenó, y el Maestro de Ceremonias extendió su mano, hasta enlazar la del Venerable—. Hermanos, la cadena está unida. Que este círculo que formamos alrededor del túmulo que nos recuerda al hermano fallecido sea el bálsamo que mitigue nuestra pena y consolide nuestra unión...

Fernando Terry no pudo evitarlo. Como si cumpliera un mandato pospuesto, que ya no debía esperar, enlazó su mano izquierda con la de Delfina, mientras con la derecha aferraba la del negro Miguel Ángel. Miguel Ángel, con la vista fija en los masones que rehacían su cadena, dio su mano izquierda a Arcadio, que tomó la de Álvaro, quien luego de dudar un instante atrapó la mano de Conrado que a su vez estrechó la de Tomás, justo cuando el Venerable Maestro reiniciaba su discurso.

—Hermanos, ante esta bóveda fúnebre, mudo testigo de nuestro sincero homenaje, debemos desterrar todo pensamiento de rencor o de egoísmo. Yo invito a todos los presentes a que presten conmigo el solemne juramento de olvidar las injurias y ofensas que hayan recibido. No más vanas rencillas: que la paz y la armonía sean con nosotros.

Sin soltar la mano de Conrado, Tomás miró de frente a Fernando mientras avanzaba hacia Delfina, para aferrar la mano libre de la mujer y cerrar la cadena. Seis hombres y una mujer, acompañados por el recuerdo de dos hermanos muertos, se miraron a los ojos, como si en realidad el tiempo pudiera detenerse, e incluso retroceder, y la memoria aliviarse de sus más enconados rencores.

—Tiene que morirse alguien para que los otros sepan que están vivos —dijo Miguel Ángel.

—Sin discursos, coño —intervino Álvaro.

Fernando y Tomás sonrieron.

—Lástima que se haya muerto el viejo, pero esto hay que celebrarlo —propuso Arcadio.

—No estaría mal una tertulia de Socarrones —propuso Miguel Ángel.

—Bueno, pero suéltenme ya —protestó Álvaro sonriendo, y se esfumó la formalidad que amenazaba con anquilosarse.

Fernando y Delfina recuperaron sus asientos. La certeza de lo que podía significar aquella cadena y la cercanía de la partida de Fernando los llenaba de desazón.

—¿Cuántos años llevarían de casados? —preguntó ella, mirando hacia el montículo del Oriente donde estaba la viuda.

—Sabe Dios. El hijo mayor es como nosotros.

—Y aquel de la camisa de cuadros es el más chiquito, ¿no?

Fernando buscó con la vista al menor de los Mendoza y lo encontró de pie, junto a una corona de flores, mientras hablaba con un hombre mayor que él. El hombre, un mulato fornido, aunque con el pelo completamente blanco, usaba una camiseta que permitía ver las dos gruesas cadenas de oro que cruzaban su nuca.

—Sí, ése es el que vende puerco en el mercado —confirmó Fernando cuando recibió un violento corrientazo: el hombre que conversaba con el hijo de Mendoza dio media vuelta y, a pesar de las canas, los años y las medallas y crucifijos de oro que ahora brillaban en su pecho, lo reconoció de inmediato. Tantas veces su memoria había vomitado aquella cara, los ojos incisivos, que incluso en el infierno lo habría reconocido. El hombre, ya con un cigarro entre los dedos ensortijados, buscaba la puerta del templo con un andar displicente cuando Fernando, con las manos anegadas por el sudor, sintió que una fuerza desconocida lo empujaba.

—Vengo enseguida —le dijo a Delfina y pasó ante sus amigos, en busca de la puerta.

Al salir al vestíbulo lo vio, junto a uno de los ventanales, ya con el cigarro encendido. Lo miró con tal intensidad que el hombre se sintió observado y dirigió sus ojos hacia él, aunque de inmediato se volteó, para lanzar la ceniza por la ventana. Entonces Fernando Terry avanzó hacia él y se detuvo a su lado. Pensó sacar él también un cigarro, pero sabía que las manos le temblarían incontrolablemente.

—¿No te acuerdas de mí?

El hombre, alarmado por la presencia del extraño, se puso en guardia pero trató de sonreír, mientras lo observaba.

—Chico, tu cara me parece conocida, pero... ¿Del mercado?

—Tú eres Ramón —dijo entonces Fernando y la sonrisa se esfumó del rostro del otro.

—Ah... ya, me conoces de antes.

—Yo soy Fernando Terry —dijo y esperó la reacción del policía.

—Ah, coño, sí —y volvió a sonreír—. El de la universidad. Pero es que hace un montón de años. ¿Qué es de tu vida, compadre?

Ramón parecía otra vez seguro de sí mismo, tranquilo y casi contento de encontrar a un viejo conocido.

—Hecha mierda. Me tuve que ir de Cuba...

—¿No jodas?

—¿Te extraña?

—Bueno, no mucho —admitió Ramón—. Se ha ido tanta gente...

—Y a ti te va bien, por lo que veo —y Fernando señaló las cadenas exhibidas por el otro.

—Ahora sí, pero también pasé lo mío. Me botaron en el 89. Un lío con unas obras de arte... No me probaron nada, pero me soplaron, y estuve viviendo de lo que aparecía hasta que empecé en el mercado con Jorgito Mendoza.

—¿Así que ya no eres policía?

—No, hace diez años. Del carajo…, así que Ramón… Yo casi ni me acordaba de ese nombre. Después fui Waldo, Omar y al final me llamaba Alexis. Y tú, ¿por qué te fuiste?

—Tú sabes que me botaron de la universidad y me pusieron en la lista negra.

—Esa época era terrible, sí. Por cualquier cosa…

—Me he pasado la vida soñando contigo.

—Coño, mi socio…

—No me digas mi socio.

—Está bien, está bien.

—¿Y ahora eres masón?

—Sí, me dio por eso.

Fernando percibió las dosis de ironía que cargaba la respuesta. Ramón, o como se llamara, podía ser cualquier cosa: policía, masón, cristiano, vendedor de puerco y lo que la vida le obligara a ser.

—Yo quería hacerte una pregunta, y como ya no eres policía va y me la puedes responder.

Ramón sonrió y lanzó la colilla hacia la calle.

—¿Quién fue el que me chivateó y dijo que yo sabía que mi amigo se iba?

Ramón parecía ahora divertido y miraba a Fernando como a un ser extraño.

—¿Quién te dijo que alguien te chivateó?

—Tú me lo diste a entender.

—O tú lo quisiste entender. Mira, que yo me acuerde, lo que hice fue tirarte un anzuelo. Nosotros sabíamos que ustedes se reunían, que hacían sus tertulias y que se mataban a poemas. Tratamos de captar a uno de ustedes, no me acuerdo cómo se llama, un negrito él…

—¿Miguel Ángel?

—No me acuerdo del nombre. Era un supermilitante. Y el hombre nos mandó a cagar. Entonces pasó lo del que quiso irse en una lancha y vi el cielo abierto. Te tiré el anzuelo, a ver si querías colaborar, pero tú no quisiste y te enredaste en las patas de los caballos. Yo hice un informe, para que te halaran las orejas y te tuvieran amarrado cortico, pero alguien de la universidad se acobardó y decidieron sacarte de la escuela.

—Eso es mentira.

—¿Mentira? ¿Por qué yo iba a decirte una mentira ahora? Mentiras te dije ese día y tú te las tragaste. Nadie dijo nada de ti. Ni el mariconcito que estaba preso ni ninguno de tus amigos. Te embarraste tú solo y los de la universidad te aplicaron la máxima, porque también se apendejaron.

—Sigo sin creerte. No puedo creerte.

—Bueno, eso es asunto tuyo. Ya te dije que no soy policía y de eso hace mil años. Mira, gracias a ti salí de la universidad que era un rollo del carajo y me pusieron en el Ministerio de Cultura. Pero yo no quise joderte.

—Pero me jodiste.

—Aquí a cualquiera lo joden. Mírame a mí.

—No puedo creer que tú lo inventaste todo.

—Oye, que sí. Mira, te lo juro por la vieja mía. Que no salga viva de allá dentro si es mentira —e indicó hacia el interior del templo.

Fernando notó que ya podía sacar un cigarro, pero no lo encendió. El cinismo de aquel hombre lo asfixiaba. Porque no había existido miedo, ni presión, ni chantaje en el origen de aquella historia absurda que marcó su vida y la de sus compañeros: el origen de todo sólo había sido la maligna decisión de un policía en busca de grados e informantes, el mismo policía al que, años después, expulsarían por sabía Dios qué delitos, sin duda reales y punibles.

—Entonces fue por tu culpa que me hicieron tierra.

—O te dejaste hacer tierra.

—Sí... —dijo Fernando y descubrió que no tenía más argumentos, ni más conversación, ni más deseos de estar frente a aquel hombre que en otros tiempos pudo haber perseguido a masones y católicos, y era capaz de militar ahora en la masonería y de exhibir en el pecho un crucifijo y una medalla con la efigie de la Caridad del Cobre—. Lo hiciste por hijo de puta.

—Mira, compadre, corta ahí la descarga.

—Lo hiciste por hijo de puta, pero te agradezco lo que me has dicho —siguió Fernando, mientras recibía la satisfacción de amistarse consigo mismo y con su pasado. De pronto se sentía totalmente limpio, libre de los pesos que aquel mismo hombre, convertido por años en dueño de destinos, se había encargado de atar a su conciencia—. Espero no perderme tu velorio.

Fernando entró en el templo en el instante en que seis masones, con mandiles y espadas, hacían guardia de honor alrededor de féretro. Observó a Delfina y vio a sus amigos, que por debajo de las piernas hacían circular una botella de ron. Sin detenerse fue hacia el ataúd y, entre dos de los custodios, se acercó a la caja para ver el rostro del doctor Mendoza. Quería agradecerle sus clases de latín y el hallazgo de un acta masónica que le había entregado la posibilidad de liberarse del lado más oscuro y doloroso de su pasado.

Desde que tuvo uso de razón, Domingo Vélez de la Riva y del Monte aprendió a odiar a sus padres por haberlo nombrado así.

Dominguito había nacido en la festiva primavera de París del año 1898, mientras en Cuba se vertía la última sangre, se quemaba el último campo de caña, se hundía el último navío español y se terminaba al fin la guerra de Independencia con la oportunista intervención de los marines norteamericanos.

Cuatro años después, justamente el día antes de que la familia regresara a la isla para abrir una casa en La Habana y participar en los festejos por el nacimiento de la nueva república, la dulce abuela Flora había llevado a Dominguito a dos sitios que, desde el recuerdo infantil, apuntalado por las románticas fotografías tomadas ese día, se convertirían en rosetones indelebles de su memoria. El primero fue la torre Eiffel, casi recién construida, brillante e infinita en la evocación de un niño que jamás volvería a sentir un asombro tan nítido. El segundo fue la tumba de su abuelo Leonardo del Monte, en el cementerio de Montparnasse, sombreada por el mismo sauce que beneficiaba el modesto sepulcro donde yacía el poeta Baudelaire.

Ante aquella tumba, en cuyo mármol aparecían grabadas una palma real y una bandera cubana, fue donde la dulce abuela Flora le contó por qué sus padres lo habían llamado como el último día de la semana: ése era el nombre de su tatarabuelo Domingo Aldama, un emigrante vizcaíno que a fuerza de trabajo e inteligencia llegó a ser uno de los hombres más ricos de Cuba, y también el de su bisabuelo Domingo del Monte, el hombre más culto que jamás viviera en aquella isla a la que pronto volverían. Fue por aquellos dos hombres, siguió la abuela, que sus padres, casados en la iglesia del Espíritu Santo de La Habana unos días antes de que viajáramos todos hacia París, decidieron nombrar Domingo al fruto de su amor, el niño más bello del mundo y que, gracias a Dios, es el niño que está ahora frente a mí. Por eso te llamas Domingo: para recordar por siempre a los dos viejos abuelos que dieron origen a esta familia que es cubana como las palmas y los sinsontes... Y precisamente porque tú y todos nosotros somos cubanos, es que mañana montarás con tu papá y tu mamá en un barco grande y viajarás a Cuba, que es nuestro país, aunque las guerras y las miserias hayan obligado a tus padres a quererse mucho aquí en París y sólo por eso es que tú naciste en este lugar, tan lejos de nuestra isla maravillosa. Nunca lo olvides, le exigió la abuela: mira esa tumba donde reposa tu abuelo Leonardo del Monte, el hombre que fue mi esposo: tú no puedes ser otra cosa que cubano, porque para que lo fueras tus abuelos Domingo Aldama, Domingo del Monte y mi buen Leonardo sufrieron mucho y murieron todos lejos de esa isla que soñaron libre y próspera –le había susurrado la dulce abuela, ya con lágrimas en aquellos ojos cálidos que él nunca volvería a ver, pues la anciana moriría tres años después, en la distante ciudad de Nueva York, sin haber regresado a Cuba.

Más que honor familiar y sentimiento patriótico, llamarse Domingo siempre había sido una molesta circunstancia. En el colegio de Boston donde se educó hasta su ingreso en Harvard, Domingo Vélez de la Riva y del Monte fue «Dominga» para sus profesores, incapaces de nombrarlo correctamente, mientras sus condiscípulos yanquis solían llamarlo Sunday, cuando descubrían el significado de aquel apelativo exótico y difícil de pronunciar. En la mansión del Vedado donde se había criado y pasado todas sus vacaciones entre 1910 y 1919, sus padres y los criados le llamaban Dominguito, pero los pocos amigos que logró tener en la barriada habían preferido llamarlo Mingo, con la agravante de que ser un mingo equivale a ser un imbécil y que el mingo es la bola blanca que, en el billar, no tiene número ni valor positivo, pues sólo sirve para que otras bolas la golpeen, sin otra misión en el juego.

Contra el estigma de aquel nombre había crecido, se había graduado de abogado y había establecido un bufete en Matanzas, donde logró dar uno más de los habituales braguetazos que tanto beneficiaron a su familia –y de los cuales nunca le habló la abuela Flora–, al casarse con Ana de las Mercedes Mádam, una pariente lejana, más bien fea y desgarbada, pero cuya familia, a diferencia de los Aldama y los Alfonso con los que los Mádam estaban aliados comercialmente desde hacía cien años, había dado el salto de la colonia a la República con las arcas repletas de dinero bien ubicado en fiables bancos de París, Londres y Nueva York.

Fue la imagen de la dulce abuela Flora, iluminada por un tímido rayo de sol filtrado a través del manto protector del sauce llorón, en el viejo cementerio de Montparnasse, lo que había venido a la mente de Domingo Vélez de la Riva cuando, en su despacho privado, llegó a la tercera hoja de aquel manuscrito mecanografiado por su pariente Ricardito Junco, y se encontró por primera vez con la presencia de su propio nombre, Domingo, pero seguido de un breve comentario que lo calificaba como «dueño de una voz de ángel y unos ojos de demonio miope». Lo que hasta entonces le pareció un *bluff* desatinado de Ricardito, comenzó a cobrar sentido y Domingo Vélez de la Riva y del Monte no pudo dejar de leer el manuscrito –donde una y otra vez aparecía el nombre de Domingo–, pero ya sin poder sacarse de la mente que apenas ocho meses lo separaban del 7 de mayo de 1939, fecha en la cual, según su pariente, pretendía entregar aquellos molestos papeles para que se hicieran públicos.

Cuando Domingo Vélez de la Riva volteó la última página, sintió un odio infinito por su origen, por su familia, por el país donde habían ocurrido aquellos sucesos pero sobre todo por su nombre. Ya no era llamarse como un día de la semana, que le dijeran Sunday o Dominga o, con sorna, que le apodaran Mingo: ahora aquellas tres sílabas cobraban un nuevo sentido capaz de identificar la traición, el oportunismo, la envidia y la mentira, de un modo tan devastador que, una vez desatado el incendio, nada podría evitar que sus llamas también lo abrasaran a él y a sus aspiraciones políticas.

Varios días meditó, mientras volvía sobre algunos fragmentos del manuscrito subrayados en la primera lectura. Y en cada ocasión que lo pensaba, más irremediable le resultaba la necesidad de plegarse al chantaje. Para un inmoral arruinado como Ricardito Junco poco podía significar que se supiera el origen bastardo de una parte de su familia, mas, para un aspirante a presidente de la República, aquellas acusaciones remotas, falsas o verdaderas, lanzadas nada más y nada menos que por el poeta nacional de Cuba, serían definitivas e irreversibles.

Después de pensarlo por varios días, Domingo había optado por mostrarle los papeles a su esposa, pues sólo con su anuencia podría corresponder a las exigencias de Ricardito Junco: medio millón de dólares, colocados en el Chase Manhattan Bank. Ana de las Mercedes, con ligereza y curiosidad, había comenzado su lectura y, unas horas después, entró en el despacho de su marido gritando que aquello era una infamia. Entonces Domingo Vélez de la Riva inició las gestiones para adquirir unas memorias escritas por un hombre que desde su tumba perdida lanzaba al futuro aquella venganza desoladora.

Antes de cerrar el trato, Domingo Vélez de la Riva leyó el original, en busca de posibles alteraciones introducidas por su despreciable primo, y comprobó que la copia leída era de una espantosa fidelidad. Con su firma y con la de Ana de las Mercedes, entregó a Ricardo Junco un cheque a su favor por la cantidad de quinientos mil dólares, acompañado con la promesa de que si se difundía otra copia del manuscrito pagaría toda su fortuna a un asesino para que no dejara vivo a uno solo de los Junco.

Domingo Vélez de la Riva calculó que aquellas ciento dieciocho hojas, apenas sin valor en el mercado, le habían costado cuatro mil doscientos treinta y siete dólares con veintiocho centavos cada una, sin tener aún la certeza de que la inversión fuera recuperable: otro golpe de Estado, otra revolución, otra intervención norteamericana podían cambiar el rumbo político del país y matar, en un instante, todas sus aspiraciones políticas y, con ellas, la posibilidad de resarcirse convenientemente de la inversión hecha en aquellas hojas mustias, que el 7 de mayo de 1939, con un alivio creciente, Domingo Vélez de la Riva y del Monte fue arrojando al fuego, en estricto orden numérico, para que se convirtieran en un humo difícil y oscuro, como si no le hubieran costado más de cuatro mil dólares cada una: todo para que la historia durmiera en paz, otra vez arreglada por la voluntad y los dineros de un Domingo más, que ni siquiera llegaría a ser presidente de un país al cual nunca pudo entender ni querer, como una vez la había exigido su dulce abuela Flora.

Después de tanto imaginar su regreso, el encuentro con personas y lugares, la recuperación de sensaciones y gustos, recuerdos y olores, de construir incluso movimientos y palabras y actitudes que diría y asumiría, Fernando Terry se encontraba sin saber el modo en que debía irse de Cuba. De alguna manera en los veintiocho días pasados en su país había curado viejas llagas, pero a la vez había abierto otras heridas por las que —bien lo sabía— podía desangrarse. Si veinte años atrás había escapado como un forajido, llevando en sus oídos los gritos de la muchedumbre enardecida que lo catalogaba de escoria, y por tanto convencido de que jamás volvería, ante él se abría ahora una incertidumbre pantanosa, en la cual se sentía cada vez más atrapado.

Únicamente cuando Carmela le propuso hacer un almuerzo en la casa para invitar a sus amigos, Fernando encontró el mejor modo de rematar sus días en Cuba. Por eso le propuso a su madre que almorzaran ellos dos solos, pues quería pasar la tarde con Delfina y la noche con sus amigos, para esperar con ellos el amanecer del día de su partida. Luego pasaría por la casa, recogería sus cosas y se iría hacia el aeropuerto: no se sentía con fuerzas para abrazos y despedidas, y prefería en los últimos momentos estar solo, sentirse solo, sin mezclar a nadie con aquel instante extraño de su destino.

Fernando llamó a Álvaro y le pidió que convocara a los Socarrones para una tertulia, esa misma noche. Allí, le dijo, leería algo que ninguno de ellos, ni siquiera él mismo, había escuchado nunca, y dejó a Álvaro con la curiosidad desvelada. El almuerzo con su madre fue apacible y triste, casi al borde de una falsa cotidianidad. Carmela le preparó aquel quimbombó resbaloso que él adoraba, y lo acompañaron con frituras de malanga, arroz blanco y carne ripiada, aderezada con mucho ajo y limón criollo. Previendo que quizá Delfina todavía estuviera en la casa de su padre, Fernando se recostó en la cama de Carmela y, sin necesidad de leer, se quedó dormido a los diez minutos.

Cuando su madre le acarició la frente, despertó sin noción del momento en que vivía. Fue una sensación dulce y equívoca, capaz de obligarlo a pensar para saber dónde y, sobre todo, cuándo estaba ocurriendo aquel suave despertar.

—Te llaman por teléfono..., vamos —le decía Carmela.

Al fin se incorporó y recuperó la plena conciencia de su realidad. Lentamente caminó hacia el teléfono, convencido de que se trataba de Delfina.

—Sí, dime...

—¿Es Fernando? —inquirió una voz de mujer.

—Sí... —dijo, tratando de ubicar a la persona que le hablaba.

—Es Carmencita Junco.

—Ah, usted... Sí, dígame.

—¿Cuándo se va?

—Mañana. Me voy mañana.

—Es que quisiera verlo.

Una intensa premonición arrancó las últimas oscuridades del sueño y Fernando sintió que respiraba con dificultad.

—¿Puede ser en media hora?

—Sí, lo espero en mi casa.

Apenas veinticinco minutos necesitó Fernando Terry para, bajo el cartel del restaurante Palmar de Junco, comenzar a oprimir el timbre y recibir la sonrisa de la nieta de Carmencita Junco.

La vieja dama le abrió la puerta y le estrechó la mano. Fernando avanzó tras ella hacia la sala, decorada con nuevas sorpresas en las que ni siquiera reparó. La mujer le indicó el sofá y ella ocupó su butaca preferida.

—¿Qué tal le ha ido? —comenzó ella, mientras colocaba un cigarro en su delicada boquilla.

—Yo no diría que mal, aunque no encontré los papeles de Heredia.

A estas alturas estoy casi seguro de que su tío Ricardo fue el último que los tuvo después de que los sacaran de la logia. Y los vendió o los destruyó él mismo.

—Entonces piensa que ya no existen... Y usted quería esos papeles para publicarlos, ¿verdad?

—No es que yo quisiera publicarlos. Era el hijo de Heredia el que lo exigía.

—Sí, tiene razón —admitió la anciana.

—Por lo menos hubiera sido bueno saber qué decían...

Carmencita Junco sonrió.

—Eso tiene remedio.

Fernando sintió cómo sus nervios se tensaban.

—No me diga que usted...

—No, ni siquiera vi nunca esos papeles..., pero tengo una carta de Heredia.

—¿Qué carta?

—Una que le voy a dar para que la lea, pero que no se puede publicar. Es una carta muy personal. Es más, si dice que la leyó, voy a desmentirlo. Si hubieran aparecido las memorias de Heredia sería distinto.

—¿Pero qué carta es ésa?

—Parece que fue la última carta que escribió Heredia. Era para Lola Junco y le pidió a su esposa, Jacoba Yáñez, que se la entregara en mano. Si algo le ocurría a Lola, su hijo Esteban debía ser el destinatario.

—Entonces es verdad que Heredia y Lola... ¿Y por qué me la va a enseñar ahora?

—Porque yo también creo que los papeles de Heredia ya no existen y usted por lo menos debe saber qué contaban...

La anciana se puso de pie. Encima del piano estaba la carpeta de la que extrajo dos pliegos de papel envueltos cada uno de ellos en un forro de nailon transparente.

—No saque los papeles de los sobres. Se pueden deshacer.

Fernando recibió las hojas protegidas y avanzó hacia una silla dispuesta junto al ventanal de vidrio. Algo extraño ocurría con aquella carta, pues no era la letra de Heredia la que, negra y diminuta, corría sobre los papeles apergaminados. Con las manos húmedas por el sudor, Fernando acomodó los pliegos en un ángulo adecuado y comenzó a leer, mientras sentía que un dolor visceral le oprimía la garganta, hasta colocarlo al borde de la asfixia.

Señora Dolores Junco
Matanzas
Isla de Cuba

México, 3 de mayo de 1839

«Mi muy querida Lola:
»No debe asombrarte que sea mi esposa, mi buena y querida
Jacoba, quien te haga llegar esta carta. Porque, imposibilitado ya de
escribirla de mi puño, le he pedido que la tome al dictado y, además,
que se haga cargo de ponerla en tus manos o, si fuera necesario, en las
de nuestro hijo Esteban. Ella, que conoce cada secreto de mi vida, ha
aceptado cumplir esta voluntad mía, que me atrevo a pedirle ante la
cada vez más cercana llegada de mi muerte.

»Dos años atrás, durante mi doloroso viaje a Cuba, tuve algunas
satisfacciones, como la de ver otra vez a mi madre, a mi tío y a mis
hermanas, o conocer a mis sobrinos. Pero entre ellas recuerdo de
manera muy especial el breve encuentro que sostuve contigo, y donde
me pusiste al tanto de los sinsabores que había traído a tu vida. Por
fortuna, ese día tuve la compensación de oír, de tu propia voz, que no
fuimos nosotros, sino decisiones superiores a nuestras voluntades, dic-
tadas por hados fatales que ya parecían grabados en nuestras frentes,
las que se impusieron para decretar el curso de nuestras vidas, y recibí
la infinita alegría de saber que el fruto de la pasión que una vez sentimos no había corrido el triste destino que, por largos años, había yo
creído.

»Salvo esas pequeñas reparaciones, tan valiosas para mi espíritu,
mis días en Cuba me enseñaron, con despiadada crueldad, hasta qué
extremos pueden llegar el odio, la vanidad, la envidia, el afán de poder
y la capacidad de venganza albergada en el corazón de los humanos.
Sufrí, en esas pocas semanas, las más espantosas vejaciones y desprecios, las más inconcebibles decepciones, y entré en conocimiento de
algunas de las más desfachatadas supercherías que la mente humana
pueda concebir. Y supe, para colmo de desengaños, que el origen de
todos mis grandes pesares había sido una traición, salida de una persona a la que yo entregué mi confianza, mi afecto de amigo y, más de
una vez, mis perdones.

»Con todo ese dolor a cuestas regresé a México, sabiendo que
venía herido de muerte. Mis últimos meses acá han sido una larga y
dolorosa agonía para la que los médicos no tenían remedios, pues mi
enfermedad, aunque del cuerpo, es también del alma. Especialmente

penoso me resultó descubrir que, siendo ya incapaz de escribir poesía, no encontraba tampoco siquiera un amigo a quien enviarle una carta y contarle mis angustias. Pero, necesitado de hacer lo único que he sabido hacer en mis duros días en la tierra, comencé a escribir, quizá dirigiéndome a Dios, y fui volcando sobre el papel los avatares de esta extraña y persistente novela que ha sido mi vida. Despojado de vanidad, con toda la sinceridad que he sido capaz de extraer a mi mente cansada, incluso con crudeza extrema, fui hilvanando los episodios memorables de mi existencia y en esa evocación, por supuesto, figuras tú, y toda la felicidad y los sinsabores que nuestra breve relación trajo a nuestras vidas. Pero cuento también, porque la justicia y la verdad lo precisan así, sucesos que sólo yo conozco o que otros que también los conocen van a callar por miedo o por conveniencia, y que, considero, debe saber alguna vez mi hijo Esteban y, si es posible, cada uno de los hijos de ese infeliz pedazo de tierra al cual, empecinadamente, consideré mi patria.

»Por eso, aunque mi mayor deseo es que mi historia sea conocida por todos y la verdad ocupe su lugar, he decidido que pongas esos papeles que Jacoba te hará llegar en manos de nuestro hijo, pues a pesar de tu decisión de mantenerle oculto su origen, yo creo que no tenemos derecho a escamotearle la mayor verdad de su vida, y mi deseo es que él sepa quiénes fueron sus padres y qué motivos impidieron que le entregáramos el amor que un fruto del amor merece. Luego, dejo a su juicio y voluntad el destino final de estos papeles: él debe decidir si se hacen públicos o si considera preferible hacerlos desaparecer y cubrir la verdad —que no es sólo su verdad y la de su padre— con el manto del silencio.

»La razón que me ha movido a tomar la decisión de poner en manos de Esteban la suerte de mi memoria ha sido, precisamente, él y tú. Porque nada más lejos de mi intención que perjudicar tu reputación o traerle a él los inconvenientes derivados de su origen. Pero una profunda fe me hace confiar en la honestidad de ese hijo al que nunca he podido ver, y yo me iré del mundo con la convicción de que algún día él hará conocer públicamente la realidad de mi vida.

»Sé que de mí y de mis actos se ha hablado mucho en estos años, que se me acusa de haber flaqueado en mis principios y convicciones, de haberme plegado a la censura, de haber pactado con un sátrapa por la limosna de poder regresar a Cuba por dos meses. Y es verdad. Sólo que, tras esas verdades hay otras desconocidas para mis compatriotas, como la razón por la cual escribí aquella triste carta de disculpa al juez instructor de la causa de 1823, pues nunca pudieron saber que fue tu amor y la ilusión de poder vivir a tu lado, con nuestro hijo, la que me hizo pergeñar aquel juramento de inocencia del que ni siquiera hoy me arrepiento, pues tenía como único propósito dejar abierta una brecha para volver a tus brazos.

»Pero algunos de los que con más ardor me han acusado, como nuestro viejo conocido Domingo, hoy hombre influyente que se deleita en sus veladas literarias rodeado de efebos complacientes y libros hermosos, mientras disfruta de la fortuna hecha a latigazos y contrabando de esclavos por su riquísimo suegro, ocuparán su lugar el día reparador en que los hombres puedan leer esta historia. Entonces, los que quieran saberlo, si es que alguien aún quisiera saberlo, conocerán cómo algunos de los hombres que se presentaron como la conciencia del país no fueron más que traficantes de poder, dispuestos a subastar su alma por los perfumes de la gloria y la riqueza. Sólo ese día mi alma estará en paz: contigo, con la verdad, conmigo mismo y con ese hijo al que jamás pude cargar en mis brazos, al que nunca pude besar. Y entonces descansará mi alma, en el lugar que Dios le disponga. Pero, como he sido un hombre bueno, espero confiado por la misericordia infinita del Gran Arquitecto del Universo.

»Querida Lola: cuando hables con Jacoba, por favor, no le preguntes cómo han sido mis últimos días. Prefiero que me recuerdes como al joven que conociste en el embarcadero del Yumurí y que allí te juró su amor. Al que te escribió poemas plenos de sentimientos verdaderos, y al que te prometió, sinceramente, ser tu esposo y hacerte feliz.

»Espero entiendas éstas, mis últimas decisiones en la vida, y que alguna vez, ante la imagen de San Esteban, reces por la paz de mi alma.

»Te quiere y te besa,

José María

»*PS.* Si puedes, dale tu amistad a mi buena Jacoba. Ella ha sido, por todos estos años, mi ángel de la guarda y la más dulce y comprensiva de las esposas.»

Fernando observó la firma, que apenas recordaba el recorrido elegante y veloz de la pluma con el cual el poeta terminaba sus cartas. Volvió a leer la fecha y pensó que aquella rúbrica insegura quizás había sido lo último que escribiera la mano de un hombre capaz de generar tanta belleza. Y comprendió que todos sus pesares habían sido mínimos, al verlos ante el espejo de infortunios donde pretendió reflejarse.

Cuando subí al barco que me devolvía al destierro y contemplé la ciudad, bajo el sol limpio de aquel mediodía del 16 de enero de 1837, sabía que me estaba despidiendo definitivamente de Cuba, y sentí una mezcla de dolor y alivio. En mi horizonte no estaba, como en el del cura Varela cuando acudimos a despedirlo, la perspectiva de una batalla, ni siquiera el sostén de un ideal: porque ya ni poesía, ni amor, ni revolución existían en la bolsa rota de mi futuro, sino apenas un poco de tiempo para rumiar mis desengaños y preparar mi salida del mundo, lejos del lugar donde nací y debí vivir.

Mientras el barco abandonaba el puerto, desde la borda en que me había acodado eché una última mirada a la isla y sobre los arrecifes de la costa descubrí a un hombre, más o menos de mi edad, que seguía con la vista el paso del barco. Por un largo momento nuestras miradas se sostuvieron, y recibí el pesar recóndito que cargaban aquellos ojos, una tristeza extrañamente gemela a la mía, capaz de cruzar por encima de las olas y el tiempo para forjar una misteriosa armonía que desde entonces me desvela, pues sé que fuimos algo más que dos hombres mirándose sobre las olas.

Los tres días que había pasado en la isla antes de mi partida, luego del encuentro con Tacón, fueron quizá los mejores de mi amarga estancia en Cuba. La descarga del pus y la ponzoña que llevaba dentro, que solté en el despacho del capitán general, había sido como una sangría para mi alma y hasta para mi cuerpo, que incluso sintió recuperar fuerzas mermadas por la galopante enfermedad.

Con una inesperada tranquilidad de espíritu anduve caminando sin norte por las calles, tratando de impregnarme de su aliento, ya que no podía llevarme una conversación o un abrazo de mis viejos camaradas de andanzas remotas, perdidos algunos en la muerte, y otros en la al fin comprobada traición. En memoria de la amistad que había sentido por Domingo, entré en una valla de gallos y, por primera vez en mi vida, puse mi dinero en las patas de un animal, y gané las tres veces que aposté. Luego, bebí vino en las tabernas del puerto, recordando a los nobles Silvestre y Sanfeliú y, a instancias de mi viejo amigo el actor Antonio Hermosilla, el mismo que en los días de mi gloria inicial representara el drama *Arteo* en un galpón de Matanzas, asistí a la función que él auspiciaba en beneficio del trágico Rafael García. Como invitado del organizador, esa noche ocupé uno de los palcos preferenciales del viejo teatro Diorama y disfruté de las interpretaciones que hizo Hermosilla de los papeles que dieron lustre y fama a García. Al terminar la función, sin embargo, había ocurrido algo totalmente inesperado. Vestido como Otelo, con el rostro aún ennegrecido, Antonio se había parado en el proscenio y le anunció al público que, entre los asistentes, se hallaba el gran poeta José María Heredia. Un salto en el estómago me sorprendió en ese instante, pero no tuve tiempo de asimilarlo, pues mayor fue la sorpresa de oír que Hermosilla, en medio de la sala abarrotada, había comenzado a cubrirme con los más bellos elogios que jamás hubiera yo escuchado: quizá me sonaron así por venir de boca de un amigo, por escucharlos en Cuba y porque, al terminar Antonio, el murmullo del público se convirtió en aplauso que puso de pie a los asistentes, y las manos de mis compatriotas armaron la mayor ovación que jamás haya recibido. Conmovido, saludé a aquellas personas que desafiaban designios conocidos y ocultos y me regalaban el premio de su admiración. Pero el éxtasis de la emoción había llegado cuando Hermosilla pidió silencio y, ante el público todavía en pie, empezó a recitar:

Dadme mi lira, dádmela, que siento
En mi alma estremecida y agitada
Arder la inspiración. ¡Oh!, ¡cuánto tiempo
En tinieblas pasó sin que mi frente
Brillase con su luz...! Niágara undoso,
Sola tu faz sublime ya podría
Tornarme el don divino, que ensañada
Me robó del dolor la mano impía...

Algo extraordinario, que me desbordaba, había en aquellos versos, escritos por el poeta que fui, y que ahora, colocados en los labios de un cubano, en los oídos de decenas de cubanos, dichos en tierra cubana, cobraban al fin su verdadera dimensión. ¿Sólo por oír aquellos versos, por escuchar los aplausos que me ensordecían, valía la pena haber regresado a mi patria? Las lágrimas corrieron por mi rostro mientras disfrutaba de aquella maravillosa coronación, que me reveló, en un instante, todo el sentido de mi pobre vida: ése era yo; aquél, el gran triunfo del poeta.

Dispuestos a celebrar, Antonio, Rafael y yo recalamos en una de las tabernas del puerto, pero al final de la noche Hermosilla decidió invitarnos a un lugar que de seguro no olvidaríamos, como se empeñó en advertirnos, ya con la lengua adormilada por el alcohol. Venciendo las reticencias del viejo Rafael y mi agotamiento por la larga jornada, casi a la medianoche subimos a un quitrín que nos llevó más allá del paseo de la Reina, y nos dejó frente a una edificación que no podía ser otra cosa que un burdel. El lugar, que de alguna manera me evocaba la casona de madame Anne-Marie, tenía las puertas abiertas a pesar de la hora, y al entrar vimos a una rolliza mujer, de piel canela y unos cincuenta años, que levantaba sus muchas carnes de un alto sillón de mimbre y se acercaba a darnos la bienvenida. Más que temblor en las piernas fue un verdadero desfallecimiento lo que me invadió al descubrir que la gruesa matrona no era otra que Betinha, cuyos ojos, al reconocerme, se anegaron en lágrimas, antes de que, sin contenerse ya, corriera hacia mí y se aferrara a mi cuello.

No siento pudor al contar que mis dos últimos días en Cuba los pasé encerrado con Betinha en una habitación del burdel que ahora regentaba. No siento pudor, tampoco, al reconocer que esta vez no hicimos el amor, como tantas veces en los viejos tiempos. Y no fue por falta de deseos: pero tanto Betinha como yo comprendimos que estábamos muy lejos de ser los de entonces y que hay recuerdos que no deben ser mancillados por actos incapaces de superarlos o siquiera revivirlos. Así, muy cerca del altar plagado de velas donde ella había colocado la imagen de su madre Yemanjá, Betinha y yo dedicamos muchas horas a empalmar los acontecimientos de nuestras vidas y ella me contó sus avatares, primero en Nueva Orleáns, luego en la próspera San Francisco, y su regreso a Cuba, hacía dos años, cuando se hizo socia de un rico cafetalero francés y tuvo el capital suficiente para montar aquel negocio, el único que conocía. La parte triste de la historia llegó cuando me contó de la muerte de madame Anne-Marie, unos tres años atrás, ya con más de setenta a cuestas, pero aún dotada con la claridad invencible de su bella mirada de espía: porque, para mi asombro, Betinha me confirmó que el amable burdel de su antigua patrona había sido en realidad la fachada de un eficaz sistema de espionaje pagado por el Gobierno francés.

Para convencerme de que mi recuerdo la había acompañado por siempre, Betinha abrió el cofre donde antes solía guardar su inseparable efigie de la mujer-pez, madre de todas las aguas, y me mostró la vieja edición de mis poesías que yo le había enviado en el año de 1825. Los cuadernillos del libro, con las páginas casi gastadas por la frecuente lectura, habían sido, al decir de aquella franca mujer, el más bello de los tesoros que la acompañaran en la vida.

Triste fue el instante de la despedida, pues ahora sí sabíamos que no habría reencuentros inesperados, como regalo de sus dioses o de los míos, sino ausencia infinita. Abrazada a mi pecho enfermo, Betinha me pidió que me cuidara y entonces me colgó del cuello un fino cordón del que pendía una diminuta concha que tintineó al chocar con mi crucifijo.

—Esto es para que siempre sueñes con el mar —me dijo y, sin poder contenerse, comenzó a llorar, pues sabía que se despedía de un muerto.

Con el olor de mi amiga y de La Habana en el corazón, vi levar las anclas de *El Carmen*, y me despedí de Cuba con la mirada de aquel desconocido como último adiós, pero también con dolor por los amigos muertos, con rabia por el destino que le impusieron a la bella Lola Junco, con pena por los miles de hombres que allí vivían esclavizados, y con un sentimiento de compasión por los que se habían visto obligados a vender su alma y su inteligencia en el mercado de la vida, y también se habían convertido en esclavos. Por eso, nada más poner pie en tierra de México, comprendí cuán necesario había sido para mí aquel viaje a mi patria: porque, más que para vivir, lo necesitaba para morir en paz, ahora que sólo la muerte se alzaba en mi reducido horizonte...

A 2 de febrero de 1837 entré en Toluca y me encontré el cuadro terrible de una Jacoba cada vez más enferma, de unos sueldos por cobrar que no llegaban y con los ruidos del caos y la anarquía que seguían asolando aquel desgraciado país. Sólo me salvó de la más profunda depresión la alegría de mis hijos, la bella y locuaz Loreto y el gordito José de Jesús —al que su hermana insistía en llamar Bichí—, que me abrazaron al verme y se sentaron después, junto al fuego, a oír los recados que le traía desde la lejana Cuba, enviados por su abuela, sus tías, sus primos cubanos que alguna vez confiaban en reunirse con ellos y darles en las mejillas los besos de los que yo era portador.

Fueron mis hijos y mi buena Jacoba los que me impulsaron a salir a la calle para luchar por la subsistencia. Aunque mantenía mi trabajo como magistrado de la Audiencia de Toluca, la situación de los empleados públicos era cada más insostenible, y busqué sitios donde trabajar como maestro, mientras preparaba la oposición que me habían pedido para las próximas elecciones de magistrados, y para ello presenté al ministro de Justicia mi escrito «Carrera literaria, méritos y servicios del licenciado José María Heredia», esperando que el vano esplendor de mis glorias pretéritas sirviera al menos para garantizarme un empleo. Pero, tras varias semanas de espera, a mediados de julio se dio a conocer la composición de la nueva magistratura del Estado, en la cual no aparecía mi nombre. Humillado por un poder lejano pero implacable que me recordaba mis actos pasados de defensa de la legalidad y la Constitución, me presenté a la Audiencia, para reclamar los salarios que me adeudaban y, de los dos mil doscientos pesos que debía cobrar, me pagaron cincuenta y seis, y me mostraron, para salir de mí, la nueva ley que se daría a conocer, mediante la cual se exigía ser mexicano de nacimiento para ocupar una magistratura.

Gracias a mis antiguos compañeros de la Audiencia logré ser habilitado para ejercer como abogado, pero poco trabajo conseguí por esa vía, y debí contentarme con el puesto de redactor de *La Gaceta Oficial* donde languidecí por varios meses. Una decisión extrema debimos tomar entonces, ante las asechanzas de la miseria. A pesar de la reticencia de Jacoba, que lo consideraba un acto de suicidio, puse en venta una parte notable de la biblioteca que, en mis años de vida en México, había logrado conformar. Muchos de aquellos libros venían firmados por sus autores con cálidas dedicatorias, otros eran regalos de los impresores que esperaban de mí un comentario laudatorio, y los demás, fruto de mi bibliofilia, que me había llevado a comprar un libro antes de saber si tenía dinero para la cena. Pero, en ese instante, era la comida de mis hijos lo que contaba, y si los libros nos daban para comer al menos por una vez, pues le diría adiós a mi biblioteca, como tantas veces debí despedirme de muchas cosas entrañables de la vida. Así, mientras Domingo planeaba la construcción de un fastuoso palacio y bebía vinos franceses con un grupo de efebos revoloteando entre los miles de ejemplares de su espléndida biblioteca, el poeta José María Heredia hacía anunciar una venta de sus libros para tener, en la soledad del destierro, leche para sus hijos y algunas tortillas que llevarse a la boca.

Con excepción de las que crucé con mi madre, pocas cartas escribí y recibí en esta temporada. Ya no me quedaban amigos ni enemigos a los que enviar correspondencia, y el olvido en que yo había caído parecía haberme borrado de las listas de posibles destinatarios de cualquiera de los que antes me conoció, me escribió y hasta me aduló. Al fin y al cabo, quizá Tacón tenía razón y yo no era nadie, no existía para nadie, no le importaba a nadie. Únicamente Blas de Osés me dirigió alguna misiva y por él supe que a mediados de 1838 se había producido, al fin, el relevo de Tacón, gracias a las maniobras de los patrones de Domingo, quienes se encargaron de comprar, a precio de oro, a un diputado español, un tal Oliván, quien a su vez se encargó de comprar en las Cortes a otras voces que presentaron al general como un peligro para la estabilidad de Cuba, y consiguieron al fin su deposición, muy bien festejada por los antiguos lobos negreros, ahora vestidos de ovejas. También supe por una de sus cartas que Domingo al fin había firmado uno de los muchos panfletos que escribiera a lo largo de su vida. Éste había sido un «Proyecto de Memorial a su Majestad la Reina, en nombre del Ayuntamiento de La Habana, pidiendo leyes especiales para la isla de Cuba», en el cual se refería a nuestras pasadas aspiraciones libertarias como «ese espantable monstruo de la independencia», afortunadamente extirpado en la isla. La reina, que antes había anulado la participación de diputados cubanos en las Cortes, respondió a Domingo y sus jefes con celeridad inhabitual, asegurándole que era imposible la aplicación de leyes especiales para Cuba... Por último, y sin que me sorprendiera ya, supe por Osés de la publicación de un poema hasta entonces extraviado, escrito a principios del siglo XVII por un tal Silvestre de Balboa, escribano real asentado en la villa de Puerto Príncipe. El poema épico narraba el secuestro del obispo Juan de las Cabezas Altamirano por el pirata y hugonote francés Gilberto Girón, y su posterior rescate gracias al valor de los vecinos de la ciudad de Bayamo. El revelador *Espejo de paciencia*, según afirmaba José Antonio Echevarría al darlo a la luz, era copia fiel del manuscrito original —el cual nadie vio jamás—, que a su vez había sido copiado del original primario por el obispo de Cuba, Morell de Santa Cruz, que entusiasmado por la vieja crónica, decidió incluirla en su *Historia de la isla y catedral de Cuba* que, para fortuna de la cultura cubana, el mismo Echevarría había encontrado en la biblioteca de la Sociedad Patriótica de La Habana, cien años después de haberse perdido... Ahora teníamos a nuestras espaldas, como todos los grandes pueblos, una historia épica, cristiana y remota, con héroes y apariciones mitológicas que le daban tono y sabor. Triste, demasiado triste, resultaba saber que estábamos naciendo a algo tan sagrado como la literatura sobre una mentira. Con asco quise desentenderme de todo aquello, y por una vez me alegré de estar lejos de Cuba y a salvo de cualquier complicidad con tan deleznables supercherías...

Pero la acendrada costumbre de escribir cartas, adquirida en los largos años de exilio, me ponía como un ardor en los dedos palabras que bullían en los labios, y que reclamaban el exorcismo de la escritura. Por eso, una mañana de domingo, al regresar con Jacoba y los niños de la misa, sentí cómo el deseo de confiarle a alguien ciertas verdades de mi vida se volvía un tormento y, armado con la pluma, me senté a la mesa. Nunca antes le había contado a nadie lo que sentí al llegar a La Habana, en diciembre de 1817, y tampoco cómo había conocido a Domingo y cuáles habían sido las primeras peripecias de nuestra amistad. Y fue precisamente aquello lo que me vino a la mente. Pero ¿a quién remitiría aquellas evocaciones?, me pregunté, alarmado, y entonces comprendí que el mejor destinatario de esta confesión era un hijo que ni siquiera me conoció y que, sin este examen de mi memoria, jamás tendría la ocasión de conocer la verdadera vida del hombre que fue su padre...

Hijo mío: En ese mismo instante comencé a escribirte, y sentí que un balsámico alivio coronaba mi esfuerzo mientras me desnudaba ante ti y, sin tapujos, me presentaba tal cual he sido y soy. Pero después, a medida que plasmaba mi vida en estos papeles, comprendí que, llegado el momento oportuno, también otros hombres deberían leerlos, pues en ellos se encierra algo más que la existencia de un pobre hombre, arrastrado por los vientos de la historia y el infortunio, atrapado por las mareas del poder...

Ya nada notable ocurriría en el resto de mis días y que tú debas saber, salvo el nacimiento del séptimo de mis hijos, una niña hermosa a la que nombramos Luisa y que, gracias a Dios, crece sana y feliz, junto a tus otros dos hermanos, Loreto y Bichí.

Estos últimos meses, en los que apenas he podido escribir y a veces ni dictar, han sido de una zozobra constante y si no hemos muerto de hambre ha sido gracias a la caridad de algunos buenos amigos mexicanos. En marzo pasado tuvimos que volver a esta ciudad de México, donde tantos aplausos recibí y donde, espada en mano, luché por la defensa de esa letra inerte llamada Constitución. Gracias a las influencias de mi viejo y buen camarada Andrés Quintana Roo logré que me aceptaran para atender la parte literaria del *Diario del Gobierno de la República Mexicana*, pero a las pocas semanas mi estado físico me impidió continuar esa tarea, y me enclaustré en esta casa oscura y pequeña, donde Loreto, Luisa y Bichí han debido observar mi decadencia final, ayudando a su madre a colocarme emplastos en el pecho e inhalando conmigo los vapores alcanforados que pretenden facilitarme la respiración.

Jacoba, mi fiel y amada Jacoba, ha días que me toma al dictado estas páginas finales de la novela de mi vida. Hoy es 3 de mayo y amanecí con fiebres elevadísimas y por dos veces he vomitado sangre. Sé que es el fin y espero, esta noche, la presencia del cura, para arreglar mis cuentas con Dios. Sin embargo, hace unos pocos días le escribí a mi madre y, para darle una última felicidad, le hablé de mis planes de volver a Cuba para recuperar mi salud. La alenté con la idea de que el nuevo capitán general de seguro me autorizaba, pues más que un revolucionario recibiría a un hombre fatigado, de apenas treinta y cinco años, pero incapaz ya de lanzarse a ninguna aventura. «Les advierto, para que no se espanten», le decía, como si de verdad mi regreso fuera posible, «que no van a ver en mí sino a mi sombra o espectro. Quizá con el ajiaquito, el ñame y el quimbombó lograré restablecerme algo, no menos que con la compañía de su merced y de mis hermanas». Le pedí a Jacoba entonces que me incorporara en la cama y, apoyado en ella, firmé la carta y escribí una breve nota final. ¿Debo decirte que recordé entonces las tardes calientes de La Habana, veinte años antes, cuando sobre las grupas de la mulata Betinha escribí aquellos fatuos y ardientes poemas de amor? Jacoba, que ha sabido perdonarme todas mis veleidades, también supo perdonarme tales desvaríos, como, según el cura, Dios me ha perdonado mis mentiras, lujurias y vanidades de pecador arrepentido.

Al despertar esta tarde le he pedido a Jacoba que pusiera más luces y ella me complació. Pero no recibí más claridad. Porque es desde dentro de mí de donde sale un manto oscuro capaz de envolverme, como es también desde ese sitio recóndito de donde ha salido, como una gota de agua en el desierto, la necesidad de hacer un último acto de liberación de mi espíritu. Entonces le pedí a Jacoba que me tomara al dictado una carta que, como imaginarás, no podía dejar de enviar: su destinataria es tu madre, y en ella le explico mi pretensión de enviarte estas memorias y de suplicarte que, a su debido tiempo, tomaras las providencias necesarias para hacerlas públicas, si es que piensas que alguna utilidad emanaría del conocimiento íntimo y verdadero de mi vida.

No sé si ha sido la cercanía del fin o el acto de liberación que encerraba la necesaria misiva, pero en ese momento se despertó en mí el deseo de escribir poesía. La poesía, que de mí se había olvidado, volvía para despedirse. La poesía, que dio razón a mi vida y me labró un lugar en el mundo. Le he pedido a Jacoba que tome otra vez la pluma y, entre versos, como solía vivir, he musitado mi despedida del mundo y mi solicitud de la misericordia del Creador… «De Dios el acento suena en mis oídos, / Y Dios a los hombres no puede engañar.»

¿Qué más te debo decir, hijo mío? Abrazarte y besarte no he podido, pero tú sabrás perdonarme. Si has leído cada una de estas hojas, conocerás como nadie el hombre que fui y el que quise ser, pues descarnadamente, sin mentiras ni silencios, te he contado desde lo más escabroso a lo más personal o vergonzoso de mi vida, pues entendí que sólo sin enmascaramientos era posible tener este diálogo contigo y con los hombres del futuro a los que también me dirijo, y para los cuales, algún día, yo seré parte de la Historia…

Esteban: no me ames, si no puedes. Pero entiéndeme, y sé justo conmigo y con mi voluntad.

Tu padre, que como tal te ama,

José María Heredia

«Después de tres días de delirios y agonía, murió José María Heredia y Heredia, a las diez de la mañana del jueves 7 de mayo de 1839, en la casa de la calle del Hospicio de San Nicolás, número 15. Al morir tenía treinta y cinco años, cuatro meses y siete días de vida. Fue enterrado esa misma tarde, en la mayor pobreza, con la presencia de unos pocos amigos y sin ningún reconocimiento oficial, a pesar de su antigua condición de diputado de la nación. Su cadáver reposa en el Panteón del Santuario de María Santísima de los Ángeles, en el cementerio de Santa Paula. La prensa mexicana no publicó una sola esquela mortuoria. Al día siguiente de su muerte, el *Diario del Gobierno de la República Mexicana* estampó una convocatoria para ocupar la vacante por él dejada.

»Su última voluntad fue que estos documentos fueran entregados a la señora Dolores Junco, en Matanzas, isla de Cuba, para que ella los hiciera llegar, cuando creyera oportuno, al señor Esteban Junco.

»Yo atestiguo, ante Dios y la posteridad, que hasta donde conozco, ésta es la verdadera historia de la vida de José María Heredia, hombre que disfrutó la gloria y murió en el olvido. Fue el Cantor del Niágara, de las palmas y de la estrella de Cuba, la patria que amó cada día de su vida y por cuya independencia sufrió destierro. Descanse en paz su alma.

»Jacoba Yáñez, viuda de Heredia,
»Ciudad de México,
»12 de mayo de 1839»

Con la vista fija en el lucero del alba, como un navegante perdido, Fernando Terry se ve obligado a asistir al milagro cotidiano de su difuminación. Del negro al gris, cada vez más desleído, el cielo ha ido perdiendo su oscuridad y una luz avasallante termina por tragarse aquel punto luminoso del firmamento: con la llegada de la luz se ha ido levantando el telón que da inicio al día de la partida.

—Cuando quieras nos vamos —le dice Delfina, y Fernando recibe en su nuca el calor de la caricia.

—No sé cómo irme —le confiesa y se voltea para mirarla.

Ha sido una noche larga, de muchas botellas y palabras, aunque fue Enrique el que más tiempo habló: como en una carrera de relevos los Socarrones supervivientes fueron conminados a leer el manuscrito de la Tragicomedia cubana, y sin mayores sutilezas habían empezado a escuchar una «música de guitarra, laúd, maracas y bongó. Es una melodía sensual, mulata, con olor a monte y sabor a ron, que engañosamente induce a pensar cálidos placeres», mientras la geografía de cierta Isla Perdida iba creciendo a sus pies. Las escenas de la novela teatral comenzaron a pintar ante sus ojos una fábula premonitoria, llena de ironía y tristeza, dotada del poder clarificador de ir sustrayéndole años a la pretendida realidad de la vida para vaciarlos en una realidad de novela en la cual volvían a tener veinte años y Enrique, con sus gestos teatrales y suaves, recuperaba su lugar y se hacía centro de la representación, como tantas otras veces: como el día en que les confesó que era homosexual, o como la tarde en que lo destrozó un camión, sin que ninguno de los otros pudiera saber jamás si fue un alevoso suicidio o un simple capricho de un azar fabricado, que puso al camión y al personaje en el mismo momento y lugar.

Con la llegada del amanecer el ensalmo se deshizo y Fernando pudo sentir cómo los años regresaban a ocupar su sitio irreversible en el destino de personajes trágicos que les ha tocado vivir: sin voluntad propia, sin expectativas ni futuro discernible, cargados con el fardo de un pasado avasallante, marcado por las frustraciones, las sospechas, las distancias y los resquemores.

El mar —otra vez el mar— engañosamente apacible, empieza a dorarse con la luz del sol y, por el resquicio difícil que dejan los edificios impertinentes, Fernando contempla su bruñida superficie. ¿Cuántos años más estará obligado a vivir lejos del mar?, se pregunta y mira hacia la terraza. Entre botellas, vasos y latas vacías, Álvaro, el negro Miguel Ángel, Tomás y el bello Arcadio beben en obligado silencio el café que Conrado se ha encargado de preparar, mientras Delfina, con dos tazas en la mano, se acerca a él. Entonces Fernando debe recordar, como si en ese instante le decretaran su momento de morir, todos los días de su vida en que le han impuesto la condena de beber en solitario el primer café de la mañana, sin oír siquiera la simple advertencia que ahora le hace su mujer.

—Cuidado, está caliente.

La certeza de que todos ellos han sido personajes construidos, manipulados en función de un argumento moldeado por designios ajenos, encerrados en los márgenes de un tiempo demasiado preciso y un espacio inconmovible, tan parecido a una hoja de papel, le revela la tragedia irreparable que los atenaza: no han sido más que marionetas guiadas por voluntades superiores, con un destino decretado por la veleidad de los señores del Olimpo, que en su magnificencia apenas les han otorgado el consuelo de ciertas alegrías, poemas cruzados y recuerdos todavía salvables.

Fernando mira a sus amigos y piensa que quizás el Varo no merecía ser aquel alcohólico empedernido, ya sin capacidad para escribir poesía, o que el Negro podía haber sido para siempre un eterno y nada problemático creyente, quizá sólo uno de esos personajes que pasan levemente por la vida sin mirar hacia los lados y sin saber siquiera el color de su piel. El exceso de cinismo de Tomás le parece un ensañamiento con él, mientras al guajiro Conrado lo han moldeado como un lépero demasiado evidente, despojado —con toda intención— de la inocencia tradicional en los tipos de su especie y origen. Incluso la fe en la poesía de Arcadio le resulta desproporcionada, a pesar de vivir en una historia de poetas, pues ya nadie practica aquella mística pasada de moda. Entre tantos excesos, sólo Delfina se le revela como alguien dramáticamente real, palpitante y hermosa, extraña en medio de aquellas tristes vidas de novela.

¿Siempre habrá sido así?, se pregunta entonces, al recordar las veleidades del destino de José María Heredia, arrastrado por los flujos y reflujos de la historia, el poder y la ambición, atrapado en un torbellino tan compacto que lo llevó a sentir, con apenas veinte años, el signo novelesco que marcaba su existencia. ¿Es posible rebelarse?, se pregunta después, ya por pura retórica, sólo para abrir más la herida, pues sabe que el acto de la rebeldía es el primero que les ha sido negado, radicalmente extirpado de todas sus posibilidades y anhelos. Sólo le queda cumplir su *moira*, como Ulises enfrentó la suya, aun a su pesar; o como Heredia asumió la suya, hasta el final.

—Sí..., pero es que ahora no sé cómo irme —apenas consigue decir Fernando y, como tantas otras veces, es férreamente obligado a beber el primer sorbo de su café.

Noticia histórica

Ocho años después de su muerte, al ser clausurado el cementerio de Santa Paula y no presentarse ninguna reclamación, los restos de José María Heredia fueron lanzados a una fosa común del campo santo de Tepellac. No hay una tumba con su nombre ni se conoce el destino de su lápida original, donde fue grabado el siguiente epitafio: «Su cuerpo envuelve del sepulcro velo / Pero le hacen la ciencia, la poesía / Y la pura virtud que en su alma ardía / Inmortal en la tierra y en el cielo».

El presbítero Félix Varela también murió en el exilio. De él y de Heredia se ha dicho que «colmaron ampliamente la ideología de un pueblo colonial que se negaba ya para siempre a ser factoría de un régimen monárquico lejano y caduco, y se tornaba en nación apoyado sólo en un corto número de poesías y en el pequeño volumen de un periódico publicado en el destierro. Así formaron Heredia y Varela el espíritu cubano». Beatificado por la Iglesia católica y en proceso de santificación, Varela llegó a convertirse en el teólogo católico más importante de Estados Unidos en su tiempo, aunque el Vaticano, cediendo a las exigencias españolas, le negó el obispado de Nueva York, mientras en Cuba perdía casi toda su influencia cuando la mayor parte de sus discípulos negaron el ideal independentista, optaron por el reformismo y se enriquecieron bajo el poder colonial. Sus *Lecciones de Filosofía*, que por años sirvieron de método de enseñanza en el seminario y colegio de San Carlos y San Ambrosio, fueron prácticamente prohibidas en la isla. Murió en el poblado de San Agustín, en la Florida, el viernes 25 de febrero de 1853, a las ocho y media de la noche. Al morir, dejaba como pertenencias varias Biblias, algunos tomos de sus obras filosóficas, y un viejo violín, al que le faltaba una cuerda. Desde 1911 sus restos descansan en el aula magna de la Universidad de La Habana.

José Antonio Saco dedicó varios años de su vida a escribir una impresionante *Historia de la esclavitud,* luego de publicar artículos y panfletos contra las tendencias anexionistas que cobraron auge en Cuba durante las décadas de 1840 y 1850. Desterrado en 1835, no regresó a la isla hasta 1860, para volver a vincularse al último intento reformista, también fracasado. En el exilio escribió: «Quince años ha que suspiro por ella [la patria]: resignado estoy a no verla nunca más, pero menos me parece que la vería, si tremolase sobre sus castillos y sus torres el pabellón americano. Yo creo que no inclinaría mi frente ante sus rutilantes estrellas, porque si he podido soportar mi existencia siendo extranjero en el extranjero, vivir extranjero en mi propia tierra sería para mí el más terrible sacrificio». Saco pasó sus últimos días en una pequeña casa del paseo de Gracia, en Barcelona, siendo nuevamente diputado a las Cortes, donde todavía pensaba lograr reformas políticas para el gobierno de la isla de Cuba. Murió, en 1879, a los ochenta y dos años, en los momentos en que, con el Pacto del Zanjón, se ponía fin a diez años de una guerra entre Cuba y España con la cual él nunca estuvo de acuerdo.

Félix Tanco, que murió en Estados Unidos en 1871, nunca pudo ver impresa su novela abolicionista *Petrona y Rosalía*, que escribiera impulsado por Domingo del Monte. Mientras, José Antonio Echevarría, vinculado a actividades separatistas, también murió en Estados Unidos, en 1885. Además de publicar y glosar el *Espejo de paciencia* –cuya autenticidad ha sido aceptada por la mayoría de los especialistas, aun cuando nunca han podido explicar de modo satisfactorio la extraña aparición del manuscrito y la diversidad estilística que se advierte en algunas de sus estrofas–, Echevarría escribió la novela histórica *Antonelli*, ambientada en La Habana del siglo XVI, e igualmente escrita por recomendaciones de Del Monte. Tanco y Echevarría son considerados dos autores menores, sólo leídos por los estudiosos.

El 17 de junio de 1844, cuatro días después de su llegada a Cuba, murió en Matanzas, a la edad de treinta y tres años, Jacoba Yáñez, viuda de Heredia. Sus tres hijos –Loreto, José de Jesús y Luisa–, así como los documentos y manuscritos del poeta, quedaron al cuidado de María de la Merced Heredia y Campuzano, madre de José María, quien sobrevivió a su hijo por diecisiete años. Dolores Junco y Morejón, la joven de quien también estuvo enamorado Silvestre Alfonso, murió cerca de Matanzas, en 1863, casada en segundas nupcias con el español Ángel Zapatín.

Por su parte, Domingo del Monte salió de Cuba en 1843, temeroso de las represalias por su posible vinculación a los planes ingleses de propiciar una sublevación de esclavos en la isla, para luego obtener su independencia o posible anexión a Inglaterra. Acusado por el poeta

Plácido –Gabriel de la Concepción Valdés, fusilado en 1844– de participar en la conspiración, su mayor defensor fue el poeta Francisco Manzano, antiguo esclavo que debía su libertad a las gestiones y colectas organizadas por Del Monte. Manzano negó obstinadamente cualquier conexión de su benefactor con los presuntos conspiradores. Del Monte, nunca acusado formalmente, fue exonerado de todo cargo, pero jamás volvió a Cuba. Vivió el resto de su vida entre París y Madrid, en casas montadas con todo lujo, donde celebró reuniones y tertulias que remedaban las que realizó en Matanzas y La Habana. En aquellas tertulias, según Nicolás Azcárate, «Del Monte me hablaba de Heredia en el concepto de un delirante, y creo que alguna vez desatendió invitaciones del conspirador, y aun procuró disuadirle de algunos de sus planes»... Sin que nunca se supiera de modo definitivo su papel en la llamada Conspiración de la Escalera, Domingo del Monte murió en Madrid, en 1853.

En las cataratas del Niágara, como homenaje a su gran cantor, ha sido colocada una placa de bronce con los versos de la famosa oda. En Toluca, existe una estatua de José María Heredia. En 1902, al proclamarse la independencia de la isla, la calle de Santiago de Cuba donde nació Heredia fue definitivamente bautizada con su nombre y muchos lo consideraron el Poeta Nacional. A dos siglos de su nacimiento su poesía sigue siendo estimada como la primera gran clarinada de la cubanía literaria y del romanticismo hispanoamericano, y poemas suyos como la oda «Niágara», «En el teocalli de Cholula», «Himno del desterrado» y «La estrella de Cuba» son estudiados como los más altos ejemplos de la naciente lírica del país, y citados por especialistas y lectores. Sus versos patrióticos hacen de José María Heredia el primer gran poeta civil de Cuba y el gran romántico de América, como lo reconoció José Martí, al evocar la memoria del poeta muerto en la miseria y el olvido.

Mantilla, 1 de enero de 1999-23 de junio del 2001

Últimos títulos